PLUS GRANDS QUE L'AMOUR

DU MÊME AUTEUR

Chez le même éditeur :

LA CITÉ DE LA JOIE
LES HÉROS DE LA CITÉ DE LA JOIE

Avec la collaboration de Larry Collins :

PARIS BRÛLE-T-IL ?
...OU TU PORTERAS MON DEUIL
Ô JÉRUSALEM
CETTE NUIT LA LIBERTÉ
LE CINQUIÈME CAVALIER

Chez d'autres éditeurs :

UN DOLLAR LES MILLE KILOMÈTRES (Grasset)
LUNE DE MIEL AUTOUR DE LA TERRE (Grasset)
EN LIBERTÉ SUR LES ROUTES D'U.R.S.S. (Grasset)
RUSSIE PORTES OUVERTES (Éditions Vie, Lausanne)
CHESSMAN M'A DIT... (Del Duca)

Avec la collaboration de Stéphane Groueff :

LES CAÏDS DE NEW YORK (Julliard)

DOMINIQUE LAPIERRE

PLUS GRANDS QUE QUE L'AMOUR

*Seule la vertu donne un bon karma
et la plus grande des vertus est la compassion.*
Bouddha

ÉDITIONS ROBERT LAFFONT
PARIS

A Alvin, Ananda, Annie, Bandona, Barbara, Burt, Charles, Christine, Claude, Daniel, Danielle, David, Ellen, Flossie, Françoise, Frédéric, Gloria, Harold, Isabelle, Jack, Jacques, Jacqueline, Jean-Claude, James, Joël, Josef, Joseph, Luc, Marcus, Marie-Noëlle, Martha, Marty, Mathilde, Michael, Mikulas, Pascal, Paul, Peng, Philippe, Pierre, Poumette, Prem, Richard, Robert, Ron, Samuel, Sonia, Sugar, Teresa, Terry, Willy... et à tous ceux, chercheurs, malades et soignants, connus ou anonymes, qui affrontent chaque jour la maladie et la souffrance et se montrent **encore plus grands que l'amour.**

AVERTISSEMENT AU LECTEUR

Bien que ce livre soit le fruit d'une longue et minutieuse enquête, il ne prétend pas retracer *tous* les événements de la prodigieuse épopée humaine et scientifique qui se déroula, entre 1980 et 1986, à l'occasion de la découverte du virus responsable du sida et de l'invention du premier médicament efficace contre le mal.

Certains malades et les sœurs de Mère Teresa dont je parle dans ce récit m'ayant demandé de respecter leur anonymat, j'ai modifié leur identité et certains détails les concernant.

Il ne m'était pas possible de parler de tous ceux qui ont joué un rôle au cours de ces années dramatiques. Je souhaite que ce livre leur rende également hommage, ainsi qu'à tous ceux qui œuvrent chaque jour pour trouver le moyen de protéger les hommes de ce fléau.

D. L.

PREMIÈRE PARTIE

Ils l'appelèrent
« la colère de Dieu »

1

Bénarès, Inde – Automne 1980
Une frêle silhouette sur les rives de l'immortalité

C'était là. Dans ce décor de feu, de fumée, de mort. Dans cette puanteur de chair grillée, au cœur du ballet des civières de bambous portant les défunts, dans le crépitement strident des flammes dévorant les corps. Oui, c'était là, dans l'eau putride à quelques brasses de la rive infernale, parmi les cadavres flottants de chiens et de rats, et parfois d'hommes trop pauvres ou trop saints pour être brûlés, qu'apparaissait, à demi immergée, sa frêle silhouette. Avec ses grands yeux ourlés de khôl, son anneau scintillant à l'aile du nez, ses nattes nouées par des rubans, sa chemisette jaune vif que le Gange collait à sa peau, l'Indienne Ananda, treize ans, semblait un bouquet de fleurs offert aux dieux du fleuve sacré. Son nom signifiait « la Joie », mais le surnom qui lui avait été donné n'évoquait aucune idée de félicité. On l'appelait « la petite charognarde du Gange ». Son terrain de chasse était la vase du grand canal purificateur au bord duquel les hindous espèrent, à leur mort, échapper dans les flammes au cycle des renaissances et trouver ainsi la délivrance éternelle. Assistée de ses deux jeunes frères, Ananda passait ses journées à fouiller le limon pestilentiel à la recherche de quelque trésor mêlé aux cendres des défunts, une bague, un pendentif à demi fondu, une dent en or, ou simplement quelques morceaux de bois calciné.

Du haut de la véranda du temple qui dominait la rive, le père de la jeune fille surveillait la pêche miraculeuse. Ranjit Chowdhury, quarante et un ans, était un petit homme à l'air triste et aux cheveux luisants d'huile de moutarde. Des générations de Chowdhury s'étaient accroupies avant lui sur le coussin de soie brodé de fils d'or qui lui servait de trône. Devant lui se dressait le symbole de son rang et de son pouvoir dans la cité, un petit autel en forme de vasque où rougeoyaient les braises du feu sacrificiel dont il était le gardien. En contrebas de ce foyer et des piliers du temple sculptés de divinités s'étalaient les bûchers funéraires de la ville sainte de Bénarès. Le père d'Ananda était l'exécuteur des pompes qui préparaient les hindous à l'immortalité, le grand ordonnateur de la crémation des cadavres. Du fait de ce commerce, lui et les siens appartenaient à la caste des *dom*, la plus basse, la plus impure de la hiérarchie hindoue. Leur naissance est considérée si infâme qu'à leur mort ils n'ont pas le droit d'être réduits en cendres sur l'un de leurs bûchers. Ils sont emportés très loin, en dehors de la ville, là où l'on brûle les intouchables.

Jour et nuit, des civières de bambous apportaient des défunts enveloppés de blanc ou de rouge pour leur crémation sur les bûchers que préparaient les domestiques brûleurs de cadavres au service du père d'Ananda. Apparemment insensibles au macabre spectacle et à l'odeur de chair grillée, des gens allaient et venaient de brasier en brasier. Sur les escaliers, des barbiers rasaient avec soin la tête des parents des morts, des familles chantaient des *mantra*, des brahmanes ventripotents discutaient le prix de leurs services sacerdotaux. Des vaches, des chèvres, des ânes broutaient les guirlandes de fleurs sur les litières mortuaires, des chiens couleur de cendre exhumaient les ossements échappés aux incinérations, des milans noirs piquaient du ciel pour happer au passage quelque débris humain.

Ananda et sa famille habitaient une vaste demeure attenante au palais du maharaja de Jaipur. Elle surplombait le

Gange. Peints en jaune et noir, les deux tigres de pierre qui ornaient la balustrade de sa terrasse semblaient narguer les deux lions de marbre qui décoraient celle du palais royal mitoyen. On racontait que le maharaja exaspéré par ce défi avait un jour voulu faire expulser ses impurs voisins. Devant le tribunal, l'aïeul d'Ananda avait rétorqué à l'auguste prince : « Altesse, ne sommes-nous pas tous deux des rois ? Vous, vous êtes le roi de la Vie, moi le roi de la Mort ! » Le maharaja de Jaipur fut débouté. Le brûleur de cadavres avait gagné. Il aurait désormais droit au titre de « Dom Raja ».

Suivant la tradition indienne, la maison d'Ananda abritait également ses grands-parents, ses oncles et leurs familles, en tout une trentaine de personnes qui vivaient des revenus des crémations. Pour accéder aux nombreuses pièces, il fallait cheminer dans un enchevêtrement d'escaliers et de cours intérieures. Un ancêtre éloigné avait fait édifier au centre de la terrasse un temple familial tapissé de carreaux blancs et bleus dédié au dieu Râma. Jamais sa grille ne s'ouvrait. La famille du Dom Raja ne pouvait prier que de l'extérieur du sanctuaire : en Inde, les intouchables ont l'interdiction d'approcher les dieux. Ils peuvent seulement faire sonner la cloche pour les avertir de leur présence.

Dans l'une des cours vivait un bouc. Une fois par an, pour la fête de Sayr Devi, l'une des déesses des intouchables, le père d'Ananda l'engageait dans un combat sans merci contre d'autres boucs. Si l'animal sortait vainqueur, il l'offrait en sacrifice à la divinité. Les autres cours étaient encombrées de monceaux de bambous qui servaient à la confection des litières mortuaires, et de bûches de santal destinées aux crémations des riches. Car le père d'Ananda devait pourvoir à tous les besoins qu'exigeaient ses fonctions. La vente du santal constituait un revenu appréciable. Selon la taille du défunt, il fallait compter entre sept et onze *mound* de combustible, soit près de deux cent cinquante à quatre cents kilos de bois, ce qui représentait une dépense d'environ quatre cents roupies, l'équivalent de deux cents francs. Peu de gens disposaient d'une telle somme. Les autres s'entendaient avec le *dom* pour une crémation réduite et l'on éparpillait dans le Gange les restes du corps qui n'avaient pu être consumés faute d'un feu suffisant.

Le père et les oncles d'Ananda se relayaient à tour de rôle pour la garde du feu sacrificiel. L'entreprise familiale travaillait jour et nuit. Elle employait une trentaine de coolies et de préposés aux bûchers dont les flammes ne s'éteignaient jamais. L'accroissement ininterrompu de la population indienne se traduisait par un afflux toujours plus grand de vieillards qui, sentant leur fin prochaine, venaient à Bénarès pour y mourir. Il en résultait de fréquents embouteillages de cortèges mortuaires dans la ruelle menant au petit guichet municipal où les parents devaient obligatoirement déclarer l'état civil du disparu et la cause de son décès. Cette activité faisait la fortune des nombreuses échoppes spécialisées, le long du parcours, dans la vente de linceuls, de guirlandes, de poudre de santal et autres articles funéraires. Certaines boutiques proposaient de somptueuses soieries brodées de fils d'or, luxe que seuls les riches pouvaient offrir à leurs morts. De temps à autre, on apercevait, au-dessus de la foule engorgeant la ruelle, une litière ornée d'un dais couvert de fleurs. Un vieillard vêtu d'une robe couleur orange y reposait en position assise. Les porteurs ponctuaient leurs *mantra* de coups de gong. Ces défunts n'étaient pas des clients du père d'Ananda. C'étaient des *sâdhu*, de saints hommes déjà libérés du cycle des réincarnations. On les offrait au Gange sans les brûler.

★

La grand-mère d'Ananda était une vieille femme ratatinée vêtue du sari de coton blanc des veuves. Chaque matin, après ses ablutions, elle venait se recueillir devant le portrait de feu son mari qui trônait sur le mur de la pièce commune, au milieu d'une collection de gravures évoquant des scènes du *Râmâyana*, la célèbre légende épique de l'hindouisme. La photo jaunie montrait un superbe vieillard à barbe blanche, coiffé d'un turban rouge. Exceptée la minuscule étoffe qui lui cachait le sexe, il était entièrement nu. On vantait souvent dans la famille les exploits de ce singulier personnage. Outre son occupation de brûleur de cadavres, il était réputé à Bénarès pour ses exhibitions d'athlète et de fakir. Tantôt il soulevait d'énormes blocs de pierre, tantôt il restait couché des heures durant sur une planche hérissée de clous. Mais c'était dans l'exercice de ses fonctions professionnelles qu'il avait gagné son principal titre de gloire. Apprenant par la radio, le 30 janvier 1948, que le père de la nation, le mahatma Gandhi, venait d'être assassiné à New Delhi, il s'était précipité dans le premier train vers la capitale. Pour tout bagage, il avait emporté une urne remplie de braises : ainsi le bûcher funéraire de la « Grande Âme » de l'Inde pourrait être enflammé par le feu sacré de Bénarès.

La mère d'Ananda était une femme frêle dont le visage grêlé portait le souvenir de la variole qui avait failli l'emporter tout enfant. Son autorité était indiscutée car c'était elle qui tenait les cordons de la bourse. Chaque soir, son mari lui remettait docilement le produit des crémations qu'elle enfermait dans un coffre dont on disait qu'elle était la seule à posséder la clef du cadenas. C'était à elle qu'Ananda et ses deux frères devaient apporter la récolte de leurs fouilles dans le Gange. Elle n'avait pas son égale pour apprécier le poids d'une dent en or, la valeur d'un fragment de bijou. Le plus souvent, elle accueillait ses enfants par une réprimande. « Notre pêche n'était jamais assez fructueuse, racontera Ananda. Pauvre mère! Elle savait pourtant que les gens ne laissaient presque plus jamais d'ornements sur leurs morts. L'or et l'argent étaient devenus si coûteux! »

★

La fille du brûleur de cadavres venait, cet automne-là, d'atteindre l'âge de la puberté. À l'annonce de l'événement, son père se hâta d'accomplir la mission la plus sacrée dévolue à un père indien : lui trouver un époux. À vrai dire, les parents d'Ananda songeaient à son mariage depuis sa naissance. Dans ce but, sa mère l'avait initiée à toutes les tâches domestiques, même les plus pénibles. Pour elle, il n'y avait eu ni jeux ni école, mais seulement la garde de ses frères, les corvées d'eau, les lessives, le ménage, et bien sûr la récupération des bijoux et du bois dans le Gange.

Plusieurs messieurs débarquèrent bientôt chez le Dom Raja pour tenir avec lui de mystérieux conciliabules. « Ma mère confirma mes soupçons, dira Ananda. Ces visiteurs étaient des envoyés de la famille du mari auquel me destinait mon père. Ils venaient discuter les conditions financières de mon mariage. Chez nous, en Inde, ces négociations sont ardues et interminables. Je ne parvenais pas à entendre ce qui se disait sous le gros ventilateur à pales de la pièce où mon père et ses interlocuteurs s'étaient enfermés. Les tractations ne devaient pas être faciles. De fréquents éclats de voix perçaient à tous moments les murs. »

Un jour, les visiteurs se présentèrent accompagnés d'un homme en *dhoti* blanc qui portait des rouleaux de papier sous le bras. C'était un *joshî*, un astrologue venu pour étudier avec le père d'Ananda et ses hôtes les cartes du ciel afin de positionner les planètes et dire si la conjonction des astres à la naissance de la jeune fille était conciliable avec celle du garçon qu'on lui avait choisi. L'examen s'étant révélé positif, le *joshî* indiqua le jour et l'heure les plus propices pour l'union projetée. Ananda n'avait eu ni le loisir ni le droit d'émettre son avis. Elle n'avait même pas entr'aperçu celui qui allait devenir son époux. C'était là le sort des jeunes filles indiennes.

★

Quatorze jours avant ses noces, alors que son père faisait porter à sa future belle-famille les cadeaux de la dot, que des ouvriers étaient déjà en train de construire le dais en bambou drapé de mousseline qui allait abriter la cérémonie, la jeune fille remarqua sur sa joue, juste à côté de l'anneau d'or incrusté dans l'aile de son nez, une tache claire légèrement saillante, de la taille d'un pois chiche. Du bout du doigt, elle palpa l'endroit et constata avec étonnement qu'il était insensible au toucher. Ni la pression de l'ongle ni la piqûre d'une épingle ne faisaient naître la moindre sensation sur ce coin de son visage. On aurait dit que la vie avait déserté cet espace de sa chair.

« La petite charognarde du Gange » n'éprouva pourtant aucune appréhension. Elle avait l'habitude. Depuis qu'elle passait la moitié de son existence dans ses eaux putrides, le grand fleuve purificateur n'avait guère ménagé son épiderme. Boutons, pustules, furoncles boursouflaient en permanence quelque partie de son corps. Son étonnante résistance avait toujours triomphé de ces agressions. Elles disparaissaient en deux ou trois jours.

Cette insolite souillure insensible au toucher persistant plus longtemps que d'ordinaire, elle la montra à sa mère. Celle-ci l'envoya chercher un *quack*, un de ces guérisseurs des rues dont les décoctions et les onguents aux plantes prétendent guérir les maux les plus rebelles. Le vieil Indien examina la joue de la fillette.

— Il n'existe pas de pommade pour cette maladie-là, murmura-t-il. C'est la lèpre.

2

Los Angeles, USA – Automne 1980
Des souris et leur bourreau

Chacune de ses journées commençait par un rendez-vous d'amour. À peine arrivé dans son étroit laboratoire à l'université de Californie de Los Angeles, le docteur Michael S. Gottlieb, trente-deux ans, un placide géant aux cheveux frisés et à la moustache blonde, exhuma de son attaché-case les friandises destinées chaque matin aux compagnes qui partageaient depuis des années ses espoirs et ses frustrations de chercheur. Avec des gestes lents, presque religieusement, il découpa les pommes de terre en fines rondelles pour les offrir à ses souris. Michael Gottlieb en possédait plus de deux cent cinquante, toutes des femelles, toutes brunes et si grasses qu'on aurait cru de petits rats. Il les appelait ses « princesses ». Elles appartenaient à l'aristocratie de l'espèce, la fameuse lignée C3H, produit sans défaut de plusieurs générations de sélection génétique, des souris si intelligentes, si coopératives, si faciles à manipuler qu'elles inspiraient l'amour et le respect.

Et pourtant, chaque jour, Michael Gottlieb martyrisait, mutilait, massacrait quelques-uns de ces attachants mammifères objets de ses tendres attentions matinales. Il bombardait de rayons mortels leur rate, leur moelle, leur thymus, leurs ganglions, ces organes qui, chez la souris comme chez l'homme, fabriquent ou stockent les cellules chargées de protéger le corps contre les agressions extérieures. Appelées globules blancs ou lymphocytes, ces cellules sont les soldats gardiens de l'organisme. Elles se mobilisent dès qu'apparaît un agent étranger, qu'il s'agisse d'un microbe ou d'un virus, mais aussi d'un greffon implanté pour remplacer un organe défaillant. En infligeant de tels supplices à ses souris pour détruire leur système immunitaire, Michael Gottlieb cherchait à découvrir comment neutraliser à coup sûr chez l'homme les phénomènes de rejet qui rendaient encore si aléatoires les greffes d'organes.

★

Sa spécialité, l'immunologie, était l'étude du problème majeur de l'homme : sa capacité à se défendre contre les ennemis sournois et invisibles qui menacent son corps en permanence. En plein essor en ce début des années 80, cette discipline n'était pourtant pas totalement nouvelle. Depuis deux siècles déjà, on savait grâce à l'inventeur de la vaccination Edward Jenner, grâce à Louis Pasteur, Robert Koch et tant d'autres savants, que le corps humain est doué du pouvoir de se protéger lui-même. Mais les mécanismes commandant et contrôlant ce système de protection s'avéraient si sophistiqués, si complexes, qu'il avait fallu attendre la naissance de l'immunologie cellulaire dans la dernière moitié du XXe siècle pour commencer à en percer les secrets. Les instruments de cette conquête s'apparentaient davantage à l'art culinaire qu'à la science pure. C'est en effet en trouvant le moyen de faire pousser les cellules en laboratoire, de les cultiver, de les maintenir en vie, que les immunologistes avaient ouvert dans les années 60 des champs d'investigation insoupçonnés.

Pour un jeune médecin ambitieux brûlant d'apporter sa contribution à l'édifice scientifique de cette fin de siècle, quelles perspectives ! « Ce qui me fascinait dans l'immunologie, reconnaîtra Michael Gottlieb, c'était la nature même de son terrain d'expérimentation. Comme la sociologie permet de comprendre les ramifications politiques et sociales d'une culture, l'immunologie fournit les clefs d'un système. Un système qui a sa logique, ses lois, ses défaillances, ses succès. Un système que l'on peut apprendre à manipuler, contrôler, modifier. Non plus à l'aveuglette comme cela se pratiquait, mais avec des raffinements d'orfèvre, en écoutant la musique des cellules, en déchiffrant leurs dialogues, en assimilant la mécanique de leurs rapports. Et tout au bout de cette prospection : un rêve. Notre rêve à nous, médecins : prolonger la vie. »

★

La route vers ce rêve s'était ouverte à lui douze années plus tôt avec la venue d'un hôte inattendu au foyer familial. « Il s'agissait d'un chat, racontera Michael Gottlieb, un superbe matou de gouttière prénommé Tabis. Ma mère l'avait ramassé dans la rue de la petite ville du New Jersey où mon père était professeur d'éducation physique. À peine Tabis a-t-il commencé à prendre ses quartiers et à ronronner sous notre toit que ma tête enfla comme une citrouille. Je me mis à pleurer, à me moucher, à éternuer. Aucun doute, j'étais allergique à Tabis. Consternée, ma mère voulut jeter l'animal à la rue, mais je l'en empêchai. Dans ma grosse tête de citrouille une interrogation venait de germer. Pouvait-on maîtriser une allergie, ne plus en subir les méfaits sans en supprimer la cause ? Dans mon cas, sans nous séparer du chat Tabis ? »

Il faudra à Michael Gottlieb trois mois de souffrances, de sinus bloqués, de crises d'éternuements, d'orbites gonflées, d'éruptions cutanées, pour en avoir le cœur net. La réponse était oui. « Contrairement à la plupart des allergies qui s'aggravent en présence de la source du mal, mon organisme avait fini par se désensibiliser au contact de notre chat, expliquera-t-il. En d'autres termes, mon corps s'était auto-immunisé, ou mieux encore autovacciné. »

Telle fut la première rencontre du futur chercheur avec l'immunologie. « Une rencontre qui allait décider de ma carrière, dira-t-il. Pourquoi avais-je été le seul de ma famille à souffrir de la présence de notre chat ? Pourquoi moi et pas les autres ? » Questions si intrigantes que le jeune Michael s'était bientôt trouvé sur les bancs de la faculté de médecine de Rochester.

À défaut de réponse, il découvrira l'amour dans le cadre peu romantique des flacons et des éprouvettes d'un laboratoire. Avec ses taches de rousseur, son nez retroussé et son air espiègle, la blonde Cynthia ressemblait un peu à l'actrice Katharine Hepburn. Elle préparait un diplôme d'hématologie en vue de se spécialiser dans le domaine des transfusions sanguines.

Si leur passion commune les avait tout naturellement réunis autour de leurs microscopes, ce n'était pas pour les mêmes raisons. L'intérêt de Cynthia se cristallisait sur les vecteurs de la vie, ces millions de corpuscules sphériques, les globules rouges, qui apportent aux tissus l'oxygène qu'ils vont recueillir dans les poumons. « Depuis que le pathologiste Karl Landsteiner avait, en 1920, obtenu le prix Nobel pour sa découverte des groupes sanguins, on savait à peu près tout des globules rouges. Voilà pourquoi ces cellules me paraissaient tellement intéressantes, dira Cynthia. Avec elles, je me sentais la maîtresse du jeu. Elles ne risquaient pas de me trahir, de me jouer des tours, de mettre en défaut mes connaissances. Les globules rouges étaient des bons partenaires, ni trop remuants ni trop compliqués. »

La fascination de Michael Gottlieb s'exerçait au contraire sur l'autre composant du sang, sur les globules blancs, ces prodigieuses usines chimiques, ces gardiens de l'organisme dont les défaillances sont responsables de tant de désordres mortels. Il essaya de convaincre Cynthia de le suivre et de l'aider dans ses travaux. « C'est là que doit se mobiliser la recherche, lui expliquai-je. L'étude des lymphocytes est le sujet prioritaire, l'enjeu de tous les futurs prix Nobel. Mais tous mes efforts pour décider Cynthia à laisser tomber ses globules rouges en faveur de mes globules blancs échouèrent. »

Les deux laborantins réussiront pourtant à trouver un terrain d'entente. Devenue Madame Michael Gottlieb, Cynthia obtiendra son diplôme et trouvera un emploi dans une banque du sang. La championne des globules rouges offrait ainsi au champion des globules blancs la possibilité de poursuivre ses études, de devenir docteur en médecine, de choisir enfin une spécialité. Contre toute attente, son choix se fixa sur la chirurgie cardiaque, balayant ce qu'il semblait avoir toujours chéri : la recherche.

« J'étais subitement devenu allergique à l'abstraction glaciale des laboratoires, à leur inhumanité, à leurs éprouvettes, leurs tubes à essai, leurs centrifugeuses, leurs ordinateurs, leur matériel semblant sortir de films de science-fiction, racontera Michael Gottlieb. Certes, c'est dans les laboratoires que s'élabore la connaissance, mais j'avais envie d'écouter des malades, de soulager des souffrances, de guérir, de sauver des vies. Je voulais être médecin. » Cette ambition conduira l'étudiant dans les blocs opératoires de chirurgie cardiaque de l'hôpital de son université. « C'était grisant, je nouais des liens de sympathie avec un patient et, brusquement, au bout de mon scalpel, j'apercevais son cœur qu'il fallait brancher sur une machine afin de permettre au patron de le réparer. La chirurgie fut pour moi une école d'excellence, de perfection technique, qui repoussait chaque jour les frontières de l'impossible. Quelle branche de la médecine pouvait se vanter de sauver autant de vies ? »

Deux ans plus tard, une bourse de recherche à l'université californienne de Stanford dans le service du professeur Henry Kaplan, l'un des spécialistes mondiaux du traitement des leucémies, allait permettre au jeune chirurgien de revenir à ses premières amours en retrouvant ses complices d'autrefois, les globules blancs. C'est là qu'il enregistra son premier échec scientifique avec la mort d'une jeune paysanne leucémique de l'Iowa sur laquelle il avait pratiqué une greffe de moelle osseuse mise au point sur ses souris. « Ce fut un choc terrible, se souviendra-t-il, mais surtout une sévère mise en garde contre la tentation d'appliquer des thérapeutiques insuffisamment vérifiées. Et pourtant, malgré ma frustration et ma tristesse, je continuais de ressentir comme une sorte d'orgueil. L'orgueil de travailler à l'extrême pointe de la biologie humaine, à la charnière de tous les grands problèmes, les cancers, les leucémies, les désordres cellulaires inexpliqués. Cette conscience de faire partie des pionniers m'aida à surmonter mon découragement. Il fallait tout remettre à plat sur la planche à dessin et repartir à zéro. Il me restait tant à apprendre ! »

★

C'est précisément pour apprendre encore et toujours que Michael Gottlieb sollicitera, en juin 1980, un poste de chercheur et de clinicien à UCLA, l'université de Californie de Los Angeles où travaillait un des spécialistes des greffes de la moelle osseuse, le jeune professeur Robert Gale, l'homme qui viendra au secours des Soviétiques pour essayer de sauver les irradiés du désastre nucléaire de Tchernobyl. En cet automne 1980, les travaux des chercheurs de UCLA constituaient un prestigieux pôle d'attraction. Pour le seul exercice 1980-1981, quelque six cents scientifiques s'y partageront un pactole de cent trente millions de dollars, mirifique subvention accordée pour des travaux sur le cerveau, les yeux, les affections cardio-vasculaires, les maladies infantiles ; pour des recherches sur les mystères du cancer et des désordres immunologiques ; pour le perfectionnement des techniques du diagnostic ; mais aussi pour toute une série de travaux permettant à la chimie, à l'informatique et au nucléaire de se mobiliser en vue de nouveaux traitements révolutionnaires. Déjà, en ce même automne, deux chercheurs de UCLA venaient de tenter la première expérience de thérapie génétique sur l'homme en injectant des gènes humains à des malades souffrant d'anémie mortelle. Ce même automne encore, l'équipe de Robert Gale annonçait que ses travaux sur les greffes de la moelle osseuse laissaient espérer une survie pouvant aller jusqu'à soixante pour cent dans des leucémies hier fatales chez la quasi-totalité des victimes adultes.

★

Ce matin-là, après avoir éparpillé dans les cages ses rondelles de pommes de terre, Michael Gottlieb s'apprêtait à soumettre un lot de ses souris à un nouvel épisode du programme d'expériences fixé par le professeur Gale, programme prévoyant leur sacrifice dans un essai d'irradiation massive après avoir pratiqué l'ablation de leur rate. Interrogé sur les sévices qu'il faisait subir à ses chères souris, il répondra : « La conviction que ces souffrances serviraient un jour à l'homme m'épargnait des états d'âme douloureux. »

Un coup frappé à la porte allait offrir à ses souris un sursis inattendu. Michael Gottlieb vit le visage joyeux de son confrère Howard M. Schanker s'encadrer dans la porte du minuscule laboratoire. Howard Schanker, vingt-six ans, interne en médecine, était lui aussi originaire de la côte Est. Il avait obtenu une bourse pour venir suivre à UCLA un stage sur le traitement des allergies. Dirigé par Michael Gottlieb, ce stage comportait des travaux pratiques dans les différents services de l'hôpital de l'université où l'on traitait des malades souffrant de troubles immunitaires. Il n'y avait personne comme ce New-Yorkais pour aller fouiner dans les six étages de l'énorme bâtiment dans l'espoir de dénicher un mal sortant de l'ordinaire.

— Dis donc, Mike! lança-t-il avec la conviction de celui qui veut vraiment capter l'attention de son interlocuteur. Je crois que je viens de découvrir au cinquième un cas intéressant. Les collègues du service ont l'air de nager en plein cirage. Ils ont sur les bras un type d'une trentaine d'années. Ils lui ont trouvé une éruption de champignons dans l'œsophage. Il n'a presque plus de globules blancs. On dirait qu'il a perdu toutes ses défenses immunitaires. Ça a vraiment l'air d'un truc pour toi. Tu devrais aller voir. Chambre 516.

Michael Gottlieb enfila sa blouse blanche. Il était environ neuf heures du matin le lundi 6 octobre 1980. L'aventure médicale la plus spectaculaire des temps modernes venait de commencer.

3

Latroun, Israël – Automne 1980
La douloureuse métamorphose du guérillero

Comme chaque nuit, la cloche de l'abbaye des Sept-Douleurs de Latroun, sur la route de Tel-Aviv à Jérusalem, appelait la communauté à la prière. Depuis le 31 octobre 1890, date à laquelle dix-sept religieux français avaient atteint la vallée biblique d'Ayalon pour y fonder un monastère, le sommeil des trappistes y était régulièrement interrompu par cette carillonnante invitation nocturne. Quittant le dortoir vêtus de leur tunique blanche, tête rasée couverte d'un capuchon noir, les moines descendaient en chantant vers le chœur de l'église que leurs anciens avaient édifiée de leurs mains. Leurs voix répétaient dans le silence de la nuit : « Nous voici, ô Seigneur, qui venons Te glorifier. »

Semblable louange s'élevait chaque nuit dans les monastères et carmels dispersés aux quatre coins de la terre, partout où des hommes et des femmes avaient renoncé aux tumultes du monde pour se vouer dans la solitude à l'adoration de Dieu. La recherche d'une perfection personnelle et le salut de leur âme inspiraient moins la vocation de ces chrétiens d'élite que l'appel du Christ à ses apôtres : « Priez pour le salut de l'humanité, mon Père vous exaucera. »

Peu de communautés religieuses se trouvaient situées dans un lieu aussi menacé que celui où s'érigeait l'abbaye des Sept-Douleurs de Latroun. En moins de trente ans, les paisibles champs de blé et les vignobles qui l'entouraient d'une couronne de prospérité avaient vu tomber, au cours des trois guerres qui avaient opposé le jeune État d'Israël à ses voisins, plusieurs milliers de combattants juifs et arabes. Cette tradition de feu et de sang remontait à la plus haute antiquité biblique. C'était là, dans cette vallée devant les murs de l'abbaye que, trois mille ans plus tôt, Josué avait arrêté le soleil pour parfaire sa victoire sur les Cananéens. C'était là que Samson avait incendié les moissons des Philistins et que les soldats d'Hérode le Grand avaient défait les ennemis de l'Empire. Ce fut là que plus tard, en se forçant un passage vers Jérusalem, viendraient périr les croisés de Richard Cœur de Lion, les fanatiques de Saladin, les janissaires du sultan de Constantinople, les Gurkhas et les Écossais du général Allenby.

L'origine des membres de la petite communauté reflétait parfaitement ce turbulent héritage. Aux côtés du père abbé, un Français venu de sa Bourgogne natale voici plus d'un demi-siècle, un homme à la bonne face ronde, se trouvaient un Italien, un Irakien de souche grecque, un Maltais, un copte égyptien converti au rite romain, un fils de notable palestinien de Jérusalem, plusieurs maronites libanais. Le plus jeune moine et le dernier arrivé était une sorte d'archange de vingt-cinq ans, grand, fin, mince comme une lame.

Fils aîné d'un riche commerçant maronite qui représentait les automobiles Ford à Beyrouth, frère Philippe Malouf avait connu tous les luxes d'une adolescence dorée. Après de faciles études d'économie à l'Université américaine, il s'était fiancé à une jeune fille de la grande bourgeoisie d'affaires. Les fées s'étaient montrées plutôt généreuses envers ce jeune homme gâté, vivant dans un pays paisible et sans histoires. Le hasard voulut que tombe entre ses mains une biographie de Charles de Foucauld, ce débauché de la haute société provinciale française soudain touché par la grâce et devenu un ascète dans les sables du Sahara. Plus qu'une révélation, l'ouvrage fut pour Philippe Malouf l'éveil d'une vocation religieuse jusqu'alors assoupie. Il quitta la demeure familiale sur les hauteurs de Beyrouth pour l'austère dortoir du séminaire de Bkerké près de Notre-Dame-du-Liban. La guerre civile allait bientôt arracher les pieux séminaristes à l'étude des mystères théologiques et des dogmes de la foi. Comme des centaines de leurs compatriotes, ils se retrouvèrent mobilisés dans les rangs des Kataïebs, les Phalanges chrétiennes. Après quelques semaines d'entraînement dans un camp, Philippe Malouf et ses camarades avaient été envoyés au secours des villages chrétiens de la montagne du Chouf menacés d'extermination par leurs voisins druzes. Le courage de ces phalangistes imberbes n'avait pu compenser leur inexpérience militaire. Des villages entiers avaient été anéantis, leurs populations égorgées, les survivants traqués dans la montagne. Le cauchemar avait duré des semaines. Pour le camp chrétien, la leçon avait été si terrible que ses chefs n'avaient pas hésité à accepter une offre insolite de l'armée d'Israël.

C'est ainsi que Philippe Malouf s'était retrouvé au large de Beyrouth par une nuit sans lune, sur le yacht d'un milliardaire libanais naviguant tous feux éteints vers la vedette israélienne venue le chercher avec ses camarades. Trois heures plus tard, les marins juifs débarquaient à Haïfa leurs « invités » arabes. Des autocars les conduisirent à leur destination : un camp d'entraînement.

Installé au pied des collines de Judée, dans une vaste pinède à l'abri des regards, le centre de Beit Mahsir pouvait accueillir une cinquantaine de recrues. Bien que rudimentaires, ses équipements permettaient une formation militaire complète, notamment pour les opérations de lutte antiterroriste. Des techniciens de la guérilla parlant l'arabe encadraient les sous-officiers israéliens chargés de l'instruction. L'action psychologique faisait aussi partie du programme. Soucieux de transformer leurs visiteurs en admirateurs d'Israël, les organisateurs avaient agrémenté leur stage de la projection de films sur l'action humanitaire de l'État juif dans les territoires arabes occupés et dans différents pays du Tiers Monde. Des conférences politiques et culturelles données par d'éminents professeurs de l'Université hébraïque de Jérusalem complétaient le programme. Mais aucun déplacement, aucune excursion hors du camp n'étaient permis aux jeunes Libanais, sauf pour assister au culte dominical dans l'église chrétienne la plus proche.

Philippe Malouf se souviendra longtemps de sa première visite à l'abbaye des Sept-Douleurs de Latroun. « Quel choc, quel émerveillement de pénétrer dans ce lieu de foi et de paix à moins de cinq kilomètres des baraquements où l'on nous enseignait à tuer et à détruire. Dans ces murs, tout paraissait n'être que joie et béatitude. Les chants des moines, monocordes et répétitifs, semblaient monter vers les voûtes de l'église comme une interminable offrande. Il y avait dans leurs alléluias tant de plénitude, tant de félicité que je me sentis comme hypnotisé. Je compris que c'était là que m'appelait le Christ, au cœur de cette Palestine qui avait été, voici presque deux mille ans, le décor de Sa vie, de Sa mort et de Sa résurrection. Oui, c'était bien là que ma vocation devait s'accomplir. »

★

Il fallut à Philippe Malouf plusieurs mois de démarches et d'attente pour obtenir le droit de revenir en Israël et de franchir pour toujours la grille du monastère. Cela faisait aujourd'hui près d'une année que le jeune novice en robe de bure et le crâne rasé vivait l'austère règle d'humilité, de pauvreté, de chasteté et d'obéissance édictée au VIᵉ siècle par saint Benoît. Une année d'un rude apprentissage, d'une lente et parfois douloureuse métamorphose pour faire de l'ex-guérillero des Phalanges libanaises un homme de silence et de prière uniquement tourné vers Dieu, « à la recherche des choses d'en haut ».

« Le plus difficile fut de m'accoutumer à la façon de prier des moines, dira-t-il. Pour moi, prier avait toujours été un acte solitaire et silencieux. À la trappe, c'était un acte pratiqué en commun et à voix haute. En écoutant mes frères psalmodier sans fin les mêmes hymnes, j'en vins à me poser la question sacrilège : ce rabâchage ne risque-t-il pas de transformer mes dévotions en une insipide ritournelle ? Un peu comme les moulins à prières des temples bouddhistes ? »

Philippe Malouf décida de se confier à son supérieur.

Après l'avoir longuement écouté, le père abbé lui répondit avec un sourire complice : « Je vais te donner un truc qu'un vieux moine m'a révélé quand je suis arrivé jeune novice à la trappe. À chaque office, pendant le chant des psaumes, empare-toi d'un verset. N'importe lequel. Par exemple : " Écoute, Seigneur, le cri des malheureux ", ou " Ô Dieu, donne à Tes fils la joie et l'espérance. " Tout en continuant de réciter la prière commune, accroche ta pensée à ces mots. Ressasse-les dans tous les sens, projette-les dans la mythologie biblique, imagine Jésus disant les mêmes paroles, puis les prophètes et des millions d'hommes avant toi. Cherche à quelles réalités d'aujourd'hui elles correspondent. Alors, tu verras, ta prière deviendra méditation. »

Bien d'autres interrogations allaient agiter l'esprit de l'apprenti moine sur son lent chemin vers la sérénité suprême. Ainsi, la réponse du Seigneur à l'inlassable prière de son monastère pour le salut de l'humanité. « Nous avions tous consacré nos vies à la prière. Nous aspirions tous à connaître ce que notre engagement permettait à Dieu d'accomplir sur cette terre, à pouvoir cueillir de temps à autre de petits signes de Sa bonté. Mais nous n'avions jamais la satisfaction de vérifier l'efficacité de nos efforts. C'était frustrant. »

Le souhait de Philippe Malouf allait être partiellement exaucé le jour où le père abbé lui confia la responsabilité de la vente du vin et des liqueurs produits par les vignobles du couvent. « Ce fut une occasion merveilleuse de retrouver un contact avec le monde extérieur, de renouer un dialogue et d'écouter les autres. Des dizaines de familles, des autocars de touristes faisaient halte chaque jour. En fin de semaine et les jours de fête, c'était l'affluence devant le portail de l'abbaye. Nos produits étaient réputés dans tout Israël et au-delà. La boutique ne désemplissait pas. Beaucoup de visiteurs demandaient à se promener dans l'orangeraie pour admirer, le long des allées, les sarcophages, les tronçons de colonnes romaines, les vestiges trouvés par les moines en défrichant ou en labourant les terres. »

★

Philippe Malouf reçut un jour deux jeunes Américains qui désiraient examiner l'ensemble des silex et des pierres taillées conservés dans une resserre aménagée en petit musée. L'un s'appelait Josef Stein, l'autre Sam Blum. Avec son collier de barbe brune qui rejoignait son épaisse chevelure bouclée, Josef Stein, vingt-huit ans, ressemblait à un prophète de la Bible. Originaire d'une cité industrielle de Pennsylvanie où ses parents tenaient une teinturerie, ce descendant d'immigrants polonais s'était installé en 1972 à San Francisco. Travaillant la nuit comme préposé au péage du fameux pont Golden Gate, il avait, le jour, suivi les cours du City College, puis ceux du département d'archéologie de l'université de San Francisco. Son diplôme en poche, il avait obtenu une bourse pour aller fouiller, avec une équipe de l'École américaine de Jérusalem, le site de la ville cananéenne de Gezer, situé à une dizaine de kilomètres de l'abbaye de Latroun. Dans les tranchées des dernières excavations il avait rencontré Sam Blum, un spécialiste des antiquités bibliques de l'université new-yorkaise de Columbia. Sam Blum, trente-deux ans, était le fils d'un rabbin de Brooklyn. Avec ses lunettes rondes cerclées de fer et son visage osseux tout en longueur, il ressemblait davantage à un anarchiste poseur de bombes qu'à un sauveteur de civilisations disparues.

Les deux Américains étaient revenus plusieurs fois à l'abbaye pour photographier et relever les croquis des pièces les plus remarquables du petit musée, notamment des haches, des couteaux et des racloirs vieux d'environ cent mille années. Leur curiosité ne se limitant pas aux objets préhistoriques, Philippe Malouf leur montra l'émouvant cimetière entouré de cyprès et d'asphodèles où reposaient à même la terre les hommes qui avaient achevé ici leur vie de prière.

Plus tard, alors que la maladie le clouera sur un lit d'hôpital new-yorkais, Josef Stein retrouvera avec une joie intense le souvenir de cette visite. « Aucun objet de fouille, aucun vestige archéologique, aucune pierre ne m'ont jamais ému autant que le spectacle de cette succession de prénoms gravés sur d'humbles croix de bois, se souviendra-t-il. Ce jour-là, j'ai compris ce qu'on appelle l'immortalité. »

4

Bénarès, Inde – Automne 1980
« Fille, le dieu t'a maudite. »

Un raz de marée du Gange n'aurait pas causé plus de boule-
versements dans l'univers du brûleur de cadavres de Bénarès
que l'annonce de la lèpre dans la chair de sa fille Ananda. À
l'abjection de la plus basse des naissances s'ajoutait maintenant
une nouvelle déchéance qui faisait des Chowdhury des êtres
humains deux fois impurs. Depuis la nuit des temps, l'Inde
frappait d'anathème ceux que pourrissait l'ignoble mal. Des
siècles avant que Moïse ne l'associât au péché, l'Antiquité à un
châtiment du Ciel, le Moyen Age à une mort civile, l'Asie qui
l'avait sans doute vu naître condamnait la lèpre à la foudre des
bien-portants. De même qu'autrefois en Europe on les obligeait
à se déplacer au son d'une crécelle, à brûler leurs vêtements, à
se claquemurer dans des mouroirs, l'Inde d'aujourd'hui traitait
toujours ses lépreux en parias. Aucun Indien sain de corps
n'osait pénétrer dans les sordides campements où ils se tenaient
à l'écart des villes et des villages. Aucun lépreux n'entrait dans
les maisons des non-lépreux. Ils étaient pourtant cinq millions
qui promenaient leurs plaies et leurs moignons à travers
l'immensité de ce pays.

De toutes les villes, la sainte cité de Bénarès était probablement celle qui en rassemblait le plus grand nombre. Pour les centaines de milliers de pèlerins qui accouraient au bord du Gange libérateur, faire l'aumône à ceux qu'ils considéraient comme les plus maudits des hommes était une occasion supplémentaire d'améliorer leur *karma*, c'est-à-dire leur solde créditeur pour les bonnes actions accomplies dans la vie présente et les existences antérieures. Les lépreux le savaient, qui tendaient leurs écuelles le long des escaliers descendant au fleuve, devant les plates-formes de prière, aux entrées des sanctuaires. La nuit, ils se traînaient jusqu'au fleuve sacré pour y laver leurs meurtrissures et implorer les dieux de les faire renaître dans une meilleure incarnation. C'était sans doute le contact prolongé avec cette eau polluée qui avait eu raison de la résistance aux microbes de « la petite charognarde ».

★

Ce qui survint alors devait rester à jamais gravé dans la mémoire de la jeune Ananda. Rendu comme fou par la stupéfiante nouvelle, son père appela un cyclo-pousse pour aller présenter ses excuses aux parents du fiancé qu'il lui avait choisi et décommander la cérémonie des noces. À son retour, il convoqua sa fille devant toute la famille réunie. La main pointée vers la porte de la maison, il dit simplement :
— Fille, le dieu t'a maudite. Tu n'as plus ta place ici. Va-t'en.
Il dégagea des plis de son *longhi* quelques billets d'une roupie et les tendit à son enfant. Son épouse s'avança avec un maigre baluchon contenant un peu de linge, quelques biscuits, deux bananes. Ananda prit le paquet et resta un moment immobile, figée par la peur et le chagrin. Puis elle se dirigea vers la sortie. Avant de franchir le seuil, elle se retourna. Tous les membres de sa famille étaient là qui la regardaient en silence, ses oncles, ses tantes, ses cousins, sa grand-mère, et même son grand-père à barbe blanche dans son cadre sur le mur. Apercevant ses petits frères qui sanglotaient derrière son père, elle eut envie de revenir. Le regard sévère de sa mère l'en dissuada.

Elle sortit et s'enfonça dans le flot grouillant de la ruelle.

Dans l'impitoyable contexte de la société hindoue, cette exclusion équivalait à un arrêt de mort. « La petite charognarde du Gange » savait qu'elle ne pourrait aller frapper à aucune porte de l'immense cité. Le moindre contact physique avec quiconque était rigoureusement interdit à une intouchable. Toute sa courte vie s'était déroulée dans l'obsession de ne pas transgresser cette ségrégation. Doublement impure parce que paria de naissance et fille d'un brûleur de cadavres, elle avait pris garde de ne jamais souiller, fût-ce de son ombre, quelque hindou de caste dans la cohue des ruelles, de ne jamais acheter un cornet de *muri* ou un brin d'encens autrement qu'en jetant l'argent au marchand, de ne jamais lever les yeux sur qui que ce soit. Même sous le toit familial, elle n'avait pu échapper à l'oppression de sa condition. Ses parents l'avaient obstinément imprégnée de la malédiction de leur destinée. Toute tendresse, tout amour lui avaient été refusés. À elle qui osait détrousser les cadavres, toute espérance de faire valoir ses mérites pour renaître dans une meilleure incarnation lui était de surcroît déniée. Il ne pouvait y avoir de *karma* plus désastreux que le sien.

N'ayant jamais pu fréquenter l'école, Ananda ne savait ni lire ni écrire. Le négoce de son père avait cependant familiarisé son oreille à toutes sortes de sabirs. En plus du bhojpuri, la langue locale, elle connaissait beaucoup de mots en hindi, en urdu, en bengali, et même en gujarati et en marathi, car nombreux étaient les riches hindous de ces provinces qui venaient mourir à Bénarès pour y conquérir la paix éternelle. En revanche, la langue des anciens colonisateurs de l'Inde lui était inconnue, aucun Anglais n'étant jamais venu se faire incinérer sur les bûchers paternels.

Son travail particulier et son implacable environnement n'avaient guère épargné la fillette. À treize ans, comme tant d'enfants indiens, elle savait tout des réalités de la vie ou presque. Elle avait vu et entendu ses parents s'accoupler et avait assisté, dans les sordides ruelles autour des temples, aux commerces des prostituées, des travestis, des eunuques. Elle avait vu naître, souffrir et mourir. Un dur apprentissage qui l'avait préparée à tous les chocs, endurcie à tous les malheurs. Du moins le croyait-elle. Car jamais la petite proscrite n'aurait pu soupçonner ce qui l'attendait en quittant la maison familiale.

Ce fut d'abord tout un mois d'errance à travers les rues et sur les escaliers descendant au Gange, de mendicité sur les marches des temples, de grapillages dans les tas d'ordures, de furtives rapines à l'étalage des marchés. Son corps déjà chétif devint d'une maigreur extrême. Les vers ballonnaient son ventre de hideuses enflures. Des mouches s'agglutinaient par essaims aux plaies de ses membres décharnés. Des colonies de poux s'étaient installées dans sa tignasse de sauvageonne.

Un jour, elle était si affamée qu'elle dut se résoudre à se présenter devant la grille d'un *mahajan*, un usurier de la rue des bûchers, pour lui remettre, en échange de quelques roupies, le petit anneau d'or qui brillait encore à l'aile de son nez. Apitoyé par sa détresse, au lieu des quinze roupies que représentaient la transaction, le vieux Shylock posa sur le rebord de son comptoir un billet de vingt roupies, l'équivalent de dix francs. Cette petite fortune permit à Ananda de survivre encore dix jours en se nourrissant de morceaux de canne à sucre et de bananes.

Un soir, à bout de forces, elle se laissa tomber sur un quai de la gare pour tendre la main. La providence eut cette fois le visage d'un homme patelin coiffé du rassurant calot blanc des partisans du parti du Congrès. L'inconnu déposa dans sa paume une faramineuse aumône, un billet de dix roupies tout froissé. Ananda n'osa lever les yeux vers pareil bienfaiteur.

— Ne me remercie pas, petite, s'empressa l'inconnu. C'est moi qui ai besoin de toi.

Il s'accroupit sur ses talons et raconta que sa femme avait été appelée à Calcutta pour soigner son père mourant. Elle ne reviendrait pas avant deux ou trois semaines. Il cherchait quelqu'un pour s'occuper de ses trois enfants en bas âge pendant son absence.

— J'habite tout à côté et tu ferais très bien l'affaire, expliqua-t-il, nullement rebuté par la mine plutôt défaite et la peau noire qui signait la basse naissance de son interlocutrice. Je te donnerai quinze roupies par semaine.

« Ce doit être le dieu Ganesh en personne », songea la fillette en relevant timidement la tête. Elle fit un signe du menton, se mit debout et, tel un animal ayant trouvé un maître, emboîta le pas à l'inconnu providentiel.

De même que tous les grands centres de pèlerinage, Bénarès était un terrain de prédilection pour un bon nombre de commerces profanes. L'un des plus actifs et des plus florissants était celui de la prostitution, en particulier celle des fillettes. Ici comme ailleurs, la légende disait que déflorer une vierge redorait les vertus viriles et guérissait des maladies vénériennes. Les maisons de plaisir abondaient. Elles se fournissaient en pensionnaires auprès de leurs pourvoyeurs attitrés. Ces derniers achetaient en général leur pitoyable marchandise à des familles très pauvres, notamment au Népal, ou organisaient des mariages factices avec de prétendus conjoints. Parfois, ils se contentaient tout simplement d'enlever leurs victimes.

Dans la sainte cité où toute activité baignait fatalement dans le sacré, d'audacieux proxénètes n'hésitaient pas à se servir de certaines fêtes religieuses pour initier, sous le couvert d'un rite, leurs victimes à leur vocation de prostituées. Ainsi, à la fête de Mârg Pûrnîma, la pleine lune d'octobre, on célébrait la gloire de Vishnu, le dieu créateur de toutes choses, et pour Makara Sankrânti, au solstice d'hiver, on fêtait la déesse de l'amour charnel, du plaisir et de la fertilité.

★

« Ce n'est pas vers son domicile que m'entraîna mon bienfaiteur, racontera Ananda. Il me poussa sur la banquette d'un taxi et s'assit à côté de moi. La voiture roula longtemps dans les faubourgs et finit par s'arrêter devant la grille d'un temple. Dans la cour se tenaient une vingtaine de pauvres filles accroupies sous la garde d'hommes coiffés de calots blancs. J'ai tenté de m'enfuir, mais deux mains puissantes me happèrent et me forcèrent à entrer dans la cour. Là, on me dit de m'asseoir. À cet instant, deux matrones sont apparues et nous ont distribué des feuilles de bananier au creux desquelles elles ont versé une louche de riz et de *dal*. J'avais si faim que j'ai tout avalé avec voracité. Bientôt, les hommes au calot blanc nous ont donné l'ordre de nous lever et nous ont poussées vers l'intérieur du temple.

« C'est là que le cauchemar a commencé. Durant deux jours et deux nuits, tantôt menaçants tantôt enjôleurs, des pandits payés par les proxénètes nous expliquèrent qu'il n'y avait pas de plus lumineux destin pour une jeune fille que d'être appelée par les dieux à rassasier les hommes de plaisir. Ponctuant leurs discours de coups de gong, se livrant à toutes sortes de rites au pied des nombreuses divinités du sanctuaire, ces inquiétants brahmines s'acharnaient sur nous. Ils finirent par nous ensorceler. Au bout de ces deux jours, nous étions envoûtées. Prêtes à tout. »

Ce qu'ignorait Ananda, c'est qu'au même moment des séances d'envoûtement identiques se pratiquaient dans plusieurs autres villes de l'Inde. On estime à trois mille le nombre de fillettes livrées chaque année à la prostitution à l'occasion de Mârg Pûrnîma dans le seul État du Karnataka [1]. Dûment achetée, la police ferme les yeux.

Une semaine plus tard, après avoir été vendues et revendues, Ananda et ses compagnes furent parquées comme des bêtes dans les sordides clandés de pisé alignés en vraie cour des miracles tout le long de la rue principale de Munshiganj, le quartier populaire de prostitution où l'amour se consomme pour vingt roupies à peine, même pas dix francs.

Bizarrerie du destin : ni ses ravisseurs ni aucun de ses clients ne remarquèrent sous son outrageant maquillage la petite tache qui lui avait valu son malheur. Une nuit, en allumant un bâtonnet d'encens, elle fit tomber par mégarde une allumette enflammée sur le dos de sa main. Le contact du feu ne lui causa pas la moindre sensation de douleur. Elle s'en étonna et découvrit alors, autour de la lésion provoquée par la flamme, une auréole brunâtre, aussi insensible que la tache sur sa joue. Affolée, elle examina fébrilement son autre main, ses jambes, ses cuisses, son ventre. Personne ne pourrait l'en empêcher : demain elle s'échapperait du bagne de la rue Munshiganj.

---

1. Chiffre fourni dans l'enquête parue le 15 avril 1989 dans le magazine d'information *India Today*.

5

Los Angeles, USA – Automne 1980
Énigme dans la chambre 516

Cela avait commencé comme une banale crise d'urticaire. En se réveillant ce matin-là, Ted Peters, trente et un ans, mannequin volant travaillant pour une agence de mode de Westwood, le quartier résidentiel de l'ouest de Los Angeles, sentit de petites aspérités sur la langue et sur la paroi interne de la bouche. Un miroir lui révéla que toute sa cavité buccale et sa langue étaient tapissées d'une étrange pâte blanchâtre. Perplexe, Ted Peters se rinça la bouche avec un gargarisme antiseptique. Il avait souvent souffert de troubles cutanés, mais jamais encore dans la bouche. Comme beaucoup de garçons sexuellement très actifs, il subissait d'épisodiques poussées d'herpès. Il avait en outre été victime de plusieurs accidents vénériens. Des traitements appropriés avaient toujours eu raison de ces ennuis.

Au bout de trois jours, alors que son infection buccale persistait, Ted Peters ressentit de plus en plus de difficultés à déglutir. La nourriture restait bloquée sur le chemin de l'estomac. Même le passage d'une gorgée de jus d'orange lui était douloureux. Ces symptômes s'aggravèrent. Bientôt il ne put rien avaler du tout. Inquiet, il décida d'aller consulter.

L'interne des urgences de l'hôpital de UCLA jugea que son état justifiait des examens approfondis. Il le fit hospitaliser. Une endoscopie de l'œsophage décela une infection de la paroi provoquée par des *Candida,* minuscules champignons d'une extrême virulence. Ce fut surtout le déficit important du nombre de ses globules blancs qui alerta l'attention des médecins. De toute évidence, ce malade souffrait d'un désordre immunitaire grave. Un traitement musclé eut pour effet de faire rapidement régresser l'infection de la bouche et de l'œsophage. En revanche, aucun test, aucune analyse ne permirent de comprendre pourquoi il lui manquait tant de globules blancs. Dans le service des maladies infectieuses de l'hôpital de UCLA, Ted Peters devint bientôt « l'énigme de la chambre 516 ».

★

« Si la maladie du pensionnaire de la chambre 516 s'était déclarée dans quelque patelin perdu de l'Iowa, personne ne l'aurait sans doute remarquée, dira Michael Gottlieb, le jeune immunologiste qui torturait chaque jour pour la science ses souris dans le sous-sol du même bâtiment. Les médecins auraient tout simplement conclu : " Ce type souffre d'un mal mystérieux. " Il serait mort et voilà tout. Mais, dans l'environnement scientifique d'une grande université, une telle énigme ne peut manquer de susciter la curiosité. Ce qui prouve que, dans la recherche, toute réussite dépend de la rencontre entre un problème et un esprit fertile. »

Ce matin d'octobre 1980, cet « esprit fertile » bouillonnait dans la matière grise de Michael Gottlieb, ce placide géant à moustache qu'un collègue venait d'arracher à sa distribution quotidienne de rondelles de pommes de terre à ses souris. « J'ai d'abord pensé à une pré-leucémie, ou à une leucémie dans ses tout débuts », confiera-t-il. Mais je n'avais jamais vu de leucémie associée à une infection de champignons *Candida.* J'ai ensuite songé à un brutal dérèglement de la flore intestinale occasionné peut-être par une surconsommation d'antibiotiques, ce qui se produit parfois chez des homosexuels hyper-actifs et de ce fait particulièrement exposés aux maladies sexuellement transmissibles. Comme le sujet de la chambre 516 affirmait n'avoir commis aucun abus de ce genre, j'ai voulu savoir si l'infection des champignons avait un lien quelconque avec le déficit en globules blancs détecté par les analyses. Qu'elle en fût la cause ou la conséquence, une chose était sûre : l'affaire s'annonçait comme un véritable casse-tête. »

Pour tenter de trouver une piste, Michael Gottlieb fit procéder à de multiples tests. Rien de ce que la science avait inventé à ce jour en matière d'examens biologiques ne put fournir le moindre indice. Même la compilation méticuleuse des milliers de pages des traités dans lesquels la médecine consigne ses siècles d'expérience ne lui apporta aucun secours susceptible d'orienter ses investigations. Comme il arrive parfois en pathologie, la maladie du mannequin volant de Westwood « ne semblait correspondre à aucun critère connu à ce jour ».

C'est alors que Michael Gottlieb eut l'idée de confier un échantillon du sang de Ted Peters au biologiste qui occupait le laboratoire installé presque en face du sien au deuxième sous-sol de l'hôpital. Originaire du Missouri, Bob Schroff, un rouquin de vingt-huit ans, travaillait à un programme d'expériences révolutionnaire. Les outils nécessaires à cette entreprise d'avant-garde étaient des protéines humaines contenues dans de petits flacons qu'il recevait chaque semaine du New Jersey par colis postal. Mises au point par des chercheurs allemands et anglais, ces protéines commençaient tout juste à être fabriquées. Leur production restait encore si limitée qu'une vingtaine de biologistes seulement dans toute l'Amérique pouvaient se vanter d'en posséder quelques échantillons destinés à l'essai de certaines applications médicales.

Ces protéines portaient le nom savant d'« anticorps monoclonaux ». Une découverte dans un laboratoire britannique les avait rendues capables de s'unir à toutes les variétés de globules blancs. Cette propriété en faisait des « têtes chercheuses » remarquables car, loin d'être une catégorie homogène, les lymphocytes (globules blancs) chargés de défendre l'organisme contre les attaques extérieures se composent d'une kyrielle de groupes et de sous-groupes, ce qui complique singulièrement leur approche. Les plus nombreux, les lymphocytes de type T

– ainsi nommés parce qu'ils sont dépendants du thymus – se subdivisent en plusieurs espèces dotées de fonctions spécifiques. Les lymphocytes T4 sont en quelque sorte les chefs d'orchestre du système immunitaire. Ce sont eux qui, en cas d'agression, repèrent l'agent étranger, déclenchent l'alarme et mettent en branle les défenses de l'organisme. Ils émettent des signaux qui activent un autre groupe de globules blancs, celui des lymphocytes T8 qui, eux, attaquent et tuent les cellules infectées par les agents pathogènes. Parallèlement, les T4 produisent des substances qui stimulent la mobilisation d'une autre classe de globules blancs, les lymphocytes B que produit la moelle (*Bone marrow* en anglais). Ces lymphocytes B soumettent les agresseurs au feu nourri de leurs anticorps. Dès que l'infection a été jugulée, les « lymphocytes-tueurs » T8 rangent leurs armes au vestiaire et stoppent la prolifération des « lymphocytes-défenseurs » B, les empêchant ainsi de s'emballer de manière injustifiée, et ramènent le calme sur le champ de bataille. Mais la nature, méfiante, s'entoure de précautions. Elle laisse d'importants groupes de « lymphocytes-chefs d'orchestre » T4 patrouiller dans le sang, prêts à sonner à nouveau le tocsin à la moindre alerte.

Jusqu'à la fin des années 70, aucun microscope, aucune analyse biologique ne permettaient de différencier dans une goutte de sang les divers acteurs de ce complexe et subtil système de défense, encore moins de connaître leurs éventuelles défaillances respectives. L'invention des anticorps monoclonaux allait combler cette lacune. En les rendant fluorescents et en les introduisant dans un tube contenant quelques centilitres de sang, on obtient un « marquage » immédiat spécifique de toutes les espèces de lymphocytes, en particulier des fameux T4 et T8. Dès lors, on peut les compter et étudier leur comportement. C'était une révolution sans précédent pour progresser dans la connaissance des mécanismes de l'immunité et traquer l'origine de maladies inexpliquées. En ce mois d'octobre 1980, le biologiste du Missouri Bob Schroff était l'un des rares apprentis sorciers au monde capables de maîtriser cette nouvelle technologie.

Trois jours après avoir reçu l'échantillon du sang du malade de la chambre 516, sa silhouette dégingandée apparut à la porte du laboratoire de Michael Gottlieb. Son air embarrassé inquiéta l'immunologiste.

— Alors, ça n'a pas marché ?

— Au contraire, rétorqua Bob Schroff. Mais mes résultats sont à ce point troublants que je crains de m'être trompé. Cette technique est si récente.

— Qu'as-tu donc trouvé ? demanda Gottlieb avec impatience.

— Que ton n° 516 est un cas extrêmement intéressant. Je n'en ai jamais vu de pareil. Il n'a presque plus de lymphocytes T4. En revanche, le nombre de ses T8 est incroyablement élevé.

Michael Gottlieb fit la grimace. Pourquoi son malade avait-il perdu les chefs d'orchestre de son système immunitaire ? Pourquoi ses lymphocytes « tueurs » et « modérateurs » s'étaient-ils au contraire multipliés ?

— Ce résultat est tellement insolite que je te demande de me fournir un nouvel échantillon de sang, ajouta Bob Schroff. Je veux faire un contrôle.

Le deuxième examen confirma le premier. Entre-temps, guéri de son infection œsophagienne, Ted Peters avait été renvoyé chez lui par ses médecins. Quelques jours plus tard, il revenait, atteint cette fois-ci de nouveaux signes cliniques inexplicables : une fatigue extrême, au point d'avoir eu de la peine à marcher du taxi à la porte de l'hôpital ; des crises d'étouffement au moindre effort, le rendant incapable de lacer lui-même ses chaussures. À ces symptômes s'ajoutaient une toux sèche, une fièvre élevée, de brusques accès de transpiration, une perte de poids de plusieurs kilos depuis sa dernière hospitalisation.

★

« J'ai tout de suite compris la nature gravissime de ces complications, racontera Michael Gottlieb. J'ai demandé une bronchoscopie et un lavage alvéolaire des poumons. Les médecins du service se sont étonnés de mon impatience. Alors qu'ils ne croyaient qu'à une simple pneumonie, je savais, moi, que faute d'agir d'urgence avec les médicaments les plus agressifs, le malade risquait de mourir. Les examens confirmèrent mes inquiétudes. Il ne s'agissait pas d'une pneumonie classique, mais d'une pneumocystose, une infection parasitaire des poumons excessivement rare qui ne se développe que chez les sujets privés de défenses immunitaires. J'en avais observé quelques cas à Stanford. Mais, là-bas, les carences du système immunitaire avaient toutes une explication clinique, telle une chimiothérapie anticancéreuse, ou bien une inhibition provoquée aux fins d'empêcher le rejet d'une greffe d'organe.

« Je me précipitai à la bibliothèque de UCLA pour y interroger l'ordinateur relié à la banque centrale des données médicales de Washington. Tous les articles sur les pneumocystoses publiés dans le monde au cours des vingt dernières années me fournirent une explication rationnelle à l'effondrement immunitaire ayant entraîné l'apparition de cette maladie. Il était question, dans toutes les circonstances, d'une irradiation nécessitée par une transplantation d'organe ou d'une déficience génétique, comme dans le cas de ces infortunés enfants " bulle " nés sans système de défense immunitaire. Jamais personne n'avait signalé un cas de pneumocystose ayant d'autres origines.

« Le mystère restait total. L'effondrement immunitaire de Ted Peters ne relevait d'aucune cause connue. »

6

Bénarès, Inde – Automne 1980
Un laboratoire d'amour au bord du Gange

Tout le monde à Bénarès connaissait le vieux palais aux clochetons à demi effondrés qui dominait le fleuve à l'extrémité de la ville. Sur le fronton de sa façade majestueuse à présent rongée par les moussons avait flotté, deux siècles durant, l'emblème rouge et or des maharajas du Népal. À chaque aube, son portail de fer forgé s'était ouvert sur un éléphant caparaçonné de velours transportant sous un dais le seigneur des lieux vers ses pieuses dévotions au bord du Gange.

Les princes du petit État himalayen avaient depuis longtemps déserté ce palais. Un écriteau de bois fiché à la place de leur blason indiquait aujourd'hui le nom et l'activité de leurs successeurs : « MISSIONNAIRES DE LA CHARITÉ – SOINS AUX LÉPREUX. »

Soins aux lépreux ! Cet acte de compassion était sans doute celui qui symbolisait le mieux l'idéal de charité de celle qui, depuis plus de trente ans, soulageait en Inde et dans le monde entier les souffrances des hommes. Toute la vie de Mère Teresa avait été hantée par le souci d'apporter un peu de paix et de réconfort aux lépreux de l'Inde. Elle avait soigné leurs plaies, nourri leur corps, apaisé leur âme. Elle avait transporté des mourants dans ses bras, serré des enfants contre son cœur. Ses mains avaient calmé leurs douleurs et son sourire chassé leur angoisse. Ils avaient été ses compagnons, ses amis, ceux qui lui avaient appris les vertus du courage, du partage, de l'humilité. Ils lui avaient donné certaines de ses plus grandes joies.

Son engagement au service des lépreux emmurés dans leurs ghettos avait commencé un jour de 1957 à l'appel de cinq ouvriers d'une usine de Calcutta. « Mère, aidez-nous! Nous venons d'être chassés de notre travail à cause de ces marques », avait supplié l'un d'eux en désignant des taches sur la peau de son torse et sur celui de ses compagnons. Une semaine plus tard, une fourgonnette chargée de médicaments, de lait en poudre, de sacs de riz, roulait vers les banlieues les plus misérables de la grande cité, vers ces taudis où les parias de la lèpre cachaient leur détresse dans d'infâmes campements. À son bord se trouvaient Mère Teresa et trois de ses sœurs, trois jeunes Indiennes vêtues comme elle d'un sari blanc bordé de bleu, qui ignoraient les horreurs de cette maladie et, davantage encore, le caractère souvent revendicatif, parfois agressif, de ceux qui en sont frappés. L'action de la fondatrice des Missionnaires de la Charité ne se limitait pas à courir panser les plaies de quelques centaines de lépreux. Avec son prodigieux talent à mobiliser le meilleur de l'homme, elle invita toute la population de la ville à se joindre à elle pour une quête monstre en faveur des victimes de la terrible maladie. Pour emblème de cette opération, elle choisit l'antique symbole du mal, une clochette semblable à celle que les damnés d'autrefois agitaient pour avertir les bienportants de leur impure présence. Diffusé dans les journaux, étalé sur des affiches et placardé sur les flancs de sa fourgonnette, le slogan de cette quête proclamait : « Tendons la main aux lépreux. » Les résultats dépassèrent toutes les espérances. Mère Teresa put lancer d'autres dispensaires mobiles. Surtout, elle put fonder, sur un terrain offert par le gouvernement à trois cents kilomètres de Calcutta, toute une ville réservée aux lépreux, « Shanti Nagar – La Cité de la paix ». Là, des centaines de familles recommencèrent une existence presque normale, découvrirent la paix et l'espoir. Sur sa lancée, la religieuse ouvrit ailleurs des léproseries, des dispensaires, des ateliers bruissant de métiers à tisser où des hommes et des femmes brisés retrouvèrent leur dignité par le travail.

★

Le centre de Bénarès était l'une de ses dernières créations. Elle en avait confié la responsabilité à l'une des ouvrières les plus remarquables de sa congrégation. Ses yeux bridés et ses pommettes roses donnaient à sœur Bandona un air de statue chinoise. Son nom signifiait « Louange à Dieu ». Née dans les cimes de l'Assam où son père exploitait un misérable lopin de terre, elle avait un jour échoué avec sa famille dans la pouillerie d'un bidonville des faubourgs de Calcutta. Pour aider sa mère devenue veuve à subvenir aux besoins de ses quatre frères et sœurs, elle avait pendant des années fouillé les tas d'ordures et récupéré des objets métalliques qu'elle revendait à un ferrailleur. Puis elle avait travaillé dans une cartonnerie, et pour finir, dans un atelier métallurgique où elle avait tourné des pièces de camion.

L'arrivée dans son bidonville d'un religieux français venu servir les pauvres avait été le catalyseur de sa vocation d'amour et de charité. Courant jour et nuit à travers ce quartier de misère pour secourir les uns et les autres, elle était devenue l'âme du comité d'entraide fondé par le prêtre. Sa mémoire était le fichier de toutes les détresses. La qualité de son regard, de son sourire, de sa miséricorde lui avait valu d'être surnommée « Anand Nagar Ka Swarga Dut – L'Ange de la Cité de la joie ». Ses rencontres avec les sœurs de Mère Teresa qui venaient chaque semaine donner des soins aux lépreux du bidonville l'avaient tout naturellement poussée à choisir une vie au service des autres. Bien qu'élevée dans la religion bouddhique, sa pratique des valeurs chrétiennes du partage et du sacrifice l'avait préparée à embrasser l'idéal des Missionnaires de la Charité. Trois années de noviciat devaient définitivement confirmer son engagement. Le 8 décembre 1975, fête de l'Immaculée Conception, les ciseaux de Mère Teresa tranchaient sa longue natte noire, faisant ainsi à jamais de la jeune bouddhiste « une épouse du Christ au service des pauvres ».

★

C'était chaque matin le même cauchemar, la même vision insoutenable de la marée des morts-vivants se pressant devant les grilles. Il y avait des gens sans pieds ni mains, recroquevillés comme des fœtus sur des planches à roulettes traînées par des spectres guère plus valides, des aveugles au visage dévoré jusqu'à l'os, des épaves aux pansements sanguinolents rampant au ras du sol. Il y avait des femmes cachant leurs plaies sous l'étoffe de leur *burqa* qui les enveloppait de la tête aux pieds comme des fantômes, des mères serrant leurs enfants dans leurs bras réduits à l'état de moignons, des squelettes hagards qui paraissaient déjà appartenir à l'autre monde. Il y avait aussi des gens apparemment bien portants mais qu'une tache, une cloque douteuse, une progressive atrophie musculaire avaient subitement jetés dans le camp des damnés. Il y avait surtout des petits corps rabougris aux ventres gonflés de vers, aux os saillant sous la peau, aux articulations craquantes, aux membres fins comme des sarments. Si la plupart ne portaient pas, ou pas encore, les stigmates de la lèpre, presque tous souffraient de maux sévères : tuberculose osseuse, entérites chroniques et avitaminoses qui les menaçaient de cécité.

Pourtant, de cette détresse jaillissait à tout moment quelque spectacle comique ou merveilleux qui faisait oublier le cauchemar. Les pitreries des malades jouant de leurs infirmités ou les boniments des conteurs professionnels forçaient toujours le rire. Le plus surprenant restait les jeux des enfants au milieu de cette pourriture ou, miracle, l'apparition d'une femme en sari, belle comme une divinité de temple.

La plupart des malades venaient d'autres régions et il n'était pas simple de se comprendre dans ce capharnaüm de voix, de cris, d'exigences. Bihar, Bengale, Orissa, le Sud : nombreux étaient en route depuis des années. Ils avaient laissé des morceaux de leur chair le long des chemins, au hasard de leurs escales, sur le parvis des temples ou les quais des gares. La plupart n'avaient jamais reçu de soins.

Les microbes qui les rongeaient portaient le nom du médecin norvégien qui les avait identifiés à la fin du siècle dernier. Les bacilles de Hansen affectionnaient la chaleur des pays tropicaux et les organismes affaiblis. L'extrême virulence de certains en faisait parfois des agents contagieux. On avait pu calculer qu'en dix minutes de conversation un lépreux disséminait autour de lui deux cent mille germes. Le partage de l'habitat, des vêtements, de la vaisselle, bref toute cohabitation avec des individus atteints constituaient la voie la plus fréquente de la contagion. Une égratignure, une piqûre pouvaient suffire aux agents infectieux pour contaminer de nouvelles proies. Mais ces microbes étaient si paresseux qu'il fallait souvent des mois, voire des années, pour que leurs premiers ravages s'opèrent sur leurs cibles préférées, la peau, les nerfs, les ganglions, les muqueuses du nez et de la bouche, les yeux, la rate, le foie. Curieusement, le bacille n'était pas directement responsable des affreuses blessures, mais plutôt le fait qu'en s'attaquant aux nerfs il endormait toute sensibilité. Le moindre traumatisme – un choc, une brûlure, une coupure – devenait alors la source de lésions qui dégénéraient et aboutissaient à des mutilations.

Un arbuste poussant dans le sud de l'Inde avait pendant des siècles fourni le seul remède susceptible d'atténuer les effets du mal, l'huile de chaulmoogra. Au milieu du XXᵉ siècle, la découverte des sulfones puis celle des antibiotiques avaient révolutionné le traitement de la lèpre. Sauf dans le cas d'atteintes irréversibles, quelques mois de prise quotidienne de comprimés aboutissaient en général à de spectaculaires régressions et souvent même à de complètes guérisons. Le traitement était si peu coûteux que le Français Raoul Follereau, l'infatigable apôtre des lépreux, avait écrit : « Qu'on me donne l'argent d'un seul bombardier atomique, et je guérirai les quinze millions de lépreux de la planète. »

★

Guérir! Un rêve fou pour un poignée de religieuses en sari assaillies de l'aube à la nuit par l'effrayante réalité. Pour tenter de s'y retrouver dans le macabre cortège qui défilait devant leur table de soins, sœur Bandona et ses compagnes consignaient dans un fichier rudimentaire le nom des malades et l'emplacement de leurs lésions. Chaque fois qu'un patient revenait, elles consultaient sa fiche. Puis, en quelques gestes rapides et précis, surmontant la puanteur, elles arrachaient les lambeaux de pansements, dégageaient les plaies, les désinfectaient à grands coups de badigeon d'alcool iodé, appliquaient poudres et onguents et remmaillotaient les blessures à l'aide de gazes et de bandages propres. Parfois il leur fallait tailler au scalpel dans les chairs pourries, dégager un nerf, amputer un os rongé par la gangrène. Un vrai travail de boucher, avec pour seul soutien quelques *Ave Maria* murmurés à voix basse. Et la récompense de nombreuses résurrections. Car beaucoup de ceux qui se pressaient dans la queue ne présentaient plus aucune lésion. Ils étaient les miraculés de ce laboratoire d'amour posé au bord du Gange.

Un étouffant matin d'avril, les yeux bridés de sœur Bandona repérèrent une silhouette insolite dans la cohue des miséreux qui assiégeaient son dispensaire. La fille du brûleur de cadavres de Bénarès avait pu échapper à ses proxénètes.

7

Los Angeles, USA – Automne 1980 - Hiver 1981
Cinq cas complètement fous pour un Chinois magicien

Son large front dégarni encadré de mèches grises bouclées et ses joues toutes roses n'avaient rien de californien. Comme Michael Gottlieb, le docteur Joel D. Weisman, trente-neuf ans, était un expatrié de la côte Est des États-Unis. Fils d'instituteur et petit-fils d'un blanchisseur ruiné par l'avènement des laveries automatiques, il était né à New Brunswick dans le New Jersey, dans la même maternité que Michael Gottlieb. La vie ne les avait jamais encore réunis. Médecin généraliste, Joel Weisman partageait un cabinet dans un immeuble de stuc rose du quartier de Sherman Oaks, l'un des innombrables faubourgs de Los Angeles. Cet homme courtois en blouse bleu ciel était unanimement apprécié pour sa simplicité et sa compétence. Sa petite salle d'attente décorée de fougères arborescentes et d'une collection de gravures abstraites ne désemplissait pas. Une clientèle éclectique : des personnes âgées, des mères avec leurs enfants, des adolescents en T-shirt et baskets. Sur les guéridons devant les banquettes en skaï noir s'étalaient les couvertures aguichantes des derniers numéros du magazine

Being Well – Bien se porter. Cet automne 1980, elles proposaient des reportages sur un nouveau traitement contre le cholestérol, une façon de cesser de fumer par l'hypnose, une enquête sur la douleur.

« Je voyais passer un peu toutes les infirmités de la vie, petites et grandes, racontera Joel Weisman, des gens qui souffraient d'hypertension artérielle, de diabète, de goutte, d'ulcères, d'insignifiantes laryngites ou de colites. Ce qui était réconfortant, c'était de pouvoir soulager et, le plus souvent, guérir. Je ne voyais presque jamais mourir un patient. J'avais aussi à traiter quelques-unes de ces maladies qualifiées aujourd'hui de sexuellement transmissibles. C'était le quartier qui le voulait : il y vivait beaucoup de *gays.* » Le fait que Joel Weisman soit « gay » lui-même, c'est-à-dire homosexuel, ajoutait sans doute à la faveur dont jouissait son cabinet auprès de cette clientèle particulière. « Tous savaient que je ne portais pas de jugement, qu'avec moi il n'y avait ni tabous ni barrières psychologiques, que j'étais là pour soigner et seulement soigner. »

★

La proportion de gays s'était accrue au cours des années parmi les patients du docteur Joel Weisman. Plus qu'un hommage à ses compétences et à sa discrétion, le médecin voyait dans cette affluence l'effet d'une recrudescence des maladies sexuellement transmissibles qui frappaient avec prédilection ce groupe à risques. « À partir des années 1977-1978, j'ai commencé à recevoir de plus en plus d'hommes jeunes souffrant d'une fièvre élevée, de sueurs nocturnes, de diarrhées, de toutes sortes d'infections parasitaires, avec surtout des ganglions hypertrophiés, gros comme des œufs de pigeon, au cou, aux aisselles, à l'aine, partout. À l'évidence, l'inflammation des glandes traduisait des troubles d'ordre immunitaire. Chaque fois, je redoutais le pire : des cancers, des leucémies. Par bonheur, les biopsies me revenaient avec la mention " bénin ". Certes, les maladies que révélaient certaines analyses n'étaient pas anodines. Il y avait des mononucléoses, des hépatites, de nombreux cas d'herpès, pas mal d'infections vénériennes. Dieu merci, les virus responsables ne tuaient pas, du moins pas encore. En général, la plupart des symptômes disparaissaient après les traitements appropriés. Seuls quelques sujets conservaient des ganglions anormalement enflés. Ils se résignaient à vivre avec ! »

L'arrivée d'un coiffeur de West Hollywood dans la salle de consultations de Joel Weisman, un matin d'octobre 1980, allait brutalement assombrir ce relatif optimisme. Ce jeune homosexuel de vingt-cinq ans, sans aucun antécédent médical connu, souffrait d'une affection aiguë de la peau, des muqueuses et des ongles. « Son épiderme n'est plus qu'une plaie à vif », avait noté Joel Weisman sur sa fiche. Déconcerté par l'ampleur du mal, il avait décroché son téléphone pour demander les conseils de la seule personne à ses yeux capable de l'aider à guérir ce malade.

★

À Los Angeles, tout le corps médical connaissait celui qu'on avait surnommé « le médecin des médecins ». Il s'appelait Peng Thim Fan. C'était un jovial petit Chinois à lunettes de trente-cinq ans qui était né à Singapour le jour où la garnison japonaise s'était rendue aux soldats britanniques de Mountbatten. Le docteur Peng Fan avait la réputation d'élucider les cas les plus bizarres, ceux qui ne correspondaient à aucun modèle, qui échappaient à toute logique, à toute analyse, à toute explication rationnelle. Son épaisse chevelure noire perpétuellement en désordre abritait les méninges d'un sorcier du diagnostic. Il n'existait personne comme ce Chinois fouineur pour disséquer un cas incompréhensible et déceler d'insoupçonnables indices aptes à faire jaillir la lumière. Un hôpital renommé de Los Angeles l'avait un jour appelé d'urgence au chevet d'une femme en état de coma à la suite d'un banal examen de son cerveau au scanner. Le « docteur-détective » Peng Fan avait sauvé l'agonisante en trouvant la cause de son coma : une allergie rarissime et mortelle provoquée par l'injection du produit de contraste destiné à rendre plus lisibles les images de sa cavité crânienne.

Étrange destin que celui de ce fils de planteur d'hévéas couronné à dix-huit ans « meilleur élève de Singapour ». Passionné de philosophie, il avait accepté une bourse à Oxford. Mais, au lieu de s'envoler pour l'Europe, c'est finalement au Canada qu'il partit faire des études de médecine. Six ans à Winnipeg devaient à jamais le dégoûter du froid et c'est sous le soleil californien qu'il vint se réfugier à l'âge de vingt-cinq ans avec son diplôme tout neuf de docteur en médecine en poche. Aucune spécialité sans doute ne touchait autant d'êtres humains dans le monde que la sienne. La rhumatologie s'intéressait aux affections inflammatoires des articulations et des vaisseaux sanguins, des maladies qui avaient souvent pour origine quelque dérèglement des fonctions immunitaires. C'était une science dans sa prime jeunesse qui s'enrichissait constamment de nouvelles découvertes.

Peng Fan occupait depuis 1975 un poste d'enseignant en rhumatologie à l'hôpital Wadsworth, un important établissement qui dépendait de l'université de Californie de Los Angeles. Chaque vendredi après midi, « le médecin des médecins » y tenait une consultation réservée aux cas échappant à tous les schémas traditionnels. « Un jour, Joel Weisman me présenta un homme atteint d'une vasodilatation paroxystique des vaisseaux des pieds et des mains, racontera-t-il. Son corps avait la couleur du homard sortant de l'eau bouillante. Il gémissait comme un damné. J'ai fini par diagnostiquer une érythromélalgie, un mal aisément traité par l'aspirine mais très rare. »

★

Au premier examen du coiffeur malade, le Chinois magicien admit que jamais il ne s'était vu confronté à un tel rébus. « Ce cas était complètement fou. Un mystère total, une énigme à faire pâlir d'envie Hitchcock. Pour quelle raison un sujet n'ayant jamais souffert de la moindre défaillance immunitaire pouvait-il se trouver subitement dans un pareil état d'immunodépression ? »

Peng Fan se lança sur l'affaire avec fougue. Aucun indice, aucun soupçon, aucune hypothèse n'échappèrent à ses investigations. Il soumit le malade à de véritables interrogatoires policiers dans l'espoir de découvrir dans son passé quelque information susceptible de lui fournir une piste. Il passa au crible toute la littérature médicale, allant jusqu'à fouiller ses vieux traités de médecine chinoise. Il chercha le coupable dans des maladies ignorées de tous, telle l'*Acrodermatitis enterohepatica* dont les symptômes – infection des muqueuses, mycose des ongles – révèlent une déficience immunitaire de même type. Les désordres qu'elle entraîne étant dus à un déficit massif de zinc dans l'organisme, il préleva des cheveux du malade et les fit analyser. Leur taux en zinc était normal. Peng Fan inventa alors toutes sortes de traitements, associant des doses massives de cortisone à des substances nouvelles destinées à stimuler l'activité immunitaire. Après trois semaines d'efforts opiniâtres, le Chinois magicien dut avouer son impuissance.

Deux événements survinrent qui allaient dramatiquement changer la situation. D'abord, l'aggravation de l'état de l'infortuné coiffeur à la suite d'une complication pulmonaire. Ensuite, la visite au cabinet de Joel Weisman d'un deuxième malade présentant des symptômes identiques. Il s'agissait cette fois d'un jeune publiciste de Hollywood, gay lui aussi, et lui aussi sans aucun antécédent médical. Les docteurs Joel Weisman et Peng Fan allaient alors découvrir que la « pneumonie » dont souffraient leurs patients était en réalité une pneumocystose, cette infection parasitaire des poumons extrêmement rare que leur confrère Michael Gottlieb avait diagnostiquée chez son malade de la chambre 516.

La nouvelle de ces trois cas similaires se répandit comme une traînée de poudre dans le Landerneau médical. « C'était à peine imaginable, dira Peng Fan. En moins d'un mois, trois hommes jeunes venaient de tomber victimes, dans la même ville, de la même maladie rarissime. Et, dans les trois cas, aucune explication n'avait été trouvée. »

Peng Fan et Joel Weisman se mirent en rapport avec Michael Gottlieb. « Le fait que ce sorcier de Chinois m'annonce qu'il était comme moi en plein cirage prouvait qu'on avait bien quelque chose de nouveau sur les bras », racontera le jeune immunologiste.

Les trois hommes décidèrent de regrouper leurs malades à l'hôpital de UCLA. « L'arrivée, au début de 1981, d'un quatrième cas de pneumocystose, cette fois chez un homosexuel noir, bientôt suivi d'un cinquième cas, a donné tout à coup à l'affaire l'apparence d'une véritable épidémie, expliquera Michael Gottlieb. Je pressentais une saloperie bien plus grave que la maladie du Légionnaire [1]. Il fallait d'urgence alerter tous les médecins d'Amérique. »

---

1. 189 participants d'une convention d'anciens combattants de l'American Legion qui s'était tenue en juillet 1976 dans un hôtel de Philadelphie avaient été frappés par une mystérieuse pneumonie. 29 avaient succombé.

8

San Francisco - New York, USA – Automne 1980
Des millions d'orgasmes pour une libération

Ni l'Amérique ni le monde ne le soupçonnaient encore, mais la grande fête était finie. Le mal inconnu, qui en cette fin d'année 1980 terrassait cinq jeunes homosexuels de Los Angeles, était en train de sonner le glas d'une époque. Une époque ardente et passionnée de mouvements et de luttes. De 1960 à 1970, des millions de Noirs, de femmes, de jeunes, d'homosexuels s'étaient battus pour que l'égalité des droits dans la plus grande démocratie du monde ne reste pas une formule vide de sens. De toutes les actions de libération conduites au cours de ces années-là, aucune n'avait peut-être marqué la société américaine plus profondément que la « révolution sexuelle ». Sans doute les sociologues rechercheront-ils un jour les causes réelles de cette révolution, mais nul doute que l'effritement des valeurs familiales traditionnelles consécutif aux brassages de la Seconde Guerre mondiale, la dédramatisation des maladies vénériennes grâce à la découverte de la pénicilline, et surtout l'utilisation massive des contraceptifs par les femmes, avaient été autant de catalyseurs à l'explosion libératrice des années 60.

Aucun épisode de cette libération ne fut plus émouvant que la sortie au grand jour de ces dix-sept millions d'hommes et de femmes de la communauté homosexuelle américaine qui osaient revendiquer leur différence. L'histoire de cette minorité n'avait été qu'une longue suite d'actes d'oppression et d'intolérance perpétrés par une société puritaine qui prônait l'amour entre l'homme et la femme, le mariage, la famille. L'émergence d'un mouvement politique pour la reconnaissance du droit d'être « gay » était sans conteste un fait historique sans précédent. En dépit de leur attachement aux droits de l'individu, les pères fondateurs de la Constitution américaine n'auraient jamais pu imaginer que leurs lois devraient un jour protéger une minorité qui fondait son identité non sur la race, la religion ou la langue, mais sur un choix sexuel.

C'est par une nuit torride d'été, le 29 juin 1969, que tout a commencé dans un café de Greenwich Village, le Montmartre new-yorkais. Le Stonewall Inn était bourré de sa clientèle habituelle de jeunes gays et de travestis quand une escouade de policiers fit irruption dans l'établissement pour le faire évacuer. Cette fois, les représentants de la moralité publique ne reçurent pas l'accueil escompté. Au lieu de s'enfuir comme à l'accoutumée, les consommateurs bombardèrent les intrus de bouteilles de bière et de projectiles de toutes sortes. Tandis que les forces de l'ordre battaient en retraite, à l'extérieur, d'autres gays tentaient d'incendier leurs véhicules. Le lendemain soir, une nouvelle descente de police fut accueillie de la même manière cependant que les murs de Greenwich Village se couvraient de graffiti proclamant la naissance d'un mouvement révolutionnaire gay. Deux autres nuits d'émeute scellèrent cette légitimité de façon définitive. La nouvelle se répandit comme un feu de brousse à travers toute l'Amérique, sur les campus des universités, dans les bars, les saunas, les clubs, dans les enclaves gay des principales villes, jusque dans les bureaux et les usines où tant d'hommes et de femmes avaient jusqu'alors dû vivre leur homosexualité dans le secret.

★

L'un des premiers mots d'ordre lancés par les chefs du jeune mouvement fut d'inviter tous les homosexuels à sortir de leur clandestinité pour assumer ouvertement leur identité sexuelle. L'appel fut très largement entendu, surtout parmi les jeunes, et l'on assista, au début des années 70, à une gigantesque vague de migrations des villes et des villages de l'Amérique profonde vers les grandes cités périphériques comme New York, Los Angeles, San Francisco, Chicago, Boston, Atlanta, Houston. De tous ces pôles d'attraction, aucun ne connut plus d'engouement que San Francisco, la lumineuse ex-capitale de la ruée vers l'or, plantée sur son chapelet de collines surplombant le Pacifique.

San Francisco s'était toujours montrée un lieu d'accueil particulièrement ouvert et tolérant pour les communautés plus ou moins en marge de la société traditionnelle. Devenu le plus important de la côte Ouest après les folies des chercheurs d'or, son port avait continué d'attirer une population d'aventuriers en quête de bonne fortune. La guerre hispano-américaine puis le deuxième conflit mondial allaient faire de San Francisco un énorme centre de transit pour les opérations navales et terrestres dans le Pacifique. La paix revenue, plusieurs centaines de milliers de militaires y avaient retrouvé leur condition de civils. Nombre d'anciens soldats et marins gay y avaient posé leur sac. Durant l'été 1968, alors que la guerre du Vietnam faisait rage et divisait l'Amérique, toute une génération de jeunes pacifistes et de hippies avait aussi choisi « Frisco », la cité la plus fraternelle des États-Unis, pour y affirmer que seul l'amour pouvait résoudre les problèmes du monde. San Francisco devait se souvenir longtemps de ces foules d'adolescents en jeans et baskets venus du pays tout entier pour camper dans ses parcs et y célébrer le culte du bonheur.

Si la ville avait toujours compté une forte communauté homosexuelle, le mouvement de libération des années 70 allait faire de San Francisco la capitale gay des États-Unis et sans doute de la planète. De la même manière que le mirage de l'or, un siècle plus tôt, avait attiré des milliers d'Américains sur ses collines, le miroir de la liberté et de la tolérance propulsa vers San Francisco toute une génération de jeunes hommes sortis de leur clandestinité. Josef Stein, le futur archéologue de l'École américaine de Jérusalem, en faisait partie. Comme la plupart des nouveaux immigrants, il s'était installé dans le Castro, le principal quartier homosexuel situé en plein centre, quartier qu'on allait bientôt surnommer « The Gay Israel » en raison de son enclavement et de son peuplement uniforme. Car, si New York, Chicago et Los Angeles avaient aussi leurs quartiers à prédominance homosexuelle, le Castro de San Francisco constituait la première colonie exclusivement gay créée par le mouvement de libération homosexuelle. Là, au cœur de San Francisco, des hommes et des femmes unis par leur seule préférence sexuelle entreprirent de construire un monde à part, une ville dans la ville où ils pouvaient mener une vie normale au grand jour, aller au bureau, à la banque, à la piscine, chez le médecin, le teinturier, le coiffeur, dîner au restaurant, assister à des réunions politiques, suivre des offices religieux sans rencontrer quelqu'un qui ne fût pas gay. On trouvait même dans le Castro une synagogue gay, un temple protestant gay, des prêtres catholiques gay qui célébraient des mariages gay.

Pour glorifier leur libération, les gays américains avaient été jusqu'à inventer des Gay Holidays, des Fêtes nationales gay, comme le fameux Gay Freedom Day, la fête de la Liberté homosexuelle qui rassemblait chaque été à San Francisco plus de deux cent cinquante mille autochtones et visiteurs débarqués des quatre coins du pays pour participer à un gigantesque et flamboyant carnaval. De l'Association des chauffeurs de taxi lesbiennes de San Francisco à celle des cow-boys gay du Nevada, des organisations de transsexuels aux délégations d'Indiens américains gay, des Fronts de libération sadomasochistes aux Ligues des invalides gay, toute l'Amérique homosexuelle célébrait, ces jours-là, dans la cristalline lumière de la fraternelle cité, le droit d'afficher librement ses goûts et ses préférences.

La grande majorité des homosexuels américains avaient usé de ce droit avec modération. Il n'en était pas de même chez une fraction de jeunes homosexuels frappés d'une véritable explosion de libido qui s'était traduite, tout au long des années 70, par un débordement d'ébats et d'aventures comme aucune société humaine n'en avait sans doute connus. Le

Castro de San Francisco devint un véritable supermarché du sexe. Jour et nuit, des milliers de jeunes hommes emplissaient ses bars, ses restaurants, ses magasins, ses librairies, parcouraient ses rues en rangs serrés à la recherche d'aventures. Tout le quartier n'était plus qu'un frénétique terrain de drague. Des bars et des sex clubs recevaient leurs clients dans des sortes de loges percées d'ouvertures à travers lesquelles on pouvait s'accoupler avec d'autres clients sans même s'embarrasser de faire connaissance. Ce droit à l'échange ne coûtait que trois dollars. Mais, à San Francisco comme ailleurs, ce fut un autre type d'établissements qui représenta l'ultime expression du sexe libéré. Les *bath-houses* étaient des clubs avec, pour les plus luxueux, piscines, saunas, jacuzzis, salles de cinéma, pistes de danse, alcôves privées, salons d'orgies, et même parfois des chambres de tortures sadomasochistes équipées de harnais, chaînes, menottes et autres instruments destinés à une pratique violente de l'amour physique. Les Continental Baths de New York offraient en prime un spectacle permanent de variétés. Quant à la légendaire Hot House de San Francisco, elle pouvait, sur trois mille mètres carrés et quatre étages, accueillir plusieurs centaines de clients à la fois. Au-dessus de l'immense bar qui occupait tout le rez-de-chaussée pendait une balançoire géante. Elle était, pour le propriétaire de ce lupanar de luxe, « le symbole de tous les actes que l'enfant a peur d'accomplir, spécialement si cet enfant a des penchants homosexuels ».

Parce qu'elles représentaient le droit de se réunir et de tout faire avec son corps, les *bath-houses* devinrent les bastions de la libération homosexuelle. Elles se multiplièrent. Le seul quartier du Castro en compta une bonne dizaine qui attiraient dans leurs chambres d'orgies des milliers de touristes venus de l'Amérique entière. Une enquête menée en 1975 par l'Institut Kinsey révéla que quarante pour cent des hommes interrogés avaient eu, dans les *back-rooms* des bars ou dans la vapeur trouble des saunas, au moins cinq cents partenaires au cours des douze mois écoulés, et vingt-huit pour cent plus de mille. Beaucoup d'adeptes de cet échangisme record avouèrent avoir rencontré vingt à trente partenaires en une seule soirée. L'alcool et diverses substances chimiques, tel le nitrite d'amyle, favorisaient ce genre d'exploits.

★

Comme il n'est jamais d'excès sans dégâts, les millions d'orgasmes de la grande libération gay ne devaient pas tarder à se manifester sur la carte sanitaire du pays. Dès 1973, une statistique du département de la Santé indiquait que deux tiers des homosexuels avaient été au moins une fois victimes d'une maladie vénérienne et que, bien qu'appartenant à une toute petite minorité, ils étaient responsables de cinquante à soixante pour cent de tous les cas de syphilis et de blennorragies. En 1978, une autre statistique signalait qu'en trois ans le nombre des hépatites et des infections intestinales avait doublé. En 1980, le département de la Santé de San Francisco précisait que soixante à soixante-dix pour cent de tous les homosexuels de la ville étaient contaminés par le virus de l'hépatite B. Les hétérosexuels ne s'en sortaient guère mieux. En cinq ans, de 1971 à 1976, le nombre des cas de blennorragies dans l'ensemble du pays avait presque doublé, passant de 624 371 à 1 011 014. Ce chiffre ne concernait, bien sûr, que les cas déclarés. L'augmentation des cas de syphilis était encore plus éloquente : de 1960 à 1980, le nombre des malades s'était accru de trois cents pour cent. Les États-Unis dépensaient chaque année cinquante millions de dollars uniquement pour soigner dans les asiles psychiatriques les victimes des complications neurologiques causées par cette maladie.

Curieusement, ces ravages dus à la libération des mœurs n'avaient pas semblé inquiéter les autorités sanitaires, le corps médical, ni même les victimes. Le journaliste Randy Shilts écrira : « Se taper une chaude-pisse est devenu une farce. Aller au dispensaire fait partie de la routine. On y retrouve toujours plein de copains et l'on évoque ensemble toutes les occasions qui nous ont déjà amenés à venir là. » Mais pour un médecin de quartier, le docteur Joseph A. Sonnabend, installé sur la 12ᵉ Rue de Greenwich Village à New York, « cette flambée de maladies sexuellement transmissibles ne pouvait rester innocente ».

★

Avec sa barbe mal rasée, ses vieux baskets, son jean râpé, Joseph Sonnabend ressemblait davantage à un clochard de la Bowery qu'à un prince de la médecine. Pourtant le curriculum vitae de cet homme timide de quarante-sept ans totalisait huit pages de distinctions, d'honneurs, et une liste d'articles et de publications scientifiques dignes d'un prix Nobel. Ce fils d'émigrés juifs polonais né en Afrique du Sud s'était spécialisé tout jeune dans les maladies infectieuses. Il avait soigné ses premiers malades sur les pontons d'un bateau indonésien transportant de Djakarta à Djeddah deux mille pèlerins pour La Mecque. En 1963, le grand savant britannique Alec Isaacs l'avait appelé à ses côtés dans le laboratoire où il venait de découvrir l'interféron, une puissante substance antivirale sécrétée par les globules blancs. Joseph Sonnabend avait ensuite enseigné la pathologie des maladies infectieuses dans diverses universités américaines. En 1977, le service de santé de la ville de New York l'avait chargé de l'enseignement dans son département des maladies vénériennes. Deux ans plus tard, Joseph Sonnabend ouvrait un cabinet médical privé en plein cœur du quartier gay de New York sur la ligne de front de ces infections.

« C'était complètement fou, constatera-t-il. Nombre de médecins s'étaient installés dans ce secteur particulièrement exposé. Ils y soignaient à la chaîne des blennorragies, des syphilis, des infections parasitaires. À cette époque, les antibiotiques étaient la panacée. Avec une ou deux injections de pénicilline, on guérissait la syphilis. Cela ne coûtait que vingt-cinq ou trente dollars. On ne faisait aucune recherche approfondie et l'idée même de recherche était totalement étrangère à la plupart des praticiens. Le plus tragique était leur refus de jouer un rôle d'éducateur auprès de leurs patients. La moindre suggestion, le moindre avertissement sur les dangers que leur faisait courir leur style de vie pouvaient être pris pour un jugement de moralité. C'était la meilleure façon de perdre une clientèle. De toute façon, qu'il s'agisse des médecins sur le terrain ou des responsables du Center for Disease Control, le Centre de contrôle des maladies infectieuses d'Atlanta, et du département fédéral de la Santé, tout le monde considérait qu'il était inutile, voire futile, de chercher à modifier le comportement de la population, que la seule attitude réaliste était de les guérir au plus vite. On préférait dire aux gens : " Continuez à vous défoncer, nous nous occuperons des dégâts. " »

L'état de santé des premiers clients qui vinrent sonner à la porte de son cabinet terrifia littéralement le docteur Joseph Sonnabend. Si les maladies vénériennes conventionnelles constituaient encore la plupart des cas, la nature particulière des relations homosexuelles avait donné naissance à une pathologie nouvelle d'affections parfois très graves et souvent simultanées, telles ces hépatites virales aiguës, ces éruptions géantes d'herpès génital, ces parasitoses qui frappaient presque quatrevingts pour cent des sujets à partenaires multiples, ces infections dues à des virus particulièrement agressifs comme le cytomégalovirus qui s'attaquait aux poumons et au tube digestif. Mais c'était surtout dans les récidives répétées de ces agressions que Joseph Sonnabend pressentait le plus grand danger. Certains de ses patients avaient un palmarès de dix à quinze blennorragies, d'autres souffraient de poussées d'herpès à répétition, d'autres vivaient avec des ganglions perpétuellement enflammés. « Pour moi, cela crevait les yeux : le corps humain ne pouvait subir autant d'attaques sans que quelque chose de fondamental ne se mette à foirer. »

Les « Intercity infectious diseases rounds », ces rencontres de spécialistes des maladies infectieuses qui se tenaient chaque lundi depuis vingt ans dans un hôpital différent de New York, confirmèrent les craintes du médecin à la barbe mal rasée de Greenwich Village.

« Depuis 1978-1979, on nous présentait de plus en plus de cas d'infections virales multiples, de maladies des ganglions, d'hépatites, d'éruptions cutanées gravissimes, racontera-t-il. On nous exposa même le cas d'un Noir qui souffrait d'une atteinte cérébrale. Pour moi, tous ces symptômes traduisaient un même et unique phénomène : l'effondrement des défenses immunitaires.

« Personne n'avait l'air de s'en rendre compte mais, moi, j'en étais chaque jour de plus en plus convaincu : nous assistions aux premiers frémissements d'un cataclysme. »

9

Boston, USA – Février 1981
Un syndrome nouveau et dévastateur

La voix pressante du docteur Michael Gottlieb dans le combiné du téléphone ne laissait planer aucun doute. C'était bien d'un cataclysme qu'il s'agissait de convaincre son interlocuteur en ce matin de février 1981.

– Les malades que nous avons hospitalisés présentent tous les mêmes signes cliniques : une fièvre inexplicable, une perte de poids anormale, des diarrhées incontrôlables. A priori, cela n'a rien de bien inquiétant, je le reconnais. Ce qui est fort étrange, c'est qu'ils souffrent tous de pneumocystose, cette forme de pneumonie extrêmement rare et aux origines si spécifiques. Tous les cinq sont de jeunes homosexuels. Je ne vois là pourtant aucune corrélation car ils ne se connaissent pas. Mais, vous le savez bien, faute d'être reconnue et soignée à temps, la pneumocystose entraîne une mort rapide. J'ai toutes les raisons de penser que nous sommes en présence d'un syndrome nouveau et dévastateur. D'autres individus sont peut-être déjà atteints. Je demande à votre journal de me permettre d'alerter mes confrères.

À l'autre bout du fil, le docteur Arnold Relman écoutait

avec un silence poli. Il avait l'habitude de ce genre d'appels. Ce médecin de cinquante-sept ans dirigeait à Boston la publication scientifique la plus prestigieuse des États-Unis et peut-être du monde, le *New England Journal of Medicine*.

★

En cent soixante-huit ans de parution, « Le journal » avait traité de toutes les grandes questions médicales ou presque, révélé la plupart des découvertes scientifiques touchant à la santé. Au milieu du siècle dernier, il avait publié le compte rendu de la première anesthésie générale à l'éther, puis la première enquête clinique sur le moyen de guérir l'angine de poitrine. Quelques décennies plus tard, il avait présenté le premier rapport complet sur la leucémie de l'enfant. C'est en 1975 qu'il avait établi la première liste des constats prouvant que l'ablation totale du sein n'était pas toujours nécessaire pour enrayer l'extension d'un cancer. À partir des informations provenant des sites des premières explosions nucléaires du Nevada, il avait constitué le bilan le plus exhaustif sur les dangers des radiations. L'angiographie coronarienne, le traitement de l'anémie pernicieuse, l'usage de substances anticancéreuses comme l'amygdaline et mille autres processus curatifs avaient trouvé dans ses pages une appréciation clinique globale.

Son éclectisme était aussi complet dans les domaines concernant les aspects sociaux et politiques de la médecine. Dans l'index des sujets développés au cours de l'année précédente, on pouvait relever des reportages sur l'égalité du droit à l'avortement, la responsabilité des publicités pour les produits pharmaceutiques, l'utilisation de l'amiante dans la construction des écoles, la protection sanitaire en Chine communiste, le rôle des cuvettes de W.-C. dans la propagation de la blennorragie, les droits des malades, les risques dans les centrales nucléaires, les blessures du poignet dans la pratique du patin à roulettes.

Il arrivait que « Le journal » se trompât, mais chacun reconnaissait le soin qu'il apportait au choix des articles et la rigueur présidant au contrôle des informations. Chaque jeudi, ses deux cent vingt-cinq mille exemplaires étaient lus religieusement par la plupart des quatre cent mille médecins américains et par plusieurs milliers de leurs confrères étrangers. On lisait aussi le *New England Journal of Medicine* dans les couloirs du Congrès et dans les bureaux de Wall Street. Il était cité à la télévision et dans les grands journaux, et transmis par satellite aux publications du monde entier par le canal des téléscripteurs des agences de presse. La table des matières de chaque numéro risquait d'influencer la thérapie de millions de malades et d'orienter les soins pratiqués par des centaines d'hôpitaux et de cliniques. Ses pages sur tel ou tel médicament avaient le pouvoir de faire flamber à la Bourse les actions des laboratoires pharmaceutiques ou de provoquer leur débâcle. Bref, « Le journal » était l'une des bibles incontestées du monde médical américain. Hormis le prix Nobel, signer dans ses colonnes était la distinction la plus haute que chercheurs et cliniciens pussent se glorifier de recevoir.

Plus de quatre mille textes et comptes rendus d'expériences arrivaient chaque année sur le bureau de son directeur. Moins de quatre cents étaient retenus, même pas un sur dix. Cette stricte sélection prouvait la volonté de ne pas faire écho à tout ce qui pouvait paraître sensationnel ou prématuré. « Le journal » affichait, entre autres, la prudence la plus extrême à l'annonce d'une nouvelle épidémie. Il avait attendu six mois et la mise en garde officielle du département de la Santé pour enfin rendre compte de l'épidémie provoquée par des tampons périodiques qui avait affecté des milliers de femmes. Six mois encore pour faire le point sur la fameuse maladie du Légionnaire responsable de nombreux décès.

★

— Avez-vous procédé à des examens immunologiques sur vos cinq malades ? s'entendit sèchement demander Michael Gottlieb par son correspondant le docteur Arnold Relman.

Néphrologue distingué sorti du sérail des prestigieuses universités de la côte Est, le directeur du *New England Journal of Medicine* connaissait les règles du jeu.

— Bien sûr ! assura l'immunologiste californien.

— Lesquels ? pressa Arnold Relman, soucieux de s'assurer

qu'il n'avait pas affaire à l'un de ces médecins farfelus ou peu scrupuleux qui bombardent régulièrement « Le journal » de leurs pseudo-découvertes à sensation.

Michael Gottlieb énuméra la liste des tests biologiques qu'il avait fait pratiquer sur ses patients et précisa même les techniques d'investigation utilisées. Mais Arnold Relman restait sceptique.

– Êtes-vous bien certain qu'il ne s'agit pas tout bonnement d'une histoire de leucémie ? demanda-t-il encore. Avez-vous fait des prélèvements de moelle osseuse ?

Le jeune immunologiste eut beau plaider avec toute la force de sa conviction, le mal mystérieux qui terrassait dans son hôpital cinq jeunes homosexuels californiens ne trouvait pas d'écho auprès du responsable de la première revue médicale du monde. Prenant pour prétexte les longs mois de délai qu'il fallait au « Journal » pour publier le moindre texte, Arnold Relman finit par conseiller à son interlocuteur d'adresser ses observations au Centre de contrôle des maladies infectieuses d'Atlanta. Son bulletin hebdomadaire lui offrirait le moyen le plus efficace de porter au plus vite sa découverte à la connaissance de la communauté médicale. Cela n'empêchera pas le *New England Journal of Medicine* de « reprendre éventuellement l'affaire par la suite », conclut-il.

10

Bénarès, Inde – Printemps 1981
Révolte dans le palais du maharaja

Sœur Bandona n'eut aucun mal à deviner d'où venait la fillette qui s'était glissée dans la cohue des miséreux assiégeant son dispensaire. Sa tignasse ébouriffée luisante d'huile de moutarde, son maquillage outrageant, son écœurante odeur de patchouli, son expression d'animal traqué, tout en elle trahissait une fugitive de la rue Munshiganj, la rue des bordels. Négligeant les protestations des lépreux, elle la fit sortir des rangs. Il fallut à sœur Bandona des trésors de douceur pour apprivoiser la sauvageonne et lui arracher quelques mots. Bribe après bribe, elle finit par apprendre que ses « employeurs » étaient à sa recherche pour la ramener de force, la punir, la lapider peut-être. Ananda sanglotait, le visage enfoui dans ses mains. La religieuse vit soudain la marque sur l'une d'elles.

— Petite sœur, montre-moi ta main, dit-elle avec douceur.

La lésion était caractéristique. L'examen au microscope d'une sécrétion nasale allait confirmer le diagnostic de lèpre. La maladie était en pleine évolution. Sans un traitement urgent, des ravages irréversibles risquaient de se produire.

Sœur Bandona caressa les cheveux graisseux de la jeune lépreuse.

– N'aie plus de crainte, petite sœur, nous allons te garder avec nous pour te soigner et te guérir. Ici, personne ne viendra te faire du mal.

« La petite charognarde du Gange » baissa la tête. C'étaient des mots qu'une intouchable n'avait pas l'habitude d'entendre. Après un long silence, elle osa lever les yeux. « Je ne comprenais pas très bien ce qui m'arrivait, confessera-t-elle plus tard. C'était comme si mon *karma* s'était brusquement paré de tout l'or des *mahajan* [1]. »

★

La guérison de la jeune lépreuse fut longue et difficile. Malgré un traitement énergique aux sulfones, la maladie commença par s'aggraver. Ananda ressentit des fourmillements, de subits accès de démangeaison, la sensation que de la vermine cheminait sous son épiderme, qu'un liquide ruisselait sur sa peau. Elle constata l'apparition sur son corps de petites boules rugueuses et sèches en leur centre. Ses sourcils commencèrent à tomber. Ces troubles durèrent plusieurs mois puis cessèrent. La peau de la malade prit alors l'aspect du papier de soie. Son épiderme, là où s'étalaient les deux premières taches, retrouva peu à peu sa sensibilité au contact d'une épingle, bientôt au seul effleurement du doigt. C'était le signe que guettait sœur Bandona : la lèpre allait être vaincue.

Un autre mal bien plus sournois minait cependant la jeune Indienne. Malgré l'univers d'amour et de charité dans lequel elle se trouvait plongée, elle conservait ses réflexes d'enfant maudite. Elle veillait à ne jamais souiller autrui de son contact, gardait perpétuellement les yeux baissés, tressaillait comme un animal traqué au moindre appel, allait manger sa pitance auprès des chiens galeux. La tendresse de sœur Bandona glissait sur elle comme une pluie de mousson. Elle s'en expliquera plus tard : « La malédiction de mon *karma* était trop forte. Elle

---

1. Prêteurs sur gages.

imprégnait chaque fibre de ma peau d'un noir encore plus noir que ma couleur. Les dieux m'avaient faite paria. Je devais rester soumise à leur volonté. J'étais née coupable. Je n'avais pas le droit d'être aimée. » À cette conviction s'ajoutait une méfiance viscérale. Elle avait reçu trop de coups, connu trop de trahisons pour ne pas craindre dans la bonté des sœurs quelque malfaisante arrière-pensée. N'avait-elle pas été déjà cruellement trompée par la « générosité » d'un inconnu sur un quai de gare ? N'avait-elle pas entendu maintes fois des gens dénoncer les manigances des chrétiens pour convertir les hindous à leur foi ?

Un jour, elle alla rejoindre le petit atelier où plusieurs autres femmes sans ressources confectionnaient des sachets de lait en poudre et de farine de *dal* que les religieuses destinaient aux mères lépreuses. C'est dans cette pièce qu'elle vit pour la première fois une photographie de Mère Teresa tenant dans ses bras un enfant abandonné lors de l'exode du Bangladesh. Ce document avait rendu célèbre à travers le monde le visage du futur prix Nobel de la paix. « Son regard si plein de joie et de tendresse semblait se pencher sur toute la souffrance de l'humanité, dira plus tard Ananda. Ce portrait n'avait besoin d'aucune légende, d'aucune explication, d'aucun commentaire. On ne pouvait que regarder cette femme, se laisser pénétrer par son expression, sentir la tristesse, la honte et le besoin d'aimer monter du fond du cœur. »

★

Un sérieux incident allait effacer définitivement les réflexes de méfiance de la jeune intouchable. Il survint dans la vaste salle voûtée où s'entassaient une trentaine de lépreux gravement atteints. Un mouroir plus qu'une infirmerie. Une insoutenable odeur de pourriture et d'éther montait des corps couverts de mouches. Sœur Bandona et Ananda venaient d'entrer, portant une nouvelle civière sur laquelle gisait un corps inerte auquel on venait de couper une jambe. Faute d'une place vacante, la religieuse s'arrêta devant un des malades qui semblait moins atteint que les autres.

— Ali, murmura-t-elle, il faut que tu cèdes ta couche à l'un de tes frères beaucoup plus mal en point que toi.

71

Le lépreux s'arc-bouta sur ses moignons et examina en maugréant le corps sur la civière. C'est alors qu'éclata l'incident. Il fut si brusque que les deux femmes laissèrent tomber le brancard. Surgissant de l'obscurité, au ras du sol, un spectre à demi nu, sans pieds ni mains, s'était jeté sur la paillasse.

– Ce lit est pour moi! hurla-t-il en repoussant avec son front le corps de son occupant. Cela fait des jours que j'attends que ce type s'en aille pour m'installer à sa place. Foutez le camp, filles de chiennes!

Fonçant sur sœur Bandona, il lui assena un coup de tête dans les genoux. Puis, saisissant une gamelle dans ses moignons, il se mit à tambouriner sur le sol avec fracas. Un autre lépreux, un barbu avec un trou à la place du nez, saisit à son tour une écuelle et se joignit au chahut. Ce fut le signal. Bientôt, la révolte gagna toutes les paillasses. Un déluge de bâtons, de béquilles, de crachats, de lambeaux de pansements vola vers les deux femmes. Des bouteilles éclatèrent contre les murs, libérant une écœurante odeur de désinfectant. Un projectile vint s'écraser sur la gravure du Christ en croix suspendue au mur derrière la paillasse d'Ali. Des voix scandaient : « Nous sommes des hommes, pas des chiens! » D'autres : « Nous voulons un hôpital, pas un mouroir! »

Le vacarme des ustensiles, des cris et des injures, le bombardement d'objets s'amplifièrent. Main crispée sur le crucifix de métal qui pendait à son chapelet, sœur Bandona se tenait immobile face à la horde déchaînée, pareille à une statue. Terrifiée, Ananda s'était mise à l'abri derrière un pilier. Elle entendit alors une voix s'élever au-dessus du tumulte. Incroyablement calme, ses yeux bridés plus sereins que jamais, sœur Bandona brandissait maintenant le crucifix de son chapelet au-dessus des têtes. « Ô Dieu d'amour, aie pitié de Tes enfants qui souffrent, psalmodiait-elle. Ô Dieu d'amour, donne-leur Ta pitié. »

Déconcertés, les révoltés parurent hésiter. Le tintamarre s'apaisa puis cessa d'un seul coup. La haine qui tordait les visages fit place à une curiosité inquiète. Quel châtiment allait leur infliger la supérieure? Les lépreux la virent s'avancer.

Passant lentement entre les rangées de paillasses, elle demanda à chaque occupant de répéter après elle la prière qu'elle allait réciter. Ananda se souviendra longtemps du spectacle « de ces hindous, de ces musulmans et de ces chrétiens suppliciés par la souffrance récitant ensemble, phrase après phrase, dans la paix retrouvée, les paroles du *Notre Père* ».

Cette scène avait bouleversé la jeune intouchable. À travers sœur Bandona, elle découvrait un Dieu d'amour. Elle découvrait surtout qu'elle aussi, tout comme ces lépreux, méritait d'être aimée.

Quelques jours plus tard, l'instigateur de la révolte, le cul-de-jatte hirsute, agonisait. Malgré sa volonté de vivre, son organisme rongé n'avait pu résister à la septicémie foudroyante qui l'emportait. Ni sœur Bandona ni aucun membre de la léproserie n'avaient pu savoir comment il avait réussi à s'installer dans la salle sans que personne ne remarquât sa présence. Il avait vécu des semaines tapi derrière la paillasse d'Ali, se nourrissant d'insectes et de déchets. Après la mutinerie, sœur Bandona avait fait ajouter une paillasse pour lui. Quand la gangrène se déclara, elle le conduisit elle-même en cyclo-pousse à l'hôpital gouvernemental situé à l'autre bout de la ville. Elle se battit comme une lionne pour le faire hospitaliser et soigner. Mais personne, ni médecin ni infirmier, ne voulut accepter ce mort-vivant sans famille ni ressources. Désespérée, elle dut le ramener à la léproserie. Il mourut quelques jours plus tard et son corps – du moins ce qu'il en restait – fut porté au bûcher des intouchables, en amont du fleuve. Tout au long de son agonie, sœur Bandona et ses compagnes s'étaient relayées à son chevet pour lui épargner ce que Mère Teresa estime être la souffrance la plus cruelle : la solitude.

★

Il fallait la foi de ces jeunes Indiennes pour subir sans faiblir cette confrontation avec la mort. Il leur fallait surtout la conviction chevillée à l'âme que la mort était bien, comme l'affirmait Mère Teresa, « un événement banal, le simple retour d'une personne au Dieu qui l'a créée ». Aucune certitude du même ordre ne les aidait à affronter quotidiennement l'autre mystère, celui de la vie. Pour sœur Bandona, il n'était point de honte à s'avouer « parfois vaincue devant les supplications, les cris, le désespoir, la folie des malades, à baisser les bras devant le calvaire infligé à tant d'innocents, à flancher devant tant d'injustice et de malheur ». Pour surmonter la révolte et le découragement, Mère Teresa proposait à ses sœurs une seule et unique arme : la prière. « Priez, les adjurait-elle, priez encore et toujours. Sans prière pas de foi, sans foi pas d'amour, sans amour pas de don de soi, sans don de soi pas de vrai secours aux êtres en détresse. » Elle insistait sur une prière de l'âme, continuelle et silencieuse.

★

Silencieuse ! Dans le tohu-bohu de Bénarès, l'idée même paraissait le plus chimérique des rêves. Pour se ménager un coin de recueillement, les sœurs avaient installé leur chapelle dans une pièce retirée que les architectes du palais avaient destinée à un tout autre usage. Aucun bruit, hormis les battements éloignés des *dhobi* frappant le linge au bord du Gange et le cri strident des chauves-souris, ne troublait la paix de l'ancien hammam des concubines du maharaja du Népal. Une simple table ornée d'un cierge servait d'autel et derrière, sur le mur de mosaïques, était accroché un Christ en croix avec, à côté de sa tête couronnée d'épines, l'inscription : « *I THIRST* – J'AI SOIF. » Sous ses pieds transpercés du clou de la crucifixion, une autre inscription disait : « Ce que vous faites au plus humble des miens, c'est à moi que vous le faites. »

Chaque jour, la petite communauté se réunissait là pour entendre la messe matinale et recevoir l'Eucharistie des mains très noires d'un jeune prêtre originaire du Kerala, une province du Sud. Sœur Bandona récitait ensuite les psaumes du jour que ses compagnes reprenaient en chœur. Tantôt hymnes de joie, de confiance, d'amour, tantôt cris de souffrance, de récrimination, de détresse, chaque verset évoquait une réalité que tous ici vivaient durement. Suivait ensuite un temps d'adoration silencieuse. Après quoi, les sœurs se prosternaient face contre terre pour prononcer l'invocation que Mère Teresa faisait dire quotidiennement à ses Missionnaires de la Charité dispersées à travers le monde. « Ô Christ Jésus, Toi qui as montré tant de compassion pour les multitudes en détresse ; Toi qui T'es penché sur les lépreux, les aveugles, les malades, les estropiés, les affamés, les abandonnés, les prisonniers ; Toi qui les as soignés et leur as parlé avec amour, leur as apporté l'espoir, leur as promis la bonté de Ton Père ; ô Christ Jésus, viens à notre secours. Aide-nous à répandre Ta miséricorde. »

Un matin d'avril, sœur Bandona aperçut une silhouette dissimulée dans l'ombre au fond de la chapelle.

– Ananda ! s'exclama-t-elle avec surprise.

L'ex-« petite charognarde du Gange » prit la main de la religieuse et lui montra sa joue guérie.

– Je suis venue remercier ton bon Dieu, dit-elle en souriant pour la première fois.

★

La métamorphose spirituelle de l'ancienne lépreuse, son élan de gratitude envers le Dieu de ses bienfaitrices ne connurent pas de suite. Elle ne devait pas revenir dans la chapelle. Sœur Bandona pourtant ne perdit pas espoir : l'exemple de charité et d'amour donné chaque jour dans cette léproserie finirait bien par faire découvrir le christianisme à la jeune hindoue. Comme la religieuse avait pu le vérifier elle-même lors de sa propre conversion, il fallait laisser faire le temps. La foi ne s'octroie pas, elle s'acquiert par contagion. Pour l'instant, Ananda la rejetait. La raison en était son incapacité ancestrale d'intouchable à se sentir l'égale des autres. Les sœurs avaient beau multiplier leurs marques d'affection, traiter leur protégée comme l'une d'elles, les stigmates de paria d'Ananda restaient indélébiles. Il n'était pas un jour, pas un acte, qui n'en fussent entachés et ne soient prétexte à quelque crise.

C'était toujours à l'occasion des travaux traditionnellement dévolus aux intouchables que survenaient ces crises. Elle qui avait été élevée dans la croyance qu'aucune besogne n'était trop vile pour ses mains impures, qui avait passé son enfance à se souiller au contact des morts, qui avait accompli les corvées les plus répugnantes comme de vider les latrines proches des bûchers paternels, elle qui se trouvait condamnée à ne pouvoir accéder aux sanctuaires des dieux hindous, voici qu'elle renâclait à prendre un balai ou une serpillière pour aider les sœurs à nettoyer la léproserie qui l'avait accueillie. « Cette rébellion était naturelle, expliquera sœur Bandona. Comme tout paria subitement arraché à sa condition, Ananda se figurait qu'elle redevenait une intouchable à nos yeux quand nous lui demandions de faire la toilette d'un mort ou de laver les latrines. Alors qu'une brahmane convertie – nombreuses parmi nous étaient des hindoues de haute caste – accomplissait spontanément ces travaux, comme faisant partie de son engagement au service du Christ. »

★

Il fallut plusieurs mois pour désamorcer la rébellion d'Ananda, pour lui faire accepter de laver puis de vêtir et de fleurir la dépouille d'un lépreux. Ce jour-là, ce fut comme une révélation dans le cœur de la jeune Indienne. « Moi aussi, je suis la sœur de tous, se dit-elle. Moi aussi, j'ai le droit d'aimer et d'être aimée de tous. »

Pour l'inlassable sœur Bandona, cette première victoire ne fut qu'une étape dans le grand dessein qu'elle caressait : faire comprendre à Ananda que le Christ l'aimait encore plus que Ses autres enfants. Elle ne désespérait pas de l'aider à percer le plus grand des secrets, ce secret de l'amour de Dieu. Là encore, le plus sûr moyen d'atteindre son objectif était l'exemple. Mais la valeur de cet exemple devait longtemps encore échapper à la jeune intouchable.

– Pourquoi perds-tu tellement de temps à t'enfermer à ne rien faire dans la chapelle ? demanda-t-elle un jour à sœur Bandona. Ce temps serait plus utile aux lépreux !

La religieuse chercha une réponse susceptible de frapper l'imagination d'Ananda.

– C'est parce que je suis mariée avec Dieu. Il faut donc que je donne une partie de mon temps à mon époux.

Sœur Bandona savait que cette notion de noces divines était familière à tous les Indiens. La *bhakti*, la philosophie religieuse hindouiste, ne mariait-elle pas d'un amour passionné les adeptes de Vishnu et de Krishna avec leurs dieux, ne les soumettait-elle pas à leurs volontés « comme la femme aimante est soumise à son amant » ? En conséquence, la nécessité de partager sa vie avec son époux était un concept que pouvait sans peine comprendre l'ex-petite lépreuse.

La religieuse exploita habilement le parallèle. Personne ne songerait à accuser un homme de « perdre son temps avec sa femme », expliqua-t-elle. Ce temps consacré l'un à l'autre est indispensable à l'harmonie d'un couple. Des êtres qui ne sauraient le trouver s'éloigneraient fatalement l'un de l'autre. Il en allait de même pour elle et ses compagnes de la léproserie. Même si chacun de leurs gestes était à longueur de journée un témoignage d'amour à l'adresse de leur Dieu-époux, elles se devaient de Lui témoigner aussi leur amour d'une façon désintéressée et « être capables de donner chaque jour une heure ou deux pour Lui et avec Lui, sans rien attendre en retour ».

Comme sœur Bandona l'espérait, cette image finit par ébranler la jeune Indienne. Un soir, alors qu'elle venait de s'agenouiller dans la chapelle de la léproserie pour son heure d'adoration, la religieuse entendit un frôlement de pieds sur le marbre de l'ancien hammam. Elle se retourna et vit Ananda, la tête couverte d'un voile de coton blanc. Elle lui fit signe de s'approcher. Désignant le Christ en croix sur le mur, elle dit d'une voix claire :

– Voilà, Seigneur, nous sommes là. Nous sommes épuisées de fatigue, nous mourons de sommeil, nous en avons par-dessus la tête des lépreux, mais nous sommes là, pour être avec Toi, pour te dire simplement que nous T'aimons.

11

Atlanta, USA – Printemps 1981
Un commando de « superflics » très spéciaux

Sandy Ford reposa l'écouteur et relut avec attention la liste des médicaments qu'elle venait de consigner dans son registre. Elle fronça les sourcils. « Mon Dieu, songea-t-elle, encore une demande de Pentamidine! » Celle de ce matin venait de New York. C'était la seizième, alors qu'elle n'en avait pas enregistré la moitié pendant toute l'année précédente. La Pentamidine était l'un des seuls médicaments qui pouvaient agir sur le type de pneumonie parasitaire que Michael Gottlieb avait diagnostiquée chez cinq jeunes homosexuels de Los Angeles. Cette maladie était jusqu'à présent si peu fréquente que l'unique fabricant de Pentamidine, le laboratoire britannique May & Baker, n'avait pas jugé rentable d'engager les frais nécessaires à son homologation officielle pour sa mise en vente sur le marché américain. Comme quelques autres drogues pouvant combattre des affections rarissimes en Occident, tels la maladie du sommeil ou le choléra, la Pentamidine était devenue une « orphan drug », un remède orphelin. Cette appellation lui valait de n'être disponible que dans un seul endroit aux États-Unis, le Parasitic Disease Drug Service – le Service pharmacologique des maladies parasitaires, où travaillait Sandy Ford.

Cette officine était l'un des rouages de l'organisation la plus impressionnante inventée par l'homme pour se défendre contre la maladie et la mort, le Center for Disease Control – le Centre de contrôle des maladies infectieuses, plus communément connu sous ses initiales CDC. Son siège, un immeuble de sept étages en briques rouges, occupait tout un quartier de la banlieue d'Atlanta. Décoré d'une imposante tête en marbre d'Hygea, la déesse mythologique de la Santé, son hall d'entrée donnait accès à une véritable ruche où s'activaient, dans des centaines de bureaux et de laboratoires, plus de quatre mille spécialistes dont la seule mission était d'améliorer et de protéger la santé du peuple américain. Parmi eux, le CDC comptait des épidémiologistes, des microbiologistes, des entomologistes, des physiciens, des chimistes, des toxicologues, des médecins, des dentistes, des officiers de santé publique, des pharmaciens, des vétérinaires, des conseillers en éducation, des statisticiens, des rédacteurs, des professeurs de sciences sociales, des experts de l'environnement et de l'hygiène industrielle. Leur champ d'action couvrait les domaines les plus inimaginables.

Qu'il s'agisse de la prévention des accidents du travail ou des risques de l'environnement, du planning familial, du danger présenté par certains jouets, des problèmes de nutrition, de la consommation du tabac, de la surveillance épidémiologique internationale, la compétence de cette armée de techniciens et de savants embrassait pratiquement tous les domaines de la santé. Mais c'était surtout en matière de prévention et de contrôle des maladies infectieuses et des épidémies que l'organisation d'Atlanta avait conquis sa réputation internationale. Laboratoire du dernier recours, le Centre de contrôle des maladies recevait chaque année d'Amérique et du monde entier quelque cent soixante-dix mille prélèvements de sang ou d'organes contaminés par des maladies au diagnostic encore mystérieux. C'était le plus grand élevage de microbes et de virus de la planète, une sorte de zoo de l'invisible où l'on conservait des spécimens d'agents infectieux presque éteints comme celui de la variole, ou bien de fraîche date comme celui des infections hémorragiques d'Amérique du Sud, des fièvres de Lassa, de Marburg ou d'Ebola. Avec ses banques géantes de sérums et de tissus contenant plus de deux cent cinquante mille échantillons des maladies répertoriées, le CDC représentait la mémoire collective de toutes les endémies humaines. Qu'il concernât la malaria de Trinidad, des souches du choléra africain, des encéphalites du Texas, la poliomyélite, le typhus ou l'influenza, chaque échantillon figurait dans un catalogue électronique qui les classait en plus de deux cent cinquante catégories sous des étiquettes différentes portant la mention « disponible », « usage restreint » ou « postérité ».

★

Ce FBI spécialisé dans la chasse aux microbes et aux virus était né en mars 1942, trois mois après l'attaque japonaise sur Pearl Harbor. Il s'appelait alors le Bureau de contrôle du paludisme dans les zones de guerre. Il était basé à Atlanta où la malaria, endémique dans le sud des États-Unis, faisait peser une menace sérieuse sur les nombreux camps d'entraînement militaire installés dans la région. Ses responsabilités s'étaient peu à peu élargies à la dengue, une maladie également propagée par un moustique, puis à la fièvre jaune et au typhus. En 1945, ses installations s'étaient enrichies d'un laboratoire dont la mission était de débusquer les maladies tropicales rapportées par les GI des théâtres d'opérations de la Seconde Guerre mondiale.

Le retour à la paix aurait dû mettre un terme aux activités de l'organisation. Mais l'existence d'une équipe hautement spécialisée dans les problèmes de santé parut si séduisante aux responsables de Washington que le Bureau fut maintenu et qu'il reçut, en 1946, le nom de Centre des maladies transmissibles. Il se vit bientôt doté de toute une infrastructure de laboratoires équipés pour l'étude des bactéries, des parasites, des champignons, des bacilles, des microbes et des virus. La peste et d'autres maladies susceptibles de se transmettre à l'homme entrèrent, en 1947, dans le champ de ses compétences.

La création, en 1951, d'un service de renseignements sur les épidémies, l'Epidemiology Intelligence Service, transforma le centre en un véritable bureau de recherche chargé de lutter contre tous les agents pouvant menacer la santé des populations. Son fer de lance était un corps d'une centaine de jeunes médecins d'élite, de vétérinaires, d'officiers de santé publique recrutés pour deux ans et soumis à une formation intensive. Les détectives de l'EIS restaient disponibles jour et nuit, prêts à prendre l'avion pour n'importe quel point des États-Unis ou du globe afin d'y traquer les coupables de toute épidémie nouvelle.

Baptisée en 1980 de son nom actuel, le CDC d'Atlanta n'avait cessé de multiplier ses interventions sur tous les terrains. « Notre mission est d'identifier et d'éliminer autant que faire se peut les maladies et les décès inutiles, déclarait son directeur Bill Foege, un pionnier de l'éradication de la variole dans le Tiers Monde. Cela signifie que nous devons surveiller le Sud à cause des risques d'encéphalite équine, de dengue, de fièvre jaune ; surveiller les frontières, l'arrivée des avions et des bateaux ; surveiller les apparitions soudaines des maladies respiratoires et infectieuses qui tuent chaque année des centaines de milliers d'Américains. »

Une « hot line », un téléphone rouge, répondait vingt-quatre heures sur vingt-quatre à toute demande d'assistance. L'empoisonnement de trois New-Yorkais après la consommation d'un saumon fumé avarié, l'asphyxie d'un couple de Virginie le lendemain de la dératisation de leur maison, une épidémie de fièvre rhumatismale aiguë chez des marins de la base de San Diego, la contamination par des bactéries résistantes à la triméthoprime de cent cinquante-sept visiteurs d'une foire de Caroline du Nord, tout mobilisait le CDC, et ses limiers menaient chaque année plus de douze cents enquêtes. Si presque toutes concernaient des incidents localisés peu importants, une bonne centaine d'affaires justifiaient, elles, une intervention massive, comme cette fameuse épidémie qui, en juillet 1976 à Philadelphie, tua vingt-neuf vétérans de l'American Legion.

Dans la mobilisation générale pour découvrir les responsables de cette tragédie, les médecins-détectives du CDC envoyèrent plus de trois mille cinq cents questionnaires, interrogèrent des centaines de congressistes, les employés de l'hôtel où s'était tenue la convention, les habitants et les habitués du quartier. Ils épluchèrent les bulletins de la météo, le plan d'attribution des chambres, le programme des différentes manifestations. Ils analysèrent l'eau, la glace, la nourriture ; examinèrent en laboratoire les ustensiles, la vaisselle, les appareils de climatisation, les insectes, la poussière. Mais ils ne purent trouver qu'un seul dénominateur commun aux nombreuses victimes : la maladie elle-même. Elle devint l'épidémie la plus célèbre des temps modernes. Après quatre mois d'efforts concentrés, les enquêteurs de l'organisation médicale la plus prestigieuse du monde n'étaient même pas parvenus à connaître la nature de l'agent infectieux responsable. Une toxine ? Un champignon ? Une bactérie ? Un bacille ? Un virus ?

Après avoir frôlé une fin peu glorieuse, l'enquête devait connaître un rebondissement spectaculaire. Deux chercheurs travaillant dans leurs laboratoires sans fenêtre identifièrent enfin dans les tissus de leurs cobayes le responsable de l'épidémie, une banale bactérie qui avait choisi pour habitat les turbulences des conduits de climatisation de l'hôtel où les congressistes s'étaient réunis. La découverte de la *Legionella pneumophilia* permit de mettre un nom sur de nombreux autres cas de pneumonie mortelle à l'origine inexpliquée.

L'histoire du CDC n'était pas seulement jalonnée de victoires. Elle avait aussi connu cette année-là un retentissant fiasco. Persuadés qu'une épidémie mortelle de grippe porcine transmissible à l'homme était sur le point d'éclater, ses responsables avaient fait vacciner plus de cinquante millions d'Américains. Or, non seulement l'épidémie ne se déclara pas, mais plusieurs centaines de personnes se retrouvèrent paralysées à la suite de l'inoculation du vaccin. L'affaire avait dégénéré en scandale politique et abouti au renvoi du directeur du CDC. L'État, lui, s'était vu condamner à verser plus de cent millions de dollars aux victimes de cette inopportune campagne de vaccination.

★

Mis à part une épidémie de fièvre et d'éruptions cutanées constatées chez des femmes utilisant une certaine marque de tampons périodiques et la soudaine apparition dans l'Ohio de cas d'entérite chez des consommateurs de marijuana, aucune affaire spectaculaire n'avait depuis longtemps fait appel au flair des détectives d'Atlanta. Pour le docteur Harold Jaffe, membre de l'Epidemiology Intelligence Service, un flegmatique Californien à lunettes, la seule menace préoccupante qui pesait en cette fin de siècle sur la santé du peuple américain semblait être « la résistance accrue de la chaude-pisse aux antibiotiques », menace qui mobilisait toute l'activité de son confrère de trente-sept ans, le docteur James W. Curran, Jim pour son entourage.

Jim Curran était le chef du service des enquêtes de la branche des maladies vénériennes du CDC. Avec ses yeux fureteurs, sa petite taille, son air perpétuellement aux aguets, il incarnait le prototype parfait des superlimiers de l'organisation. Il avait consacré la plus grande partie de sa carrière à combattre les ravages de la blennorragie, un fléau qui frappait chaque année près d'un million d'Américains. Parmi les nombreuses publications scientifiques que cette infection lui avait inspirées se trouvait une étonnante étude comparative sur la résistance immunitaire aux gonocoques. Pour rendre son travail aussi pointu que possible, il n'avait pas hésité à choisir pour modèles deux échantillons extrêmes de la société : des prostituées et des religieuses.

★

La bonne vieille « chaude-pisse » n'allait pas rester longtemps le principal sujet d'intérêt des experts de l'organisation. Au CDC comme dans les consultations de médecins, d'autres signes indiquaient, en ce printemps 1981, que le front des maladies sexuellement transmissibles commençait à bouger. Chaque jour, le téléphone rouge d'Atlanta sonnait pour signaler quelque observation inquiétante. En ce début d'avril, l'appel d'un dermatologue new-yorkais fit l'effet d'une petite bombe. Le docteur Fred Siegal déclarait soigner plusieurs jeunes homosexuels atteints de crises géantes d'herpès périanal. Les ulcérations se propageaient à d'autres parties du corps. Désarmé, il demandait au CDC la stratégie que recommandaient ses experts en pareils cas.

Deux nouveaux S.O.S. allaient, quelques jours plus tard, achever de mettre Jim Curran et son équipe sur le sentier de la guerre. Le premier venait de Los Angeles. Faute d'avoir pu convaincre le plus grand journal scientifique américain de sa découverte d'une nouvelle épidémie, le docteur Michael Gottlieb suppliait le CDC de publier d'urgence dans son bulletin la description des cinq cas de jeunes homosexuels en train de mourir de pneumocystose dans son hôpital de UCLA. Certes, le bulletin d'Atlanta n'avait ni l'audience ni le prestige du *New England Journal of Medicine*. Mais le *Morbidity and Mortality Weekly Report*, le Rapport hebdomadaire de morbidité et de mortalité – tel était le nom du petit fascicule d'une vingtaine de pages que recevaient chaque semaine ses cinquante-sept mille abonnés –, était un irremplaçable instrument d'information sur les questions sanitaires concernant le pays. Chaque numéro présentait un tableau indiquant le nombre et les causes des décès survenus au cours de la semaine dans les cent vingt et une plus grandes villes des États-Unis. D'autres tableaux recensaient les cas de toutes les maladies infectieuses. On apprenait des choses stupéfiantes, ainsi le sort de ces huit Américains frappés, au cours des dix premiers mois de l'année 1980, par la lèpre, ce mal répugnant qui avait valu à la jeune Indienne Ananda Chowdhury d'être maudite par sa famille.

Le *MMWR* comptait des informateurs dans le plus petit village du pays, et la diversité des sujets traités en faisait un observateur universel. On y trouvait le rapport d'un dentiste de Virginie signalant un taux alarmant d'érosion dentaire chez les nageurs de compétition. L'enquête des limiers du CDC avait permis d'établir que l'eau de la piscine locale contenait une concentration d'acide cent mille fois plus forte que la normale. On y découvrait que, après une tempête de neige dans le Colorado, les hôpitaux de Denver avaient dû procéder à quatorze amputations de doigts accidentés par des aspirateurs de neige. Que des médecins de Porto Rico, de Floride et du Texas avaient été surpris de constater, chez soixante-douze réfugiés haïtiens de sexe masculin, de soudaines poussées mammaires, probablement dues à un déséquilibre hormonal provoqué par la subite amélioration de leur alimentation.

La moitié des cas de maladies ou de décès présentés par le bulletin relevait précisément d'intoxications dues à des produits alimentaires. Comme l'apparition de psittacose chez des éleveurs de dindes de l'Ohio ou d'asthme chez les employés d'une conserverie de crabes en Alaska. On ne comptait plus les cas d'empoisonnement digestif, de fièvre typhoïde ou de salmonellose révélés par le journal des médecins-détectives d'Atlanta. Cet éclectisme n'empêchait pas le *MMWR* d'avoir ses préférences. La prévention des épidémies constituait l'un des premiers objectifs du CDC. Il n'était pratiquement pas de numéro qui ne consacrât au moins un texte à quelque syndrome affectant la collectivité, comme cette épidémie de typhus générée par des écureuils volants, de rage chez les rats des régions de la côte Est, d'hépatites virales dans un village mexicain de la Sierra Madre, ou la fameuse maladie des légionnaires de Philadelphie.

★

Dûment vérifiées par le représentant du CDC à Los Angeles, les observations du docteur Michael Gottlieb fournissaient un incontestable scoop au modeste bulletin d'Atlanta. Elles parurent le 5 juin 1981 sous le titre « Cas de pneumocystose – Los Angeles », à la page 2 du volume 30, fascicule 21, un numéro qui deviendra historique pour avoir été le premier au monde à parler d'une maladie que l'humanité allait bientôt découvrir avec terreur sous le nom de SIDA. La petite histoire retiendra cependant que le rédacteur en chef du *MMWR* ne jugea pas opportun d'accorder la page de couverture de son bulletin à ce sujet, préférant pour celle-ci un article sur deux touristes américains ayant, au cours de leurs vacances aux Caraïbes, contracté la dengue, une fièvre éruptive bénigne transmise par un moustique.

Les cinq cas présentés par Michael Gottlieb dans les quarante-six lignes de sa communication apportaient en fait peu d'informations sensationnelles : il s'agissait de jeunes homosexuels qui ne se connaissaient pas, qui avaient tous un lourd passé de maladies sexuellement transmissibles, qui inhalaient

tous des substances toxiques et qui souffraient tous de pneumocystose, cette fameuse pneumonie parasitaire frappant seulement les organismes privés de défenses immunitaires. Pourtant,
Michael Gottlieb précisait d'emblée que cette affection était
très grave puisque deux de ses malades étaient déjà morts.

★

Le deuxième S.O.S. qui, ce printemps 1981, déclencha la
mobilisation de Jim Curran et de ses troupes vint, lui, de la
capitale de l'est des États-Unis, New York. Un chef de service
de la faculté de médecine de la New York University, le docteur
Alvin E. Friedman-Kien, révélait une subite épidémie d'un
autre mal rarissime. Ce mal n'avait aucune ressemblance avec
celui qui frappait à Los Angeles. Sauf une : il s'attaquait lui
aussi à de jeunes homosexuels dont le système de défenses
immunitaires avait été détruit pour une raison inexpliquée.

12

Latroun, Israël – Printemps 1981
Deux corps emmêlés plongeant vers l'abîme

« Alléluia, alléluia! écrivit le frère Philippe Malouf à ses parents au Liban, Dieu m'a comblé : Il m'a installé au cœur même de Sa création. » Par ces simples mots, l'ancien guérillero des Phalanges chrétiennes exprimait son bonheur de pouvoir accomplir sa vocation monastique dans cette abbaye des Sept-Douleurs de Latroun située au carrefour des routes les plus anciennes de l'humanité. Depuis qu'il passait ses journées à l'extérieur de la clôture pour cultiver les vignobles du prieuré et en vendre les produits aux visiteurs, il ne s'écoulait pas de semaine sans que le soc de sa charrue n'arrachât à la terre quelque silex préhistorique, quelque débris de tablette cananéenne, attestant que Dieu avait bien choisi ce lieu comme berceau de Sa création. Avec l'aide du frère Antoine, un jeune Irakien à barbiche rousse originaire d'Ur, la ville natale d'Abraham, Philippe Malouf avait transporté dans un local plus vaste le petit musée qu'il avait trouvé à son arrivée. Chaque soir après l'office des vêpres, il s'y installait avec ses reliques pour les monter sur des socles de plâtre. Il les étiquetait, les regroupait par époques sur des étagères où s'étaient succédé des générations de bouteilles de chablis et de muscadet.

Les fréquentes visites des deux archéologues américains qui opéraient leurs fouilles sur le site voisin de l'antique ville de Gezer aidaient Philippe Malouf à s'y reconnaître dans le maelström de civilisations dont ces objets perpétuaient le souvenir. Ils échangeaient des pièces, comparaient leurs découvertes. Le dimanche, Josef Stein et Sam Blum avaient pris l'habitude d'assister à la grand-messe chantée des moines sous les voûtes en ogive de l'église de pierres blanches. Le frère hôtelier, un géant buriné tout en os qui paraissait sorti d'un tableau de Zurbarán, les invitait ensuite à déjeuner dans la salle à manger réservée aux hôtes de passage et dont les murs vert pâle avaient pour seule décoration un crucifix en bois d'olivier. Les spécialités du menu – poireaux vinaigrette et lapin à la moutarde – étaient sans doute uniques dans tout l'Orient. Une tasse de café turc préparé et servi dans les règles de l'art, puis un verre de brandy ou de crème de menthe distillés dans les alambics de l'abbaye achevaient ces insolites agapes monacales. Les jours de fête, Philippe Malouf recevait du père abbé la permission d'accompagner ses deux amis jusqu'à Gezer « pour quelques heures d'un fabuleux plongeon dans les strates de l'Histoire ».

La colline toute blanche émergeait de la plaine comme une forteresse. Sentinelle sur la fameuse Via Maris, la route immémoriale qui avait relié l'Orient à l'Occident pendant des millénaires, la ville bâtie sur une hauteur se trouvait au cœur de l'une des plus anciennes patries de l'homme. Le site de Gezer avait toujours excité la curiosité des archéologues. C'était pour tenter de mettre au jour un trentième niveau d'habitat que Josef Stein, Sam Blum et leur équipe de l'École américaine de Jérusalem opéraient une campagne de fouilles sur ce site exceptionnel. Aidés dans ces travaux herculéens par une centaine d'ouvriers arabes et juifs, ils avaient creusé un puits de trente mètres de profondeur. Pour évacuer les tonnes de terre et de débris, ils avaient mis en place tout un système de treuils et construit une des plus audacieuses dentelles d'échafaudages réalisées sur un champ de fouille.

★

« Christ est ressuscité ! » Jamais fête de Pâques n'avait porté autant de promesses. Après avoir célébré dans son église abbatiale le mystère de la résurrection du Sauveur auquel il avait consacré sa vie, frère Philippe Malouf allait célébrer dans un haut lieu de l'Histoire la résurrection des œuvres mortelles de ses créatures. Pour sa visite pascale de leur chantier de Gezer, ses amis archéologues lui avaient réservé deux surprises de taille. D'abord la mise au jour tout juste achevée d'une esplanade cananéenne qui renfermait dix stèles de pierre et un vaste bassin monolithique, témoins colossaux que cette ville avait été dans l'Antiquité un prestigieux centre religieux. La deuxième surprise était une découverte remarquable. En atteignant le trentième niveau d'occupation, Josef Stein et Sam Blum venaient de dégager l'entrée d'un tunnel. Creusé dans le roc sur une longueur de soixante-six mètres, ce tunnel conduisait à une gigantesque caverne en forme de cathédrale souterraine pleine d'un abondant trésor qui permettait de comprendre pour quelle raison des hommes de la préhistoire avaient fondé une ville en ce lieu. Et pour quelle raison des millions d'autres avaient continué à l'habiter durant des millénaires. Ce trésor était l'eau.

La visite commença par une photo souvenir. Étrange trinité que celle de ces trois hommes d'origines si diverses posant côte à côte. Josef Stein avec sa barbe de prophète biblique et Sam Blum avec ses lunettes en fer de militant anarchiste encadraient Philippe Malouf qui ressemblait, avec sa tonsure en forme d'auréole et sa tunique blanche, à une image pieuse. On aurait dit l'Ancien Testament et la Révolution entourant le Messie. Sam Blum en tête, les trois amis s'engagèrent sur la première échelle et commencèrent à descendre. L'entrée du tunnel se trouvait une trentaine de mètres plus bas. De temps à autre, un fragment de roche se détachait de la paroi pour se briser dans un fracas métallique contre les tubulures de l'échafaudage. « C'était comme un cantique venu de l'aube des temps », dira le moine. C'est alors que survint la tragédie.

Tout se passa si vite que Josef Stein ne put jamais retrouver l'ordre réel des images qui frappèrent sa rétine. « J'ai cru voir une sandale de Philippe qui s'empêtrait dans les plis de sa tunique, dira-t-il. Son pied droit avait dérapé. Déséquilibré, il bascula aussitôt dans le vide. Il tenta de se raccrocher à l'échelle, mais ne put en saisir les barreaux. Il poussa un cri. Comprenant le drame qui se jouait juste au-dessus de lui, Sam lança une main vers lui pour tenter de l'arrêter dans sa chute. Mais, en tombant, Philippe le heurta et lui fit à son tour perdre l'équilibre. J'ai entendu deux hurlements et vu mes amis disparaître ensemble vers l'abîme. »

13

New York, USA – Printemps 1981
Les drôles de taches violettes d'un médecin viennois

Les petits yeux noirs du médecin new-yorkais s'étaient subitement écarquillés. Jamais encore le docteur Alvin E. Friedman-Kien, trente-six ans, n'avait vu une telle prolifération de lésions. Le visage entier du malade – le front, les joues, le nez, la lèvre supérieure, le menton – était constellé de curieuses plaques irrégulières de couleur violacée. On aurait dit un masque de bouffon d'opéra. Alvin Friedman-Kien avait pourtant l'habitude. Les désordres relevant de sa spécialité étaient toujours visuels. C'était d'ailleurs cet aspect de la dermatologie qui l'avait attiré vers cette branche de la pratique médicale moins prestigieuse que d'autres. Les formes et les couleurs l'avaient toujours fasciné. Dès l'âge de huit ans, il s'était mis à peindre, à sculpter, à modeler des objets. La visite d'un laboratoire de biologie marine, quelques années plus tard, avait orienté ce goût des choses imagées vers la voie scientifique. Émerveillé par le prodigieux foisonnement de la vie aquatique, le jeune garçon s'était passionné pour l'étude des poissons. Il avait commencé à en collectionner de toutes sortes, des plus communs aux plus rares. Il avait inlassablement contemplé au microscope la richesse et la diversité de leurs écailles, examiné chaque millimètre carré de leur peau, disséqué la moindre de leurs nageoires. Sa vocation pour la biologie animale était née du spectacle magique des aquariums. Toutefois, à l'heure de s'engager dans une carrière, Alvin Friedman-Kien avait choisi de devenir médecin, délaissant la faune aquatique pour donner sa préférence à l'espèce humaine. Sur les bancs de la faculté de médecine de Yale, il rencontra le maître qui allait orienter sa spécialisation, le célèbre biochimiste et dermatologue Erren Learner qui venait de percer le mystère de la formation des pigments de la peau.

Vingt ans plus tard, devenu lui-même dermatologue et chercheur de renom, l'ancien collectionneur de poissons rouges occupait, au bord de l'East River, la chaire de dermatologie et de microbiologie de la très réputée faculté de médecine de l'université de New York. Mêlant intimement une activité de clinicien à une recherche de virologiste en laboratoire, il avait été l'un des premiers à utiliser l'interféron, cette puissante substance antivirale sécrétée par les globules blancs, dans le traitement de maladies considérées jusqu'alors incurables. Ses expériences sur l'acyclovir avaient démontré l'efficacité de l'unique médicament permettant de combattre l'un des fléaux nés de la libération sexuelle, cette « fièvre rouge » que les Américains stigmatisent d'un grand H, l'Herpès. En ce printemps 1981, ses travaux sur un vaccin combattant la cruelle affection étaient si avancés que, sans conteste, ils faisaient de lui un prix Nobel en puissance. Mais, en ce matin d'avril, la vie professionnelle d'Alvin Friedman-Kien allait soudain basculer dans une autre direction.

★

Le malade qui venait de s'asseoir dans son cabinet était un jeune acteur de Broadway. Mises à part ses lésions cutanées, il paraissait en parfaite santé.

— Docteur, c'est horrible : je n'arrive même plus à dissimuler ces taches sous mon maquillage, gémit-il en effleurant son visage.

Un seul coup d'œil avait suffi au spécialiste pour diagnostiquer le mal. Les formes et la couleur violette de ces marques sur la peau étaient absolument spécifiques d'une maladie bien connue. Mais toute son expérience de médecin conspirait à lui faire écarter ce verdict. Il savait que cette maladie ne s'attaquait jamais à des êtres jeunes et que sa zone d'action se limitait presque exclusivement au cœur de l'Afrique et au pourtour de la Méditerranée. Le dermatologue viennois, qui l'avait décrite pour la première fois en 1872 et lui avait donné son nom, n'aurait pu soupçonner le retentissement que sa découverte susciterait un siècle plus tard. Les cinq cas d'ulcération cutanée à évolution mortelle présentés cette année-là par le professeur Moritz Kaposi à l'Académie royale de médecine d'Autriche allaient devenir les modèles d'un type particulier de cancer de la peau qui constituerait un jour l'une des affections caractéristiques du sida.

Excepté en Afrique, le cancer de Kaposi était longtemps resté si rare qu'un spécialiste comme Alvin Friedman-Kien avouait n'en avoir observé guère plus d'une dizaine dans toute sa carrière. Il frappait toujours des hommes âgés, d'origine juive ou latine, qu'on exhibait dans les hôpitaux et les cours des facultés comme des spécimens exceptionnels. L'évolution de leur maladie était habituellement si lente que c'était presque toujours d'autre chose qu'ils mouraient. Et voici qu'en ce matin d'avril le visage tuméfié d'un jeune acteur de théâtre venait modifier toutes ces données. Le soir même, une biopsie confirmait le diagnostic, plongeant le clinicien dans un gouffre de perplexité.

Ce qui se passa au cours des semaines suivantes restera dans la mémoire d'Alvin Friedman-Kien comme « un enchaînement d'images pour un film catastrophe ». Il reçut un jour l'appel d'un confrère généraliste. « J'ai un malade avec des signes cutanés très bizarres, lui expliqua ce dernier. Je n'en ai jamais vus de semblables. Pouvez-vous le recevoir ? » Le dermatologue se souviendra longtemps du choc que fut pour lui cette visite. « En moins de quinze jours, je me trouvais confronté à deux cas d'une maladie rarissime. En plein New York. Chez deux Américains dans la force de l'âge. »

Cette deuxième victime d'un cancer de Kaposi était un jeune décorateur à succès de la Cinquième Avenue. Les premiers symptômes de sa maladie remontaient à plusieurs mois. Il avait été hospitalisé à la suite d'une perte de poids brutale, accompagnée d'une fièvre violente, de suées nocturnes et d'une inflammation ganglionnaire généralisée. Sa rate ayant doublé de volume, on avait dû procéder à son ablation. Cependant, aucun examen n'avait pu préciser l'origine des désordres constatés. Quelques jours plus tard, alors qu'il s'apprêtait à quitter l'hôpital, il avait découvert sur ses jambes « de drôles de taches bleuâtres ». L'interne de garde avait haussé les épaules. « Vous avez dû vous cogner. Il ne s'agit que de banales contusions. » Le jeune décorateur était rentré chez lui. Deux semaines plus tard, des taches semblables apparaissaient sur son torse, son cou, ses bras, son visage et jusque dans sa bouche. Affolé, il se précipita chez son médecin traitant. Celui-ci, démuni devant pareille affection, avait appelé le dermatologue Alvin Friedman-Kien.

★

Avec la même ardeur que celle du docteur Michael Gottlieb à Los Angeles pour sa mystérieuse épidémie de pneumocystose, l'ancien collectionneur de poissons rouges se mit à éplucher les quelque cinq cents cas de tumeurs de Kaposi décrits depuis 1872 dans la littérature médicale mondiale. Puis il soumit ses deux patients à un interrogatoire impitoyable. L'un et l'autre étaient des homosexuels très actifs. Ils ne se connaissaient pas et ne partageaient pas les mêmes partenaires, mais tous deux avaient le même passif médical : syphilis, blennorragie, parasitoses, herpès, hépatite B. Tous deux consommaient en outre des « poppers », ces drogues à base de nitrite d'amyle, ainsi nommées parce que leurs flacons font « pop » quand on les débouche, et qui ont, entre autres, la propriété de dilater les vaisseaux, notamment ceux de la verge et de la muqueuse anale.

Des jours durant, Alvin Friedman-Kien chercha un indice qui pût expliquer l'origine du mal tragique. Il écrivit à tous les médecins gay de New York connus pour l'importance de leur clientèle homosexuelle. Il leur demanda s'ils avaient constaté des marques violettes sur l'épiderme de l'un ou l'autre de leurs patients. Les réponses furent négatives. Alvin Friedman-Kien était sur le point d'abandonner lorsqu'un appel d'une cancérologue de son propre hôpital lui apprit que son service avait eu à soigner, au cours des deux années précédentes, plusieurs cas de cancers variés présentant par ailleurs des signes cutanés semblables à ceux de ses deux patients. Ils étaient tous des homosexuels de moins de quarante ans. Ils étaient tous décédés. Aucun dermatologue n'avait été invité à les examiner. « C'était aberrant, s'insurgera Alvin Friedman-Kien. Par la faute de l'incroyable cloisonnement des services d'un grand hôpital, une épidémie était passée inaperçue ! »

Surmontant sa colère, le médecin new-yorkais se rua sur son téléphone. S'il avait déjà fait tant de dégâts parmi les homosexuels de sa ville, le cancer de Kaposi ne pouvait manquer d'avoir frappé ailleurs. Il appela des confrères à Chicago, à Los Angeles, à San Francisco. Comme il s'y attendait, des malades aux marques violettes avaient bien consulté dans plusieurs hôpitaux.

À San Francisco, un jeune cancérologue du General Hospital venait même de découvrir sur la peau et dans la bouche d'un prostitué homosexuel de vingt-deux ans opérant dans les saunas de la Sodome américaine une éruption de pustules analogues. À l'université, aucun cours n'avait préparé le docteur Paul Volberding, vingt-huit ans, à affronter semblable pathologie. Né dans une ferme du Minnesota, cet athlète d'un mètre quatre-vingts à la carrure de rugbyman avait choisi l'oncologie pour avoir passé son enfance à scruter, au bout de l'exploitation familiale, les bâtiments de verre de l'un des temples du traitement des cancers, la mondialement célèbre Mayo Clinic. Jamais jusqu'à présent un malade souffrant de ce genre de lésions ne s'était présenté dans son service. Désemparé, Paul Volberding appela au secours un des dermatologues les plus réputés de San Francisco.

★

Gay lui-même, le docteur Marcus A. Conant, quarante-cinq ans, était un spécialiste des maladies sexuellement trans-missibles. Dans les années 60, alors que des milliers de garçons et de filles du mouvement hippy colonisaient les hauteurs d'Ashbury Park pour y faire l'amour, voyager au paradis du LSD, conspuer la guerre du Vietnam, et proclamer leur droit au bonheur, Marcus Conant avait bénévolement soigné quelques-unes des victimes de ces débordements. Aujourd'hui, son cabinet de consultation à l'hôpital de l'université de Californie n'était séparé que par la crête d'une colline des rues chaudes du Castro, l'enclave homosexuelle où lui-même résidait. Les excès dont ce quartier était le théâtre emplissaient quotidiennement sa salle d'attente. Pourtant, lui non plus n'avait encore jamais vu de cas pareil à celui que lui présentait Paul Volberding.

Son diagnostic le stupéfia. Comme tout dermatologue, il savait que le cancer de Kaposi était rarissime et qu'il ne frappait que les hommes ayant dépassé la soixantaine. Marcus Conant et Paul Volberding interrogèrent leurs confrères de la côte Ouest. Michael Gottlieb, l'immunologiste qui venait de révéler dans le bulletin du CDC d'Atlanta qu'une étrange épidémie de pneumonies mortelles frappait de jeunes homosexuels de Los Angeles, leur confirma que plusieurs cas de cancers de Kaposi touchant le même type de malades venaient justement d'être identifiés dans son hôpital. À Stanford, non loin de San Francisco, ce genre de cancer de la peau venait même de tuer un jeune rédacteur de l'*Advocate*, un journal très connu de la côte Ouest. À New York, Alvin Friedman-Kien n'eut aucun mal à recenser une trentaine de cas identiques en quelques jours. Tous concernaient également de jeunes homosexuels très actifs.

La nature visible de leurs lésions rendait leur mal particulièrement difficile à accepter. La plupart le ressentaient comme une véritable lèpre. Ceux qui en avaient les moyens allaient se cacher à l'abri d'une chambre de clinique privée. D'autres restaient terrés chez eux. D'autres tentèrent de se sui-cider. Bien souvent, les tumeurs ne se limitaient pas à l'épi-derme. Elles attaquaient aussi les tissus des organes internes : pharynx, œsophage, intestins, poumons. Les médecins étaient désarmés. Aucun traitement n'avait d'effet efficace et durable. Pas même la chimiothérapie ou la radiothérapie.

En quelques mois seulement, l'un des malades d'Alvin Friedman-Kien ne fut plus qu'une épave, un mort-vivant sur son lit d'hôpital au bord de l'East River. Une semaine avant son décès, alors qu'il se désespérait de son impuissance à soulager sa détresse, le dermatologue aura l'une des plus grandes émotions de son existence. En entrant dans la chambre de son patient, il se trouva face à face avec un homme athlétique et joyeux, et non plus le moribond qu'il soignait depuis des mois. Il crut être victime d'une hallucination. Il s'agissait en fait du frère jumeau de son malade dont il ignorait l'existence. Cela faisait dix ans que les deux frères s'étaient brouillés et ils ne s'étaient pas revus depuis. Alvin Friedman-Kien eut du mal à cacher sa surprise. Un profond sentiment de culpabilité l'envahit tout à coup. « Mon Dieu, se reprocha-t-il, si j'avais su qu'il avait un jumeau, j'aurais pu tenter une greffe de moelle. Elle aurait peut-être sauvé ce pauvre type en ressuscitant ses défenses immunitaires. »

Désormais, le dermatologue ne manque jamais de vérifier auprès de chaque nouveau patient s'il n'a pas un frère jumeau.

★

Alvin Friedman-Kien regrettera plus tard la relative lenteur avec laquelle le Centre de contrôle des maladies d'Atlanta réagit à son appel. Six semaines s'écoulèrent avant que Jim Curran débarque à New York avec une équipe de médecins-détectives pour venir contrôler ses premières constatations. Curieusement, pas plus Jim Curran qu'aucun de ses collègues ne mentionnèrent au médecin new-yorkais l'épidémie découverte par Michael Gottlieb à l'autre bout de l'Amérique. Il faudra encore plusieurs semaines aux responsables du CDC pour établir un lien entre les deux affaires. Le 4 juillet 1981, un mois après la révélation de l'épidémie de pneumonie frappant les homosexuels de Los Angeles, un deuxième article du bulletin d'Atlanta faisait éclater une nouvelle bombe dans le paysage médical international. Intitulé « Sarcome de Kaposi et pneumocystose chez les homosexuels mâles – New York et la Californie », le texte passait en revue les vingt-six premiers cas dénombrés par Alvin Friedman-Kien. Il portait sa signature et celles des différents praticiens ayant collaboré à ses efforts. La direction du CDC avait fait accompagner le compte rendu d'un cri d'alarme destiné à l'ensemble du corps médical, lui enjoignant « de se mettre en état d'alerte devant la menace des cancers de Kaposi, des pneumocystoses et autres maladies susceptibles de frapper les homosexuels mâles en état d'immunodépression ».

Mais à Atlanta comme à New York, Los Angeles, San Francisco, là où avaient été identifiées les premières victimes de ce qui paraissait bien être un nouveau fléau, personne n'était, en ce début d'été 1981, en mesure d'apporter la moindre réponse à la seule vraie question : pourquoi ces homosexuels mâles se trouvaient-ils en état d'immunodépression ?

14

Paris, France – Été 1981
Le dernier voyage du steward d'Air France

Le célèbre bulletin de la superpolice des microbes d'Atlanta, le *MMWR* – Rapport hebdomadaire de morbidité et de mortalité –, avait en France un fidèle abonné. Avec sa bouillonnante crinière de mouton mérinos, son inséparable casque de motard à la main, son éternelle Gauloise aux lèvres, le docteur Willy Rozenbaum, trente-six ans, évoquait davantage un chanteur de rock qu'un prince de l'*establishment* médical plutôt conventionnel du pays de Louis Pasteur. Si une guitare électrique ou un guidon de gros cube semblaient mieux lui convenir qu'un stéthoscope, il n'empêchait que ce diable de petit homme sans cesse à l'affût de quelque nouveauté était un cas vraiment remarquable.

Il avait commencé sa carrière à vingt-trois ans dans le service de réanimation d'un hôpital dont la vocation était de ramener à la vie les mourants. Centre antipoison de la région parisienne, l'hôpital Fernand-Widal recevait les principales victimes d'intoxications accidentelles et de suicides par empoisonnement. Créée dans les années 50 pour maintenir en vie les victimes de détresse respiratoire due à la poliomyélite, la réanimation offrait le plus exaltant des horizons à un jeune médecin brûlant du désir de prolonger la vie et, inconsciemment, d'offrir une sorte d'immortalité. « C'était fabuleux, dira Willy Rozenbaum. Imaginez : redonner la vie à un être en état de mort apparente, être en mesure de le ressusciter, régler son compte à la mort. » L'apprenti médecin avait de la chance. C'était dans le domaine des empoisonnements que les techniques de réanimation avaient depuis quelques années fait les progrès les plus spectaculaires. Elles sauvaient la vie dans quatre-vingt-quinze pour cent des cas.

Son premier « miracle » eut l'angélique visage d'une madone de Botticelli. Tout le service était tombé amoureux de Véronique au point d'en faire sa mascotte. À seize ans, elle avait voulu mourir. Pour ne pas se rater, elle avait avalé une boîte entière de mort-aux-rats. Le produit n'existant plus dans le commerce, il avait été impossible de déterminer son antidote exact. Un désastre. Le petit corps inerte apporté par le SAMU n'avait pas une chance sur un million de revenir à la vie : coma profond, collapsus respiratoire, circulatoire, rénal, paralysie totale. Six mois de soins intensifs dans un écheveau de tuyaux, de sondes, de câbles reliés à toutes sortes de machines avaient finalement réussi à ramener Véronique sur terre. Malgré de graves séquelles – la perte de l'ouïe et la destruction d'un rein –, elle avait pu quitter l'hôpital.

Willy Rozenbaum l'avait revue. Il avait cherché à comprendre les raisons qui l'avaient poussée à vouloir mourir. Devant son incroyable appétit de vivre, il avait cessé ses investigations. « Véronique respirait la vie. Elle était guérie. » Un jour pourtant, après une séance de cinéma, elle lui avait brusquement demandé de l'aider à réussir un nouveau suicide. Il l'avait contrainte à s'expliquer. Elle avait fini par lui avouer que même s'il y avait quantité de choses belles sur cette terre, il y en avait tant d'autres qui lui ôtaient l'envie de vivre. Ce désir de mort apprit une vérité première à l'apprenti médecin. « Véronique a contribué à me faire admettre l'idée que la mort fait partie de notre destin, expliquera-t-il. Que le combat parfois fantasmatique du médecin pour une immortalité impossible est un combat stérile. Comme dit Freud, c'est toujours la mort qui a le dernier mot. »

Le docteur Willy Rozenbaum ne se résignera jamais à perdre une vie, mais il retiendra le message de la petite mascotte de Fernand-Widal. « En améliorant la qualité de leur existence, on apporte autant aux êtres qu'en s'acharnant à la prolonger. » Les limites du pouvoir d'un réanimateur ne lui échappaient pas. « Les prodiges de la réanimation toxicologique permettent de sauver des corps, dira-t-il. Les gens s'en sortent mais, en termes de qualité de vie, pas toujours dans le meilleur état. La souffrance psychologique persiste dans la majorité des cas. »

Pour dépasser ce problème, Willy Rozenbaum bifurqua sur une autre voie qu'il jugea d'emblée « aussi fantastique que la réanimation ». Les maladies infectieuses lui offraient en effet l'une des sphères les plus gratifiantes de la médecine, l'une des seules où les statistiques atteignent, depuis l'avènement des antibiotiques, presque cent pour cent de guérisons. « Le diabète, l'hypertension, l'insuffisance rénale, cela se soigne mais ne se guérit pas, dira-t-il encore. Tandis qu'après une infection, même la plus grave, on peut reprendre une vie normale. »

Une occasion exceptionnelle d'apporter une contribution originale s'offrit bientôt à l'ancien réanimateur. L'étude statistique des maladies infectieuses, c'est-à-dire l'analyse d'un problème de santé non plus en termes individuels mais en termes collectifs, en un mot l'épidémiologie, ne faisait pas encore partie des préoccupations de la médecine française. Énorme lacune que l'arrivée de Willy Rozenbaum sur sa Kawasaki 1 000 cm³ devant la porte d'un pavillon de l'hôpital parisien Claude-Bernard allait partiellement combler un matin de février 1979. Ses seuls outils : quelques certificats en statistiques et en informatique passés à la hâte, ses trente-trois ans, et l'ambition de doter l'une des premières médecines du monde de l'arme vitale de santé publique qui lui manquait.

Avec son aspect rébarbatif et ses pavillons lugubres qui se succédaient comme les baraques d'un stalag de prisonniers de guerre, l'hôpital qui accueillait Willy Rozenbaum n'évoquait pas exactement un temple de la science médicale moderne. Le fils de vigneron dont il portait le nom avait cependant découvert au siècle dernier l'une des fonctions essentielles du corps humain, la capacité du foie à emmagasiner l'énergie nécessaire aux muscles. À la notoriété de son nom, l'hôpital Claude-Bernard ajoutait un autre titre de renommée. Du fait de sa spécialisation dans le traitement des maladies infectieuses et tropicales, il était l'un des centres de pathologie microbienne et parasitaire les plus importants d'Europe. Des générations de militaires, de fonctionnaires, de missionnaires, de colons rescapés des aventures impériales françaises étaient venus ici soigner les dégâts occasionnés sur leurs organismes par leurs séjours outre-mer. L'explosion de la mode des voyages et du tourisme vers les pays lointains avait pris le relais en y apportant un flot de pathologies nouvelles et diverses. Bref, l'hôpital Claude-Bernard représentait un exceptionnel laboratoire d'étude pour celui qui rêvait d'enfermer dans ses ordinateurs la mémoire individuelle et collective des infections qu'on y traitait.

Avide de profiter de l'expérience et des méthodes suivies à l'étranger, Willy Rozenbaum avait naturellement fait un pèlerinage à la Mecque de l'épidémiologie mondiale, le CDC d'Atlanta. C'est là qu'il souscrivit son abonnement au *MMWR,* le Rapport hebdomadaire de morbidité et de mortalité. Il était l'un des rares lecteurs français de cet étonnant petit journal et le lisait assidûment comme un bréviaire. « Rien n'est plus excitant que de recevoir chaque semaine le bulletin de santé collectif d'un immense pays comme les États-Unis, d'y découvrir toutes ses petites et grandes misères, dira-t-il. Rien de tel pour vous donner des démangeaisons de recherches et vous tenir en éveil. À chacune de nos réunions de bibliographie, je m'empressais de révéler à mes confrères parisiens les observations les plus originales de ce bulletin. Hélas, je faisais presque toujours un bide! En ce début des années 80, les Français boudaient encore l'épidémiologie. »

Le fléau du siècle allait secouer leur apathie.

★

Comme tous les mardis, le docteur Willy Rozenbaum ne résista pas au plaisir de décacheter l'enveloppe brune à l'en-tête du département américain de la Santé. À en juger par son article vedette, le numéro du *MMWR* du 5 juin 1981 promettait peu de surprises. Que deux touristes américains aient, pendant leurs vacances aux Caraïbes, contracté la dengue, cette fièvre éruptive peu dangereuse transmise par un moustique, ne constituait certes pas un événement de portée mondiale. Willy Rozenbaum allait abandonner sa lecture quand son regard fut attiré par l'article suivant rapportant que cinq jeunes homosexuels avaient été frappés à Los Angeles par une pneumocystose mystérieuse. Voilà qui ressemblait à une nouvelle digne d'intérêt. En médecin averti, Willy Rozenbaum connaissait l'existence de cette pneumonie parasitaire. Il savait qu'elle avait touché, au cours de la Seconde Guerre mondiale, les jeunes enfants du ghetto de Varsovie souffrant de dénutrition. Il savait aussi qu'elle s'attaquait parfois aux nouveau-nés prématurés. Il savait enfin que ses parasites pouvaient éclore chez des malades immunodéprimés, ceux dont les défenses immunitaires contre les infections étaient altérées ou diminuées. N'avait-on pas constaté, dans les années 60, que les traitements immunodépresseurs utilisés dans la lutte contre les cancers et dans les greffes d'organes avaient favorisé l'apparition de cette maladie ? Mais quel point commun pouvait-il y avoir entre les enfants de Varsovie, les prématurés, les cancéreux, les greffés et les cinq homosexuels de Los Angeles ?

Willy Rozenbaum tournait cette question dans sa tête lorsque l'infirmière fit entrer le premier consultant de la journée. C'était un homme d'une trentaine d'années exerçant la profession de steward à Air France. Un ami l'accompagnait. Il souffrait d'une forte fièvre et d'une diarrhée chronique. Il toussait.

– Docteur, je viens de passer trois semaines de vacances au bord du Nil, annonça-t-il. J'ai dû attraper une cochonnerie là-bas.

Willy Rozenbaum l'interrogea. Sa diarrhée s'était déclenchée en Égypte, sans raisons apparentes, et avait résisté à un premier traitement. Au cours de la consultation, il signala qu'Air France l'avait affecté sur la ligne de l'Amérique du Nord et qu'il faisait de fréquents voyages à New York et à Los Angeles.

Des troubles intestinaux à la suite de séjours en pays tropicaux – dysentries, amibiases, typhoïdes... –, Willy Rozenbaum en voyait défiler par centaines. C'était l'une des spécialités de l'hôpital Claude-Bernard. Mais de tels désordres associés à une toux sèche, tenace, rebelle, cela était par contre singulier et nouveau. Il ausculta son patient avec le plus grand soin et revint s'asseoir à sa table. Perplexe, il réfléchissait en silence quand ses yeux tombèrent sur l'exemplaire du *MMWR* ouvert devant lui à la deuxième page. « Dans ma tête, ce fut comme un déclic, dira-t-il. La présence d'un compagnon aux côtés de mon patient et l'évocation de ses fréquentes escales à Los Angeles me firent relier son mal à celui des jeunes homosexuels américains dont je venais de lire le compte rendu. Je décidai d'en avoir le cœur net. »

Willy Rozenbaum appela à la rescousse l'un de ses confrères, le pneumologue Charles Mayaud, et fit hospitaliser l'infortuné steward pour lui faire subir un lavage alvéolaire des poumons, technique sophistiquée qui permet de recueillir les microbes logés dans l'appareil pulmonaire. Après plusieurs examens renouvelés, le verdict tomba, formel. Le patient souffrait de la même maladie que les cinq jeunes homosexuels hospitalisés à douze mille kilomètres de là : une pneumocystose sans raison apparente.

Dès lors, un défi identique à celui de son confrère américain Michael Gottlieb provoquait le médecin parisien : trouver la cause de ce mal. À Paris comme à Los Angeles, le postulat en la matière était le même : ce genre de pneumonie parasitaire ne pouvait se développer que sur un terrain privé de défenses immunitaires pour des raisons très spécifiques. Faute de pouvoir ici expliquer cette déficience, les docteurs Willy Rozenbaum et Charles Mayaud orientèrent leurs recherches dans la direction d'un possible cancer du système lymphoïde, autrement dit des globules blancs, ces gardiens de l'organisme dont la défaillance paraissait en cause.

Alors qu'ils entreprenaient tests et analyses, le souvenir de plusieurs anciens malades ayant présenté les mêmes symptômes leur revint en mémoire. Tous étaient morts de causes inconnues. Selon les plus grandes probabilités, la maladie des cinq homosexuels de Los Angeles n'était ni américaine ni nouvelle, mais *ancienne et mondiale*.

15

Atlanta, USA – Été 1981
Les autopsies très particulières de la jolie Martha

Jim Curran se démenait comme un diable. Le farouche médecin chasseur de microbes du CDC aux yeux de fouine avait bien du mal – bureaucratie oblige – à secouer l'apathie de sa gigantesque organisation et le scepticisme de bon nombre de ses collègues pour qui « cette histoire de pédés était une " gonflette " qui allait crever comme une baudruche ». La question était pour lui à la fois simple et d'une extraordinaire complexité. Que faire pour stopper sur-le-champ l'extension de cette épidémie ? Existait-il un germe coupable comme dans les cas d'intoxications alimentaires ? Qu'avaient les homosexuels en commun qui pût fournir un indice ? La première chose à laquelle il avait naturellement pensé était, comme pour l'épidémie de l'hépatite B, l'existence d'un virus sexuellement transmissible. Cette hypothèse n'était guère réjouissante, car rien n'est plus difficile que de neutraliser un virus. Fallait-il chercher dans les fameux « poppers » que beaucoup de malades semblaient avoir consommés ? Pouvaient-ils être le dénominateur commun des différentes infections ? Le fait que les homosexuels se rencontraient surtout en des lieux particuliers tels les saunas, les discos, les arrière-salles de certains bars, impliquait-il une responsabilité de l'environnement ?

Curieusement, la si vigilante et performante organisation d'Atlanta paraissait mal équipée pour rechercher une réponse à tant de questions disparates. L'épidémie semblait échapper aux modes d'investigation habituels. Elle n'était pas la résultante d'un problème exclusivement vénérien, ni viral, ni toxicologique, ni d'environnement, mais sans doute un panaché des quatre à la fois. D'où la volonté de Jim Curran de faire appel aux spécialistes de plusieurs disciplines et de les regrouper au sein d'une force commune.

Ce matin de juillet marquait le premier aboutissement de ses efforts. L'état-major du CDC au grand complet s'était rassemblé dans la salle de conférences du directeur général pour décider la création d'une « Task Force », une force spéciale d'intervention contre la sournoise épidémie. Se trouvaient réunis là des épidémiologistes, des cancérologues, des immunologues, des virologistes, des parasitologues, des techniciens de l'environnement, des experts en maladies vénériennes et chroniques, des informaticiens, et même des sociologues.

Après avoir nommé Jim Curran à sa tête, la nouvelle Task Force prit aussitôt une première décision. Afin de pouvoir agir efficacement, il fallait connaître tous les paramètres du mal à combattre. C'était là le précepte de l'épidémiologie. Les inventeurs de cette jeune science avaient mis au point une technique d'étude appelée « Case control study – Étude comparative de cas ». Elle permettait de confronter et de comparer un grand nombre de victimes d'une maladie donnée à un grand nombre de sujets bien portants afin de découvrir les différences entre les uns et les autres. C'est ainsi que le CDC avait, entre autres, établi la relation de cause à effet entre l'usage du tabac et le cancer du poumon. L'instrument utilisé était un questionnaire de plusieurs dizaines de pages. De l'ampleur des rubriques abordées et de la pertinence de chaque question dépendait le succès de l'enquête.

Or, ce matin de juillet, ni Jim Curran ni aucun de ses collègues ne se sentaient capables d'élaborer un tel questionnaire.

« Nous n'avions pas assez d'éléments sur les malades, concédera le docteur Harold Jaffe, le placide Californien de l'Epidemiology Intelligence Service. Nous ne savions pas par quel bout nous y prendre. Aucun de nous n'avait encore côtoyé de près cette nouvelle maladie. Nous devions en priorité aller sur le terrain à la rencontre des victimes, bavarder avec elles et savoir de quelle façon elles menaient leur existence. »

Une dizaine de membres de la Task Force s'envolèrent d'Atlanta vers les premiers points chauds où sévissait en priorité le mal : Los Angeles, San Francisco, New York et Miami. Chaperonné par un officier local de la Santé publique, Harold Jaffe put ainsi rencontrer plusieurs malades à San Francisco et à Stanford. Ce qui le frappa d'abord fut l'état de ces hommes. Ils étaient vraiment au seuil de la mort. Et pourtant la majorité d'entre eux s'étaient toujours souciés de leur santé, de leur régime alimentaire, de leur poids. Ils avaient toujours pris soin de faire du sport. Ils étaient tous très jeunes. La plupart étaient issus de familles aisées et jouissaient de situations enviables. Comment avaient-ils pu détruire tout cela et ressembler à des cancéreux au stade terminal ?

Ce qui stupéfia également l'envoyé d'Atlanta fut de découvrir à quel point ces hommes avaient été sexuellement actifs. « Ils avaient eu des centaines, des milliers de partenaires. Leurs ressources leur permettant de voyager, ils avaient assouvi leur libido dans tous les coins des États-Unis. » Ses entretiens confirmèrent enfin un usage massif de diverses substances toxiques, en particulier des « poppers ». « D'après mes interlocuteurs, ces " poppers " semblaient doués de toutes les vertus, racontera Harold Jaffe. Non seulement ils dilataient les vaisseaux de la verge et de la muqueuse anale, mais, en diminuant la pression artérielle, ils procuraient une euphorie qui prolongeait l'orgasme. » De mémoire d'enquêteur, aucun souvenir ne devait le marquer davantage que son équipée dans un bar de San Francisco où plusieurs malades lui avaient appris qu'on y trouvait les meilleurs « poppers » de la ville, ceux qui ne donnaient jamais mal à la tête. L'endroit était l'un des repaires sadomasochistes de la Sodome gay californienne. Il n'était pas très engageant avec sa décoration de chaînes et d'instruments de torture, sa faune d'hommes barbus bardés de combinaisons de cuir, de bottes et de ceintures cloutées. Harold Jaffe hésita avant d'entrer. Il sentait les regards hostiles coller à son costume de jeune fonctionnaire. Il finit par se frayer un passage jusqu'au comptoir.

— Donnez-moi deux ou trois flacons de votre meilleure camelote, demanda-t-il avec embarras au barman.

Celui-ci ouvrit le réfrigérateur qui trônait derrière lui. Il y prit plusieurs ampoules portant le sigle de Burroughs Wellcome Co, le prestigieux laboratoire pharmaceutique qui fabriquait ce produit à l'intention des malades souffrant d'angine de poitrine. Il sortit également trois flacons de la taille d'échantillons de parfum avec l'étiquette Disco Roma, le plus recherché des « poppers ». Harold Jaffe empocha le tout, paya trente dollars et quitta les lieux en hâte. « Je n'avais qu'une peur, racontera-t-il en riant. C'est que ces foutus " poppers " explosent dans ma valise pendant mon voyage de retour et répandent dans l'avion leur répugnante odeur de banane pourrie. » Dès son arrivée à Atlanta, Harold Jaffe s'empressa de les offrir, pour analyse, aux experts toxicologues du CDC.

★

La moisson d'informations que Jim Curran était allé recueillir à New York promettait d'être tout aussi profitable à la rédaction du questionnaire attendu par sa Task Force. L'infatigable médecin-détective rendit systématiquement visite à toutes les personnes atteintes de tumeurs de Kaposi signalées par le dermatologue Alvin Friedman-Kien. « Je n'avais encore jamais vu ce genre de cancer de la peau, racontera-t-il. Les taches violettes étaient impressionnantes, d'autant que de nombreux malades semblaient miraculeusement en bonne santé. L'acteur de Broadway, en particulier, était superbe et athlétique. Le hasard voulait que lui et moi ayons grandi dans la même banlieue de Detroit. Nous avions fréquenté les mêmes écoles, la même église. Il me raconta le drame qu'avait provoqué là-bas son homosexualité. Je n'arrivais pas à croire que toutes ces vilaines marques sur sa figure étaient la conséquence directe de son choix de vivre sa différence. Il s'était forcé à rire en me les montrant sur tout son corps. Sa maladie n'offrait pas encore l'effroyable visage qu'elle allait avoir quelques semaines ou quelques mois plus tard, mais je savais déjà qu'il n'y avait pas de quoi rire. »

À son retour à Atlanta, Jim Curran fit rechercher dans les registres de Sandy Ford, la jeune femme responsable du Parasitic Disease Drug Service, toutes les demandes reçues pour la Pentamidine, ce médicament contre la pneumocystose que le CDC était seul à distribuer en Amérique. L'enquête permit de retrouver la trace de plusieurs homosexuels décédés en 1979, 1980 et 1981. Elle permit surtout de constater qu'ils avaient tous vécu à New York, Los Angeles, San Francisco et Miami, ce qui laissait supposer que l'épidémie était originaire de ces quatre villes. Le chef de la Task Force entreprit ensuite de faire étudier par les correspondants locaux du CDC les archives de la Santé publique des dix-huit plus grandes villes américaines afin de recenser tous les cas de pneumocystoses et de sarcomes de Kaposi identifiés dans les trois années précédentes. Enfin, il fit interroger par téléphone à travers tout le pays les responsables d'une trentaine d'hôpitaux ainsi qu'un grand nombre de praticiens privés afin de s'assurer que pas un seul cas de pneumocystose ou de Kaposi n'échappait à la connaissance de son organisation.

★

Il était tout juste cinq heures, ce matin de septembre, lorsque la sonnerie du téléphone retentit dans la chambre à coucher d'une jeune femme habitant la banlieue d'Atlanta. Réveillée en sursaut, le docteur Martha Rogers décrocha. Cette jolie Géorgienne brune de vingt-six ans était l'un des derniers médecins-limiers recrutés par l'Epidemiology Intelligence Service du CDC. L'appel venait de Fort Lauderdale, en Floride. Au bout du fil, une voix d'homme annonça :
– Prenez le premier avion. Il vient de mourir.

Martha Rogers et ses collègues de la Task Force attendaient cet appel depuis plusieurs jours. Le CDC avait en effet été averti par l'hôpital de Fort Lauderdale qu'un patient de trente-cinq ans sur le point de décéder d'un cancer de Kaposi généralisé avait légué son corps à la science. L'occasion était unique. Martha Rogers avait été désignée pour participer à l'autopsie et effectuer des prélèvements sur les différents organes touchés par les tumeurs. L'analyse des tissus recueillis fournirait peut-être des informations capitales sur les causes de l'épidémie. Les experts d'Atlanta, au vu du dossier clinique du malade, avaient dressé une première liste que la jeune femme avait mission de compléter sur place au cas où des lésions inconnues apparaîtraient au cours de la dissection.

L'escapade de Martha Rogers ne dura qu'une journée. Mais quelle journée! Le soir, tout au long du vol de retour vers Atlanta, ses yeux ne quittèrent pas la mallette en skaï bleu posée sur le siège à côté d'elle. Les passagers du vol 450 des Delta Airlines auraient été ébahis d'apprendre qu'à l'intérieur de ce bagage anodin se trouvait une boîte isotherme contenant deux yeux, des morceaux de cerveau, d'intestin et de foie, un fragment d'œsophage, plusieurs lambeaux d'épiderme, un bout de langue et un tube empli de sang, bref toute une panoplie d'échantillons recelant peut-être la clef de l'une des plus grandes énigmes de la pathologie moderne. L'atterrissage tardif de l'appareil empêcha Martha Rogers d'apporter son précieux paquet aux laboratoires du CDC. C'est dans le congélateur familial, entre deux pots de crème glacée à la fraise destinés à ses enfants, que ces pièces à conviction, témoins vitaux pour la recherche, passèrent leur première nuit loin du corps de leur infortuné propriétaire.

16

Jérusalem, Israël – Automne 1981
« Qu'ai-je fait, Seigneur, pour mériter ce châtiment ? »

Une mouche au plafond. Tout l'univers de Philippe Malouf se limitait à cette seule vision d'un insecte se promenant sur des panneaux percés de petits trous. Un plafond à vous rendre fou avec tous ses petits trous. Depuis combien de jours ? Combien de nuits ? Le jeune moine avait perdu la notion du temps. Vingt-deux jours de coma et quatre semaines d'un sommeil entrecoupé de demi-réveils jusqu'à ce qu'il réalise son état. Il n'éprouvait plus aucune sensation de la nuque à la pointe des pieds. Son corps ne lui appartenait plus. Il ne pouvait ni commander à ses membres, ni tousser, ni avaler, ni éternuer, ni manger, ni parler en dehors de quelques onomatopées adressées dans un souffle à un visiteur ou à un médecin. Plusieurs jours durant, il n'avait pu accorder qu'une attention confuse à ce qui lui était arrivé. Puis, un soir, il avait reconnu la grosse tête barbue de Josef Stein au-dessus de lui. L'archéologue américain se forçait à sourire et même à plaisanter : « Et moi qui croyais que ton bon Dieu donnait des ailes à ses anges ! » Le jeune moine avait alors fait la découverte la plus cruelle : il ne pouvait même plus rire.

En fait d'ailes, Philippe Malouf n'avait rien pu faire pour freiner sa chute dans le puits de fouille. Sam Blum, l'autre Américain, avait eu plus de chance. Une planche dépassant du deuxième niveau avait providentiellement bloqué son plongeon dans le gouffre. Il s'en tirait avec deux côtes et une clavicule cassées. Le fils du rabbin new-yorkais avait remercié pêle-mêle le Dieu d'Israël, ses prophètes et toutes les divinités que les âmes de l'Antiquité avaient adorées au cours des âges dans ce haut lieu de culte.

Josef Stein ne pouvait oublier le hurlement qu'avait poussé Philippe en tombant, puis le bruit mat de son corps se disloquant au fond de l'excavation. Les appels au secours, la folle descente dans le puits, l'installation d'un treuil, l'arrivée d'une ambulance marquée de l'étoile de David et de ses brancardiers en short et torse nu, le haubanage d'une civière et son amarrage à la poulie du treuil, la lente remontée du blessé inconscient le long des parois millénaires, son transport à l'hôpital de la Hadassah de Jérusalem, sa disparition dans la salle des urgences, tous ces bruits, toutes ces images se télescopaient dans la mémoire de l'Américain comme dans un kaléidoscope surréaliste. Enfin la vision du chirurgien émergeant du bloc opératoire, son masque vert pâle pendant sous le menton, le front perlant de transpiration, une cigarette déjà allumée aux lèvres, pâle et fatigué, visiblement peu enclin aux confidences et annonçant seulement d'un ton neutre, comme pour dédramatiser l'insoutenable :

— Fracture des cervicales 4 et 5, avec écrasement du canal médullaire. Paralysie des quatre membres.

— Définitive ?

La barbe de Josef Stein et son émotion avaient comme amorti la question. Le chirurgien avait aspiré une bouffée de sa cigarette et rejeté lentement la fumée.

— Dans l'état actuel de nos connaissances, je crains que oui.

★

L'angoisse submergea bientôt le corps inerte. Une angoisse incontrôlable forgée des mille phénomènes se manifestant à la conscience avec, pour fond sonore, le seul battement de son sang dans les tempes : une subite suffocation respiratoire, une chute de tension, une sensation de froid ou de chaud, l'impossibilité de transpirer, un sentiment de dégradation et d'impuissance devant la perte du contrôle de ses besoins naturels. Et, plus douloureux encore, l'humiliation de se trouver livré nu, exposé, exhibé à un cortège d'inconnus.

Bouleversé par la détresse du jeune moine, le père abbé du monastère de Latroun chercha des mots qui, espérait-il, lui apporteraient un peu de réconfort. Pointant sa grosse main calleuse vers les toits en terrasse des faubourgs de Jérusalem que l'on apercevait de sa chambre, il lui rappela que c'était « là-haut, à quelques centaines de mètres seulement au-delà de la colline, que Celui qui était venu sur terre pour racheter les hommes avait vécu le martyre de la Passion ». Mais, dans sa propre passion, une préoccupation bien étrangère à son engagement au Christ du Golgotha, quoique bien humaine, égarait ces jours-là le cerveau du trappiste. Il avait beau retourner la question dans tous les sens, il ne parvenait pas à trouver les mots pour la formuler. C'est à Josef Stein qu'il finit, un soir, par confier son tourment. Les deux amis écoutaient la voix lointaine d'un muezzin arabe qui appelait à la prière du haut d'un minaret.

– Dis donc, Josef, demanda sans préambule le jeune moine, crois-tu que je n'aurai jamais plus d'érections ?

À l'angoisse succéda une période de révolte, que les médecins jugèrent comme une manifestation positive de la résistance et de la combativité du paralysé. De même que Jacob avait maudit son Créateur pendant une nuit entière, les imprécations du moine s'adressèrent d'abord au Dieu de miséricorde dont il s'était fait le serviteur. « Qu'ai-je fait, Seigneur, pour mériter ce châtiment ? Pourquoi moi ? » Faute de trouver dans sa foi une réponse satisfaisante, ce fut contre ceux qui l'entouraient et le soignaient que l'ancien guérillero des Phalanges libanaises montra son désespoir. Injures, cris, reproches, menaces, la petite chambre face à Jérusalem devint, plusieurs semaines durant, un chaudron de violences verbales que personne n'osait plus affronter.

Une complication allait alors mettre en danger la vie du blessé. Contraintes à l'immobilité, des parties de son corps en contact permanent avec le lit commencèrent à se nécroser. Privées de sang et par conséquent d'oxygène à cause de leur compression prolongée, ces zones non irriguées firent naître des escarres, vilaines plaies creuses, foyers potentiels d'infections irréversibles. Avec des soins urgents et des frictions toutes les quatre heures, internes et infirmières luttèrent sans relâche pour stopper la mortification des tissus et prévenir de nouvelles lésions. Tant d'acharnement et de dévouement ne purent laisser insensible le moine révolté. Méditant sur tout ce qui avait tissé sa vie depuis vingt-quatre années, il y cherchait désespérément la force d'accepter son état. Ses frères du monastère venaient à tour de rôle l'aider dans cet effort en lui apportant le réconfort de l'Eucharistie et le soutien de leur prière. Ce fut pourtant une visite inattendue qui allait produire le choc décisif dont il avait besoin pour muer sa révolte en un début d'acceptation.

★

Cet après-midi-là, il n'avait pas entendu le glissement furtif des deux roues caoutchoutées sur le linoléum de sa chambre. Soudain, au bord de son oreiller, il avait découvert le visage d'une jeune fille, son front ceint d'un bandeau écarlate emprisonnant une abondante chevelure noire bouclée. L'éclat de son regard et son sourire exprimaient une joie et une force si vives que le moine en fut embarrassé. « C'était la VIE qui venait d'entrer dans ma chambre, dira-t-il. Une manette qu'elle actionnait avec sa bouche lui permettait de commander son fauteuil roulant électrique. Ses mains inertes sur les accoudoirs prouvaient qu'elle souffrait elle aussi d'une tétraplégie totale. Sur ses genoux était posée une bouteille. " *Shalom!* me dit-elle gaiement. Je m'appelle Ruth, comme la femme de la Bible. Je t'ai apporté une bouteille de vin pour que nous buvions à ta guérison. Il ne vient pas de Latroun, mais du mont Carmel. Tu verras comme il est bon! " Puis ses lèvres saisirent à nouveau la manette, son fauteuil fit demi-tour et elle sortit de ma chambre. »

Une minute plus tard, la jeune Israélienne était de retour, accompagnée d'une infirmière portant un plateau avec la bouteille et deux verres pleins de vin du Carmel.

– *L'chaïm*, Philippe! À la vie!

L'infirmière plongea une pipette dans le premier verre, l'approcha des lèvres du moine qui aspira une longue gorgée. Une bouffée de chaleur l'envahit aussitôt, chassant d'un coup le goût de tôle rouillée qui lui râpait la langue depuis l'accident. Ses yeux se mouillèrent de larmes. Il tenta de parler mais, terrassé par l'émotion, il ne parvint pas à articuler un seul mot. Il absorba une nouvelle gorgée de vin sous le regard attendri de Ruth qui souriait.

– Merci, petite sœur, dit-il en fermant les yeux, ta visite est le plus beau des cadeaux.

Le soir même, Philippe Malouf apprit la tragédie qui avait brisé la vie de Ruth. Membre d'un kibboutz situé à l'extrême nord de la Galilée, elle participait une nuit à une patrouille le long de la frontière libanaise lorsque deux balles tirées à bout portant par un feddayin lui avaient fracassé la colonne vertébrale.

★

Cette semaine-là, un deuxième événement allait contribuer à réintégrer le jeune trappiste dans le monde des vivants. Jugeant ses fractures cervicales consolidées, les médecins décidèrent de l'asseoir pour la première fois dans son lit. Après lui avoir soutenu le cœur avec un puissant tonicardiaque, un infirmier entreprit de lui redresser doucement le buste. Ses yeux qui n'avaient eu, pendant tant de semaines, que l'unique horizon du plafond percé de trous s'affolèrent tout à coup à la recherche de nouveaux repères. « La pièce basculait dans tous les sens comme si je me trouvais à bord d'un avion exécutant une série de loopings », confiera Philippe Malouf. Saisi d'une violente nausée, il se mit à vomir. Il fallut le replacer d'urgence en position allongée. De nouvelles tentatives eurent lieu le lendemain et les jours qui suivirent jusqu'à ce que, progressivement, il pût franchir cette première étape du renouveau.

17

Atlanta, USA – Automne 1981
Cinq cents questions pour une enquête folle sur les
mystères de la libido

C'était le questionnaire le plus détaillé, le plus imaginatif, le plus audacieux que les cerveaux de la jeune science de l'épidémiologie aient jamais conçu. Le docteur Jim Curran et les membres de sa Task Force du CDC s'étaient littéralement surpassés pour mettre au point ce petit chef-d'œuvre qui allait leur permettre, espéraient-ils, de découvrir la réponse au rébus qui les confondait. Toute l'expérience acquise au cours de leurs nombreuses enquêtes passées sur les maladies vénériennes, les hépatites A et B, et d'autres maladies infectieuses, avait constitué la base de départ pour l'élaboration de ce questionnaire géant. Une étude réalisée quatre ans plus tôt par deux chercheurs gay sur les comportements sexuels et les habitudes de quelque cinq cents homosexuels américains avait fourni d'inestimables données élémentaires sur ce milieu à hauts risques, aujourd'hui menacé des pires dangers. L'inventaire de tous les cas de pneumocystose et de Kaposi diagnostiqués aux États-Unis en ce début d'automne 1981 – une quarantaine au total – et leur description aussi précise que possible avaient complété le dossier préparatoire.

Jim Curran avait également réquisitionné les talents du professeur William Darrow, spécialiste maison des études sociologiques conduites sur les groupes sexuellement à risques. Les travaux que ce savant de quarante-cinq ans avaient menés sur la dimension sociale des phénomènes de la libido faisaient autorité. Il avait consacré vingt ans de sa vie à analyser les mœurs des récidivistes de la syphilis, de la blennorragie et autres infections vénériennes. « Pour moi, cela ne fait pas l'ombre d'un doute, affirma-t-il, cette sinistre épidémie est transmise par voie sexuelle. » Pour s'en convaincre ou, le cas échéant, démasquer d'autres facteurs, Jim Curran et son équipe jugèrent indispensable de soumettre chaque malade, ainsi que le plus grand nombre possible d'homosexuels bien portants, à un interrogatoire sans faille. Quelque cinq cents questions le composaient. Leur liste couvrait les vingt-trois pages du document portant le nom de code : « CDC Protocol 577 ».

La première partie du questionnaire avait pour objectif de situer l'intéressé sur un plan économique et social. Était-il blanc, noir, hispanique, indien américain, natif de l'Alaska, indigène d'une île du Pacifique ou de quelle autre origine ? Gagnait-il, avant impôts, moins de dix mille ou plus de trente mille dollars par an ? Était-il célibataire ou marié ? Avait-il déjà été marié, une ou plusieurs fois ? Combien d'années avait-il été à l'école, au collège, à l'université ? Quels emplois avait-il occupés dans les dix dernières années ? Au cours de ses occupations professionnelles ou de ses loisirs, avait-il été exposé à des produits chimiques industriels, agricoles, radioactifs, à des défoliants ? Où avait-il résidé dans les dix dernières années ? Dans quels pays avait-il voyagé ? Avait-il possédé des animaux domestiques ? Lesquels ? À quelle période ? Ceux-ci avaient-ils souffert de maladies inhabituelles ? Étaient-ils morts de ces maladies ? Le sujet avait-il l'habitude de consommer des boissons alcoolisées ? Occasionnellement, régulièrement ? Bière, vin, cocktails ? Quelle quantité par jour, depuis combien d'années ? Fumait-il ? Combien de cigarettes par jour, depuis combien d'années ? Avait-il des antécédents cancéreux dans sa famille ? Chez ses grands-parents, parents, sœurs, frères ? Quel type de cancer ? Quand ? Dans le même ordre de préoccupations, avait-il cohabité pendant les trois années précédentes avec une personne, homme ou femme, partenaire sexuel ou non, ayant souffert d'un cancer, ou ayant été hospitalisée pour une infection, ou ayant subi une perte de poids inexpliquée, associée ou non à de la fièvre ?

L'interrogatoire se corsait avec la reconstitution minutieuse des accidents médicaux du sujet, antérieurs au déclenchement proprement dit de sa maladie actuelle. Le sujet avait-il été atteint de syphilis, de blennorragie, d'urétrite non vénérienne, d'herpès ou de verrues génitales ? Combien de fois ? À quand remontait la dernière infection ? Quel était l'emplacement des lésions ? Sur la verge, à la sortie ou à l'intérieur du rectum ? Le questionnaire insistait aussi sur toutes les pathologies anciennes d'origine intestinale – salmonelles, amibiases, hépatites... –, sur les éruptions cutanées, les inflammations ganglionnaires, les pneumonies ayant nécessité une hospitalisation, les tumeurs cancéreuses. La nature des médicaments absorbés pendant les dix dernières années faisait l'objet de questions détaillées. S'agissait-il de pénicilline et, si oui, en injections ou en gélules ; d'ampicilline en pilules, de tétracycline en comprimés, de produits spécifiques des amibiases comme le Flagyl, les oxyquinoléines et l'Humatin ; de cortisone, d'Ascabiol contre les poux et la gale, ou de toute autre médication dont le sujet était invité à se souvenir et à fournir les dates et la fréquence d'emploi.

Informé que sa maladie présente pouvait être liée à la consommation de stupéfiants, le sujet était ensuite prié de révéler s'il avait fait usage de telles substances et, si oui, à quelle date et sous quelles formes : piqûres, cigarettes, inhalations ou cachets absorbés par voie buccale ? Suivait l'énumération des principaux véhicules pour paradis artificiels : marijuana, cocaïne, héroïne, amphétamines, barbituriques, LSD, Quaalude (méthaqualone), « poussière d'ange », etc. Les « poppers », tellement prisés par les gays pour leurs vertus « sexuellement stimulantes », faisaient naturellement l'objet d'une investigation particulière, notamment sur la fréquence et le lieu de leur emploi : saunas, discos, bars, librairies, cinémas spécialisés, W.-C., jardins publics... et l'origine de leur fabrication. S'agissait-il d'ampoules ou de flacons ? Avec ou sans étiquettes ? Quelle marque avait eu la préférence du sujet ? Les flacons de Bolt, de Bullet, de Disco Roma, d'Hardware, de Head, de Highball, de Hit, de Kryptonite, de Locker Room, de Pig Poppers, de Quicksilver ou de Rush ? À moins que l'intéressé n'ait eu un faible pour une autre sorte ne figurant pas encore dans les ordinateurs d'Atlanta et, dans ce cas, comment s'appelait ce « popper » ?

Mais, noblesse oblige, c'était bien entendu sur les rubriques relatives au comportement sexuel que les médecins-détectives du CDC avaient porté leurs soins les plus attentifs. La partie de l'enquête ayant trait à ce chapitre informait d'emblée les sujets interrogés qu'il semblait très probable que leur maladie soit due à la nature spécifique de leurs rapports sexuels. Par « rapports sexuels », le questionnaire entendait « l'intromission de votre verge dans la bouche, le vagin ou l'anus d'un partenaire ; ou l'intromission d'une verge dans votre bouche, ou dans votre anus ». Ces principes posés, tout le catalogue des pratiques homosexuelles d'une part, hétérosexuelles d'autre part, était passé en revue jusque dans les détails les plus intimes. Certaines questions étaient si crues que des investigateurs risquaient d'hésiter à les poser. Le docteur Martha Rogers, cette jeune femme qui avait rapporté de Floride les premiers échantillons d'organes et de tissus prélevés sur un malade décédé d'un cancer de Kaposi, avouera sa répugnance à demander à ses interlocuteurs s'ils préféraient introduire leur verge ou leur langue dans le rectum de leurs partenaires, et dans quel pourcentage ils exerçaient l'une ou l'autre de ces pratiques.

Les responsables du CDC n'avaient rien laissé au hasard. Pour prévenir d'éventuelles défaillances de leurs enquêteurs, ils les avaient soumis à un entraînement de « désensibilisation préalable ». Cela consistait à répéter l'interrogatoire avec un spécialiste des maladies sexuellement transmissibles, un de ces vieux routiers habitués à décrire toutes les fantaisies de la libido homosexuelle. C'est ainsi que Martha Rogers eut la surprise de se trouver confrontée au directeur de la Task Force lui-même, Jim Curran, celui-ci jouant le rôle d'un gay superactif. « J'étais si émue de me trouver face à mon patron pour lui poser des questions si intimes qu'il me fallut plusieurs minutes avant de pouvoir articuler un mot. Pour m'affranchir, il inventait les réponses les plus scabreuses qu'il me serait donné d'entendre. »

L'aventure de la première grande enquête organisée pour traquer les causes du fléau inconnu qui frappait les homosexuels américains commença le 1er octobre 1981. Une cinquantaine de malades – quelques-uns déjà à l'article de la mort – et quelque deux cents homosexuels bien portants mais au comportement à risques allaient participer à l'opération « Protocol 577 ». Tous volontaires, ils avaient été mis en contact avec le CDC par des praticiens privés et les services des maladies vénériennes de divers hôpitaux. L'enquête était circonscrite à quatre villes – Los Angeles, San Francisco, New York et Miami –, là où le mal avait d'abord frappé. On y ajouta Atlanta en raison de la découverte inattendue, dans un village de Géorgie, d'un sarcome de Kaposi, cette fois chez un garçon âgé seulement de treize ans. « Un cas incompréhensible, déclarera Jim Curran. Tellement étrange qu'il pouvait peut-être nous fournir la clef de toute l'énigme. Avec le cancer de cet adolescent, nous nous trouvions comme des flics à la recherche d'un meurtrier qui aurait assassiné dix prostituées en se servant toujours d'un bas de soie et qui, subitement, aurait choisi de tuer la onzième avec un couteau de cuisine. Cette piste inopinée nous orientait vers une nouvelle approche de la maladie que nous cherchions à identifier. »

★

Des lustres durant, les six cent cinquante-cinq chambres du vieil hôtel de l'Upper East Side avaient été l'intraitable rempart de la vertu des jeunes Américaines de bonne famille séjournant à New York. Le Barbizon Hotel For Women n'admettait pas de clients masculins. La présence dans le bâtiment de tout représentant du sexe fort se trouvait exclusivement limitée au salon du rez-de-chaussée. Mais, ici comme ailleurs, la révolution sexuelle et l'évolution des mœurs avaient fini par ébranler ce bastion de la respectabilité new-yorkaise.

Depuis la Saint-Valentin de cette année 1981, l'hôtel Barbizon recevait une clientèle des deux sexes.

Jim Curran avait jugé que ses chambres, où flottait encore un discret parfum de vertu, fourniraient un décor parfait aux investigations médico-sexuelles de l'opération « Protocol 577 ». Partageant le pays en deux, il avait confié l'enquête sur la côte Ouest au docteur Harold Jaffe, et s'était attribué la supervision du plus gros morceau, New York. Parmi ses troupes se trouvait la jeune femme qu'il avait soumise à un entraînement personnel particulièrement osé. Le docteur Martha Rogers n'oubliera jamais son équipée new-yorkaise. « Chaque soir, quand j'avais prélevé la dernière sécrétion anale de mon dernier visiteur gay de la journée, je me précipitais sur le téléphone pour appeler ma mère, racontera-t-elle. Je lui disais tout. La pauvre femme, qui habitait un tout petit patelin au cœur de la Géorgie, était partagée entre la fierté de voir sa fille appartenir à une institution aussi prestigieuse que le CDC et l'horreur des drôles de choses qu'elle y faisait. »

Le matin au petit déjeuner, tandis qu'il dégustait ses œufs brouillés au bacon, l'infatigable patron de Martha Rogers relisait minutieusement les questionnaires remplis la veille. Ces vérifications donnaient parfois lieu à des remontrances.

– Voyons, Martha, vous auriez dû demander à ce type avec combien de partenaires il a fait l'amour la semaine dernière. La division par 52 du nombre total de ses partenaires pour toute l'année écoulée ne nous donne pas forcément le chiffre exact de ses échanges au cours de la semaine dernière. N'oubliez pas, Martha, que le moindre détail peut avoir une importance vitale.

★

Ses allocations de fonctionnaire ne lui permettant pas de fréquenter les palaces de l'hôtellerie californienne, c'est au Best Western, un motel plutôt modeste de l'autre côté de Market Street, que le docteur Harold Jaffe et son équipe s'installèrent à San Francisco. Mary Gynan, une jeune spécialiste de la division des maladies virales du CDC, faisait partie de son groupe.

L'incessant va-et-vient des visiteurs, tous jeunes et manifestement gay, finit par attirer les soupçons du propriétaire de l'établissement. À quel manège pouvaient bien se livrer dans leurs chambres ces clients apparemment BCBG qui prétendaient être des médecins du gouvernement ? La Sodome californienne avait beau fermer les yeux sur toutes les perversions, il y avait quand même des limites. Un après-midi, le propriétaire prit son passe-partout et fit irruption dans la chambre de Mary Gynan. Quelle ne fut pas sa stupéfaction de trouver la jeune femme « penchée sur le postérieur d'un beau garçon blond, occupée à recueillir sur un coton les sécrétions de son cul ».

L'absence totale de précautions prises à l'occasion de ces interventions devait plus tard hanter les membres de l'opération « Protocol 577 ». « Nous étions inconscients du danger, reconnaîtra Harold Jaffe. Nous ne portions ni gants ni masques et utilisions nos propres chambres comme salles d'examen. » Mary Gynan restera longtemps traumatisée par le souvenir du sang qui gicla sur elle quand un des sujets sains auquel elle faisait une prise de sang s'évanouit sans crier gare.

L'empressement à répondre aux questions, même les plus intimes ou les plus compromettantes, comme celles concernant l'usage de stupéfiants, étonna les enquêteurs. « On aurait dit que les personnes que nous interrogions pressentaient le cauchemar qui allait arriver, qu'elles voulaient nous aider à l'arrêter », confiera Harold Jaffe. Il allait connaître bien d'autres surprises. Un jour qu'il questionnait un solide barbu au vêtement de cuir noir couvert d'insignes, et lui demandait où il avait l'habitude de s'adonner à ses ébats sexuels, il se vit donner le nom de plusieurs grands hôtels de la ville. Amusé par l'expression étonnée du médecin, le barbu précisa : « Que voulez-vous ! Seuls ces établissements disposent de chambres assez spacieuses pour me permettre de déballer tout mon matériel. » L'homme ne se fit pas prier pour expliquer qu'il était l'un des papes du sadomasochisme à San Francisco. Pour leurs ébats, ses partenaires et lui se servaient de toute une collection d'uniformes militaires et d'instruments dont l'utilisation exigeait en effet beaucoup d'espace.

Quand la maladie clouait au lit un des sujets à interroger,

les enquêteurs se rendaient à son domicile ou à l'hôpital. Martha Rogers se souvient avoir dû sortir un soir très tard « pour aller voir au fond de Manhattan un pauvre type bariolé de tumeurs de Kaposi. On aurait dit un clown de mardi gras ». Elle était revenue à pied dans les rues désertes en serrant au fond de sa poche, « tel le trésor de l'Arche perdue, la petite boîte contenant les pièces à conviction du mal qui le tuait ». À Los Angeles, Harold Jaffe conduisit plusieurs interrogatoires dans de superbes demeures hollywoodiennes. « C'était un peu gênant d'arriver ainsi chez les gens et de leur poser toutes ces questions indiscrètes au bord de leur piscine, avouera-t-il. Un jour, l'un de ces hôtes, particulièrement intéressé par l'enquête, se déculotta et commença à se masturber devant moi pour m'offrir en prime un spécimen de son sperme. »

Chaque soir avant d'aller se coucher, les envoyés du CDC regroupaient, dans une boîte isotherme remplie de glace pilée, les tubes de sang et les différents prélèvements patiemment collectés. Le lendemain matin, ils se présentaient avec leur précieux colis au guichet du bureau de poste le plus proche. À la question du préposé sur la valeur marchande de leur envoi, ils répondaient invariablement : « Néant. » Comment donner une valeur en dollars à des tubes et à des plaques de verre contenant peut-être le coupable d'une tragédie dont personne n'évaluait encore l'ampleur ?

18

Calcutta, Inde – Hiver 1981
« Partout où des hommes souffrent »

54-A Lower Circular Road. Seule une modeste plaque de bois
signale l'entrée du quartier général de l'entreprise qu'a fondée
Mère Teresa. La bâtisse grise de trois étages au cœur de Calcutta est devenue l'un des édifices les plus connus de l'immense
cité, l'un des plus visités par tous ceux, indiens ou étrangers,
venus faire un pèlerinage aux sources de l'œuvre de la célèbre
religieuse. Ouvertes en permanence, ses fenêtres donnent sur le
fleuve grondant de tramways surchargés, de camions, de voitures, de *rickshaws*, ces pousse-pousse tirés par les derniers
hommes-chevaux de la planète. Sur les trottoirs défoncés vit
tout un peuple de sans-abri enroulés dans leur *dhoti* comme
dans un linceul, de revendeurs de ferraille et de pièces d'automobiles. Devant les bornes-fontaines, des grappes d'enfants nus
s'ébrouent dans les caniveaux, tandis qu'à chaque coin de rue
des marchands de thé, de beignets et de riz soufflé vendent aux
plus pauvres leur pitance quotidienne.
  On accède à l'intérieur du bâtiment par une porte de bois
donnant sur une étroite ruelle constamment encombrée d'une
foule de mendiants, de lépreux, de femmes portant dans leurs

bras décharnés des enfants faméliques. Une simple ficelle reliée à une clochette sert de sonnette. À chaque appel apparaît le visage d'une jeune sœur indienne en sari blanc à liséré bleu. Une petite cour ornée d'une grande statue de la Vierge ouvrant les bras conduit à un escalier. Au premier étage se trouve la chapelle, une vaste salle seulement meublée d'un autel, mais toujours vibrante d'une présence de foi et de prière. Comme dans celle de la léproserie de Bénarès, sur le mur du fond, à côté du crucifix de bois, une inscription proclame : « *I THIRST* — J'AI SOIF. »

Celle qui étanche en Inde et partout ailleurs la soif de Jésus crucifié vient plusieurs fois par jour s'agenouiller ici sur un vieux sac de jute rapiécé pour demander à Dieu force et inspiration afin de poursuivre sa croisade en faveur des plus démunis, des abandonnés, des lépreux, des désespérés, des parias, des rejetés de toutes races, de toutes castes, de toutes croyances. C'est ici, dans ce lieu qui sert également de dortoir et de salle d'études, que Mère Teresa a formé à leur sacerdoce d'amour au service des plus pauvres les milliers de jeunes filles venues de tous les coins de l'Inde et du monde pour prendre le voile blanc bordé de bleu des Missionnaires de la Charité. La grande bâtisse du 54-A Lower Circular Road abrite plus d'une centaine de novices. Très tôt chaque matin, après avoir reçu l'Eucharistie et chanté les psaumes, elles quittent le couvent deux par deux, leur chapelet à la main, pour se rendre en tramway, en autobus, en train ou le plus souvent à pied, dans les mouroirs, les écoles, les orphelinats, les dispensaires de la congrégation. Lorsque ces frêles silhouettes se dispersent à travers la ville, on dirait qu'une onde de générosité et d'amour se propage sur leur passage, une vibration porteuse d'espérance qui annonce aux malheureux de l'inhumaine cité : « Nous sommes là, nous vous aimons, n'ayez plus peur. »

★

En cet hiver 1981, cela faisait vingt-neuf ans que Mère Teresa était venue s'installer dans ce bâtiment avec quelques élèves de l'ancien couvent où elle avait enseigné la géographie.

Le propriétaire des lieux, un magistrat musulman, l'avait vendu pour une bouchée de pain après une longue méditation dans la mosquée voisine. Au prêtre chargé par la religieuse de la transaction, le saint homme de l'Islam s'était contenté d'expliquer : « C'est de Dieu que j'ai reçu cette maison. C'est à Dieu que je la rends. »

Quelques semaines plus tard, une petite procession conduite par Mère Teresa était sortie du couvent pour se rendre à pied à la cathédrale catholique Notre-Dame-du-Rosaire. Là, dans la nef illuminée par des cierges, devant l'archevêque de Calcutta et tous les dignitaires du clergé local, les dix-huit premières novices avaient prononcé leurs vœux, s'engageant solennellement à « chercher dans les villes et les villages partout dans le monde, même au cœur de la plus extrême abjection, les plus pauvres des pauvres afin de les soigner, de leur porter secours, de les visiter assidûment, de vivre l'amour que le Christ leur porte, et d'éveiller leur réponse à Son immense amour ».

De ce serment était né l'ordre des Missionnaires de la Charité qui compte aujourd'hui plus de trois mille sœurs œuvrant dans quelque quatre cents centres établis dans quatre-vingt-douze pays, y compris Cuba, l'Union soviétique et bientôt la Chine et l'Albanie. Depuis lors, chaque année le 8 décembre, jour de la fête de l'Immaculée Conception, de jeunes sœurs indiennes [1] à la peau foncée, toujours plus nombreuses, quittent en procession la maison mère de Lower Circular Road afin d'aller prononcer leurs vœux et renouveler le même serment. Le lendemain, un camion emmène les nouvelles Missionnaires de la Charité à la gare de Howrah ou à l'aérodrome de Dum Dum. Des chants, des rires, des cris et quelques pleurs accompagnent ces départs vers tous les points de l'univers partout où des hommes souffrent, pour des séparations de plusieurs années. La grande maison de Lower Circular Road paraît pour un temps privée de vie, la chapelle est plongée dans

---

1. Sauf quelques très rares exceptions, les postulantes étrangères ne peuvent accomplir leur noviciat à Calcutta. Elles doivent le faire à Rome, à San Francisco, à Washington, à Tabora en Tanzanie, à Tayuman aux Philippines ou à Zabarow en Pologne.

le silence et la cour ne résonne plus autant du claquement métallique des seaux de la lessive matinale. Mais le vaisseau retrouve vite un nouvel équipage. Bientôt, des postulantes au sari blanc affluent de partout. Tandis que la plupart des ordres religieux souffrent d'une pénurie de vocations, Mère Teresa, elle, ne peut accepter toutes celles qui se pressent à la porte de ses noviciats.

★

Un matin de décembre 1981, quelques jours avant Noël, une frêle Indienne vêtue d'une ample jupe de coton rouge se présenta devant le battant de bois du 54-A Lower Circular Road. La sœur portière reconnut aussitôt la religieuse aux yeux bridés qui l'accompagnait. Ananda, l'ex-petite lépreuse des bûchers de Bénarès, avait exprimé à sœur Bandona son souhait d'entrer dans la grande famille des Missionnaires de la Charité.

Cette candidature était sans précédent dans une congrégation dont seules de jeunes chrétiennes confirmées avaient jusqu'ici rejoint les rangs. Mère Teresa, qu'aucun défi ne rebute, y vit l'occasion « d'amener une âme de plus au Christ et, par Lui, aux hommes souffrants en qui Il s'incarne ». Elle déchargea pour un temps sœur Bandona de la responsabilité de la léproserie de Bénarès pour lui confier l'éducation religieuse de sa protégée. Une tâche qu'elle avait déjà commencée à Bénarès et qu'elle allait à présent poursuivre à Calcutta. Il lui faudrait user encore de prudence et de doigté. Dans ce milieu de femmes de naissance supérieure à la sienne, l'ex-lépreuse risquait à tout moment d'être reprise par les vieux démons de son passé. Bandona le savait : ses stigmates de paria étaient là, à fleur de peau, prêts à réapparaître à la moindre vexation vraie ou supposée. Même ici, trente siècles d'intouchabilité ne pouvaient s'effacer d'un coup de baguette magique.

Avant de recevoir l'eau et le sel du baptême puis d'aborder les mystères de l'Évangile, Ananda dut apprendre le langage qui cimente dans une même expression la pensée et la parole de ses compagnes d'origines si diverses. Chez Mère Teresa, prières et actions s'accomplissent en anglais. Son analphabétisme favorisa paradoxalement la jeune postulante. Elle compensa son absence d'instruction par une mémoire auditive phénoménale, comme ces tireurs de pousse-pousse qui connaissent par cœur douze mille vers du *Râmâyana, L'Iliade* de l'Inde. En quelques semaines, elle put comprendre et dire l'essentiel.

Apprendre à lire et à écrire était par contre une tout autre affaire. Son cerveau n'était pas programmé pour ce type d'exercices. Son héritage génétique n'avait pas prévu que les yeux d'une fille de brûleur de cadavres pussent un jour avoir besoin de déchiffrer des inscriptions imprimées sur du papier. À cela s'ajoutait un manque d'intérêt viscéral pour la chose écrite. À quoi pouvait servir un livre, cet objet inanimé qui ne remplissait aucune fonction pratique ? Un outil, un ustensile pour accéder à la connaissance ? Ananda était trop étrangère à ce genre de concept pour éprouver la moindre motivation. Son éducatrice ne désespéra pas pour autant de réussir à éveiller sa curiosité à force de patience et de douceur. Deux éléments vinrent soutenir ses efforts. D'abord, l'exemple des autres postulantes dont les lectures à voix haute résonnaient à toute heure sur les trois étages du couvent. Ensuite, la découverte chaque jour plus approfondie par Ananda de ce Dieu qui inspirait la foi des sœurs. L'idée de Dieu n'était certes pas étrangère à la jeune intouchable. Mais c'était une idée plutôt folklorique, un fourre-tout de milliers de personnages aux incarnations multiples, tantôt démons, tantôt esprits, aux formes animales ou humaines, nés d'une mythologie fantastique plus encline à enflammer l'imagination qu'à susciter une croyance confiante et personnelle. Certes, son long séjour auprès des sœurs de la léproserie de Bénarès l'avait familiarisée avec la notion d'un Dieu unique « qui aime chacune de Ses créatures comme le plus cher de Ses enfants ». Rien, pensait sœur Bandona, ne pourrait mieux inciter son élève à apprendre à lire que la découverte des textes qui racontent les exploits du fils du charpentier de Nazareth et rapportent le message de Sa parole. Ananda se mit à l'ouvrage, décortiqua une à une les lettres de chaque verset des Évangiles, s'imprégna de leur syntaxe, sans essayer pour l'instant d'en saisir le sens. Ce fut une longue épreuve, une expérience exceptionnelle dans les annales de la communauté.

Bientôt, dans le concert juvénile des récitations de ses postulantes, Mère Teresa put distinguer une voix nouvelle. La voix, timide et maladroite, de la petite rescapée des bûchers de Bénarès déchiffrant les paraboles.

19

Atlanta, USA – Automne 1981
Ils l'appelèrent « la colère de Dieu »

L'opération « Protocol 577 » menée par le CDC prit fin le 1ᵉʳ décembre 1981. Alors commença le dépouillement de la moisson d'informations recueillies par les limiers d'Atlanta auprès de cinquante malades et de deux cents homosexuels bien portants. Les piles de documents crachés par les ordinateurs chargés de digérer, de décrypter et d'analyser les milliers de réponses inscrites sur les deux cent cinquante questionnaires couvrirent bientôt d'un raz de marée de papier les bureaux du docteur Jim Curran et de tous les membres de sa Task Force. « La chose qui nous frappa d'emblée à l'examen des premiers résultats, confiera le docteur Harold Jaffe, fut de constater à quel point les sujets atteints avaient été sexuellement beaucoup plus actifs que les sujets sains. Bien qu'ils aient également consommé davantage de " poppers " cela nous apparut finalement secondaire par rapport à l'écart dans la quantité des échanges sexuels. Très vite nous eûmes la quasi-certitude que tout plaidait en faveur d'une épidémie transmise par voie sexuelle. »

Mais transmission de quoi ? L'hypothèse d'un virus

paraissait la plus probable. Un virus qui détruisait le système immunitaire et laissait les victimes désarmées devant ces affections que l'on appelle « opportunistes » parce qu'elles profitent de la défaillance des défenses de l'organisme pour se manifester. On connaissait un certain nombre de ces maladies, tels la pneumocystose des premiers cas diagnostiqués à Los Angeles et le cancer de Kaposi de l'acteur new-yorkais.

Jamais, dans sa longue et implacable traque des ennemis invisibles qui menacent le genre humain, la capitale de l'épidémiologie mondiale n'allait mobiliser autant de ressources pour tenter d'identifier ce mystérieux virus. Tout ce que le génie et l'imagination de ces médecins-détectives avaient conçu et inventé pour obliger des cellules à révéler la présence des agents qui les infectaient allait être utilisé. Chaque spécimen biologique, chaque sécrétion, chaque goutte de sang, de sperme, d'urine arrivés dans les colis postaux des investigateurs furent passés au crible des microscopes, des réactifs, des ordinateurs, des centrifugeuses, des compteurs électroniques.

Au grand soulagement de sa famille que la nature de sa mission à New York avait tellement horrifiée, Martha Rogers était revenue à Atlanta, fin octobre, pour organiser et coordonner la répartition vers les nombreuses branches du CDC des éléments de l'enquête récoltés sur le terrain. Les différents laboratoires qui traquaient les multiples virus de l'herpès se mirent aussitôt au travail. L'un d'eux était spécialisé dans la détection et l'étude de l'herpès simplex, une variété du virus qui s'attaque principalement aux muqueuses des parties génitales, et s'ulcère parfois en lésions si dévastatrices que ses victimes en meurent. Ce virus agresse également les poumons, les voies digestives, et même le cerveau et les fibres nerveuses. Un autre laboratoire se consacrait exclusivement à l'étude du fameux cytomégalovirus si largement répandu chez les homosexuels. S'il se montrait le plus souvent bénin, des travaux récents avaient pourtant établi ses liens troublants avec le cancer de Kaposi. Craignant qu'une inexplicable mutation soit à l'origine de sa virulence soudaine, les chercheurs s'empressèrent d'utiliser les prélèvements d'urine envoyés par Martha Rogers pour en faire une culture massive. Ils espéraient que l'étude comparative de ces virus d'élevage avec des souches anciennes du même virus stockées dans les congélateurs du CDC pourrait leur fournir un indice.

Un autre laboratoire, spécialiste d'un virus portant le nom des deux savants britanniques qui l'avaient découvert, s'acharna à prouver sa culpabilité. On savait que le virus de Michael A. Epstein et de Y. Barr est responsable de la mononucléose infectieuse. On connaissait aussi son association avec certains cancers des ganglions, du nez et de la gorge. Un quatrième laboratoire travaillant, lui, sur le virus de la varicelle, maladie bénigne chez l'enfant mais qui, chez l'adulte, peut provoquer ces terribles zonas qui touchent même les yeux, poursuivit une recherche identique. De son côté, la division des maladies parasitaires se lança dans l'examen systématique des micro-organismes susceptibles de communiquer la pneumocystose, et dans la recherche des nombreux parasites responsables, chez plusieurs victimes, de l'atteinte redoutable de leur système nerveux central, telles la toxoplasmose, l'aspergillose et la cryptococcose. D'autres équipes étudiant surtout les infections amibiennes et les hépatites s'intéressèrent aux microbes et aux bactéries constatés dans la pathologie des malades interrogés.

Cet effort titanesque se poursuivit pendant plus de huit semaines. Il devait s'avérer infructueux. Si la présence d'innombrables agents infectieux fut maintes fois mise en évidence, aucun à lui seul ne pouvait être jugé responsable du déclenchement de l'étrange fléau. À défaut de lui trouver un coupable, les médecins-détectives d'Atlanta lui inventèrent un nom, GRID, les quatre initiales d'une périphrase quelque peu barbare, « Gay Related Immuno Deficiency – Déficit immunitaire lié à l'homosexualité ».

Beaucoup de praticiens et de soignants confrontés à ce mal particulièrement horrible lui préférèrent, cet automne-là, une dénomination plus imagée. Ils l'appelèrent « The Wrath of God – la colère de Dieu ».

20

Bethesda, Maryland, USA – Automne 1981
Indifférence envers « une bizarre épidémie de pédés »

On en connaît près d'un millier. Ils sont les ennemis les plus acharnés de la création divine. Depuis que le monde est monde, les virus – ces minuscules particules de mort – ont anéanti plus d'hommes, d'animaux et de végétaux que toutes les catastrophes naturelles et les conflits de l'histoire réunis. La peau momifiée de Ramsès II, constellée des cicatrices de la variole, témoigne de leurs ravages dans la plus haute antiquité. Il faudra attendre le XXe siècle et la maîtrise des techniques d'investigation cellulaire pour déceler ces corpuscules infiniment petits. Incapables de se reproduire par eux-mêmes, ils ont besoin pour survivre de la complicité des cellules qu'ils agressent. Tout ce qui est vivant les attire, aucune cellule n'est à l'abri de leur convoitise. Depuis que deux biologistes américains ont, en 1952, découvert que le matériel génétique de ces agents de mort se compose d'acides nucléiques analogues à ceux des cellules saines, l'étude des virus – la virologie – a fait faire un bond prodigieux à la biologie moléculaire, cette jeune science qui s'efforce de percer les mystères de la vie.

L'image et le champ d'action des virus sont aussi multiples

que le nombre des familles auxquelles ils appartiennent. Plus de soixante pour cent de toutes les maladies infectieuses leur sont attribués. Ils attaquent presque tous les organes et toutes les fonctions. Parmi ceux qui causent les dégâts les plus courants, on trouve par exemple le gracieux papovavirus en forme de diamant taillé, responsable aussi bien de simples verrues que de hideuses tumeurs cancéreuses; on trouve l'adénovirus des infections respiratoires avec ses six petites antennes sertissant un joli noyau à facettes, le redoutable virus de l'herpès en forme de roue dentelée; le poxvirus de la variole enveloppé d'un étui crénelé, le rhabdovirus de la rage aussi poilu qu'une chenille, et, soleil microscopique, le myxovirus de l'influenza et des oreillons. On trouve aussi un virus particulièrement petit en forme de losange, le poliovirus, responsable de la dernière grande épidémie qui a terrifié l'Amérique et une partie du monde avant l'apparition du sida, la poliomyélite.

★

Le docteur Jim Curran et ses médecins-détectives du CDC étaient trop jeunes pour avoir personnellement participé à la lutte contre la poliomyélite, mais ils connaissaient tous les différentes phases du cauchemar qui avait précédé la victoire finale. À l'heure où des S.O.S. à propos d'un nouveau fléau leur parvenaient par dizaines, le spectre du terrible été américain de 1953 devenait pour eux le plus pathétique des modèles. Un été de panique. Le poliovirus assaillait ses victimes par les voies intestinales ou respiratoires. Il s'y multipliait avant d'aller envahir, dans les cas les plus graves, le système nerveux central, détruisant sur son passage les neurones moteurs de la moelle épinière et du cerveau. Des faisceaux musculaires entiers fondaient ou disparaissaient à vue d'œil. Un adolescent d'une soixantaine de kilos pouvait perdre la moitié de son poids en moins d'une semaine. Les premiers symptômes de la maladie se manifestaient par une raideur dans le bas du dos et dans le cou. Survenait ensuite une fatigue générale accompagnée de nausées, de bourdonnements d'oreille, de troubles moteurs dans les membres. Puis apparaissaient de violentes douleurs dans tout le corps et une fièvre élevée. Ces derniers signes confirmaient le redoutable verdict.

Chaque semaine, les journaux publiaient les statistiques. En six mois, le poliovirus avait terrassé près de cinq mille Américains. On allait bientôt dénombrer officiellement soixante mille victimes. Ce n'étaient pas ces chiffres qui terrifiaient le plus, mais bien le fait qu'on ne pouvait jamais prévoir où ni quand l'épidémie allait frapper. On savait seulement qu'elle avait une prédilection pour les enfants. Appelée « paralysie infantile », elle rendait les parents fous d'angoisse. Cet été-là, les hôpitaux d'Amérique s'étaient remplis de milliers de petits corps inertes devant lesquels la science médicale se reconnaissait tragiquement impuissante. Le seul traitement pour atténuer les effets de la maladie était l'injection de gamma-globuline, un extrait du sang contenant des anticorps. Mais les stocks en étaient si limités qu'on avait dû en restreindre l'administration aux femmes enceintes et aux personnes de moins de trente ans risquant d'avoir été contaminées. À New York, des parents assiégèrent vingt-sept heures durant le département de la Santé en vue d'obtenir des ampoules de gamma-globuline pour leurs enfants. Afin d'empêcher les abus et le marché noir, la distribution en avait été confiée aux Incorruptibles du Bureau de la mobilisation nationale. Mais l'espoir fondé sur la précieuse substance allait s'écrouler en juin 1953 avec la publication d'un article scientifique démontrant son inefficacité.

Si certaines victimes de la poliomyélite avaient pu être guéries, combien d'autres en étaient mortes ? Sans compter celles qui restaient paralysées des quatre membres, ne pouvaient mouvoir qu'un bras, les doigts d'une main, ou seulement les yeux. L'Amérique avait découvert dans ses journaux les photographies de ces petits suppliciés claudiquant entre deux béquilles, leurs jambes mortes maintenues par des attelles métalliques, ou recroquevillés entre les bras d'un fauteuil roulant, teint blafard, traits tirés, regard épouvanté, leur corps inerte en partie dissimulé sous une couverture. D'autres images avaient montré à la nation incrédule ces caissons en forme de cercueil où des victimes du poliovirus luttaient contre la mort dans un poumon d'acier.

Ce fut un temps de gémissements, de pleurs, de révolte, avant celui de la résignation. Soudain, au milieu de ce cruel été, un médecin inconnu avait apporté au pays une bouffée d'espoir inespérée. Le docteur Jonas E. Salk, un New-Yorkais de quarante ans fils d'un employé du commerce de la confection, révélait qu'il avait obtenu en laboratoire la formation d'anticorps contre trois variétés du virus de la poliomyélite. Partant de ce résultat, il avait mis au point un vaccin qu'il avait expérimenté sur lui-même, sa femme et leurs trois fils avant de l'inoculer à cent soixante et un enfants. Du jour au lendemain, le portrait de cet homme à demi chauve, aux oreilles décollées, était apparu à la une de tous les journaux du pays. Jonas Salk était devenu le personnage le plus célèbre des États-Unis, le bienfaiteur adulé d'une nation éperdue de reconnaissance. Même si, par la suite, d'autres savants inventèrent de nouveaux vaccins plus performants contre le poliovirus, Jonas Salk allait rester pour l'Histoire celui qui avait effacé le cauchemar.

★

L'infatigable petit homme qui, en ce matin de septembre 1981, traversait au volant d'une voiture de location les luxuriantes frondaisons automnales du Maryland n'en doutait pas : vingt-huit ans après le drame de la poliomyélite, c'était un fléau tout aussi tragique qui s'abattait à son insu sur l'Amérique d'aujourd'hui. Dans son porte-documents posé à côté de lui s'entassaient toutes les preuves que le docteur Jim Curran et ses limiers d'Atlanta avaient réunies : rapports d'analyses, microphotographies, diapositives, bilans des deux cent cinquante interrogatoires du « Protocol 577 ». « En tant qu'épidémiologiste, ma première mission était de convaincre d'urgence les chercheurs et les laboratoires qu'il s'agissait bien d'une épidémie nouvelle, racontera-t-il, et qu'afin d'en trouver le coupable le plus vite possible, nous devions tous orienter nos travaux dans une direction réaliste. »

Jim Curran était un fonceur et un pragmatique. Aux prétendus dogmes de la recherche médicale, il préférait la bonne vieille philosophie du célèbre hors-la-loi de l'Ouest américain, Willy Sutton. « Connaissez-vous la théorie de Sutton ? »

aimait-il questionner. À ceux qui ignoraient la réponse, il expliquait avec un sourire malicieux : « Quand on lui demandait pourquoi il pillait les banques, Willy Sutton répondait : " Parce que c'est *là* qu'est l'argent. " » Pour le chef des médecins-détectives d'Atlanta, « là » désignait le sperme et le sang des homosexuels américains.

En cet automne 1981, la logique de ce raisonnement n'avait pas encore éveillé le moindre écho dans le monde des chercheurs ni chez les fonctionnaires de Washington chargés de leur attribuer des crédits. La direction du prestigieux *New England Journal of Medicine* n'avait même pas encore jugé opportun de reprendre dans ses colonnes les différents cris d'alarme lancés par les premiers témoins de l'épidémie dans le modeste rapport hebdomadaire du CDC. De leur côté, la grande presse et les autres médias, habituellement si friands de scoops médicaux, observaient une surprenante discrétion. Comme si ce mal était un châtiment honteux réservé à une minorité coupable. D'ailleurs, pourquoi s'alarmer ? De grandes personnalités scientifiques ne prédisaient-elles pas qu'avec l'arrêt de la consommation des fameux « poppers » et une diminution de leur activité sexuelle par les sujets à risques, cette épidémie avait toutes les chances de disparaître comme elle était venue.

C'est parce qu'il était en désaccord fondamental avec ce pronostic que le docteur Jim Curran roulait, ce matin d'automne 1981, vers le plus vaste complexe médico-scientifique jamais édifié par l'homme.

★

Sur le campus de cent soixante hectares de la petite ville de Bethesda, à moins d'une demi-heure du centre de la capitale des États-Unis, dans un décor champêtre de pelouses, d'arbres centenaires et de massifs de fleurs, sont implantés les treize instituts nationaux chargés de sauvegarder la santé du peuple américain. De l'institut du cancer à ceux du cœur et des poumons, de l'institut des yeux à ceux de la gérontologie, du diabète, de l'arthrite et des maladies de peau, l'ensemble comprend quatre divisions, onze centres de recherches, mille quatre cent vingt laboratoires ultramodernes, un hôpital de pointe de cinq cent quarante lits et la bibliothèque médicale la plus importante du monde, riche de plusieurs millions de volumes, de plus de deux mille cinq cents périodiques internationaux et d'une banque électronique de données scientifiques que peut interroger, jour et nuit, n'importe lequel des quatre cent soixante-dix mille médecins américains. Quelque quatorze mille personnes travaillent à plein temps sur ce campus, dont deux mille trois cents titulaires de diplômes d'études supérieures et quelque mille médecins. C'est sans doute la concentration de matière grise la plus impressionnante du globe.

Ce prodigieux ensemble disposait pour cette année 1981 d'un budget de quelque six milliards de dollars, soit quatre fois celui des Nations Unies. Un quart de ce pactole allait à l'organisation qui monopolisait la lutte officielle contre « the dread disease », le mal-terreur de l'Amérique, le cancer. Depuis que le président Richard Nixon avait, en 1971, fait voter une loi assignant comme objectif l'éradication totale du fléau qui tuait chaque année près d'un million d'Américains, le National Cancer Institute représentait le fer de lance de cette mobilisation sans précédent.

Dans ses propres installations ou dans des laboratoires associés, le NCI conduisait un formidable programme de recherches visant à découvrir les causes de la maladie et à définir sa prévention, son diagnostic et sa thérapeutique. Grâce à ses inépuisables ressources financières, il fournissait à des universités, des hôpitaux, des centres de recherche indépendants, et à toutes sortes d'organismes publics ou privés, ainsi qu'à des équipes de médecins, les moyens de réaliser des travaux spécifiques. Il offrait à d'innombrables scientifiques, tant américains qu'étrangers, des bourses individuelles et des subventions. Il collaborait avec une foule d'associations, d'industries et d'organismes professionnels engagés dans des actions d'éducation. La manne distribuée par le NCI pour la recherche contre le cancer atteignait chaque année plusieurs centaines de millions de dollars, faisant de l'institut américain le premier animateur et promoteur mondial de la lutte contre cette maladie. Avec sa banque de données qui recueillait, classait, stockait et distribuait tous les résultats obtenus quotidiennement dans le monde, le NCI jouait enfin un rôle primordial dans la circulation de l'information, ce qui permettait aux chercheurs et aux médecins de tous les pays de se tenir en permanence informés des moindres progrès.

Certes, à l'automne 1981, tout ne baignait pas toujours dans la sérénité sur le campus de Bethesda. Les luttes d'influence, les rivalités de personnes, les interventions politiques paralysaient bien des efforts, décourageaient ou enterraient bien des ambitions. Les promesses d'une victoire imminente et décisive régulièrement lancées par les responsables ne s'étaient guère matérialisées, et le but fixé en 1971 par le plan du président Nixon semblait, dix ans après, un objectif encore lointain. Le « mal-terreur » continuait inexorablement à peupler les cimetières. D'immenses progrès dans la connaissance des mécanismes de la maladie et dans la manière de la soigner avaient pourtant été accomplis, au point que l'Institut national du cancer avait fièrement intitulé l'une de ses brochures destinées à rassurer une Amérique perpétuellement inquiète : « 1971-1981 – La décennie des découvertes ».

L'épidémie de pustules cancéreuses apparues sur la peau d'un nombre croissant de jeunes homosexuels venait brutalement assombrir le satisfecit de cette fin de décennie. Depuis le milieu de 1981, des appels de médecins parvenaient à la division des traitements du NCI pour signaler une multiplication anormale des cas de sarcome de Kaposi et réclamer d'urgence des moyens d'action. Les voix suppliantes de nombreux malades n'avaient pas tardé à se joindre au concert des S.O.S. Après quelques hésitations, les autorités de Bethesda avaient fini par contacter, en septembre, le Centre de contrôle des maladies d'Atlanta. Le CDC proposa une rencontre entre tous les médecins qui traitaient à ce jour des malades souffrant de ce cancer de Kaposi ou de pneumocystose infectieuse, les deux affections qui venaient de révéler l'étrange épidémie.

Ce matin de fin septembre, le docteur Jim Curran se rendait à la rencontre qui allait réunir les premiers témoins du fléau que le monde connaîtrait bientôt sous le nom de sida.

Cette confrontation devait laisser un souvenir plutôt amer à ce médecin pourtant habitué au peu d'expérience de ses confrères en matière d'épidémiologic. « Mon objectif était de leur démontrer que l'épidémie des pneumocystoses infectieuses et celle des cancers de la peau étaient les résultantes d'une seule et même maladie, racontera-t-il. Personne ne voulut me croire. Pour la simple raison que les cancérologues n'avaient aucune habitude des maladies infectieuses, et que les spécialistes des maladies infectieuses n'avaient aucune expérience des cancers. Les uns et les autres ne se connaissaient pas. C'était à peine croyable : figés dans leur spécialité, ils refusaient d'admettre que des manifestations aussi différentes puissent avoir pour origine une même et unique cause. »

★

Cette première confrontation au sein de la plus haute autorité américaine en matière de recherche contre le cancer ne fut pas aussi négative qu'il y parut. Toutefois, Jim Curran ne se faisait pas beaucoup d'illusions. S'il avait timidement entrouvert sa porte, l'Institut national du cancer restait une lourde machine soumise au bon vouloir de nombreux comités qui fixaient sa politique et le choix de ses engagements scientifiques et médicaux. Pour l'instant, personne sur le campus de Bethesda ne pensait qu'il dût « se mouiller dans cette minable petite épidémie », alors qu'il y avait des sujets d'étude pressants autrement plus importants, comme le cancer du sein et celui des poumons. D'autres considérations plus subtiles jouaient également. Ne chuchotait-on pas dans certains laboratoires qu'un haut personnage de Bethesda, lui-même homosexuel, menait une campagne active pour que cette prestigieuse institution ne soit en rien mêlée à l'affaire ?

Mais Jim Curran n'était pas homme à se décourager. Il savait que dans les cubes de béton du complexe scientifique disséminés au milieu des bosquets de *dogwoods* et des buissons d'azalées se trouvaient des cerveaux capables de résoudre son mystère. L'un des bâtiments portait le numéro 37. Là, au sixième étage, au cœur de tout un quadrillage de salles d'expériences, dans le bureau 6A09, travaillait un biologiste surdoué d'ascendance italienne au profil d'empereur romain.

Robert Gallo était l'un des savants les plus ambitieux de la recherche médicale américaine. Il n'avait que trente-cinq ans lorsqu'il avait été nommé, en 1972, chef du Laboratory of Tumor Cell Biology – le laboratoire de biologie des cellules tumorales – de l'Institut national du cancer. Il se trouvait aujourd'hui au zénith de la gloire. En identifiant le premier rétrovirus associé à une tumeur maligne humaine, Robert Gallo avait en effet ouvert un champ entièrement nouveau dans la connaissance de l'action des agents microscopiques qui menacent la vie des hommes. Sa découverte révolutionnaire était probablement aussi capitale pour l'avenir de l'humanité que l'avaient été, en leur temps, celle de Pasteur isolant le virus de la rage et celle de Koch trouvant le bacille de la tuberculose.

Mais, se demandait Jim Curran, comment convaincre cet éminent savant de jouer sa réputation, voire peut-être sa carrière, dans une péripétie que tant d'autorités s'obstinaient à considérer comme « une bizarre épidémie de pédés » ?

21

Bethesda, USA - Hiver 1982
Un génie aux allures de fauve

On peut le jalouser, ou même le haïr, on finit toujours par succomber à son charme. Avec son sourire irrésistible, sa mâchoire de grand prédateur, sa tignasse à peine grisonnante, son pantalon informe, sa cravate négligemment nouée, à quarante-cinq ans le docteur Robert C. Gallo ressemble plus à un éternel étudiant qu'à un prince de la science. Ce fils d'immigrés italiens est l'un des personnages les plus fascinants du campus de Bethesda et peut-être de toute la communauté scientifique américaine. Derrière les épais verres de ses lunettes sans monture, son regard est tour à tour espiègle, rieur ou soudain capable d'un sérieux pouvant hypnotiser l'interlocuteur le plus blasé. Ce qui frappe surtout chez ce séducteur aux imprévisibles foucades, c'est l'impression qu'il donne de toujours suivre plusieurs fils de pensée à la fois. Craint et adulé par la petite coterie de savants internationaux qui se pressent autour de lui, il a fait de son unité de recherche sur les tumeurs expérimentales l'un des phares de la science virologique américaine et mondiale. Ceux qui ont la chance d'appartenir à cette unité cosignent plus d'articles dans les grandes revues scientifiques que les équipes de la plupart des autres laboratoires. Travailler avec Robert Gallo offre l'opportunité de se trouver à la source de la découverte, de se baigner dans un flux ininterrompu d'idées originales, de plonger au cœur d'un bouillonnement d'hypothèses et d'intuitions auquel viennent régulièrement se frotter quelques-uns des plus grands cerveaux de la planète.

Ce savant de génie a la force et l'originalité d'avoir portes ouvertes sur le monde, de connaître personnellement des centaines d'autres chercheurs, d'accueillir devant les microscopes et les centrifugeuses de ses salles d'expériences les visiteurs et souvent les transfuges les plus productifs d'autres laboratoires. Son goût de la publicité allié à une capacité inégalée de se mettre à la portée du plus inculte des journalistes a fait de lui l'enfant chéri des médias. Son aisance hollywoodienne devant les caméras de télévision, son don pour vulgariser les phénomènes biologiques les plus complexes en démonstrations enfantines, son art consommé d'obtenir les faveurs des publications scientifiques contribuent à faire de lui un cas à part dans le milieu de la recherche médicale de notre époque. Mais tous ces talents n'auraient pu suffire à le singulariser à ce point s'il n'avait, en cette fin de siècle, apporté au patrimoine de la connaissance médicale et scientifique la découverte fondamentale qui lui vaudrait de recevoir, en novembre de cette année 1982, la prestigieuse distinction du Lasker Award.

★

Une tragédie était à l'origine de sa carrière. Sa sœur cadette qu'il chérissait avait été emportée par la maladie à l'âge de treize ans.

« Je ne savais pas que Judith était malade, racontera-t-il. Personne ne m'en avait informé. Sa maladie s'était déclarée au cours de nos vacances d'été au bord de la mer. Elle se manifesta par des frissons, de la fièvre, une grande fatigue. Mes parents crurent qu'il s'agissait d'une simple grippe. Un soir en rentrant de l'école, je me suis précipité dans sa chambre. Judith n'était plus là. Mes parents l'avaient fait transporter à l'hôpital universitaire de Boston où l'on testait alors de nouveaux médicaments. Le dimanche suivant, ils m'ont emmené la voir. Je n'étais jamais entré dans un hôpital. Une foule de médecins se succédaient à son chevet, la palpaient, l'examinaient comme un vrai cobaye. On lui transfusait du sang goutte à goutte. On lui administrait aussi d'interminables perfusions de substances chimiques dont on expérimentait les vertus curatives. Elles lui causaient de telles nausées qu'elle ne pouvait plus rien avaler. Son visage était chaque jour un peu plus creusé. Le plus impressionnant était la couleur jaune que sa peau avait prise. Elle avait fini par ressembler à un masque lugubre de théâtre. Son état s'améliora pourtant et les médecins autorisèrent mes parents à la ramener à la maison. Nous sommes allés la chercher tous ensemble le dimanche suivant. Puis elle eut une rechute.

« Un jour, lorsque j'entrai dans sa chambre, elle fit un effort pour se redresser et me tendre les bras. Épuisée, elle retomba aussitôt sur son oreiller. Elle voulut me parler. Ses lèvres se mirent à trembler. Un flot de sang s'échappa de sa bouche. Le traitement chimique avait détruit les plaquettes de son sang et les hémorragies succédaient aux hémorragies. J'appris plus tard qu'elle avait été la troisième ou quatrième malade au monde à être traitée par la chimiothérapie. Or, à l'époque, on ne disposait pas de plaquettes sanguines sous forme concentrée pour remédier aux dégâts causés par cette nouvelle thérapeutique. Elle mourut quelques semaines plus tard. C'est seulement le jour de sa mort, alors que nous étions tous en pleurs autour de son corps exsangue, que j'entendis pour la première fois le nom du mal qui l'avait tuée. Ma petite sœur Judith avait été emportée par la leucémie. Ce fut le premier choc de ma vie et la fin de ma jeunesse. »

La tragédie plongea la famille Gallo dans un tel abîme de désespoir que le père en perdit presque la raison. Délaissant sa fabrique métallurgique où il avait, durant la guerre, assemblé les tôles d'armature des Liberty Ships qui transportaient vers l'Europe les soldats et les armes de la victoire, il alla pendant des semaines camper sur la tombe de sa fille. Rentré chez lui, il errait des nuits entières de pièce en pièce en embrassant les portraits de Judith qu'il avait placardés partout. Accablé par un sentiment de culpabilité, il essaya de reporter sur son fils l'affection qu'il n'avait pas eu le temps de donner à sa fille, le gâtant au-delà de toute raison.

Rien ne pouvait apaiser le chagrin du jeune garçon ni surtout sa révolte. « J'avais vu ma sœur mourir entourée de tous ces pontes penchés sur elle, s'indignera-t-il, tous ces savants qui venaient de leurs laboratoires l'observer comme un sujet d'expérience. Je les avais vus lui injecter des flacons entiers de sang et de leurs fameuses médications. En dépit de tout leur savoir, ils n'avaient pu la guérir. *Ils n'en savaient pas assez.* »

★

Conscient de cette frustration, un intime de la famille allait lancer le jeune Gallo dans une voie à laquelle il n'avait jamais songé. Le docteur Marcus Cox exerçait les fonctions d'anatomo-pathologiste à l'hôpital Saint-Mary de la petite ville de Waterbury, dans le Connecticut, où les parents Gallo s'étaient établis à leur arrivée d'Italie. C'était lui qui avait découvert dans ses tubes à essai le mal implacable dont était morte Judith. L'esprit sans cesse en éveil, aussi curieux que méfiant envers les nouveautés de la science, ce diable d'homme remettait toujours tout en question. D'un cynisme percutant, il n'épargnait personne de ses critiques. Bref, c'était un maître idéal pour un jeune garçon doué, mais cruellement déçu par son premier contact avec le monde des soignants.

Ses vacances de lycéen, Robert Gallo les passa à suivre pieusement le docteur Cox dans son travail quotidien à l'hôpital Saint-Mary. Sa spécialité lui conférait une position exceptionnelle pour apprécier la compétence de ses confrères : c'est lui qui examinait les prélèvements pathologiques et pratiquait les autopsies. « Rien n'échappait à ce Sherlock Holmes du bistouri et du microscope, confiera Robert Gallo. Il pouvait dire instantanément si tel médecin avait ou non correctement traité un patient. Ma vocation se développa au cours de cet apprentissage. Bien avant de franchir la porte de l'université, j'avais décidé de devenir médecin. Le jugement féroce que portait Marcus Cox sur la profession me détourna toutefois du désir de soigner. Ma colère envers ceux qui n'avaient pas été capables de sauver ma sœur brûlait toujours en moi. Ce que je voulais, c'était faire de la recherche, en savoir plus, toujours plus pour aider la science à venger Judith. »

Venger Judith. Une exaltante ambition dont le jeune Robert Gallo devait pourtant s'éloigner au début de ses études de médecine. « J'étais encore trop choqué par la mort de ma sœur pour m'intéresser d'emblée à l'univers des cellules. Le seul mot de leucémie me donnait la chair de poule. » Ce fut donc vers une discipline dénuée de toute résonance émotionnelle, les troubles du métabolisme, qu'il s'orienta d'abord. Sa rencontre avec l'un des plus grands biologistes de l'époque, le Danois Allan Preslav, allait bien vite le ramener vers son premier objectif. Allan Preslav dirigeait un institut de biologie cellulaire à l'université de Philadelphie. Ayant pu apprécier les dons de ce brillant étudiant, il le fit entrer dans son équipe.

★

Robert Gallo va s'attacher à ce nouveau maître « d'apparence si peu scandinave avec sa nature volcanique, bouillonnante, passionnée ». Un été, le chercheur lui confie une expérience sur des cellules de moelle osseuse. C'est un fiasco. Le jeune Robert se couvre de honte. Cependant, le premier pas est fait. Il est entré pour de bon dans l'univers des centrifugeuses et des tubes à essai. Pour se faire pardonner, il propose de rechercher les raisons pour lesquelles les malades pulmonaires chroniques ne fabriquent pas assez de globules rouges. Cette étude originale lui vaut la fierté de voir pour la première fois sa signature au bas d'un article scientifique. Persuadé que son disciple a tout pour réussir, Allan Preslav l'expédie faire son internat à l'université de Chicago, centre réputé pour l'enseignement de la biologie cellulaire, une pépinière de prix Nobel.

L'hôpital de cette université drainait de toute l'Amérique les cas les plus étranges et les plus désespérés, ce qui permit au jeune interne de se lier d'amitié avec des personnalités aussi diverses que Jesse Owens, l'athlète noir qui avait remporté le cent mètres aux Jeux olympiques de Berlin en présence d'Adolf

Hitler, et la bouleversante chanteuse de gospels Mahalia Jackson ; et de rencontrer la veuve d'Enrico Fermi, l'un des pionniers de la bombe atomique. Le soir et le dimanche, Robert Gallo délaissait sa jeune femme Mary-Jane et leur bébé Marcus (ainsi prénommé en hommage au cher docteur Marcus Cox) pour s'enfermer dans un laboratoire et y poursuivre ses recherches sur les cellules du sang. Obstination qui allait bientôt lui valoir une spectaculaire mutation, un poste de chercheur au NCI, l'Institut national du cancer de Bethesda, près de Washington. Ses dents blanches et pointues de jeune loup éclairaient son visage mat de Méditerranéen d'un sourire triomphant : il venait d'avoir vingt-huit ans.

Faute d'une vacance immédiate dans un laboratoire de biologie, Robert Gallo fut affecté dans un lieu où il s'était jadis juré de ne jamais remettre les pieds, le service des enfants leucémiques de l'hôpital attaché à l'institut de recherche. Seize années s'étaient écoulées depuis la mort de sa sœur, seize années au cours desquelles de nombreuses thérapeutiques inventées sur le campus même de Bethesda avaient pu freiner l'hécatombe des cancers du sang. Par un curieux hasard, l'un des artisans de ces progrès était une femme qui avait autrefois soigné Judith. Elle avait dans ses archives une surprise pour le nouveau venu. Un jour, elle lui projeta une série de diapositives qui montraient les lymphocytes malades de sa petite sœur foudroyée par la leucémie.

Ce fut un choc et une révélation. Après des années d'intimité avec les globules rouges, Robert Gallo décidait de s'attacher à percer les mystères des globules blancs, ces protecteurs de la vie dont les défaillances condamnent les hommes à mourir.

★

Ce choix coïncidait avec l'avènement d'une ère nouvelle dans la recherche médicale. Deux événements donnaient alors aux chercheurs de nouveaux outils de conquête. D'une part, les gigantesques budgets rendus disponibles pour la lutte contre le cancer depuis l'éradication des maladies infectieuses grâce aux antibiotiques. D'autre part, la révolution qui s'était opérée récemment dans la conduite de la biologie cellulaire. Depuis la fin des années 50, on connaissait presque tous les secrets de la vie des cellules. On savait les faire pousser, les cultiver, les reproduire en laboratoire. Et surtout, la maîtrise d'un matériau banal, le plastique, offrait aux chercheurs la faculté de s'équiper d'instruments sur mesure pour multiplier les expériences et étendre, à l'infini, le champ de leurs connaissances. Matière plastique et biologie cellulaire s'étaient mariées pour donner naissance à une industrialisation des équipements de recherche, ouvrant ainsi à un plus grand nombre de techniciens et de laboratoires de nouveaux terrains d'étude.

L'année que passa le jeune Robert Gallo au milieu des enfants leucémiques de l'Institut national du cancer fut une expérience décisive. « À la faculté de Chicago, je n'avais travaillé que sur des cellules physiologiquement normales, racontera-t-il, et, tout à coup, je me trouvais confronté à des cellules complètement folles, des cellules en plein délire, des cellules suicidaires. » Dès sa nomination dans un laboratoire de recherche, il s'organisa. « J'avais la chance de me trouver au cœur d'un prodigieux réservoir de cerveaux engagés dans une compétition frénétique, dira-t-il. Je m'empressai de profiter de ces avantages pour nouer tout un réseau de relations professionnelles. Une partie de tennis avec un chercheur chinois ex-collaborateur d'un prix Nobel en biologie moléculaire devait m'ouvrir de nouveaux horizons. " Écoute, Bob, me conseilla un jour le Chinois entre deux sets, la meilleure façon d'étudier des cellules cancéreuses humaines est d'utiliser comme modèles des tumeurs animales provoquées par des virus. " »

Virus! Le Chinois avait prononcé le mot magique qui obsédait tant de cancérologues. Robert Gallo, lui, haussa les épaules. « Je n'avais jamais éprouvé une once d'intérêt pour la virologie, confiera-t-il avec candeur. Je n'avais jamais travaillé avec des virologistes. Je n'avais pas la moindre notion de ces damnés petits démons et je trouvais bien naïfs ceux qui avaient osé en faire leur spécialité. »

Quels espoirs avait pourtant suscités l'hypothèse d'une

origine virale dans le déclenchement de nombreux cancers! Depuis le jour de 1910 où un Américain du nom de Francis Peyton Rous avait annoncé qu'il avait pu inoculer des tumeurs cancéreuses à des poulets, l'imagination des chercheurs n'avait cessé de s'enflammer. Quarante ans plus tard, la découverte d'un virus entraînant des leucémies chez les souris ratifiait la validité d'une origine virale possible pour certains cancers. Hypothèse soutenue par les plus hautes autorités. En 1962, le responsable du département des maladies infectieuses de l'Institut américain de la santé n'hésitait pas à affirmer que « les cancers humains peuvent aussi être causés par des virus » et qu'en ce cas, ils « doivent être considérés comme de simples maladies infectieuses ». Cette conviction avait donné naissance à un programme spécial de recherches financé par des moyens considérables.

Dès lors, toute une génération de savants allait chercher à identifier ces microscopiques agents de mort afin de pouvoir ensuite les combattre avec des vaccins appropriés! L'exemple de Jonas Salk, le vainqueur de la poliomyélite, stimulait toutes les ambitions. Une concurrence acharnée entre les différents centres de recherche se développa, engendrant tout au long des années 60 une pluie de prétendues découvertes sur le rôle des virus dans les cancers humains. Ces pseudo-victoires ne furent que feux de paille. Tout au plus avait-on pu mettre en évidence le rôle limité de cofacteur de quelques virus dans le développement de certaines tumeurs. Ainsi, le virus responsable des mononucléoses infectieuses, décrit par les médecins anglais Michael A. Epstein et Y. Barr, s'avérait également impliqué dans la formation de lymphomes ou de cancers du rhinopharynx. Impliqués également les papillomavirus dans les tumeurs du col de l'utérus et le virus de l'hépatite B dans le cancer du foie.

Par contre, personne n'avait jamais pu prouver la moindre culpabilité directe d'une famille très particulière de virus – les rétrovirus – qui n'avait cessé d'intriguer les savants depuis la découverte en 1910 du premier rétrovirus dans une tumeur cancéreuse de poulet. Le mode d'action des rétrovirus viole en effet toutes les lois de la biologie. Ces lois, qui régissent les mécanismes de la reproduction de la vie, suivent un processus immuable parfaitement connu. Au cœur du noyau de chaque cellule se trouve un acide nucléique appelé ADN [1] qui transmet l'information génétique dont il est le support à un autre acide nucléique appelé ARN [2] qui, lui, convertit cette information en protéines spécifiques nécessaires à la vie et à l'activité des cellules. Les virus conventionnels étant dotés d'un système biologique analogue, leur ADN va pouvoir se mêler à l'ADN des cellules qu'ils agressent. En se multipliant, les cellules hôtes vont automatiquement reproduire ces virus qu'elles abritent. Ne possédant pas d'acide ADN mais seulement un acide ARN, les rétrovirus sont, eux, obligés de faire appel à un intermédiaire extérieur pour se faire accepter par l'ADN des cellules qu'ils veulent envahir afin de se faire reproduire par elles.

Il fallut attendre 1970 pour que soit découvert cet intermédiaire [3]. Il s'agit d'une enzyme qui fut appelée « transcriptase inverse » parce qu'elle permet aux rétrovirus d'accomplir une opération inverse au mécanisme habituel de reproduction virale en convertissant leur unique acide ARN en acide ADN sans lequel ils ne pourraient se multiplier. Cette enzyme est la « signature » de la présence d'un rétrovirus dans un organisme. Sa découverte livra un instrument de recherche incomparable. La simple détection de sa présence suffisait à fournir la preuve que l'on avait affaire non pas à un virus ordinaire, mais à un rétrovirus.

Robert Gallo vit dans cette « signature » biologique l'outil dont il avait besoin pour conforter son intuition et se lancer vers un nouvel objectif : prouver que les rétrovirus existent non seulement chez les animaux, mais qu'ils s'attaquent aussi au genre

---

1. Il s'agit d'un double filament d'acide désoxyribonucléique enroulé en forme d'échelle hélicoïdale. Le biochimiste américain James Dewey Watson et ses confrères anglais Maurice H.F. Wilkins et Francis H.C. Crick reçurent, en 1962, le prix Nobel de médecine et de physiologie pour leur découverte de cette structure moléculaire de l'ADN en « double hélice ».
2. Filament d'acide ribonucléique.
3. Découverte réalisée par trois jeunes chercheurs américains, David Baltimore, Renato Dulbecco et Howard Temin. Elle leur vaudra le prix Nobel de médecine en 1975.

humain. Cette approche devait susciter un scepticisme général sur le campus de Bethesda où personne ne croyait à l'existence de rétrovirus humains. L'une des raisons invoquées par ses confrères incrédules semblait sans appel : les microscopes électroniques les plus puissants n'avaient jamais décelé leur trace dans des cellules humaines malades. Constatation d'autant plus troublante que, lorsqu'il se manifestait chez l'animal, ce type de virus proliférait surabondamment. D'où le dogme officiel : si des rétrovirus s'attaquaient aussi à l'homme, il y a longtemps que l'on en aurait détecté l'existence.

★

Le génie de Robert Gallo fut de considérer l'hypothèse inverse. Pourquoi ne pas imaginer des rétrovirus si sournois et si discrets qu'aucun microscope n'avait encore pu les déceler ? Insensible aux railleries, le bouillant chercheur partit en campagne. Il commença par étudier tous les rapports, articles, documents par lesquels vétérinaires et virologistes connus ou inconnus rendaient compte de maladies inexpliquées et, en premier lieu, des leucémies survenues chez des chats, des singes, des vaches, des écureuils, et même des kangourous. Cette enquête le persuada qu'il existait dans le monde animal quantité d'autres rétrovirus qui n'avaient jamais encore été répertoriés. Leur activité se faisait souvent si secrète qu'il était virtuellement impossible de les découvrir. Même la « signature » de leur transcriptase inverse se révélait illisible.

Sarcasmes et moqueries redoublèrent à l'égard de Robert Gallo, ce « pêcheur de la mer Morte ». Ses confrères ne voulaient pas en démordre, il n'existait pas d'autres rétrovirus que ceux dont l'existence avait pu être scientifiquement prouvée chez le poulet, la souris et le chat. « Si l'on m'attribue un jour le prix Nobel, dira plus tard le chercheur en se rappelant ces péripéties, ce sera pour tous les coups reçus. Je n'ai pas connu une réunion, un colloque, une conférence scientifique où je n'étais mis au pilori avec férocité. »

L'un des obstacles majeurs auxquels il se heurtait pour démontrer l'existence de rétrovirus humains résidait dans son impuissance répétée à déceler leur « signature » dans les cellules cancéreuses. Il avait beau mettre ces cellules en culture, les dorloter, les entourer de tous les soins possibles, elles refusaient de se diviser et de se reproduire en nombre suffisant pour dévoiler une présence virale dans leur noyau.

Découragé, Robert Gallo fut sur le point de renoncer quand la chance vint à son secours sous la forme d'un article scientifique d'apparence anodine. Un laboratoire de l'université de Pennsylvanie venait d'extraire d'une plante une protéine, la phytohémagglutinine, qui agissait de façon surprenante sur certains globules blancs. À son contact, les lymphocytes croissaient brusquement, se montraient incroyablement actifs et se divisaient. Gallo constata que cette protéine végétale stimulait en particulier les lymphocytes T, ces globules blancs chargés de mobiliser les défenses de l'organisme contre les agressions extérieures. Il remarqua surtout qu'en présence de cette protéine, cette catégorie particulière de globules blancs se mettait à sécréter une sorte de nourriture cellulaire particulièrement dynamique. Il donna à ce facteur de croissance spécifique des lymphocytes T le nom d'interleukine-2. Était-ce là l'engrais miracle dont il avait besoin pour obliger des cellules humaines cancéreuses à se reproduire massivement et les contraindre, du même coup, à révéler l'éventuelle « signature » de la présence d'un rétrovirus ?

En 1980, cinq ans après que le reste de la communauté scientifique de Bethesda eut abandonné toute recherche sur la possibilité d'une origine virale de certains cancers, le frère de la petite Judith annonçait que deux chercheurs de son laboratoire, Bernard Poiesz et Frank Ruscetti, venaient de mettre en évidence le premier rétrovirus humain. Les cellules qui avaient permis ce prodigieux résultat provenaient d'un groupe de malades atteints d'une variété peu commune de leucémie engendrant une prolifération anarchique de leurs lymphocytes T. Le premier de ces malades, un ancien joueur de basket-ball noir, habitait une ferme de l'Alabama ; le deuxième, une New-Yorkaise également noire, était originaire des Caraïbes ; le troisième, un marin irlandais, vivait retiré à Boston. Robert Gallo apprit que ce marin avait navigué une bonne partie de sa vie sur la mer du Japon et fréquenté les maisons closes de Kyushu. L'information lui parut d'autant plus excitante qu'un savant japonais nommé Kiyoshi Takatsuki avait, en 1977, porté à la connaissance du monde scientifique plusieurs cas d'une leucémie identique dans les îles méridionales du Japon. Selon le chercheur nippon, cette leucémie se transmettait par le sang, le sexe et congénitalement de mère à enfant. Cette triple transmission impliquait la présence d'un agent infectieux. La même leucémie devait bientôt se manifester en Afrique. De toute évidence, cet agent infectait déjà un certain nombre d'individus dans le monde.

Robert Gallo lui inventa un nom : le HTLV (H pour humain, T pour lymphocyte T, L pour leucémie et V pour virus [1]). L'apparition de ce sigle de quatre initiales marquait le début d'une ère nouvelle dans la compréhension du mécanisme de développement de certains cancers humains et d'autres affections inexpliquées décimant l'humanité. Le « pêcheur de la mer Morte » pouvait relever la tête et savourer « l'avalanche de prix scientifiques qui ne tarda pas à s'abattre sur mon équipe et sur moi à la place de tous les coups de pied au cul reçus jusqu'alors ». Il allait notamment recevoir, le 19 novembre 1982, le Lasker Award, la plus prestigieuse distinction médicale des États-Unis. Cette récompense porte le nom d'un roi de la publicité des années 20 qui avait lancé les cigarettes Lucky Strike et convaincu l'Amérique entière de les fumer. Au soir de sa vie, le milliardaire Albert Lasker avait laissé tomber les cigarettes et la publicité pour se consacrer à une lutte passionnée contre le cancer.

Quelques années plus tard, les travaux de Robert Gallo vaudront à ce savant exceptionnel l'insigne honneur d'être le premier scientifique à être une seconde fois gratifié du Lasker Award.

---

1. *Human T-cell Leukemia Virus* ou *Human T Lymphotropic Virus*. En 1982, Robert Gallo découvrira un deuxième rétrovirus humain de la même famille que le premier. Dès lors, les deux virus porteront respectivement les noms de HTLV-1 et HTLV-2.

22

Bethesda, USA – Hiver - Printemps 1982
« Pour l'amour du ciel, ne vous endormez pas sur vos lauriers! »

Était-ce un sombre présage? Une chape de froid sibérien s'était abattue sur le campus de Bethesda couvert d'un manteau de neige. Pourtant, l'infatigable docteur Jim Curran aurait bravé les glaces de l'Arctique pour venir prendre la parole, ce jour de février 1982, devant le comité de l'Institut national du cancer qui était chargé d'orienter les crédits destinés à la recherche. Il espérait bien sûr séduire les bailleurs de fonds, mais surtout ce personnage auréolé de gloire, Robert Gallo, invité lui aussi à s'adresser à l'assistance pour exposer sa découverte révolutionnaire du premier rétrovirus humain.

Le dossier du chef des médecins-détectives d'Atlanta s'était dramatiquement alourdi depuis sa dernière tentative pour rallier à sa croisade les chercheurs de Bethesda. Les registres du CDC dénombraient à présent deux cent deux victimes officiellement recensées. Les leaders de la presse médicale, *New England Journal of Medicine* de Boston et *Lancet* de Londres en tête, avaient enfin brisé leur silence. Cinq articles signés de cinq groupes de chercheurs venaient de révéler que des analogies existaient entre les différentes manifestations de l'épidémie. Les conclusions avancées avaient de quoi effrayer : en quelques mois, le taux de mortalité avait atteint quarante pour cent.

Le premier malade identifié en octobre 1980 à Los Angeles par le docteur Michael Gottlieb, celui qu'on avait surnommé « l'énigme de la chambre 516 », était mort au mois de mai suivant. Les quatre autres cas ayant fait l'objet du premier compte rendu paru dans le rapport hebdomadaire du CDC avaient également succombé des suites de l'effondrement de leur système immunitaire. Le jeune acteur de Broadway n'avait pu cacher bien longtemps sous son maquillage les ravages du cancer cutané qui l'avait finalement emporté. À Bethesda même, un homme était mort dès le printemps 1981 dans le service du docteur Samuel Broder, le jeune chef moustachu du programme d'oncologie clinique de l'Institut national du cancer. Dans cette unité de pointe ne sont admis que les cas exceptionnels susceptibles de servir la recherche médicale. Sam Broder conservait avec horreur le souvenir de « ce mort-vivant de trente et un ans atteint d'infections comme nous n'en avions jamais vues ». Après son décès, ses assistants et lui-même avaient simplement souhaité « ne jamais avoir à revivre une telle tragédie ». À l'issue de huit mois d'agonie, le steward d'Air France soigné à l'hôpital Claude-Bernard de Paris avait péri lui aussi d'une ultime agression virale, cette fois au cerveau. « À peine venions-nous à bout d'une infection, dira son médecin Willy Rozenbaum, qu'une autre plus grave encore venait tout remettre en question. » Chaque jour, ce jeune praticien faisait la même constatation. « Il existait décidément un profond hiatus entre notre pratique habituelle et cette situation totalement nouvelle. »

Au bout de douze mois de traque, Jim Curran n'avait plus aucun doute. Seul un virus pouvait être le responsable de cette « situation nouvelle ». C'était la thèse qu'il venait défendre ce jour-là devant les conseillers de l'Institut du cancer. Il avait fait le voyage avec l'espoir de les obliger à déclencher d'urgence un programme de recherche national. Pour appuyer sa démonstration, il comptait sur un seul document, le tableau statistique

que montrait une diapositive réalisée à Atlanta et qui en disait davantage que tous les discours. Il révélait que la principale différence entre les homosexuels malades et les homosexuels bien portants interrogés par ses collègues du CDC était le nombre des partenaires sexuels des uns et des autres pendant une période identique. Chez les malades, ce nombre était de dix à douze fois plus élevé. Pour Jim Curran et son équipe, c'était bien la preuve qu'il y avait transmission d'un agent infectieux, sans doute un mystérieux rétrovirus que leurs supermicroscopes n'avaient pu déceler. « Je savais quelle hostilité j'allais m'attirer en lançant l'hypothèse virale, reconnaîtra plus tard Jim Curran. Car, pour des chercheurs et des médecins, il n'est pas d'aventure scientifique plus difficile que celle d'avoir affaire à un virus. »

L'accueil des personnalités de Bethesda lui parut aussi froid que le manteau de neige qui, ce jour-là, couvrait la campagne du Maryland. Même le proverbial enthousiasme méditerranéen de Robert Gallo restait figé dans un gel total. Se tournant avec fougue vers le prestigieux savant, Jim Curran essaya pourtant de le dérider. « Pour l'amour du Ciel, ne vous endormez pas sur vos lauriers, l'adjura-t-il en levant la main vers un point imaginaire au-delà des murs de la salle, je vous jure qu'il y a là-bas un virus mortel qui se promène en liberté. »

★

« Cette affaire était certes bizarre, mais la recherche n'est-elle pas faite que de choses bizarres ? dira plus tard Robert Gallo pour se justifier d'être resté sourd aux supplications de l'envoyé du CDC. En fait, c'était son aspect à sensation, avec tout ce que cela impliquait de trouble et d'un peu répugnant, qui me détournait résolument de cette aventure. Le CDC avait fait une superbe enquête policière mais, pour un laboratoire de recherche fondamentale comme le mien déjà engagé dans de multiples travaux de longue haleine, il était impensable de tout arrêter pour se lancer dans cette péripétie d'homosexuels à partenaires multiples. »

Les médecins-détectives d'Atlanta allaient bientôt découvrir que ce point de vue était partagé par la majorité des grands centres de recherche. À cette attitude de principe s'ajoutaient des considérations d'ordre pratique. Robert Gallo et la plupart de ses confrères éprouvaient la certitude d'être confrontés à une affaire si complexe qu'il existait peu de chances de lui apporter une aide utile. « Les malades semblaient atteints par tant d'infections différentes qu'il paraissait impossible de pouvoir trouver la cause précise de leur mal, dira Gallo. Alors, à quoi bon s'épuiser sur un casse-tête insoluble ? » Cette dérobade des chercheurs en ces premiers mois d'épidémie découlait enfin d'un troisième motif, peut-être plus impérieux que les autres : la peur d'introduire un mystérieux agent de mort sous les hottes de travail de leurs salles d'expériences. Le prix Nobel David Baltimore, codécouvreur de l'enzyme transcriptase inverse qui avait permis à Robert Gallo d'identifier le premier rétrovirus humain, annonça qu'il refusait d'accueillir, dans son laboratoire du Massachusetts Institute of Technology de Boston, le moindre prélèvement de tissu ou de sang provenant d'un malade du sida. À ce jour, il n'est pas revenu sur sa décision.

La plupart des centres américains de biologie moléculaire montrèrent la même pusillanimité. Robert Gallo défendra plus tard cette attitude en soulignant le danger réel que représente l'introduction sur un lieu de travail d'un agent infectieux à l'action totalement inconnue. « Comment savoir si ce virus déjà tellement ravageur ne va pas vous sauter à la figure à la première expérience, s'il ne se transmet pas en conversant ou en échangeant une simple poignée de main ? En outre, il y avait aussi tous les autres micro-organismes responsables des multiples infections dont les victimes de cette épidémie très particulière souffraient du fait de la destruction de leur système immunitaire. Des agents qui n'auraient peut-être pas infecté des sujets en bonne santé comme vous et moi. Mais avait-on le droit de prendre le risque ? » À l'appui de son plaidoyer, Gallo dévoilera que plusieurs chercheurs de Bethesda étaient morts dans le passé, contaminés par des virus dans leurs laboratoires pourtant superprotégés.

Huit semaines exactement après la fin de non-recevoir infligée par l'*establishment* de Bethesda, une note rédigée par le responsable de la pharmacie du CDC informait Jim Curran d'un fait nouveau à même de renverser la position de la communauté scientifique concernant l'épidémie. Un médecin de Denver dans le Colorado, réclamait l'envoi d'urgence de doses de pentamidine pour un de ses malades atteint, lui aussi, d'une très grave pneumocystose. Contrairement aux demandes similaires reçues depuis moins d'un an par le CDC qui en était le distributeur exclusif aux États-Unis, ce médicament n'était pas, cette fois, destiné à un sujet privé de ses défenses immunitaires à la suite d'une greffe d'organe ou à un homosexuel victime de la nouvelle épidémie. Le malade de Denver qui souffrait de cette très rare forme de pneumonie ne correspondait à aucun des critères habituels. Il n'était ni un habitué des *bathhouses,* ni un toxicomane, ni un renifleur de « poppers ». C'était un tranquille père de famille nombreuse de cinquante-neuf ans ayant toujours vécu dans le même quartier bourgeois d'une ville de l'Amérique profonde et qui n'avait jamais subi le moindre traitement immunodépresseur. Bref, rien n'aurait dû ouvrir les portes de son organisme à la mortelle invasion parasitaire qui le frappait aujourd'hui. Rien, sinon une anomalie de son patrimoine génétique qui le soumettait à un risque de contamination. Il était hémophile.

En ce matin d'avril 1982, cette information provoqua la plus vive émotion chez les médecins-détectives du CDC d'Atlanta. Jim Curran en saisit immédiatement toutes les implications. Le malade de Denver appartenait au petit groupe d'Américains – ils étaient environ vingt mille – qui, par suite d'une lacune dans la fonction coagulatrice de leur sang, recevaient périodiquement des transfusions de facteurs de coagulation destinés à les préserver d'hémorragies parfois fatales. Pour offrir toutes les garanties de tolérance et respecter les règlements de santé américains, ces produits sanguins, commercialisés depuis le début des années 60, devaient provenir d'un groupe d'au moins mille donneurs différents. En fait, la plupart des lots étaient fabriqués à partir du sang de dix mille à vingt mille donneurs dispersés dans toutes les régions des États-Unis. Avec une moyenne de dix transfusions par an, c'était donc du sang de quelque deux cent mille donneurs que chaque hémophile recevait dans une année. Les opérations de filtration extrêmement rigoureuses que subissaient ces produits éliminaient par ailleurs tout risque de contamination par des agents infectieux tels que bactéries ou microbes. Les seuls éléments vivants qui pouvaient franchir ces barrières étaient les virus.

★

« Le malade hémophile de Denver nous permettait de franchir une étape décisive, racontera Jim Curran. Il nous apportait, cette fois, la preuve péremptoire de l'origine virale de l'épidémie du sida. Désormais, aucun chercheur ne pourrait faire l'autruche devant nos affirmations et le bien-fondé de notre hypothèse. D'autant plus que les hémophiles étaient une catégorie de sujets d'étude particulièrement intéressante. Du fait de la provenance si diversifiée des produits sanguins qu'on leur injectait, ils étaient, au regard des receveurs de transfusions sanguines ordinaires, ce que les homosexuels à partenaires multiples représentaient au regard des gays ayant des rapports sexuels normaux. »

Trois heures à peine après l'appel de Denver, un médecin-détective du CDC s'envolait pour le Colorado. Pendant dix jours, le docteur Dale Lawrence soumit le malade, les membres de sa famille et ses médecins à d'impitoyables vérifications. Il contrôla minutieusement tous les paramètres des bilans immunologiques, fit procéder à de nouvelles biopsies pulmonaires, passa au crible tous les échantillons de concentrés sanguins reçus par le patient dans les cinq années précédentes. Son travail de fourmi lui permit de confirmer que ce père de famille souffrait bien du même mal que celui frappant les homosexuels.

Moins d'une semaine plus tard, le Centre de contrôle des maladies d'Atlanta apprenait l'existence d'un deuxième cas semblable. Ce malade-là était un hémophile de vingt-sept ans, originaire d'une petite ville du nord-est de l'Ohio qu'il n'avait jamais quittée. Le docteur Dale Lawrence reprit l'avion. Enquêtant avec l'acharnement d'un limier du FBI, il interrogea toutes les connaissances anciennes et présentes du jeune homme. Il rencontra ses parents, ses frères, ses sœurs, ses ex-camarades d'école, ses compagnons de sport, de travail, ses relations féminines. Il essaya de découvrir s'il avait une vie secrète. Il fouilla son passé dans les moindres détails. Sachant que les hémophiles ont parfois recours aux stupéfiants pour calmer leurs douleurs articulaires, il questionna le malade à ce sujet. Mais, cette fois encore, le cas était d'une transparence absolue. Seules les transfusions de concentrés sanguins pouvaient être à l'origine de son mal.

Le docteur Dale Lawrence venait de rentrer à Atlanta quand une troisième nouvelle explosive mit à nouveau le CDC en effervescence. Un médecin du Westchester County, une banlieue résidentielle de New York, faisait savoir qu'une biopsie pratiquée sur les poumons d'un de ses patients, un retraité de soixante-deux ans, avait révélé une infection massive de *Pneumocystis carinii*, les agents habituels de la pneumocystose. Comme les deux précédents cas, ce malade était lui aussi hémophile et recevait des injections régulières de produits sanguins.

★

L'histoire de la médecine ne retiendra pas les noms de ces trois innocentes victimes. Pourtant, leur sacrifice « bouleversa complètement les données du match », confiera Jim Curran. Malgré les terrifiantes implications que signifiait subitement cette extension du fléau, le chef des médecins-détectives d'Atlanta exultait. La communauté scientifique, qui avait dédaigné sa « bizarre épidémie de pédés », allait enfin devoir descendre de son Olympe et entrer dans l'arène car, en plus des vingt mille hémophiles, quelque trois millions et demi d'Américains recevaient chaque année des transfusions sanguines. Découvrir l'agent infectieux devenait une priorité nationale. À ce défi s'ajoutait tout un cortège d'autres urgences : il fallait inventer un test de détection, soumettre toute la production de sang et de composés sanguins à des contrôles draconiens, élaborer des substances et des thérapeutiques antivirales. Enfin, il fallait mettre au point un vaccin. Une tâche titanesque qui nécessiterait des montagnes de dollars et le concours de masses de matière grise.

Les responsables du Centre d'Atlanta décidèrent d'ouvrir cette décisive étape en donnant à l'épidémie une nouvelle dénomination. Sensibles à l'indignation justifiée des milieux homosexuels qui jugeaient infamante l'introduction du mot « gay » dans la désignation de la maladie connue alors sous l'appellation de GRID [1], ils baptisèrent le fléau « AIDS », en français « SIDA » [2], quatre lettres qui résonneraient bientôt comme la malédiction de cette fin de millénaire.

---

1. *Gay Related Immuno Deficiency* – Déficit immunitaire lié à l'homosexualité.
2. AIDS : *Acquired Immuno Deficiency Syndrome* = en français : Syndrome de l'Immuno-Déficience Acquise (ou encore Syndrome immunodéficitaire acquis).

DEUXIÈME PARTIE

La victoire
des magiciens de l'invisible

23

Anvers, Belgique – Hiver 1982
Des maillons pour encercler le monde d'une chaîne
d'amour

Elle avait été une jeune femme belle, riche, promise à toutes les caresses d'un destin doré. Cette fille de notables de la haute bourgeoisie du port belge d'Anvers avait grandi dans l'opulence feutrée d'une de ces demeures qu'avait tant aimé peindre Rubens. Sa haute taille et son allure sportive contrastaient avec la finesse de son visage illuminé par deux yeux immenses couleur pervenche. Jacqueline de Decker était à dix-huit ans l'un des partis les plus séduisants du royaume de Belgique. Sa beauté et son rang faisaient tourner bien des têtes. À l'âge où les jeunes filles de son milieu rêvaient de s'étourdir dans les bals au bras de quelque prince charmant et de s'évader vers les plages dorées de la Côte d'Azur, elle préférait s'enfermer chaque jour de longues heures dans une chapelle pour écouter la voix intérieure qui l'appelait à une tout autre vocation.

Persuadée que Dieu lui enjoignait de rentrer dans les ordres pour aller aux Indes soigner les pauvres et les lépreux, elle fit sa valise et alla frapper à la porte du couvent des Sœurs

Missionnaires de Marie. Heureuses d'accueillir cette jeune fille de la haute société, les religieuses voulurent lui offrir un dîner royal. Mais la boîte de saumon ouverte en son honneur était avariée. Jacqueline faillit trépasser au cours de la nuit. Voyant un signe dans cet empoisonnement, elle se traîna dès l'aube jusqu'au bureau de la mère supérieure et lui annonça qu'elle rentrait chez elle. « J'étais résolue à me consacrer à Dieu et à partir pour les Indes soigner les pauvres de l'Évangile, dira-t-elle, mais en restant dans le monde. »

Un jésuite belge, ami de l'évêque de Madras, cherchait des volontaires pour créer un centre médico-social dans une région déshéritée du Tamil Nadu. Sept jeunes Anversoises formaient déjà une équipe. C'est avec enthousiasme que Jacqueline de Decker se joignit à elles. L'invasion de l'Europe par les panzers d'Hitler devait briser net son beau rêve. La misère et la souffrance s'abattant sur la Belgique, Jacqueline et ses camarades se hâtèrent de passer leur diplôme d'infirmière et s'engagèrent dans la Croix-Rouge. Quatre années sous les bombes et dans les hôpitaux surpeuplés formèrent durement la jeune héritière à son idéal de charité. Son inlassable dévouement lui valut, à la Libération, d'être saluée comme une héroïne. Plusieurs notables intriguaient déjà auprès de ses parents, convoitant pour leur fils la main de cet ange en blanc couvert de médailles. Jacqueline était loin de penser au mariage. La guerre avait disloqué le petit groupe de ses amies avec qui elle avait décidé d'aller servir aux Indes. Plusieurs avaient été tuées sous les bombardements, une était entrée au couvent, les autres s'étaient mariées. Jacqueline restait seule prête à partir pour la grande aventure. Le 31 décembre 1946, elle embarqua sur un bateau en partance pour Madras.

À son arrivée, elle apprit que le jésuite belge qui avait inspiré sa venue en Inde était mort le jour même où elle avait quitté Anvers. Elle se retrouva complètement isolée. Pendant deux ans, vêtue comme les villageoises d'un sari de coton, elle vécut au milieu des pauvres qu'elle soigna dans un dispensaire de fortune installé dans un village des environs de Madras. Se contentant pour nourriture quotidienne d'une assiette de riz assaisonné de piments et de quelques verres de thé, dormant à même le sol dans une masure de planches infestée de rats et de cafards, unique Européenne à des kilomètres à la ronde, elle partagea la vie de souffrance et de privations des paysans sans terre, des chômeurs, des tuberculeux, des lépreux. Rude apprentissage qu'une foi à toute épreuve avait du mal à soutenir dans un isolement affectif et moral total. D'autant plus que la présence de cette étrangère blanche dans une telle cour des miracles suscitait parfois des réactions hostiles.

Un jour de grand découragement, Jacqueline de Decker fit à pied le voyage jusqu'à Madras afin d'y chercher le réconfort spirituel d'un prêtre. Un missionnaire lui parla d'une religieuse européenne qui venait de quitter son couvent de Calcutta pour fonder un nouvel ordre religieux dont la vocation était, comme la sienne, de « vivre dans les bidonvilles au milieu des plus déshérités, soigner les malades et les mourants, éduquer les enfants des rues, prendre soin des mendiants, donner un abri aux abandonnés ». Deux jours plus tard, la jeune infirmière belge débarquait d'un wagon de troisième classe dans la grande métropole du Bengale. Après plusieurs jours de recherches, ce fut chez les sœurs d'une mission médicale américaine installée à Patna, dans la province voisine du Bihar, qu'elle trouva enfin celle qu'elle cherchait. Avant de s'immerger dans la misère et les souffrances des bidonvilles, la future Mère Teresa était venue là apprendre quelques rudiments de secourisme et de soins médicaux.

★

Ce petit bout de femme de trente-huit ans, au sourire lumineux, vivait déjà depuis dix-neuf ans aux Indes. Née à Skopje, alors en Albanie, fille d'un prospère entrepreneur, Agnès Bojaxhiu avait, très jeune, été appelée à la vie religieuse. À dix-huit ans, prenant le nom de Teresa en hommage à l'humble « petite fleur de Lisieux » à qui elle vouait un culte fervent, elle était entrée dans l'ordre irlandais de Loreto. Le 6 janvier 1929, elle débarquait d'un vapeur sur un quai de Calcutta, alors la plus grande métropole de l'Empire britannique après Londres. Seize ans durant, sous le voile noir des religieuses de sa congrégation, elle avait enseigné la géographie aux filles de la bonne société bengalie dans l'un des couvents les plus huppés de la capitale du Bengale. Jusqu'à ce jour du 10 septembre 1946 quand, dans le train qui l'emmenait pour sa retraite annuelle à Darjeeling, sur les pentes de l'Himalaya, un nouvel appel de Dieu avait bouleversé son existence. Une voix avait tonné dans son cœur. « C'était un ordre. Je devais abandonner le confort de mon couvent, renoncer à tout, et le suivre, LUI, le Christ, dans les taudis pour le servir au travers des plus pauvres des pauvres. »

Sa supérieure, l'archevêque de Calcutta, toute la hiérarchie avaient tenté de la faire renoncer à son projet, de la convaincre que ce nouvel « appel » n'était sans doute qu'une hallucination due aux fatigues d'un climat accablant, à la tension régnant dans la ville ravagée par les émeutes entre communautés lors des luttes pour l'accession du pays à l'indépendance. Elle s'était montrée inflexible, avait écrit à Rome et obtenu, après une attente de près de deux ans, la permission du Saint-Père. Le 8 août 1948, elle avait franchi le portail de son couvent et troqué son habit pour le sari de coton le moins cher trouvé au bazar. Au dispensaire des sœurs infirmières américaines, sa première confrontation avec la maladie et la souffrance n'avait guère été glorieuse. À la vue du sang, elle s'était évanouie. Mais son indomptable volonté et sa foi devaient peu à peu l'aguerrir aux tâches les plus pénibles. Le soir, épuisée, elle renouvelait ses forces par la prière et la contemplation, à genoux devant le crucifix de la chapelle de la mission.

★

C'est là que Jacqueline de Decker fit sa connaissance. Une rencontre que ni l'une ni l'autre n'oublieraient. Elles avaient tant de choses à se dire, tant d'émotions à partager. Les deux années éprouvantes que la jeune Belge avait passées, seule, à soulager les misères des pauvres paysans des environs de Madras offraient à Teresa l'inestimable fruit d'une expérience vécue sur le terrain. De son côté, Teresa apportait à Jacqueline un projet à long terme : la création d'une congrégation religieuse uniquement consacrée au service des plus pauvres d'entre les pauvres. Elle espérait attirer vers elle des âmes généreuses désirant partager son idéal de pauvreté. Quelques anciennes élèves lui avaient déjà laissé entendre qu'elles la rejoindraient. En attendant, il lui fallait rédiger les règles de cette nouvelle communauté, les soumettre à Rome et prier pour qu'une bulle du pape l'autorise à fonder l'ordre des Sœurs Missionnaires de la Charité qui, en plus des trois vœux habituels de pauvreté, chasteté et obéissance, respecteraient un quatrième vœu, celui de « se mettre entièrement et de tout son cœur au service gratuit des pauvres ».

Enthousiasmée par la perspective de vivre son propre idéal non plus en solitaire mais en équipe, Jacqueline de Decker adhéra d'emblée au projet de Teresa. Elle serait sa première compagne. Mais le destin devait en décider autrement. Alors qu'elle se préparait à suivre sa nouvelle amie dans les bidonvilles de Calcutta, elle se trouva soudain paralysée par d'insupportables douleurs dans la colonne vertébrale. Un choc subi à l'âge de quinze ans en plongeant dans une piscine était peut-être à l'origine de son mal. En dépit de soins intensifs, son état s'aggrava au point que l'on commença à craindre pour sa vie. Il fallut bientôt se résigner à la rapatrier en Belgique.

Jacqueline de Decker jura à Teresa de la rejoindre dès qu'elle serait rétablie. Sur le bateau qui la ramenait à Anvers, elle fut assaillie par un tel sentiment d'échec que plusieurs fois elle songea à se jeter par-dessus bord. « Devenue inutile, je n'avais qu'une idée : me supprimer. Dieu m'avait appelée en Inde et j'avais trahi Son appel, écrira-t-elle plus tard. Je ne cessais de Le prier, mais je ne sentais plus Sa présence. Si j'avais encore un rôle à jouer sur cette terre, le Seigneur devait m'adresser un signe. »

Elle allait guetter ce signe tout au long de ses mois de souffrance dans les hôpitaux de sa ville natale où des chirurgiens pratiquèrent sur elle plusieurs interventions et quinze greffes pour essayer de lui épargner une paralysie totale. Elle vécut un véritable supplice. Ce furent des mois de douleurs intolérables, au bout desquels elle se retrouva emprisonnée de la nuque jusqu'au bas des hanches dans le carcan d'un corset de plâtre. Quand elle réalisa qu'elle ne pourrait jamais retourner en Inde pour y travailler avec son amie Teresa, elle lui écrivit une lettre déchirante, l'adieu désespéré d'une femme qui voyait s'écrouler son rêve, le sens de sa vie.

Quelque temps plus tard, elle reçut un aérogramme de papier bleu tamponné à la poste centrale de Calcutta. En quelques lignes, Mère Teresa lui exposait un projet unique dans l'histoire des rapports entre les hommes : la création d'une fraternité tissant, au-dessus des terres et des océans, les liens d'une communauté mystique entre ceux qui souffrent dans leur corps et ont besoin d'agir et ceux qui agissent et ont besoin, pour ce faire, de la prière des autres. « Je viens te faire aujourd'hui une proposition qui te comblera de bonheur, écrivait Teresa à son amie belge en cette nuit d'octobre 1952. Veux-tu être ma sœur jumelle et devenir une Missionnaire de la Charité à part entière ? De corps en Belgique, mais d'âme en Inde. En te liant spirituellement à nos efforts, tu participeras par l'offrande de tes souffrances et ta prière à notre travail dans les bidonvilles. Notre tâche est gigantesque et j'ai besoin de beaucoup d'ouvriers. Mais j'ai besoin aussi d'âmes comme la tienne qui souffrent et prient pour le succès de notre entreprise. Veux-tu accepter d'offrir tes souffrances à tes sœurs d'ici pour leur donner chaque jour la force d'accomplir leur œuvre de miséricorde ? »

N'était-ce pas le signe attendu ? Jacqueline de Decker ajouta à la ferveur de son acceptation sa volonté de recruter d'autres handicapés susceptibles de partager le même idéal. Un idéal qui réussirait l'exploit de combiner deux grands mystères de la foi chrétienne, celui du pouvoir rédempteur de la souffrance, et celui de cette « communion des saints » qui prétend rassembler toutes les âmes de bonne volonté. Ainsi naquit l'Association des malades et souffrants affiliée aux Missionnaires de la Charité, une chaîne « dont les maillons d'amour allaient encercler le monde comme un rosaire ». Ses premiers membres comptaient vingt-sept handicapés majeurs et incurables, tous désireux d'offrir l'agonie de leur corps pour le succès du travail quotidien des vingt-sept premières jeunes sœurs – vingt-cinq Indiennes et deux Européennes – qui avaient suivi Mère Teresa dans les bidonvilles de Calcutta. Trente-cinq ans plus tard, c'étaient des milliers de malades, incurables et invalides qui se trouvaient reliés par leur prière et l'offrande de leur souffrance aux petites sœurs œuvrant dans les léproseries, les dispensaires, les orphelinats et les mouroirs créés par Mère Teresa à travers le monde.

Malgré son âge et son carcan de douleur, Jacqueline de Decker dirigeait aujourd'hui cette communion universelle depuis son modeste appartement des faubourgs d'Anvers, récoltant chaque matin sous sa porte les poignées d'enveloppes constellées de timbres du monde entier que venait de glisser le facteur.

★

Ce matin d'hiver 1982, une lettre postée à Jérusalem suscita son émotion. Dans l'incapacité d'écrire, son auteur, frère Philippe Malouf, l'avait dictée à l'un de ses amis.

Chère Jacqueline, ma sœur,
Pour qu'une rose soit belle, dit-on, il faut parfois sacrifier quelques rameaux du rosier, commençait le jeune moine libanais de l'abbaye des Sept-Douleurs de Latroun, en Israël. *Depuis l'accident qui m'a privé de l'usage de mes membres, je n'ai pas senti pousser en moi la sève de cette rose. Au contraire, je me suis laissé glisser dans les cris de la colère, dans les sanglots de la révolte. Même avec l'affection de tous ceux qui m'entourent, je n'ai pas réussi à surmonter mon handicap, à trouver en Dieu la force d'accepter ce que j'avais humainement perdu.*
Pourtant, après la visite dans ma chambre d'hôpital d'une jeune Israélienne, elle aussi paralysée sur son fauteuil roulant, j'ai été submergé par l'espérance. Cette jeune fille m'a invité à trinquer « à la vie ». Elle a secoué mon amertume, balayé ma rage. J'ai senti que je devais cesser de subir, assumer enfin mon malheur, m'accomplir dans une autre voie. Mais lorsque je suis rentré au monastère, le monde a basculé à nouveau, les démons de la révolte ont commencé à me tarauder. Révolte contre Dieu créateur de la vie, révolte contre les bien portants autour de moi. Mon handicap me détournait

de tout ce qui était vivant. Il me rendait égoïste, me centrait sur moi-même, abolissait tout le reste. Je voulais pourtant lutter contre cette déchéance.

Combien de fois n'ai-je pas essayé de rassembler ma foi pour songer au Christ sur sa croix ? Une voix me disait alors : « Ne gaspille pas ta souffrance. Tu ne peux plus bouger, tu ne peux plus participer au travail des hommes, mais tu as Dieu, et avec Lui tu peux sauver le monde. »

Philippe Malouf racontait ensuite qu'un ami archéologue américain lui avait apporté le numéro de *Life Magazine* consacré à Mère Teresa de Calcutta, où l'on parlait notamment des malades et des souffrants unissant ses Missionnaires de la Charité à des milliers de volontaires à travers le monde. Il avait aussitôt écrit à la religieuse qui lui avait répondu de son écriture ronde et bien dessinée. Elle avait émaillé ses propos de considérations pratiques et de messages spirituels. « Vous pouvez faire beaucoup plus sur votre lit de souffrance que moi sur mes jambes », avait-elle affirmé d'emblée. Puis, avec fermeté, elle avait rappelé au jeune moine que la souffrance est une école d'héroïsme et de sainteté. Elle l'avait engagé à dépasser son épreuve, à l'offrir avec sa prière à l'une de ses sœurs. « Elle a besoin de vous pour avoir la force d'accomplir sa tâche active au service des pauvres de Dieu. » Mère Teresa avait conclu en suggérant à son correspondant d'écrire à Anvers à la personne chargée de « marier » chacune de ses sœurs à son soutien spirituel.

Jacqueline de Decker relut plusieurs fois la lettre du moine infirme et la plaça au-dessus de sa pile de courrier en instance. Puis elle sortit d'un classeur une feuille de papier sur laquelle une responsable de la maison mère des Missionnaires de la Charité à Calcutta avait inscrit les noms des dernières religieuses entrées dans la congrégation. En tête se trouvait celui d'une jeune fille originaire de Bénarès qui venait d'être affectée à l'un des lieux les plus éprouvants créés par Mère Teresa, le mouroir du Cœur Pur de Calcutta, dernière étape sur terre des moribonds recueillis dans les rues de l'inhumaine cité. En raison de son douloureux passé, cette novice aurait certainement besoin d'un solide soutien spirituel. Jacqueline de Decker écrivit le nom du frère Philippe Malouf en face de celui de l'ex-« petite charognarde du Gange ». Plutôt que de changer son nom pour celui d'un saint de la chrétienté, Mère Teresa lui avait suggéré de garder en religion celui que ses parents lui avaient donné à sa naissance. La fille du brûleur de cadavres de Bénarès s'appelait à présent sœur Ananda – sœur Joie.

24

Bethesda, USA – Été 1982
Les « musiciens » du bâtiment 37

Le grand jeune homme aux mèches folles, qui arrivait directement de Paris sur le campus de Bethesda en cet étouffant matin de juillet, n'était mandaté par aucune autorité scientifique française, aucun groupe de chercheurs, aucune association de médecins. Seule son intuition l'avait poussé à sauter dans un avion et traverser l'Atlantique pour aller convaincre le découvreur du premier rétrovirus humain de se jeter corps et âme dans la bagarre contre le sida. Le docteur Jacques Leibowitch, trente-trois ans, fils d'un dentiste parisien réputé, également acteur et chanteur de cabaret à ses heures, avait commencé dans la vie en brandissant une baguette de chef d'orchestre. Ses piètres dons musicaux l'avaient très vite éloigné des pupitres et il s'était retrouvé sur les bancs de la faculté de médecine de Paris. À vingt ans, alors qu'il terminait sa deuxième année d'études, un biologiste américain ami de sa famille l'avait invité aux États-Unis pour ses vacances d'été. Outre le Nouveau Monde, il avait découvert l'univers de la recherche médicale. Aucune des belles Américaines, qu'il allait draguer chaque soir à la terrasse du café Figaro de Greenwich Village, n'aurait pu se douter que ce séducteur latin venait de passer la journée à assommer des rats pour extraire de leur foie les cellules destinées aux travaux de l'équipe d'un laboratoire de la New York University. « Une expérience révélatrice », dira-t-il.

Comme Robert Gallo l'avait si cruellement découvert lors de la mort de sa sœur, Jacques Leibowitch reviendra convaincu que « pour pouvoir bien soigner, il faut d'abord apprendre comment marchent les choses, il faut avant tout connaître les mystères de la vie ». La clef existait : c'était la biologie cellulaire, cette discipline presque aussi jeune que lui. Devenu docteur en médecine à Paris, il repartira aux États-Unis pour y suivre cette voie à Harvard. Deux années d'un bagne impitoyable passées à cultiver, cuisiner et triturer des cellules jusqu'à l'écœurement. De retour en France, il choisira d'enseigner l'immunologie au centre hospitalo-universitaire Raymond-Poincaré de Garches.

Lorsqu'il apprit la nouvelle de l'étrange épidémie chez les homosexuels américains, l'imagination de cet inlassable fouineur s'enflamma aussitôt, lui ramenant en mémoire le souvenir d'avoir traité, quelques années auparavant, plusieurs cas similaires, en particulier celui d'un travailleur immigré portugais. Félix Pereira, un chauffeur de poids lourd âgé de trente-deux ans, était originaire de Lisbonne. En août 1977, trois ans et demi avant que le premier malade soit détecté à Los Angeles par le docteur Michael Gottlieb, il présentait à ses médecins parisiens la même surprenante accumulation de signes cliniques : infection de champignons *Candida albicans* dans la bouche et sur la paroi de l'œsophage, éruptions cutanées sur diverses parties du corps, toux sèche, rebelle, inexplicable. Ces désordres avaient tout d'abord conduit Jacques Leibowitch et ses confrères à diagnostiquer une pneumonie à parasites *Pneumocystis carinii*. Des abcès au cerveau entraînant de sérieuses complications neurologiques allaient aggraver la situation. Ces différentes manifestations s'étaient accompagnées d'un déficit massif des globules blancs T4 mettant en évidence un écroulement des défenses immunitaires. Félix Pereira était finalement rentré dans son pays où, après un an d'agonie, il était décédé le 10 mars 1980.

Totalement inexpliqué à l'époque, ce cas venait de s'éclairer d'une lumière brutale. Pour Jacques Leibowitch, cela ne faisait aucun doute : « Cet homme était mort du sida. » Or, à l'inverse des cas enregistrés outre-Atlantique, ce Portugais n'était ni homosexuel, ni drogué, ni hémophile. Comment avait-il attrapé la maladie ? Le jeune immunologiste parisien partit à la recherche d'une piste. Il refit le parcours du malade. Avant d'émigrer en France, Félix Pereira avait été pendant cinq ans chauffeur de taxi à Maputo, capitale du Mozambique, et à Luanda, capitale de l'Angola, alors colonies portugaises. Après maintes prospections, Jacques Leibowitch fit un rapprochement avec deux autres cas, ceux de deux femmes mortes à la même époque à Paris, victimes toutes deux d'affections semblables. Il tenait enfin la piste qu'il cherchait. Si ces femmes n'avaient aucun point commun avec les homosexuels américains, elles en avaient au moins un avec le chauffeur de taxi portugais : toutes deux avaient longtemps vécu au Zaïre, également un pays d'Afrique. Angola ? Mozambique ? Zaïre ? Plus de trois ans avant de s'abattre sur le Nouveau Monde, l'épidémie avait-elle eu pour berceau le continent africain ?

Parallèlement, Jacques Leibowitch apprit que des chercheurs avaient décelé chez des sujets africains la présence du HTLV, le premier rétrovirus humain découvert par Robert Gallo. De là à rendre cet agent également responsable du sida – fût-ce sous une forme légèrement différente –, il n'y avait qu'un pas. Le fougueux immunologiste parisien n'hésita pas à le franchir. « Ce n'était pas fou du tout, dira-t-il plus tard. Si le rétrovirus HTLV déclenchait certaines leucémies en provoquant la multiplication anarchique des globules blancs, on pouvait très bien imaginer qu'une subtile modification génétique chez ce virus puisse au contraire entraîner, comme dans le cas du sida, la mort des lymphocytes infectés. C'était une déduction séduisante. »

Son hypothèse lui apparut encore plus convaincante quand il découvrit le cas d'un jeune géologue français mort en 1979 dans une île des Caraïbes entretenant d'étroits rapports avec l'Afrique. Certains pouvaient en sourire, mais Claude Chardon, vingt-quatre ans, était arrivé vierge à son mariage et, comme dans un conte de fées, il était si amoureux de sa femme qu'il n'en avait jamais regardé une autre. Nommé en Haïti pour y effectuer son service national en tant que coopérant, il consacrait ses fins de semaine à découvrir avec son épouse les merveilles de cette perle antillaise. Un jour, sur une route en lacet, leur chauffeur perdit soudain le contrôle de son véhicule et vint heurter un arbre. Gravement blessé, le géologue fut transporté à l'hôpital français de Port-au-Prince où il subit une transfusion sanguine. Il reçut huit doses provenant de huit donneurs indigènes différents. Il mourut treize mois plus tard d'un mal que l'on identifiera par la suite avoir été le sida.

Le docteur Jacques Leibowitch vit dans ce nouveau cas une telle confirmation de son intuition qu'il décida d'appeler sur-le-champ le 496 60 07 à Bethesda. On lui répondit que Robert Gallo était absent, mais sa secrétaire, Louise Burkhardt, voulut bien noter son message, un message sybillin en forme d'équation : « Afrique – Haïti – Hétérosexuels – Transfusion – HTLV = SIDA. » Jacques Leibowitch avait ensuite donné son numéro de téléphone « pour le cas où le professeur Gallo souhaiterait me joindre ».

Le message-rébus avait fait mouche. Malgré sa répugnance persistante à mêler son laboratoire à l'affaire du sida, Robert Gallo rappela l'immunologiste français et lui suggéra de venir le voir à Bethesda.

★

En ce jour d'été 1982, la mallette isotherme que posa Jacques Leibowitch sur le bureau de l'illustre savant américain ne contenait aucun de ces produits gastronomiques dont Robert Gallo était si friand. Point de camembert de Normandie, point de foie gras du Périgord, encore moins de rillettes du Mans, mais un cadeau inestimable pour le patron d'un laboratoire de recherche. Méticuleusement rangée dans des alvéoles s'alignait toute une collection de tubes et de flacons contenant un véritable trésor. Avant de s'envoler pour l'Amérique, Jacques Leibowitch avait fait une razzia dans les congélateurs des hôpitaux parisiens afin de se procurer des échantillons sanguins de tous les malades que l'on pensait avoir été victimes du sida.

Elles étaient là, les pièces à conviction, dans cette valise apportée au célèbre virologiste par le plus anonyme de ses confrères. « L'irruption de ce personnage à l'enthousiasme contagieux et de ses précieux échantillons ébranlèrent sérieusement mes réticences, confiera Robert Gallo. " Bob, Bob! me disait-il. Il faut faire vite! Très vite! Vous devez sauter le pas, mettre toute la gomme, et trouver ce fichu virus! " »

★

Toute la gomme! Comment raisonnablement imaginer que le prudent Robert Gallo allait se jeter tête baissée aux trousses d'un hypothétique virus ? Pourtant, la propagation de l'épidémie hors de la communauté homosexuelle et les spécimens cliniques apportés par Jacques Leibowitch finirent par dissiper ses hésitations. Dès la prochaine réunion de travail avec son « orchestre », il proposerait à l'un de ses musiciens de déchiffrer la partition du sida.

Pas un pupitre n'était inoccupé ce jour-là sous le néon blafard du petit auditorium situé en plein cœur de l'univers feutré des congélateurs, des centrifugeuses et des microscopes du bâtiment 37 du campus de Bethesda. Un univers protégé où les notions de maladie, d'agonie et de mort restaient aussi abstraites que des peintures de Mondrian, où l'on pouvait passer une vie entière à manipuler des virus assassins sans jamais voir de ses yeux le spectacle monstrueux de leurs méfaits. Un univers à mille lieues du champ de bataille, mais un univers habité par quelques magiciens doués du pouvoir de sauver plus de vies que tous les médecins de la terre réunis.

Le maître prit sa place habituelle devant le tableau noir et considéra l'équipe disparate qu'il avait rassemblée au fil des ans, ces hommes et ces femmes de tous âges et de toutes origines venus à lui en raison de son prestige, tous unis par la même folle passion pour les particules invisibles qui constituent la trame mystérieuse de la vie. Ils ressemblaient davantage à une bande d'étudiants ou de kibboutznikim qu'à une élite de cerveaux, mais il était fier d'eux. Curieusement, son équipe ne comptait que très peu de ses compatriotes. « À la mystique de la recherche fondamentale, les jeunes Américains préfèrent aujourd'hui les mirifiques salaires offerts par les laboratoires pharmaceutiques privés et les sociétés de biotechnologie », déplorait-il souvent. Ses premiers violons, ses solistes, ses ténors, ses divas étaient pour la plupart des étrangers : Allemands, Chinois, Finlandais, Français, Indiens, Japonais, Pakistanais, Suédois, etc. Tous des cracks, ou presque, dans leur spécialité.

Personne ne savait mieux décortiquer un virus et en faire parler les gènes que la ravissante poupée chinoise de trente-cinq ans nommée Flossie Wong-Staal. Docteur en biologie moléculaire, chercheur de haut niveau, elle était devenue, en dix ans, l'alter ego du maestro et l'un des principaux solistes de son orchestre. Tout comme Syed Zaki Salahuddin, un pittoresque Pakistanais, sans beaucoup de diplômes, mais tellement sorcier dans l'art de faire pousser et cultiver des cellules jugées incultivables qu'on le disait capable de contraindre des cailloux à se reproduire. Il y avait aussi cet autre artiste de la vie invisible, le Tchèque Mikulas Popovic, un savant venu du froid, un génie tant obsédé par le secret et l'espionnite qu'il avait transformé sa salle d'expériences en véritable bunker. Bref, ce n'étaient pas les talents qui manquaient au sixième étage du bâtiment 37. Ils étaient même si nombreux que leur maître n'aurait aucun mal à détacher l'un d'eux des travaux en cours pour le mettre sur le casse-tête de ce mystérieux fléau.

Robert Gallo attendit que tous les sujets à l'ordre du jour de la réunion aient été traités pour révéler ses intentions. Il brossa un tableau succinct de ce que l'on savait de l'épidémie et plaida pour la possibilité d'une transmission virale. « Le fait que l'agent du sida s'attaque aux mêmes lymphocytes que notre rétrovirus HTLV permet de supposer qu'il s'agit d'un rétrovirus de la même famille », déclara-t-il. D'autres analogies renforçaient le bien-fondé de cette hypothèse. De récents travaux sur ce rétrovirus provoquant des leucémies rares avaient confirmé qu'il se transmettait lui aussi par voie sexuelle et par contamination sanguine, et qu'il sévissait en outre dans les pays d'Afrique où l'on avait décelé des cas de sida. La thèse de cette parenté se trouvait corroborée par les travaux du vétérinaire Max Essex. Spécialiste de la leucémie chez le chat, cet éminent chercheur de l'université de Harvard avait constaté que l'agent infectieux de ce cancer du sang chez l'animal était à peu près identique au rétrovirus responsable de la même maladie chez l'homme. La seule différence tenait en une légère disparité quant à son enveloppe. « Quel que soit le nombre de rétrovirus existant dans la nature, il est logique d'imaginer qu'ils appartiennent à des familles très voisines et que celui du sida est une variation mineure de celui que nous avons déjà identifié », conclut Robert Gallo.

Ce n'était pas de gaieté de cœur que l'éminent savant envisageait ce pas timide en direction de l'épidémie. Les bruits les plus fous couraient cet été-là sur le danger que représentait la manipulation d'un virus aussi mystérieux. Il savait que des centres de recherches avaient vu leurs effectifs fondre comme neige au soleil dès l'arrivée des premiers échantillons sanguins contaminés. Déjà, dans son laboratoire, quand s'était répandue la rumeur que son équipe allait sans doute travailler sur le sida, des offres d'emplois pour certains postes de techniciens étaient restées sans candidats. Il savait aussi que les conditions de sécurité offertes par ses installations ne répondaient pas aux normes optima, mais peu de laboratoires américains détenaient alors les équipements très coûteux de confinement maximum P4 réservés à la manipulation des larges concentrés de virus réputés fortement contaminants. En attendant mieux, son équipe et lui-même seraient donc obligés de se contenter de leurs vieilles hottes de travail à flux d'air stérile. Robert Gallo prit toutefois une précaution. Il ordonna que personne ne se serve de seringues ni d'aucun instrument en verre, une piqûre d'aiguille, une infime coupure pouvant entraîner une contamination fatale. Seul le plastique serait utilisé.

Pour une raison qu'il attribuera plus tard « au manque tenace de réelle motivation » qui le paralysait cet été-là, Robert Gallo confia l'opération Sida à un timide biochimiste de cinquante-deux ans d'origine indienne plutôt spécialisé dans les tâches administratives. Lancé par son chef sur une voie qui se révélera erronée, incapable de pressentir le génie diabolique de l'adversaire qu'il était chargé de détecter, presque totalement livré à lui-même, l'infortuné Prem S. Sarin allait, malgré lui, conduire le célèbre laboratoire de virologie américain au plus humiliant des fiascos.

25

Paris, France – Automne 1982 - Hiver 1983
Un styliste de mode au secours des hommes de science

L'énergique médecin à crinière de mouton mérinos avait beau se démener comme un diable, les chercheurs français montraient autant d'indifférence que leurs confrères américains à l'égard de « cette bizarre épidémie de pédés ». Pourtant, le docteur Willy Rozenbaum menait une vigoureuse croisade en vue de mobiliser l'attention des responsables de la santé du pays de Louis Pasteur. Sitôt confronté au drame du steward d'Air France – le premier cas officiel de sida en France –, il avait pris l'initiative de créer un rudimentaire centre de surveillance dans son pavillon de l'hôpital Claude-Bernard qui ressemblait à une baraque de stalag. Il commença par alerter tous les spécialistes des maladies infectieuses qu'il connaissait : pneumologues, dermatologues, immunologistes. Puis il s'adressa aux responsables de l' « Association des médecins gais » à Paris. Cette démarche lui laissera un souvenir plutôt amer. « Les praticiens homosexuels m'ont reçu avec méfiance, racontera-t-il. Ils craignaient une récupération politique du phénomène sida. Les " bien-pensants " ne risquaient-ils pas de se liguer une fois de plus contre l'homosexualité ? Comment leur expliquer qu'on ne pouvait pas jouer à l'autruche plus longtemps, que nous nous trouvions en face d'une maladie mortelle et qu'il fallait à tout prix faire circuler l'information ? Mon plaidoyer finit heureusement par arracher la collaboration active de ceux qui étaient bien souvent les premiers à constater les ravages de cette nouvelle épidémie. »

Parallèlement, l'imaginatif Willy Rozenbaum organisa une sorte de brain-trust anti-sida avec un petit groupe d'experts dont plusieurs cancérologues. L'une des figures les plus dynamiques de cette équipe se trouvait être Jacques Leibowitch, le jeune immunologiste qui avait été aux États-Unis convaincre Robert Gallo de se lancer enfin aux trousses du virus du sida. Devenu intime de l'illustre virologiste, Jacques Leibowitch fournissait à ses confrères parisiens un lien précieux avec la recherche médicale américaine qui disposait du meilleur potentiel humain et matériel capable de s'attaquer à un problème aussi complexe. En France, les grands laboratoires spécialistes des rétrovirus humains se comptaient sur les doigts d'une main. Willy Rozenbaum et Jacques Leibowitch les contactèrent l'un après l'autre. Prétextant d'autres travaux en cours, ils se récusèrent en chœur [1].

Le premier médecin français du sida ne se découragea pas. L'invitation qu'il reçut à venir parler de l'épidémie devant une quarantaine de cliniciens, de virologistes et d'immunologistes de l'Institut Pasteur n'était pas à proprement parler la manifestation d'un intérêt subit de la part du prestigieux centre de recherche pour cette maladie. La rencontre avait été organisée par un ancien camarade d'internat bienveillant. Willy Rozenbaum saisit cette occasion de sensibiliser des chercheurs français. Avec sa fougue juvénile, il brossa les sombres réalités du mystérieux fléau et s'appesantit sur ses dangers d'extension. Gardant pour la fin l'information par laquelle il espérait rallier son auditoire, il exposa en détail les raisons permettant d'incriminer, presque à coup sûr, un coupable. Dans ce lieu renommé

---

1. Y compris le professeur Dominique Stehelin, de l'Institut Pasteur de Lille, l'un des pères de la découverte des oncogènes, ces gènes qui permettent la transformation des cellules normales en cellules anormales cancéreuses.

où s'étaient livrés depuis près d'un siècle tant de combats contre les microbes et leurs ravages, il pensait n'avoir qu'à lâcher le mot de rétrovirus pour créer l'événement.

— Y a-t-il un rétrovirologiste dans la salle ? demanda-t-il en toisant l'assistance.

Aucune main ne se leva. Les trois principaux spécialistes qui auraient pu répondre à l'appel n'avaient pas été informés de la conférence du docteur Rozenbaum.

★

L'un de ces absents évoquait, avec son air bonhomme, ses joues roses, sa voix lente et posée, plutôt un notaire de province qu'un savant habité par la passion de la recherche. Chef de l'unité d'oncologie virale à l'Institut Pasteur de Paris, le professeur Luc Montagnier, cinquante ans, était l'antithèse vivante de l'Américain Robert Gallo. Seule une conviction unissait les deux savants : comme Gallo, Montagnier était persuadé que des rétrovirus étaient responsables de nombreuses maladies humaines, en particulier dans le domaine du cancer.

Dès 1975, il avait formé à l'intérieur de son unité un laboratoire de recherche consacré à l'étude des rétrovirus humains. Avec deux chercheurs, deux techniciens et des installations modestes, l'entreprise faisait figure de parent pauvre à côté du centre de Robert Gallo à Bethesda. Partant de rétrovirus impliqués dans les leucémies et d'autres cancers chez les souris, la petite équipe recherchait des agents pathogènes identiques chez l'homme, notamment dans les cancers du sein. Ses travaux n'avaient pas encore abouti.

L'irruption du sida sur la scène de la virologie mondiale n'attira pas tout de suite l'attention de cette poignée de chercheurs français. Les visages défigurés par les pustules violettes du sarcome de Kaposi, les poumons dévorés par les *Pneumocystis carinii*, les cerveaux détruits par les toxoplasmoses, toute l'horreur qui hantait les jours et les nuits de Willy Rozenbaum et de ses confrères praticiens n'étaient pour les personnels des laboratoires qu'une vague et lointaine abstraction.

Vers la mi-novembre 1982, deux appels téléphoniques allaient projeter Luc Montagnier et ses collaborateurs au cœur même de la tragédie. Le premier fut un S.O.S. de Paul Prunet, le directeur scientifique de l'Institut Pasteur Production. Ce haut responsable de la fabrication et de la vente des vaccins et sérums produits par le célèbre centre de recherche s'alarmait d'une possible contamination de ses produits par l'agent du sida. Le vaccin contre l'hépatite B récemment mis au point par l'Institut était en effet fabriqué à partir de grandes quantités de plasma sanguin acheté aux États-Unis et en Afrique, deux zones où le virus assassin signait chaque jour de plus en plus de crimes. L'enjeu ne pouvait échapper à Montagnier. Il promit de réfléchir au problème.

Brève fut sa réflexion car un deuxième appel lui parvint qui émanait cette fois d'une jolie jeune femme ayant été jadis son élève. Françoise Brun-Vézinet, trente-quatre ans, fille d'un médecin généraliste, était chef de travaux du laboratoire de virologie à l'hôpital Claude-Bernard, un poste qui lui valait de manipuler à longueur d'année la plupart des virus responsables des pathologies infectieuses dont cet établissement faisait sa spécialité. Depuis dix-huit mois, l'un de ses plus actifs pourvoyeurs d'échantillons sanguins et de tissus infectés se trouvait être son voisin à l'hôpital, le docteur Willy Rozenbaum. Pas un seul malade présentant les symptômes du sida ne sortait de la consultation de ce dernier sans qu'un peu de son sang, de sa peau ou de ses ganglions ne parte aussitôt chez Françoise Brun-Vézinet. Tout au long de cette année 1982, ils s'étaient tous deux obstinés à rechercher la responsabilité de différents virus dans le déclenchement de la maladie. Avec si peu de résultats que la jeune femme avait finalement proposé à son confrère de faire appel à Luc Montagnier dont elle avait suivi les cours sur les rétrovirus à l'Institut Pasteur. Il lui semblait en effet judicieux d'associer aux cliniciens en prise directe avec la maladie un laboratoire de recherche fondamentale travaillant sur les rétrovirus.

Le sort en était donc jeté : huit semaines après l'Amérique, la France faisait une timide entrée dans la compétition pour la découverte de l'agent responsable du sida.

★

Les nouvelles d'outre-Atlantique, en cette fin d'année 1982, n'incitaient guère les chercheurs français à l'optimisme. L'enquête piétinait. Les médecins-détectives du CDC d'Atlanta n'avaient pu incriminer aucun virus connu. Quant au virologiste indien du bâtiment 37 de Bethesda, il n'avait toujours rien trouvé qui confirmât une possible culpabilité du HTLV découvert par son patron. C'est pourtant sur cette même piste qu'allait s'engager l'équipe de l'Institut Pasteur. Mais, contrairement au chercheur indien qui, sur ordre de Gallo, s'était jeté tête baissée dans les manipulations complexes de ce type de recherche, les Français décidèrent d'avancer à petits pas. Ils voulurent d'abord faire plus ample connaissance avec leur adversaire. Une préoccupation qui allait faire germer une idée originale aux conséquences incalculables. Puisque la particularité du virus incriminé était de s'introduire dans les lymphocytes pour se reproduire en leur sein avant de les détruire et de périr avec eux dans le même holocauste, mieux valait chercher ce virus au tout début d'une infection plutôt que dans la phase aiguë de la maladie. C'est-à-dire quand il avait toutes les chances d'être encore bien vivant et bien actif, donc à un moment où il serait plus facilement décelable.

Quelques jours avant Noël, un jeune homme blond vêtu d'un pantalon et d'un blouson de cuir se présenta à la consultation que le docteur Rozenbaum avait ouverte à l'hôpital Pitié-Salpêtrière. Par sa profession, le styliste de mode Christian Brunetto avait été amené à faire de nombreux séjours à New York. Il reconnut volontiers son homosexualité ainsi que la quantité importante de ses partenaires et les fréquents accidents vénériens dont il avait souffert. Mais ce fut seulement lorsqu'il dénoua son écharpe de soie que le médecin comprit le motif de sa visite. Christian Brunetto craignait d'être atteint du sida. Il avait, à la base du cou, un ganglion de la taille d'un œuf de pigeon. Un examen approfondi allait révéler d'autres ganglions hypertrophiés sur le reste de son corps. Les craintes de ce patient paraissaient justifiées.

– Il serait souhaitable de procéder à la biopsie de ce nodule, lui dit le clinicien en palpant son cou. Le plus tôt sera le mieux.

En prononçant ces mots, Willy Rozenbaum réalisa qu'il tenait sans doute, dans ce réservoir de cellules fraîchement infectées, l'outil idéal de recherche à offrir à Luc Montagnier et à l'équipe de l'Institut Pasteur, un outil qui leur permettrait peut-être de réaliser ce que Robert Gallo et son super-laboratoire n'avaient pu encore accomplir, isoler l'agent responsable de l'épidémie mortelle.

26

Calcutta, Inde – Automne 1982 - Hiver 1983
Une antichambre à clochetons vers la Maison du Père

Aucun virus connu ou inconnu, aucune épidémie nouvelle ne justifiait la présence des cent soixante-dix hommes et femmes qui gisaient là, dans la lumière transparente de la vieille bâtisse à clochetons. Le froid, succédant à la fournaise tropicale de l'été et aux cataractes de la mousson, apportait sans cesse de nouveaux moribonds, victimes du fléau le plus ancien du monde : la misère. Ils étaient trois cent mille à Calcutta qui vivaient dans la rue, privés de tout abri, se nourrissant d'épluchures ou de détritus récupérés sur les tas d'ordures. À ceux qui n'avaient plus de famille, le mouroir de Mère Teresa offrait le dernier espoir de ne pas quitter ce monde comme une bête, de recevoir des soins, d'entendre des paroles de compassion.

À quelques pas du temple dédié à la déesse Kâlî, la divinité à l'image sanguinaire patronne de la ville, au centre d'un quartier d'hindouisme militant, la Maison du Cœur Pur était la première création de la « sainte de Calcutta ». Ce matin de novembre 1982, la religieuse se préparait à en célébrer le trentième anniversaire. Trois jours durant, dans sa petite Renault blanche conduite par le vieux chauffeur musulman Aslan, lui-même un survivant du long voyage au bout de l'horreur, Mère Teresa avait fait le tour de ses connaissances locales pour les convier à s'associer aux réjouissances. Une ronde sans fin de voitures Mercedes et Ambassador déposait devant l'étroite porte du mouroir des corbeilles débordant de légumes, de fruits, de poisson, de viande et de pâtisseries, ainsi que des paquets de linge et de vêtements. Des donatrices en sari de fête accompagnaient souvent ces montagnes de cadeaux. D'autres dons provenaient d'associations, de clubs, de magasins, d'entreprises industrielles.

L'intérieur de l'hospice était transformé en reposoir de kermesse. Des guirlandes d'œillets d'Inde, des bouquets de jasmin, des décorations en pétales de rose sur le sol faisaient presque oublier par leurs parfums et leurs couleurs joyeuses l'odeur de désinfectant et l'impressionnant spectacle des rangées de corps squelettiques recroquevillés sur les paillasses. Dans le vestibule entre la salle des hommes et celle des femmes, la religieuse avait fait dresser un autel pour la célébration de la messe. La nappe qui le recouvrait était l'œuvre des lépreux d'un de ses refuges. Une activité de ruche animait ces lieux habituellement empreints d'un calme serein. Les quatre novices affectées au mouroir s'affairaient à la toilette matinale des pensionnaires. Sur certains visages, la peau translucide des pommettes était tendue à se rompre. Des corps gisaient dans une rigidité qui préfigurait la mort, leurs yeux révulsés au fond des orbites semblant déjà regarder l'autre monde. Des bouches grandes ouvertes restaient figées en d'étranges rictus. Quelques mains se tendaient au passage des sœurs, en quête d'un contact charitable mais aussi pour offrir un salut reconnaissant.

Ces épaves avaient été ramassées sur un quai de gare, sur les marches d'un temple, au bord d'un trottoir, à même la chaussée. Aucun hôpital ne les aurait acceptées. La plupart étaient de pauvres paysans qu'une catastrophe climatique, fréquente dans cette région, avait un jour poussés vers la ville-mirage. Le choc avait été terrible. L'air empoisonné par la pollution, l'absence de toit, les campements hasardeux sur un bout de trottoir au milieu de la vermine et des rats, l'insalubrité de l'eau des rares fontaines, les écarts de température entre le jour et la nuit, l'obligation de se faire bête de somme et de tirer des charges inhumaines pour gagner à peine de quoi survivre un jour de plus avaient eu raison de la résistance de la plupart de ces malheureux. Un jour, ils s'étaient écroulés pour ne plus se relever. Privés de toute défense immunitaire du fait de leurs carences alimentaires, ils n'avaient pu résister aux attaques de la tuberculose, de la dysenterie, de la typhoïde, du choléra. N'étant plus supportée par les muscles, leur peau se craquelait, puis finissait par partir en lambeaux, s'infectant en de multiples plaies. Tant que les besoins énergétiques de leur cerveau demeuraient satisfaits, ces loques désintégrées parvenaient à parler, à gémir, à supplier. Mais un état de somnolence entrecoupé de convulsions les gagnait bientôt. Terrassés, ces morts-vivants sombraient dans le coma. Dix à quinze mille indigents de Calcutta – trente à quarante fois le nombre des victimes du sida recensées en Occident pour cette année 1982 – périssaient ainsi annuellement dans l'indifférence presque générale.

Ces chiffres ne traduisaient qu'imparfaitement la réalité car Mère Teresa arrachait des milliers de moribonds à l'oubli des trottoirs. En ce matin de fête, une inscription dans le registre des admissions de son mouroir disait mieux qu'aucun discours l'ampleur de son action. À l'aube, un camion de la voirie municipale avait apporté le 52 410ᵉ indigent recueilli depuis 1952.

★

L'équipe soignante de la vieille bâtisse à clochetons s'était enrichie cet automne-là d'une nouvelle recrue. L'ex-« petite charognarde du Gange » Ananda venait de commencer sa deuxième année de noviciat. Avec une bonne volonté et un courage qui faisaient l'admiration de toutes ses compagnes, elle avait compensé un à un ses handicaps. Elle savait à présent parler, lire et écrire assez d'anglais pour participer pleinement à la vie de la communauté. Elle s'était pliée à l'implacable discipline des Missionnaires de la Charité et à l'austérité de leur existence. Elle avait appris à se lever à quatre heures et demie du matin pour déchiffrer son livre de prières et chanter en titubant de sommeil les psaumes des prophètes.

C'était dans le domaine spirituel que la métamorphose de la jeune intouchable était surtout remarquable. Avec patience et tendresse, sœur Bandona, sa bienfaitrice de Bénarès, s'était acharnée à lui faire découvrir les valeurs de la vie religieuse, à lui faire entrevoir la grandeur de ce Dieu d'amour dont elle allait bientôt devenir l' « épouse ». Persuader une jeune Indienne de nier la fatalité d'un *karma* maudit, l'aider à rejeter la carapace de mépris et de souillure dont elle se sentait irrémédiablement prisonnière, la convaincre que le Dieu de l'Évangile l'aimait autant et même plus que toutes Ses autres créatures, et qu'elle ne devait pas Le craindre mais, au contraire, s'abandonner en Sa miséricorde, tout cela n'avait pas été facile. Pour parfaire cette éducation, Bandona conduisit un matin sa protégée, à pied à travers la ville, jusqu'à la porte du mouroir du Cœur Pur.

Récit de sœur Joie, l'ex-petite lépreuse de Bénarès

« Quand je suis entrée dans la grande salle pleine de moribonds, j'ai été saisie par une subite répulsion. J'ai voulu faire demi-tour et m'enfuir. Bandona m'a retenue par la main. « N'aie pas peur, m'a-t-elle dit, tous ces hommes sont nos frères. Tu es leur sœur. Tu as le droit de les toucher, de les servir, de soulager leurs souffrances. Jésus aime chacun d'eux du même amour qu'Il t'aime, toi. » Mais, moi, je voyais déjà dans les yeux de certains d'entre eux qu'ils m'avaient reconnue. C'étaient des brahmines et ils avaient forcément vu que, moi, j'étais une paria. Ils allaient me repousser, me frapper, me cracher au visage. J'en étais sûre. Il y avait là des sœurs et des aides bénévoles qui nettoyaient les excréments sur les paillasses. D'autres faisaient la toilette d'un mort dans un coin. C'était certainement pour faire ces sales besognes qu'on m'avait amenée ici. Ah, quel choc! Soudain, tout mon passé d'intouchable me recollait à la peau. J'ai voulu m'enfuir. Bandona a essayé de me raisonner. Elle m'a montré un pauvre squelette tout replié sur lui-même comme un fœtus. C'était un hindou. Il respirait à peine. Et elle m'a dit : « Regarde cet homme. Et dis-toi que c'est le Christ que tu vois. »

Sœur Paul, la responsable du mouroir, est alors arrivée. Bandona lui a parlé en bengali et sœur Paul m'a souri. Elle m'a prise par la main et m'a demandé de l'accompagner vers la salle des femmes. Il émanait d'elle une force si tranquille et si rassurante que j'ai eu envie de la suivre. J'ai dit au revoir à Bandona. Dès lors, le mouroir du Cœur Pur est devenu ma nouvelle maison.

Sœur Paul travaillait là depuis quatorze ans. C'était une forte femme originaire du Sud, qui aimait rire et chanter. De temps en temps, elle s'arrêtait entre deux gisants, prenait son chapelet, et récitait une dizaine d'*Ave Maria*. Il n'y avait personne comme elle pour vous faire oublier que la plupart de ces gens étaient là pour mourir. Elle avait l'air de connaître chacun personnellement et ne passait jamais près de quelqu'un sans lui toucher les mains et lui dire quelques mots. Elle n'avait pour cela aucun effort à faire, car d'innombrables mains se levaient spontanément vers elle dès qu'elle apparaissait. Les mourants l'appelaient « *Mâ* – Mère ». Sœur Paul prétendait que ce contact physique guérissait davantage que tous les traitements médicaux, que cette façon de donner de l'amour à des malheureux qui n'en avaient peut-être jamais reçu de leur vie était plus efficace que des piqûres. Elle avait raison. J'ai pu le constater bien souvent, moi aussi. Le simple toucher d'une main, le son d'une voix prévenante pouvaient avoir un effet miraculeux. Mais cela échouait parfois. Certains mourants s'enfermaient dans un silence total et préféraient garder les yeux clos, comme si, ayant perdu le goût de vivre, ils ne voulaient plus rien voir de la vie. Quelle impression terrible !

La plupart du temps, on ne savait rien de ces gens, de leur passé, de leur dialecte, de leur religion, de leur âge. Quelqu'un nous les avait amenés, et c'était tout.

Un jour, une dame est venue en taxi nous confier un de ces malheureux. Elle l'avait trouvé du côté de la grande gare de Howrah. Il était couvert d'huile de machine. Sa peau partait en lambeaux, faisant apparaître de grandes plaques blanches. Il ne devait pas avoir plus de trente ans et ne prononçait qu'un seul mot : « Pakistan ». Il est mort dix jours plus tard sans avoir rien dit de plus. Sœur Paul savait d'instinct déceler l'origine d'un moribond inconnu. Un rien lui suffisait : un trait du visage, l'aspect général, une façon de se comporter. L'exercice des besoins naturels était, par exemple, un indice révélateur. Il permettait d'identifier ceux qui avaient vécu dans une hutte ou dans une maison et que sœur Paul appelait les « house persons ». Les autres, ceux qui n'avaient connu que les trottoirs, étaient les « street persons ». Les premiers demandaient toujours à être conduits aux toilettes, ou réclamaient un seau. Les autres se souillaient sans retenue.

Comme elle connaissait des bribes de quantité de langues et de dialectes, sœur Paul parvenait presque toujours à réveiller une mémoire, à obtenir des réponses à ses questions. En dehors des Bengalis, nombre de nos pensionnaires venaient d'autres régions, parfois très lointaines comme le Karnataka, le Kerala et le Népal. Identifier leur religion était difficile. En l'absence de tout signe extérieur, telle une barbiche pour les musulmans, comment savoir si un individu apporté en état de coma était hindou, musulman, bouddhiste, ou même peut-être chrétien ? La question avait pourtant son importance au moment du décès, car les rites funéraires et la destination des cadavres n'étaient pas les mêmes. Pour les hommes, il y avait toutefois un moyen de distinguer les musulmans : en cas de doute, sœur Paul examinait le défunt pour savoir s'il était circoncis.

Beaucoup de personnes arrivaient dans un état d'épuisement tel qu'elles ne pouvaient absorber le moindre aliment. Il fallait alors leur brancher dans une veine un goutte-à-goutte d'eau sucrée. Sinon elles risquaient de se déshydrater complètement et de mourir en quelques heures. Sœur Paul ne désespérait jamais. « *Babu, babu,* petit père, tu dois t'efforcer de vivre, disait-elle tout doucement à ceux qui avaient abandonné la lutte, seul Dieu a le droit de te reprendre la vie, pas toi. Et aussi longtemps que Dieu n'a pas décidé de t'ouvrir la porte de Son paradis, tu dois rester avec nous. » Elle devait parfois s'y prendre à trois ou quatre reprises avant d'éveiller une réaction. Mais ses échecs étaient rares. Le premier signe attestant que ses paroles avaient atteint leur but était un geste naturel de survie : la bouche s'ouvrait pour accepter un peu de nourriture. Les yeux, eux, ne s'ouvraient que plus tard. Cette victoire était pour nous un moment de fête. Nous allions vite chercher des vêtements propres pour vêtir de neuf celui ou celle qui avait finalement choisi de vivre. Nous lui faisions sa toilette, lui coupions les ongles, nous le rasions et lui lissions les cheveux, bref, nous le bichonnions de toutes les façons possibles.

Ces « résurrections » donnaient l'occasion de gâteries très spéciales. Une sœur ou l'un des volontaires venus nous aider se précipitaient jusqu'au bazar voisin pour acheter des *rasa gula*, ces délicieuses friandises au lait très sucré, ou un gobelet de *doï*, le yaourt local. Parfois aussi, sœur Paul envoyait chercher un paquet de *bidi* [1], et c'est elle-même qui allumait la cigarette et la plaçait entre les lèvres de son protégé. Je me suis toujours étonnée de l'effet bénéfique d'une cigarette. On aurait dit qu'elle permettait à celui qui, quelques instants plus tôt, voulait mourir, de franchir le seuil de son retour à la vie.

Les pensionnaires du mouroir n'étaient pas tous à l'article de la mort. Beaucoup étaient arrivés d'eux-mêmes, dans l'espoir de trouver un abri pour se retaper pendant quelques jours, surtout à l'époque de la mousson. Il n'était pas toujours facile de repérer ceux qui méritaient vraiment d'être accueillis en priorité. Il fallait se montrer vigilant et, dans cette ville de plusieurs millions d'habitants où il existait tant de détresse, l'hébergement de cent soixante-dix personnes ne représentait vraiment qu'une goutte d'eau dans l'océan. Mais, comme dit toujours Mère Teresa : « Si cette goutte d'eau n'existait pas, elle manquerait à l'océan. » Sœur Paul avait trouvé un système infaillible pour détecter les resquilleurs : elle examinait leurs cheveux. En Inde, hommes et femmes se frictionnent les cheveux avec de l'huile de moutarde et il faut être dans une indigence absolue pour ne pas respecter ce rite. Tous ceux qui présentaient des traces d'huile sur la tête devaient laisser leur place à plus pauvres qu'eux.

Bien que le mouroir du Cœur Pur ne fût pas vraiment un dispensaire, mais plutôt un lieu d'asile, de repos et de paix où attendre la mort, nous avions l'habitude de distribuer des remèdes aux plus malades et à ceux qui enduraient des dou-

---

1. Petites cigarettes artisanales indiennes.

leurs insupportables. Une petite armoire métallique abritait notre pharmacie, et les médecins étrangers qui venaient nous aider s'étonnaient toujours du petit nombre de nos médicaments. On m'a dit qu'il existe environ dix-huit mille spécialités pharmaceutiques dans un seul pays comme la France. Nous, à Calcutta, nous n'utilisons qu'une dizaine de médicaments ainsi que quelques comprimés de vitamines, de fer et de minéraux pour les anémies les plus graves.

Nous avions un cahier pour noter les prescriptions à administrer aux malades avec l'indication de leur numéro de référence. Au mouroir, chaque personne était connue par le numéro de sa paillasse. On disait : « Le 57 a arraché son goutte-à-goutte », ou « La 24 est décédée ». Les couvercles récupérés sur des boîtes de thon envoyées par une association charitable italienne nous servaient de récipients pour les comprimés à distribuer. Leur fabricant [1] aurait sans doute été bien étonné de cette utilisation. C'était le médecin bénévole indien attaché au mouroir qui inscrivait lui-même ses prescritions dans le cahier. Il venait en principe deux fois par semaine. Quelques docteurs volontaires étrangers passaient aussi de temps en temps. Leurs visites nous étaient précieuses car aucune des novices affectées ici ne possédait de formation médicale. Cela ne faisait pas partie de l'enseignement prévu par Mère Teresa pour les sœurs et je sais que des gens le lui reprochaient parfois. Heureusement, nous avions la chance d'être instruites par sœur Paul qui, elle, avait tout appris depuis tant d'années au contact de milliers de pauvres. Elle n'avait pas sa pareille pour mettre en place du premier coup le cathéter dans la veine d'un bras fin comme une allumette. Avec des gens réduits à l'état de squelette, c'était vraiment un tour de force. Elle eut beau m'enseigner patiemment les secrets de sa technique, je ne parvins jamais à acquérir son tour de main. Je préférais utiliser les veines des pieds : elles claquent moins facilement que celles des bras. Mais il paraît que c'est dangereux pour les malades parce que cela peut provoquer des caillots de sang et entraîner des embolies.

---

1. Les Établissements Maruzella de Gênes, en Italie.

Les distributions des repas étaient les seuls moments où le mouroir s'animait vraiment. Sur la majorité des matelas, on voyait des corps prostrés se relever à l'approche des marmites fumantes de riz qui sentaient bon le safran. Pour les volontaires étrangers de passage, c'était toujours une source d'étonnement. Ils redécouvraient l'importance de cet élément vital dont ils n'avaient plus conscience car il n'était pas, pour eux, une angoisse de chaque jour : la nourriture.

Le paradoxe voulait qu'à la fin de leur pauvre vie nombreux étaient ceux qui ne manifestaient même plus l'envie de se nourrir, comme si leur estomac s'était à tout jamais fermé. Il fallait alors prendre d'infinies précautions, les premières bouchées risquant de provoquer des nausées, de brutales chutes de tension, des diarrhées, des vomissements. Seules de toutes petites quantités d'un aliment facile à digérer – un peu de riz, une pomme de terre écrasée – prises en plusieurs fois dans la journée permettaient de faire repartir leur moteur. Même ces précautions étaient parfois insuffisantes. Après tant d'années de privations, le choc était trop fort et des gens mouraient brusquement dès les premières bouchées.

Malgré ces accidents, les repas étaient, pour nous autres novices comme pour les volontaires, des occasions gratifiantes d'approfondir nos liens avec ceux et celles que nous servions. La plupart des pensionnaires n'avaient plus la force de s'alimenter seuls. Il fallait les faire manger à la cuillère, très lentement. Des regards débordants de reconnaissance nous récompensaient de notre patience. Ils m'ont toujours fait penser que l'acte que nous accomplissions était peut-être plus important que la nourriture elle-même.

Curieusement, je devais constater que les hommes étaient beaucoup plus sensibles que les femmes à nos gestes de tendresse ; ils appréciaient davantage d'être dorlotés, entourés d'affection. Il en résultait qu'ils étaient aussi plus exigeants, plus difficiles ; ils réclamaient plus d'attentions, plus de soins. Alors que les femmes semblaient moins touchées par notre compassion. Elles étaient aussi plus dures, plus résistantes à la souffrance. Sœur Paul expliquait ce phénomène par le fait que, dans notre pays, les femmes sont habituées dès l'enfance aux travaux les plus pénibles, et qu'elles sont élevées dans l'idée d'une soumission totale aux volontés et aux caprices masculins. Cette éducation renforce leur caractère, disait-elle, alors que trop de facilité amollit celui des hommes.

Les journées étaient longues au mouroir, souvent épuisantes, mais presque toujours enrichissantes. Quel bonheur de voir, après tant de soins, un moribond se relever enfin, comme ressuscité, souriant, puis, un jour, saluer en s'inclinant et s'en aller debout, sans aide. Surtout quand il s'agissait d'un adolescent arrivé quelques semaines ou quelques mois plus tôt dans un état de dénutrition qui ne laissait plus rien espérer. Pourtant, sœur Paul veillait à ce que ces miracles quotidiens ne nous détournent pas de notre tâche première, celle qui nous était assignée par Mère Teresa : aider nos protégés à rejoindre en paix la Maison du Père.

Les amis étrangers qui passaient au mouroir ne cessaient d'en être surpris. Dans ces lieux, la mort était si naturelle qu'elle semblait la continuation de la vie. Il n'y avait ni pleurs, ni gémissements, ni rébellion ; seule l'acceptation sereine du passage vers l'au-delà. Ce qui les frappait surtout, c'était l'absence de toute angoisse apparente. Ils disaient que, chez eux, la mort n'était pas ressentie de cette manière, qu'on n'osait jamais la regarder en face, qu'elle était toujours une occasion de révolte, qu'elle avait le visage hideux d'un squelette tenant une faux, qu'elle n'était qu'une injustice, un terrible châtiment, un échec définitif.

Sœur Paul expliquait qu'en Occident la mort fait peur parce que, là-bas, les gens ne savent pas où elle va les conduire. Elle ajoutait que lorsque l'on a eu la chance d'avoir une bonne vie sur la terre et que l'on ne croit pas au royaume du Ciel, il est normal que la mort vous inspire de la crainte. À l'opposé, chez nous en Inde, les gens sont convaincus qu'ils seront plus heureux après leur mort. Surtout les pauvres, auxquels Dieu ne pourra qu'offrir une vie meilleure. De toute façon, quelle que soit leur religion, les Indiens ont une telle foi qu'ils acceptent la volonté divine.

Les agonies n'en demeuraient pas moins une épreuve pour tous ceux qui travaillaient au mouroir, même pour sœur Paul.

196

Elle savait d'instinct quand l'heure d'un mourant était venue. On le transportait alors dans une sorte d'alcôve entre la salle des hommes et celle des femmes, à l'abri du passage. Nous lui faisions sa toilette et l'habillions d'un *longhi* neuf. Sœur Paul envoyait chercher au bazar une guirlande d'œillets qu'on lui plaçait autour du cou comme pour un jour de fête. Puis nous nous relayions à son chevet pour lui tenir la main, lui éponger le front, le réconforter, prier. Sœur Paul avait une façon particulière de parler aux mourants. Elle s'extasiait sur la chance qu'ils avaient « de rentrer chez eux » et leur décrivait la vie merveilleuse qui les attendait au Paradis, à commencer par la profusion de victuailles qu'ils allaient y trouver. Quand les mourants avaient gardé leur conscience, je puis témoigner que ce discours les aidait à partir en paix. Leurs doigts serraient nos mains avec une force extraordinaire puis se relâchaient brusquement. C'était fini.

La toilette mortuaire ne prenait que quelques minutes. Nous enveloppions le corps dans un drap de coton blanc. S'il s'agissait d'un hindou, sœur Paul demandait à quelqu'un d'aller prévenir l'un des prêtres brahmines du temple voisin dédié à la déesse Kâlî. Les croque-morts de la caste des dom, la caste de ma famille, venaient alors chercher le mort avec une civière pour l'emporter au bûcher funéraire au bord de l'Hooghly. Dans le cas d'un musulman, sœur Paul téléphonait à une organisation islamique qui s'occupait des défunts sans famille. Quelques heures plus tard, une camionnette venait prendre livraison du cadavre et le conduisait à la fosse commune du cimetière musulman de Gobra. Quant aux rares chrétiens, c'était notre ambulance qui les emmenait au caveau du mouroir dans le cimetière de Tollygunge, au sud de la ville.

C'est vrai, à la Maison du Cœur Pur, la mort n'était qu'une formalité. Mes années d'enfance dans la fumée et l'odeur des bûchers m'avaient sans doute préparée plus qu'une autre à l'accepter comme telle. Pourtant, une sorte de colère m'envahissait parfois devant la cruauté de certaines agonies. Je n'oublierai jamais celle de ce jeune musulman de vingt ans réduit à l'état de squelette, le corps couvert de plaies. Il avait été trouvé dans les toilettes d'un train en provenance de

Madras. Contrairement aux habitudes qui excluaient tout acharnement médical, je m'étais vraiment battue pour essayer de le sauver. Je ne sais pas combien de bouteilles de sérum j'ai pu lui faire couler dans les veines, ni combien de flacons d'antibiotiques, de vitamines, de fer je lui ai fait avaler. Avec ses oreilles décollées et ses cheveux crépus, il ressemblait un peu à mon petit frère, celui avec lequel je plongeais dans le Gange pour chercher les dents et les bijoux en or des riches défunts incinérés. Son nom était Abdul. Mais il avait trop souffert : son moteur n'avait plus la force de repartir. Nous restions des heures ensemble. Il ne voulait pas lâcher mes mains. Il m'appelait « *Didi* – Grande Sœur ».

Chaque soir, quand venait pour nous le moment de regagner notre couvent à l'autre bout de la ville, une crise de désespoir secouait Abdul. Il s'accrochait à mon sari avec une force insoupçonnable dans un corps si affaibli. « Ne m'abandonne pas, Grande Sœur », suppliait-il. Un soir, ses gémissements m'ont particulièrement bouleversée. J'ai fait le plus grand geste d'amour que je pouvais lui offrir. J'ai décroché de mon épaule le petit crucifix en métal que j'avais reçu de Mère Teresa à mon entrée au noviciat.

– Tiens, petit frère, lui ai-je dit en le déposant au creux de sa main, c'est ce que je possède de plus précieux au monde. C'est comme si ta « grande sœur » restait avec toi.

Son visage s'apaisa aussitôt.

– *Didi*, maintenant tu peux t'en aller, murmura-t-il.

Le lendemain, quand je revins au mouroir, Abdul était mort, le petit crucifix entre ses mains repliées sur sa poitrine. Je suis tombée à genoux et j'ai sangloté.

Je pleurais encore quand j'ai senti sur moi la main de sœur Paul. Elle tenait une enveloppe couverte de timbres étrangers qui portait mon nom tapé à la machine. Un jeune moine libanais m'écrivait d'Israël. Il souhaitait offrir ses prières et ses souffrances de paralytique pour m'aider « à être forte et courageuse dans mon travail de servante des pauvres de Dieu ». »

27

Paris, France – Hiver 1983
Une bonne nuit bien au chaud pour les hôtes de
l'assassin

Christian Brunetto, le styliste de mode, gisait paisiblement endormi sur la table d'opération. Dès que le chirurgien eut terminé l'ablation de son ganglion, le docteur Françoise Brun-Vézinet, chef du laboratoire de virologie de l'hôpital Claude-Bernard, s'en empara pour le découper en plusieurs tranches. Aller recueillir des biopsies faisait partie de son travail, que ce soit le jour, la nuit, au cours du week-end, et cela dans tous les hôpitaux de l'agglomération parisienne, partout où un petit morceau de chair prélevé d'urgence sur un malade ou un mort pouvait permettre le diagnostic immédiat d'une tumeur, l'étude de cellules cérébrales encore toutes chaudes, la découverte d'un virus responsable d'une maladie inexpliquée.

La jeune femme plaça chacun des fragments au fond de différents flacons. Elle allait envoyer les deux premiers aux laboratoires d'anatomo-pathologie et de bactériologie de l'hôpital et garderait le troisième pour ses tests virologiques personnels. Quant au quatrième, le plus gros, c'était le cadeau qu'avec le docteur Willy Rozenbaum elle souhaitait offrir au professeur Luc Montagnier, dont elle avait suivi les cours sur les rétrovirus, et à son équipe de l'Institut Pasteur. Afin de s'assurer que le précieux échantillon de la glande infectée ne subisse aucun dommage pendant son transport, elle l'avait immergé dans une solution stérile. Il restait un dernier fragment. Celui-là n'était destiné à aucune expérience ni à aucune manipulation. Il constituait la mémoire du ganglion prélevé ce jour-là sur le styliste parisien. Conservé dans les profondeurs d'un congélateur, il deviendrait l'une des valeurs du capital d'une banque de cellules. Dans un an, dans dix ans, dans un siècle peut-être, des savants riches de nouvelles connaissances pourraient le réveiller de son sommeil glaciaire pour le contraindre à livrer quelque information que les techniques d'aujourd'hui ne pouvaient permettre de lui faire avouer.

Vingt minutes plus tard, Françoise Brun-Vézinet rangeait son Alfa Romeo rouge sous les marronniers centenaires de l'Institut Pasteur de Paris. S'il était un endroit au monde où les hommes avaient su percer les mystères des infections, c'était bien cet atelier de découvertes installé en plein cœur de la capitale française. C'était ici, entre ces murs, qu'avaient été vaincues les grandes épidémies, la diphtérie, la variole, le choléra, le typhus, la peste, le tétanos, la fièvre jaune, la tuberculose, la poliomyélite. C'était ici qu'avaient été mis au point les premiers médicaments anti-infectieux et les sulfamides ; ici qu'avait été découvert le parasite du paludisme, responsable chaque année de la mort d'un million d'enfants ; ici qu'avait été prouvée la culpabilité des protozoaires dans le déclenchement des parasitoses ; ici qu'avaient été mis en évidence les principes de l'immunité cellulaire, le rôle des anticorps dans la défense contre les agressions et celui des antihistaminiques dans le traitement des allergies. C'était ici qu'avait été codifiée l'action des gènes et leur manière de s'exprimer dans les organismes vivants.

Il était à peine treize heures quand la jeune femme arriva au laboratoire de son ancien professeur dans le bâtiment contigu à celui où Louis Pasteur avait vécu les dernières années de sa vie et où il reposait maintenant dans un tombeau de marbre. C'était le jour où commençait justement le cours de

200

virologie dont Luc Montagnier était le directeur. Ce ne sera qu'en fin de journée qu'il pourra mettre lui-même en culture les cellules du ganglion du styliste souffrant des signes précurseurs du sida.

★

Depuis qu'il avait bricolé, à l'âge de douze ans, ses premières expériences de chimie dans la cave de la maison familiale de Châtellerault, Luc Montagnier n'avait jamais cessé d'être habité par le démon de l'expérimentation. Il passait ses dimanches à distiller des parfums ou à confectionner des feux de Bengale. Monté à Paris pour étudier la médecine et préparer une licence de sciences, ce provincial fils d'un père auvergnat et d'une mère berrichonne avait, une fois ses diplômes en poche, préféré le microscope du chercheur au stéthoscope du clinicien. Une vocation qui l'avait envoyé, à vingt-trois ans, dans un laboratoire de la Fondation Curie où il allait découvrir l'univers fascinant de la biologie cellulaire alors en pleine rénovation. De nouvelles techniques de culture des cellules et des virus inventées en Amérique étaient en train de fournir des outils révolutionnaires à la recherche. Émerveillé, le jeune scientifique décida de se consacrer à l'étude des lymphocytes, ces globules blancs qui joueront un jour un rôle si capital dans sa vie.

L'un des agresseurs les plus virulents des globules blancs, le virus de la fièvre aphteuse, cauchemar des éleveurs de bovins, fournit à Luc Montagnier le sujet de sa thèse de docteur en médecine. Ces travaux orientèrent définitivement sa carrière vers la virologie. Une bourse lui permit de pénétrer dans l'un des grands temples scientifiques du moment, l'institut britannique de Carshalton. Là, aux côtés d'un Anglais francophile fumeur de Gitanes nommé Kingsley Sanders, il allait assister aux premiers balbutiements d'une discipline récente promise à un fantastique avenir, une science qui transcendait l'étude de la seule vie des cellules pour s'intéresser à la nature même de leur patrimoine génétique : la biologie moléculaire. Parce qu'ils constituent des systèmes biologiques relativement simples, les virus étaient des objets d'étude privilégiés, permettant aux pionniers de la biologie moléculaire d'avancer à pas de géant. Le jeune Auvergnat put apporter sa contribution personnelle aux efforts de ses maîtres en mettant en évidence certains mécanismes de reproduction d'un virus qui tuait les souris en moins de quarante-huit heures. Un timide coup d'éclat qui lui donna la légitime satisfaction de voir son nom inscrit au bas d'un article publié par la célèbre revue scientifique britannique *Nature*.

Après Carshalton, Glasgow. Ce long séjour outre-Manche devait mettre le chercheur français au contact des plus grands cerveaux de ce temps et lui apporter la maîtrise de l'anglais, véhicule désormais indispensable à toute la communication scientifique. Les huit années suivantes, Luc Montagnier les passa à instruire dans plusieurs laboratoires parisiens le dossier prouvant l'implication des virus dans le déclenchement de certains cancers. Ses efforts obstinés lui avaient valu l'honneur d'entrer, à quarante ans, à l'Institut Pasteur de Paris.

Être « pastorien », c'est appartenir à un ordre qui a son âme, son style, son unité. Qui a ses clans aussi. Ainsi, certains pastoriens n'avaient pas souhaité voir le nom de leur prestigieux institut mêlé à une épidémie aux connotations jugées déplaisantes. Et pourtant, dira plus tard Luc Montagnier, « s'il était une recherche en accord avec la vocation de Louis Pasteur, c'était bien celle du sida. Nul doute que, s'il avait été vivant, il se serait jeté le premier, et de toute son énergie, dans cette aventure ». Cent ans après, le hasard chargeait le laboratoire de Luc Montagnier de perpétuer cette vocation.

★

La tâche était rude. De tous les défis lancés par la nature aux virologistes, l'identification d'un rétrovirus humain était peut-être le plus ardu. En effet, en près d'un siècle de travaux opiniâtres, un seul de ces « super-virus » au mode d'action si complexe avait pu être démasqué chez l'homme, le HTLV, responsable de certaines rares leucémies, découvert par Robert Gallo en 1977. Luc Montagnier avait déjà cultivé des milliards de cellules suspectées d'abriter de tels virus. Il connaissait leurs goûts, leurs caprices, leurs nourritures préférées. L'un de ses réfrigérateurs était garni de fioles pleines des mets et des sauces dont elles raffolaient, en particulier un savant mélange de sels minéraux, de calcium, de magnésium et de sérum de veau fœtal. Un véritable régal de la gastronomie cellulaire, ce sérum! Comme les grands crus, il avait ses millésimes et ses appellations contrôlées. Le meilleur, disait-on, venait de Nouvelle-Zélande. Le chercheur disposait aussi d'un puissant stimulant extrait d'un haricot qui, tels les épinards du marin Popeye, décuplait leurs forces. Cette substance se fixait à la surface des cellules et mimait le signal de leur mobilisation en cas d'agression.

★

Soucieux de commencer sans retard une recherche dont il savait l'importance, le petit homme aux airs de notaire s'enferma dans son laboratoire dès la fin de ses cours afin de mettre en culture les cellules du ganglion infecté que lui avait apporté Françoise Brun-Vézinet. La manipulation d'un virus inconnu représentant une entreprise toujours dangereuse, il revêtit sa blouse blanche, enfila des gants de caoutchouc, protégea son visage derrière un masque de gaze et alla mettre le flacon confié par son ancienne élève sous l'unique hotte de sécurité dont il disposait alors. Afin d'empêcher toute contamination dans un sens ou dans l'autre, l'appareil diffusait un flux d'air stérile qui faisait écran entre le manipulateur et les sujets d'expérimentation. Les gestes qu'il s'apprêtait à accomplir, Luc Montagnier les avait renouvelés des centaines de fois. Mettre des cellules en culture, pour les maintenir en vie et leur permettre de se reproduire, est une opération de routine dans une unité de virologie. C'est aussi un art subtil qui tient tout à la fois de la musique en raison de l'harmonie nécessaire, de la grande cuisine pour le choix judicieux des éléments nutritifs à donner, et de la prestidigitation pour l'habileté du savoir-faire.

Le chercheur découpa le morceau de ganglion, il le broya, le « dilacéra » afin d'en extraire les globules blancs, le centrifugea, le purifia, et le réduisit à l'état de suspension liquide qu'il répartit dans cinq petits flacons coniques. Dans chacun d'eux, il versa quelques gouttes de ses élixirs de croissance, ainsi qu'un peu de gaz carbonique et d'azote pour entretenir la bonne respiration de la préparation. Il reboucha hermétiquement les cinq flacons et les déposa dans un bain-marie à 37°. Il retira alors son masque, sa blouse et ses gants, consigna dans son cahier d'expériences les opérations qu'il venait d'accomplir, éteignit une à une les lumières du laboratoire, verrouilla les portes, enfila son pardessus et descendit lentement vers la cour où attendait sa Lancia grise. Dans une demi-heure, il serait de retour dans son pavillon de Robinson pour dîner en famille.

Copieusement nourries et bien au chaud, les cellules infectées du styliste Christian Brunetto passeraient une bonne nuit. Demain, l'équipe de son laboratoire de rétrovirologie pourrait commencer à rechercher dans leur noyau le mystérieux virus du sida qu'on les soupçonnait d'abriter.

Il était vingt et une heures quinze, le lundi 3 janvier 1983.

28

Atlanta, USA – Hiver 1983
« De combien de morts avez-vous donc besoin ? »

Le chef de l'unité anti-sida du Centre de contrôle des maladies d'Atlanta pouvait être fier. Le docteur Jim Curran s'était une fois de plus surpassé. Bien qu'il l'ait décidée et organisée à la dernière minute, sa conférence était un succès. En ce matin du 4 janvier 1983, davantage de participants que n'en avaient escomptés ses prévisions les plus optimistes se pressaient dans l'auditorium A de son quartier général. Les cent cinquante visiteurs étaient accourus la veille et dans la nuit des quatre coins des États-Unis. Ils étaient tous concernés par l'une des activités ultra-sensibles du pays, l'industrie qui collectait, stockait, et vendait le bien sans doute le plus précieux de la richesse d'une nation, ce liquide irremplaçable qui sauvegardait chaque année la santé et la vie de trois millions et demi d'Américains, le sang destiné aux transfusions. Une activité florissante, que son chiffre d'affaires annuel de deux milliards et demi de dollars plaçait parmi les cinq cents premières entreprises nationales. À elle seule, la Croix-Rouge américaine distribuait quelque six millions de litres de sang, de quoi transfuser de la première à la dernière goutte plus d'un million d'individus. Ce qui faisait surtout l'orgueil de cette industrie, c'était l'estime et la renommée dont elle jouissait. Aucune autre n'entourait en effet la manipulation et la vente de ses produits d'autant de soins et de précautions. Le monde entier en importait.

Jim Curran le savait : la nouvelle qu'il allait annoncer risquait de porter un coup fatal à ce bel édifice. Mais l'enjeu était tellement grave que son devoir était de révéler la vérité. Son cri d'alarme ne manquerait pas d'avoir des répercussions immédiates. Il imaginait déjà ses invités bondissant de leurs fauteuils vers les téléphones pour dicter les mesures d'urgence à prendre dans leurs secteurs respectifs. Ne s'agissait-il pas d'un des problèmes les plus tragiques que l'Amérique ait jamais eu à affronter ? Jim Curran lui-même avait du mal à croire qu'une telle catastrophe avait été possible : les réserves de sang des États-Unis étaient contaminées par le virus du sida.

★

Les preuves recueillies par le CDC étaient irréfutables. Après les trois premiers hémophiles décédés l'automne précédent à la suite de leur contamination par une injection de produits sanguins, neuf autres hémophiles venaient à leur tour de succomber. Et maintenant un cas étonnant, découvert juste avant Noël, imposait l'extraordinaire mobilisation de ce début d'année 1983. Cette fois, le mal avait délaissé les cibles connues pour frapper dans une direction et d'une manière complètement nouvelles.

Un pédiatre de San Francisco venait de diagnostiquer un sida chez un bébé âgé de vingt mois. Les premiers éléments d'investigation n'avaient pu préciser l'origine exacte de la maladie. Contrairement aux rares exemples d'enfants atteints du sida par une contamination maternelle, ce bébé n'était pas né d'une mère toxicomane, prostituée ou haïtienne qui aurait pu lui transmettre le virus au cours de sa grossesse. À force de chercher, les médecins-détectives de Jim Curran avaient fini par apprendre que l'enfant était venu au monde dans des conditions difficiles. Une césarienne avait été nécessaire. Souffrant d'une anomalie sanguine rare, il avait dû recevoir plusieurs transfusions. Dans les quatre premières semaines de sa vie, dix-neuf flacons de sang lui avaient été injectés. Bien qu'on n'ait encore jamais associé le sida à une transfusion de sang frais, les enquêteurs recherchèrent les dix-neuf donneurs. Ils purent tous être mis hors de cause, excepté le dernier.

Ce commerçant célibataire de San Francisco âgé de quarante-huit ans était décédé depuis huit mois. Comme les millions d'Américains qui pratiquent régulièrement le même acte de solidarité, il avait offert son sang bénévolement. Le 10 mars 1981, quand il s'était présenté au guichet de la Memorial Blood Bank locale, il paraissait en excellente santé et rien dans son comportement n'aurait pu laisser percevoir son homosexualité. Six mois plus tard, il s'était plaint d'une extrême fatigue et d'une perte d'appétit. Son médecin avait constaté l'inflammation d'un ganglion sous l'aisselle droite. Des taches suspectes apparurent sur la rétine de son œil gauche et, le mois suivant, il avait fallu l'hospitaliser pour une pneumonie infectieuse. Des examens avaient alors révélé une chute marquante de ses défenses immunitaires. Ses lymphocytes protecteurs avaient presque totalement disparu. Aucun doute n'était plus possible sur la nature de son mal. Trois semaines plus tard, le malheureux donneur de sang mourait du sida.

La découverte de ce drame glaça d'épouvante les enquêteurs d'Atlanta. « Nous pouvions supposer que des milliers de litres de sang stockés dans les hôpitaux et les banques de sang du pays se trouvaient contaminés par le virus infectant des donneurs atteints du sida, racontera Jim Curran. Cela voulait dire que des milliers d'Américains destinés à recevoir une transfusion se trouvaient en danger de mort. Afin de conjurer cette catastrophe et d'en prévenir de futures, nous ne disposions que d'un seul moyen : soumettre sur-le-champ tous les stocks existants à un test de contrôle. Il fallait par ailleurs sans attendre écarter des collectes tous les donneurs à risques. »

★

Pour faire accepter cette stratégie à ceux que l'on appelait parfois les « émirs américains de l'or rouge », Jim Curran chargea son adjoint Harold Jaffe de leur brosser un tableau dramatique de la situation. Le sida avait à ce jour frappé huit cent quatre-vingt-un Américains. Trois cent dix-sept étaient déjà morts. Cette proportion était plus élevée que pour les plus dévastatrices épidémies du Moyen Âge. Les survivants n'étaient plus que des hommes en sursis. Les malades atteints du sarcome de Kaposi mouraient en seize mois, ceux atteints de pneumonie infectieuse en neuf mois. Le nombre des cas, lui, doublait tous les six mois. À ce rythme, cent mille Américains seraient touchés en moins de cinq ans.

Les médecins du CDC d'Atlanta avaient tout imaginé sauf l'incroyable réaction de leurs interlocuteurs. « Ils refusèrent tout simplement de nous croire, constatera Harold Jaffe. Ils prétendirent que nos chiffres n'étaient pas probants et concernaient trop peu de cas pour que les transfusions de sang puissent être incriminées avec certitude, que des vérifications coûteraient des sommes astronomiques sans rapport avec la réalité du risque, et qu'interdire aux homosexuels de donner du sang serait jugé contraire aux droits de l'individu. »

Ce 4 janvier 1983 restera l'un des jours les plus noirs de la croisade de l'équipe d'Atlanta contre l'épidémie galopante du sida. Aucune mesure de protection, aucune décision de contrôle ne purent être arrachées à l'assistance incrédule. Avant la fin de la réunion, un jeune chercheur de l'organisation, le docteur Donald Francis, résuma la déception de ses collègues et la crainte qui les hantait.

— De combien de morts avez-vous donc besoin, demandat-il à l'assistance, avant que vous vous décidiez à agir [1] ?

★

Une autre nouvelle était en revanche un vrai cadeau. Après l'échec qu'ils venaient de subir auprès des banquiers du sang, Jim Curran et ses médecins-détectives accueillirent avec

---

1. Il faudra attendre plus d'une année pour que les responsables de l'industrie du sang aux États-Unis commencent à répondre sérieusement à cette question. Pendant cette période, plus d'un million et demi d'unités de sang privées de tout contrôle anti-sida continueront d'être collectées, stockées et distribuées par les banques de sang et les hôpitaux américains.

une gratitude spéciale l'entrée des Français dans la compétition pour la recherche d'un virus. Ils entrevirent aussitôt les avantages des travaux de l'Institut Pasteur. Leur compatriote Robert Gallo allait ainsi devoir relever le défi, aiguillonner ses troupes, leur donner plus de moyens, bref, les condamner à la découverte. Sa réputation de premier rétrovirologiste mondial l'exigeait. Toute la recherche médicale américaine, si féconde ces dernières années, devrait également se mobiliser.

L'équipe du CDC d'Atlanta se trompait. Robert Gallo n'avait nulle envie de changer un iota à son programme. Il considérait n'avoir rien à redouter des Français, ces « débutants » qui ne jouissaient d'aucune autorité internationale en matière de rétrovirologie. Des concurrents, ces « mangeurs de grenouilles » ? Ces provinciaux plutôt comiques et arriérés avec leur drôle d'accent, leurs méthodes démodées, leur façon archaïque de présenter leurs résultats ? Tout au plus des trouble-fête. Si l'agent du sida était vraiment un rétrovirus, c'était lui, Robert Gallo, et lui seul, qui l'identifierait. N'était-ce pas lui qui avait découvert le premier rétrovirus humain ? N'avait-il pas mis au point des techniques spécifiques pour ce type de recherche ? Il était donc naturel qu'il montrât toujours aussi peu d'enthousiasme à s'investir complètement dans la bataille. « J'étais si convaincu que mon chercheur Prem Sarin finirait par trouver quelque chose, avouera-t-il, qu'il me paraissait superflu de jouer au pion avec lui. Je n'aurais même pas osé : il était plus *ancien* que moi. Ce fut mon erreur. »

La véritable erreur de l'éminent savant était en fait ailleurs. Elle résidait dans son excès de confiance. Le découvreur de l'unique rétrovirus humain connu à ce jour refusait d'en démordre : s'il existait d'autres rétrovirus humains dans la nature, ils appartenaient forcément à la même famille. L'agent du sida ne pouvait être qu'un proche parent du spécimen qu'il avait trouvé. Fort de ce postulat, il avait négligé de conseiller à son collaborateur de procéder comme pour une recherche classique de virus. Inutile de surveiller les cultures de cellules jour après jour dans l'espoir d'en voir sortir un virus, alors que l'on savait pertinemment que son modèle ne se manifestait qu'au bout d'une trentaine de jours. Il suffisait d'attendre ce laps de temps pour le mettre en évidence et constater, au moyen d'une comparaison génétique, son inéluctable parenté avec le HTLV que Gallo avait découvert. Le tour serait joué.

Son collaborateur indien avait donc organisé son programme de recherche en fonction de ce calendrier. C'était seulement à partir du trentième jour qu'il commençait à examiner ses tubes de cultures. En technicien discipliné, il consignait alors ses observations dans son cahier d'expériences. Et, curieusement, la constance de leurs résultats négatifs ne sembla jamais l'étonner. Ces résultats avaient pourtant de quoi surprendre. Au lieu de la prolifération anarchique de globules blancs que l'on avait habituellement constatée au bout de trente jours dans le cas des cultures infectées par le premier rétrovirus HTLV de Robert Gallo, il ne retrouvait, lui, au fond de ses tubes qu'un cimetière de lymphocytes morts, sans aucune trace de virus. Le prestigieux laboratoire mettrait des mois à s'alarmer de cet étrange phénomène.

29

Calcutta, Inde – Hiver 1983
« Que l'illustre vieille dame brandisse l'étendard de la révolte ! »

Deux par deux, frêles voiles blanches sur un océan hostile, elles s'en allaient à travers la cité grouillante en direction d'une léproserie, d'un orphelinat, d'un dispensaire, d'une école, d'un mouroir. Chaque matin après la messe de cinq heures quarante-cinq, les sœurs et les novices de Mère Teresa quittaient le couvent de Lower Circular Road pour rejoindre leur lieu de travail. Les pauvres et les souffrants de la ville connaissaient leur parcours. À chaque instant, des mains se tendaient vers elles, des mères brandissaient leurs bébés affamés, des lépreux s'accrochaient aux pans de leur sari. Elles traversaient ce couloir de misère, égrenant sans répit des *Ave Maria*. Mère Teresa insistait tant sur le bienfait de la récitation du chapelet que les sœurs n'évaluaient les distances ni en kilomètres ni en temps de marche, mais en nombre de rosaires. Pour Ananda, l'ex-petite lépreuse de Bénarès, et pour sœur Alice, la compagne attitrée de ses trajets, la porte du mouroir du Cœur Pur où elles travaillaient était située à deux cent quatre-vingts *Ave Maria* de la maison mère.

Au début, Ananda s'était étonnée de tout ce temps gaspillé en allées et venues, alors que ces minutes perdues auraient pu être précieuses pour soulager des souffrances. Mais elle n'avait pas tardé à ressentir elle aussi la valeur de cette prière, monotone seulement en apparence. Elle s'était souvenue des paroles de Bandona, sa bienfaitrice de Bénarès. Elle savait maintenant perdre son temps pour Dieu, l'aimer de façon désintéressée et lui dire : « J'égrène ce chapelet pour le seul plaisir de m'unir quelques instants à Toi comme une épouse à son époux. »

Les premières journées d'Ananda au mouroir de Calcutta l'avaient rudement éprouvée. Comme elle le craignait, ni le crucifix épinglé à l'épaule, ni le chapelet accroché à la ceinture, ni son sari tout blanc de novice, ni son tablier bleu de servante des pauvres, rien n'avait pu faire oublier les stigmates de sa naissance. Les pensionnaires hindous n'avaient pas tardé à deviner les origines de leur nouvelle soignante. De la couleur très foncée de sa peau à ses manières un peu brusques, de sa façon de marcher aux intonations rauques de sa voix, tout en elle continuait de trahir sa condition d'intouchable. On vit des moribonds repousser la main charitable qui leur proposait une cuillerée de nourriture. Ananda n'insistait jamais. Retenant ses larmes, elle se rendait auprès d'un autre indigent, musulman celui-là ou paria comme elle, ou encore trop affaibli pour qu'il puisse reconnaître la main qui le secourait. Pourtant, ces rebuffades atteignaient cruellement la jeune fille dans ce qu'elle avait de plus fragile : si ces hommes étaient bien ses frères, et si Jésus-Christ était en chacun d'eux comme l'affirmait Mère Teresa, pourquoi la rejetaient-ils ? Ni sœur Bandona ni sœur Paul ne lui donnaient de réponse satisfaisante. Seul le temps parviendrait peut-être à panser les blessures, car il est plus douloureux pour un pauvre que pour un riche de supporter les humiliations venant d'un pauvre.

★

Un événement inattendu allait, cet hiver-là, secouer la petite équipe soignante du mouroir. Depuis trois ans qu'elle assistait sœur Paul dans la marche de l'hospice, sœur Dome-

212

nica, vingt-huit ans, était l'une des figures les plus populaires de la vieille bâtisse à clochetons. Originaire de l'île Maurice, elle avait gardé l'accent chantant et l'exubérance de ses compatriotes. Cette grande fille superbe, à la démarche féline et à la peau très claire, apportait un peu d'exotisme dans l'austère univers de la Maison du Cœur Pur. Même sœur Paul puisait courage et réconfort dans le calme et la gaieté de cette compagne. Quand sœur Domenica apparaissait dans une travée, les têtes se tournaient d'elles-mêmes vers elle. Toujours prête à se pencher sur un mourant, à lui donner à boire, à lui prendre la main, à lui éponger le front, elle savait apaiser de quelques mots tendres et rassurants.

Rien dans ses origines ne la destinait à un tel sacerdoce. Fille de riches négociants hindous, elle avait grandi dans une vaste demeure à colonnes donnant sur l'océan qui bordait son île natale. Sa première vision de la misère, elle l'avait eue en arrivant à Bombay. Ses parents l'y avaient envoyée dans une pension religieuse où elle devait parfaire son éducation en vue de son mariage. Elle avait quinze ans. Chaque jour, elle gardait un morceau de pain pour le mendiant accroupi devant la porte du pensionnat. Un dimanche, ne l'ayant pas trouvé à sa place habituelle, elle partit à sa recherche dans le bidonville qui étalait sa misère juste derrière le couvent. La découverte de ce quartier devait la marquer à jamais.

Quatre ans plus tard, au désespoir de ses parents et malgré les offres de mariage des partis les plus brillants de l'île Maurice, Domenica annonça son intention d'aller à Calcutta pour y revêtir le sari blanc et bleu des Missionnaires de la Charité. Une décision qu'elle n'avait jamais regrettée, même s'il lui arrivait de souhaiter agir directement sur les causes de la pauvreté plutôt que sur ses conséquences.

« J'aurais aimé que Mère Teresa s'attaque davantage aux injustices qui engendrent la misère, dira plus tard Domenica, qu'elle se serve de son charisme et de son prestige pour obliger les gouvernants et les possédants à prendre des mesures radicales. » En cette fin du XXe siècle, près d'un demi-milliard d'Indiens ignoraient encore le simple bonheur d'un ventre plein. Des centaines de milliers d'enfants croupissaient dans des ateliers-bagnes, attelés à des travaux inhumains. Des millions de paysans sans terre tentaient toujours de survivre dans l'enfer des bidonvilles. Cette situation n'était pas propre à l'Inde seule. Qui pouvait en relever les défis, sinon celle qui incarnait aux yeux de l'humanité l'idée de charité ? Celle qui avait installé ses dispensaires, ses orphelinats, ses hospices à travers l'Inde et dans le monde entier, jusqu'au cœur des deux Amériques et de la Chine rouge ; celle qui accourait chaque fois qu'une catastrophe semait la mort et la désolation en quelque point du globe ; celle qui défendait le droit à la vie sur tous les podiums de l'univers ; celle que couvraient d'honneurs et de distinctions les universités et les gouvernements ; celle que le prix Nobel de la paix avait distinguée comme le symbole de la compassion et de l'amour humains.

Domenica n'était pas la seule à rêver de voir l'illustre vieille dame brandir l'étendard de la révolte au nom des pauvres. Une révolte non violente, évidemment. Pourquoi ne ferait-elle pas une grève de la faim devant la porte du Premier ministre de l'Inde ? On pouvait aussi imaginer d'autres actions spectaculaires à l'étranger, devant Buckingham Palace, devant le siège des Nations unies, au Kremlin, à Paris, Rome ou Pékin. Partout où des responsables pouvaient intervenir en faveur des hommes écrasés.

Cet idéal inassouvi restait enfoui au tréfonds de la jeune Mauricienne. Elle se contentait pour l'instant de faire la toilette des moribonds, de leur donner leurs repas, de les aider à fumer une cigarette, d'apaiser leurs souffrances à l'aide d'une piqûre, d'un sourire, de quelques mots de consolation. Ses connaissances médicales étaient trop limitées pour en faire plus. Elle le regrettait. Mais la vocation des sœurs était moins de guérir que de soulager et de réconforter. Elle le faisait si bien que les pensionnaires du mouroir ne cachaient pas leur préférence pour la douce et belle Mauricienne. Ses compagnes en concevaient parfois quelque ombrage. Domenica affectait de ne pas le remarquer.

Cet hiver-là, un conflit intérieur particulièrement troublant agitait la jeune religieuse. Étaient-ce les morsures d'un froid inhabituel qui finissaient par entamer son moral ? Ou le sentiment de frustration que lui inspirait la présence de volontaires étrangers médicalement plus instruits et donc plus efficaces ? Elle se posait de plus en plus de questions. « Dieu me demande-t-Il uniquement d'accomplir ces humbles tâches ? N'a-t-Il aucune autre ambition à m'offrir pour que je serve plus utilement les pauvres ? »

★

La réponse vint d'une façon aussi brutale qu'inopinée. Avec ses mèches blondes nouées en queue de cheval sur la nuque, son petit diamant fiché dans le lobe de l'oreille gauche, ses deux papillons bleu et rose tatoués sur les avant-bras et son entêtante odeur d'after-shave, le docteur allemand Rudoph Benz, trente-deux ans, ne collait pas exactement à l'image qu'on se fait d'un apôtre de la charité. L'équipe du mouroir savait pourtant que cet homme avait consacré sa vie à la cause des déshérités de l'Inde. Au cours d'un premier séjour à Calcutta, deux ans plus tôt, il s'était présenté comme volontaire à la porte de la vieille bâtisse à clochetons pour y travailler pendant plusieurs semaines.

Atterré par l'amateurisme que les sœurs montraient en matière médicale, il avait entrepris de leur enseigner quelques rudiments d'hygiène et d'asepsie. Ses efforts devaient empêcher bien des décès, et contribuer à détourner le mouroir de sa seule vocation d'assistance aux mourants. L'équipe vouait à cet ami providentiel une reconnaissance sans bornes. De retour dans son pays, Rudolph Benz avait donné des conférences, écrit des articles, projeté des photographies dans des clubs et des écoles. Convaincu qu'il fallait d'abord agir à la source du mal, il imagina de proposer à dix villages d'une zone misérable du delta du Gange un système d'irrigation devant fournir à leurs paysans du riz et des lentilles en toute saison. Il fonda une structure pour financer ce projet. L'association allemande « Du travail et du riz pour mille familles indiennes » compta bien vite cinq mille donateurs. Les premiers canaux allaient pouvoir être creusés incessamment. Rudolph Benz s'était arrêté à Calcutta pour réceptionner les fonds transférés d'Allemagne. Une telle formalité restait toujours compliquée dans un pays où la bureaucratie est particulièrement tatillonne. Cette attente lui donnait l'occasion de rendre visite à ses amies du Cœur Pur pour les mettre au courant de son initiative tout en travaillant quelques jours à leurs côtés.

L'arrivée du médecin allemand ne tarda pas à raviver les doutes de sœur Domenica quant à l'utilité de son travail au mouroir par rapport à son idéal. Elle catalysa ses frustrations et l'incita à chercher un moyen de s'attaquer elle aussi aux racines de la pauvreté. Un matin, sœur Paul constata l'absence de la jeune novice. Inquiète, elle téléphona à la maison mère. On lui apprit que Domenica était partie comme d'habitude après la messe et la collation. Une lettre, trouvée peu après, allait fournir l'explication de cette disparition. Elle était adressée à Mère Teresa.

> *Très sainte et respectée Mère,*
> *Je sais quelle peine va vous causer mon départ. N'y voyez ni coup de tête ni rébellion, mais seulement le besoin de servir différemment les pauvres de Dieu. J'emporte avec moi l'idéal que vous m'avez appris et je m'efforcerai de m'en montrer digne. Je reste dans mon cœur une Missionnaire de la Charité. Dieu m'appelle à accomplir Sa volonté par d'autres voies. Je viendrai vous voir dès votre retour. Priez pour moi.*
> *Votre fidèle, dévouée et affectionnée toujours,*
>
> *Domenica*

Domenica n'était pas la première Missionnaire de la Charité que perdait la « sainte de Calcutta ». L'écrasante discipline, la dureté des conditions matérielles, les tentations offertes par une existence au contact du monde, conduisaient fatalement à quelques abandons. Mais, très peu nombreux, ils étaient largement compensés par l'afflux permanent des vocations. Ce départ précipité n'en provoqua pas moins la consternation au sein des soignantes du mouroir. La plus affectée fut Ananda. Domenica avait été à la fois sa grande sœur et son modèle, celle qui dominait tranquillement toutes les situations et qu'aucun tabou ne paralysait jamais.

30

Paris, France – Hiver 1983
Une épopée dans une ancienne buanderie

Le « Bâtiment de la rage » n'avait pas changé de nom depuis le temps où Louis Pasteur y inoculait des germes mortels à des lapins pour obtenir le sérum salvateur. À la différence de pays d'Afrique et d'Asie où la terrible maladie frappait souvent, il y avait longtemps que la France n'en connaissait plus guère de cas et que d'autres occupaient ces locaux. L'une des pièces, au premier étage, était une ancienne buanderie dont les murs écaillés n'avaient jamais retenti que du ronflement des autoclaves. Seul le sol, carrelé gris et or, tranchait avec la banalité du décor. Sur la porte, un petit écriteau allait bientôt indiquer : « Salle Bru. » Cette appellation n'honorait ni un savant ni une spécialité scientifique. « Bru » était simplement la première syllabe du patronyme du styliste de mode parisien dont un morceau de ganglion infecté avait été apporté la veille au service de Luc Montagnier en vue d'y rechercher le virus soupçonné d'être l'agent du sida.

La petite équipe qui devait à présent trouver ce virus se composait de deux chercheurs chevronnés et de deux techniciennes. Elle s'était spécialisée dans la technique très délicate permettant de déceler une activité rétrovirale dans des cellules. Cette activité ne pouvant être constatée directement, il fallait en fait repérer les transcriptases inverses, ces fameuses enzymes grâce auxquelles les rétrovirus réussissent à s'introduire dans le noyau des cellules. Les quatre coéquipiers de la salle Bru auraient donc pour première tâche de favoriser la mise en évidence de ces enzymes.

Leurs chances d'y parvenir pouvaient paraître faibles. Contrairement au puissant « orchestre symphonique » de l'Américain Robert Gallo, le modeste « quatuor » français n'avait pas une aussi grande expérience en matière de rétro-virologie humaine et ses travaux n'avaient pas encore abouti à une découverte majeure. Paradoxalement, ce relatif effacement allait devenir son meilleur atout car il se lançait dans l'aventure sans excès de confiance, sans trop de certitudes, sans idées pré-conçues ni a priori. Pour aborder cette recherche particulière, il décida de partir de zéro et d'avancer pas à pas.

★

Son chef, le seul homme du groupe, était un solide Parisien de quarante-deux ans qui avait travaillé dur pour conqué-rir son doctorat ès sciences et forcer la porte du sérail pastorien. Élevé par sa mère – couturière le jour et ouvreuse de théâtre le soir –, ancien joueur de rugby, Jean-Claude Chermann devait à un accident de moto d'avoir fait connaissance avec l'univers médical. Souffrant de multiples fractures et privé à jamais d'odorat, il avait dû subir de nombreuses opérations chirurgi-cales dont l'une avait été suivie d'une sévère infection par des staphylocoques dorés rebelles. Cette expérience avait éveillé chez lui une vocation de médecin. Toutefois, se sentant trop démuni pour mener jusqu'au bout de si longues études, il pré-féra opter pour une formation universitaire. Après avoir obtenu son doctorat ès sciences, il avait un jour atterri dans le cours de biologie du futur prix Nobel Jacques Monod. « Ce fut le coup de foudre instantané, total, irrésistible, dira-t-il plus tard. L'ADN, les gènes, l'hérédité, tous les maillons de la vie brus-quement déballés devant moi par un sorcier génial. Une voie lumineuse. Mais, quand on est sans moyens et sans relations, autant rêver de conquérir la lune que de vouloir devenir chercheur. »

C'est dans un café de la rue Princesse, en face du dispensaire de la préfecture de police de Paris, que la chance favorisa pourtant ce rêve. Sa mère avait pris cet établissement en gérance dans l'espoir d'aider son fils à payer ses études. Un jour que Jean-Claude Chermann se désespérait de ne connaître personne à même de lui ouvrir la porte d'un laboratoire de recherche, un consommateur qui l'avait entendu griffonna un nom sur un bout de papier.

– Tenez, jeune homme, lui dit-il, allez voir ce monsieur de ma part. Vous lui expliquerez que c'est son ami, le docteur Juin de la préfecture de police, qui vous envoie.

Le jeune homme se précipita à l'adresse indiquée et se retrouva devant les grilles de l'Institut Pasteur dont le monsieur en question était l'un des principaux immunologistes. Ce dernier l'engagea et le confia à sa meilleure collaboratrice. Tout ce que Jean-Claude Chermann savait aujourd'hui, il le devait à Monique Dijeon, « une demoiselle de quarante-cinq ans, un peu bigote mais sublime, qui avait la science pour amant ». Il lui devait tout, de la rigueur scientifique jusqu'au culte de la vérité. Dix-huit ans d'études approfondies des virus avaient fait du jeune chercheur l'un des éminents spécialistes français de ces invisibles particules tueuses. De promotion en promotion, il dirigeait aujourd'hui le laboratoire associé à l'unité d'oncologie virale de Luc Montagnier.

★

À ses côtés travaillait une brillante et belle jeune femme blonde de trente-cinq ans, cordon-bleu à ses heures. Françoise Barré-Sinoussi était capable de mitonner n'importe quel plat, fût-ce une blanquette à l'ancienne ou un soufflé au Grand Marnier, tout comme elle cultivait amoureusement de fragiles lymphocytes. Ses lectures favorites allaient des grandes revues médicales anglo-saxonnes au Larousse gastronomique. « Chaque recette est une occasion de chercher une variante, d'inventer », s'amusait-elle à dire. Ses premiers maîtres sur les chemins de la science avaient été ses compagnons d'enfance, son chat Pussy, sa souris blanche, sa perruche. Ils lui avaient offert « l'observation enthousiasmante des trésors du grand livre de la vie ». L'instinct, l'espèce, l'hérédité, que de mystères à explorer lorsque l'on a une fringale de tout savoir, de tout comprendre. Aux sorties mondaines et aux vacances au Club Med, Françoise Barré-Sinoussi avait préféré la conquête d'une impressionnante collection de certificats. Cet acharnement lui valut un jour un tabouret de stagiaire dans une salle d'expériences du saint des saints de la recherche scientifique française, l'Institut Pasteur. Elle venait d'avoir vingt-trois ans. Jean-Claude Chermann, le responsable du service, la prit aussitôt sous son aile. « Faites-moi faire tout ce que vous voudrez, lui déclara-t-elle, mais je vous avertis : je ne toucherai jamais à un animal. »

Douze ans plus tard, l'aventure du sida n'effraya nullement Françoise. Elle avait, en 1979, fait un stage aux États-Unis, dont plusieurs semaines dans le laboratoire de Robert Gallo à Bethesda où elle avait appris les dernières techniques de recherche en matière de rétrovirus. Bien que cet Américain de renom ne portât guère aux nues ses homologues français, il avait cependant été impressionné par « la jolie Parisienne, dont les lunettes fumées dissimulaient les beaux yeux d'une Mata Hari avide de tout apprendre ».

★

Les grandes épopées scientifiques commencent de façon presque toujours banale. Ce matin du 4 janvier 1983, l'examen des cinq flacons préparés par Luc Montagnier n'en devait pas moins créer une certaine émotion dans l'ancienne buanderie transformée pour la circonstance en laboratoire d'expériences. C'est à dessein que Jean-Claude Chermann avait choisi ce local. Personne n'y ayant jamais manipulé le moindre parasite, la découverte d'un virus dans leurs tubes à essai ne pourrait être attribuée à une contamination de l'environnement. L'émotion de l'équipe de la salle Bru n'était pas sans raisons. Chermann avait attiré l'attention de ses collaborateurs sur les dangers de l'entreprise. « Nous ignorons ce que nous allons trouver et le " zèbre " risque d'être mortel », avait-il expliqué. Tous avaient calmement accepté le risque. Et pourtant, dans les quelques centilitres d'apparence anodine de ces flacons vivaient des millions de globules blancs dont chacun pouvait abriter l'agent de mort de la nouvelle épidémie.

On avait sur lui peu d'informations, sinon qu'il pouvait, à l'égal du HTLV humain et des rétrovirus animaux déjà connus, rester très longtemps inactif au sein de ses proies avant de se mettre à les massacrer. Une activation extérieure semblait nécessaire pour que son instinct meurtrier se déchaîne. C'est ainsi que la simple reproduction cellulaire, par exemple, pouvait suffire. En se divisant et en se multipliant, les cellules réveillent les virus qui dorment en elles, et ceux-ci en profitent pour se reproduire à leur tour en grand nombre avant d'entrer en action. Un processus dont les chercheurs de la salle Bru allaient tenir compte afin de franchir une première étape décisive : disposer d'une quantité suffisante de virus pour être en mesure de l'identifier. En d'autres termes, il fallait obliger les lymphocytes malades du styliste parisien à susciter la production massive du virus qu'ils étaient suspectés de renfermer. Il n'y avait qu'un seul moyen : les choyer, les cajoler, les gaver de friandises pour qu'ils se divisent et se multiplient généreusement. Françoise Barré-Sinoussi le savait : ce ne serait pas facile.

Les cellules sont des êtres vivants avec une personnalité propre, des goûts, des phobies, et surtout un extrême besoin de considération. Il n'est pas question de les traiter comme des objets. Elles réclament qu'on les entoure de douceur et de tendresse ; elles exigent qu'on les écoute et qu'on sache leur parler. Faute de sentir la nécessité de cette relation très particulière, combien d'apprentis chercheurs trop pressés avaient été rejetés de l'univers des pipettes et des boîtes à cultures !

Le succès de leur approche dépend d'une connaissance approfondie des mécanismes qui organisent la croissance et la reproduction cellulaires. On sait, par exemple, que la nature fait sécréter par le corps humain certaines substances qui ont pour mission d'activer les cellules afin de favoriser leur multiplication. Dès qu'on les sort de ce milieu naturel pour les mettre dans des tubes à essai, les cellules se trouvent privées de cet indispensable levain. Elles deviennent comme des poissons hors de l'eau. Elles s'étiolent, dépérissent, finissent par mourir. Si des nourritures aussi sophistiquées que du sérum de veau fœtal parviennent à retarder leur agonie, elles ne peuvent la stopper. Pendant un siècle, ce phénomène empêcha les biologistes de cultiver avec succès des lymphocytes en laboratoire [1]. Mais cet obstacle fut vaincu en 1975, quand Robert Gallo et son équipe isolèrent l'interleukine-2, cette substance de croissance cellulaire fabriquée par le corps humain, qui permet aujourd'hui aux chercheurs de faire croître et prospérer longtemps leurs cultures dans leurs tubes à essai.

Aucune pharmacie ne vend bien sûr d'interleukine-2, mais ses contacts avec d'autres laboratoires de recherche permirent à Luc Montagnier d'en procurer à son équipe de la salle Bru. Françoise Barré-Sinoussi s'empressa de répartir le précieux produit dans les flacons contenant les lymphocytes infectés du styliste parisien. Ainsi dopés, elle les imaginait déjà se réveillant brusquement de leur torpeur, éclatant en myriades de cellules toutes neuves qui allaient activer par millions les virus embusqués dans leurs noyaux. Un rêve qu'il fallait concrétiser si l'on voulait contraindre le virus assassin à se démasquer et à révéler son identité.

Consciente de la gravité de l'enjeu, l'équipe ne laissa rien au hasard, s'attachant méthodiquement à surmonter un à un tous les obstacles. L'un d'eux était la propriété qu'ont les lymphocytes de sécréter une substance antivirale à la première agression d'un virus. L'action habituellement bénéfique de cette substance, appelée interféron, risquait aujourd'hui d'avoir un effet néfaste. En effet, dès qu'ils seraient stimulés par l'apport de l'interleukine-2, les lymphocytes du malade pourraient se mettre à produire de fortes doses d'interféron pour lutter contre le virus que l'on voulait au contraire faire proliférer. Certes, l'interféron n'avait pas, à lui seul, la capacité de débarrasser les globules blancs des virus qui les infectaient – sinon, il n'y aurait

---

1. C'est-à-dire *in vitro*, par opposition à la croissance naturelle des cellules *in vivo*.

pas eu de sida. Il risquait toutefois d'entraver la multiplication de la masse virale.

Pour conjurer ce danger, il n'existait qu'un moyen : le neutraliser. Luc Montagnier et Jean-Claude Chermann, qui avaient beaucoup travaillé sur l'interféron à propos du cancer, avaient justement mis au point un sérum capable de résoudre ce problème. Pour s'en procurer quelques doses, l'équipe de la salle Bru fit injecter de l'interféron humain à un mouton. Agressé par ce corps étranger, le sang de l'animal réagit aussitôt en sécrétant des anticorps par millions. Il suffisait d'introduire quelques centilitres de ce sérum bourré d'anticorps dans les tubes contenant les lymphocytes du styliste parisien pour empêcher l'interféron qu'ils fabriquaient de jouer complètement son rôle. Grâce à ce stratagème, les chercheurs de la salle Bru espéraient faire sortir le virus des cellules.

Mais le plus difficile leur restait à accomplir : trouver le coupable au fond de leurs tubes et prouver qu'il était bien le responsable de la terrible épidémie.

31

New York, USA – Hiver 1983
Chaque jour une nouvelle catastrophe

Le jeune médecin attrapa sa gabardine, sortit en courant de l'hôpital et se précipita vers la longue voiture jaune.

– Déposez-moi devant n'importe quel cinéma de Broadway, lança-t-il en se laissant choir sur la banquette du taxi.

Le docteur Jack Dehovitz, trente ans, chef adjoint du service des maladies infectieuses à l'hôpital Saint-Clare de New York, sortit un mouchoir pour essuyer son front, ses joues maigres, son crâne aux cheveux ras. Et il ne put retenir plus longtemps l'envie qui l'avait taraudé tout l'après-midi : il pleura un bon coup. Comme il le pressentait depuis plusieurs jours, il était en train de craquer. « C'était trop et trop vite, je n'étais pas prêt », dira-t-il à propos de la situation à laquelle il se trouvait brutalement confronté.

L'extension de l'épidémie affectait de plus en plus de praticiens américains, la plupart aussi inexpérimentés que lui devant l'étrange fléau. Le bulletin du Centre de contrôle des maladies infectieuses d'Atlanta se faisait l'écho d'une réalité de semaine en semaine plus implacable. En ce début d'année 1983, on identifiait chaque jour quatre nouvelles victimes du sida et les statistiques indiquaient que le rythme allait en s'accélérant : « Les symptômes de cette maladie étaient si effrayants que je n'en croyais pas mes yeux », avouera plus tard le docteur Dehovitz.

★

Un aveu qui pesait particulièrement lourd dans la bouche de ce fils d'une famille de médecins originaire de Saint Louis, dans le Missouri. À la fin de ses études médicales, Jack Dehovitz avait décidé d'embrasser la seule spécialité en dehors de la chirurgie qui, selon lui, permettait presque toujours de guérir. « Prenez la cardiologie, expliquait-il. Quelqu'un fait un infarctus. On peut bien sûr contrôler la crise, mais le muscle est atteint. Le malade fera un autre infarctus. Prenez la néphrologie : quelqu'un souffre d'insuffisance rénale. On peut bien sûr le mettre trois fois par semaine sous dialyse. Certes, il vivra, mais toujours avec une épée de Damoclès suspendue sur la tête. Il en est de même pour les maladies pulmonaires et, d'une façon générale, pour toutes les affections chroniques auxquelles la médecine n'apporte que des palliatifs. Ce que je voulais, moi, c'était disposer de moyens avec lesquels je pourrais vaincre le mal de façon définitive. »

Une « baguette magique » servait cette ambition. Depuis près d'un demi-siècle en effet, les antibiotiques triomphaient dans un vaste domaine de la pathologie humaine, celui des maladies appelées infectieuses. « Si nombre d'entre elles restent difficiles à traiter, confiera Jack Dehovitz, quel soulagement de savoir qu'aucune n'est plus fatale. » Comme son confrère parisien Willy Rozenbaum, il avait en outre été séduit par les immenses possibilités qu'offrait cette branche de la médecine en matière de santé publique. L'information de la population, la prévention, le contrôle de la contagion et des épidémies, autant de champs d'action qui dépassaient de loin le cas d'un malade isolé. « Même si vous contractez une bonne syphilis avec une pute, résumait-il non sans un certain cynisme, au moins pouvez-vous faire en sorte que votre épouse ne l'attrape pas. »

Et voilà que le rassurant schéma venait de voler en éclats. L'apocalypse avait frappé. À New York, seuls quelques hôpitaux acceptèrent d'héberger les premières victimes de la nouvelle peste. Le manque de données précises sur la maladie et la terreur qu'elle inspirait de ce fait au personnel médical compromirent parfois la qualité des soins. Les journaux rapportèrent des exemples de services hospitaliers où la nourriture était abandonnée à la porte des chambres, où des infirmières n'acceptaient de s'approcher du lit d'un patient que protégées par une casaque stérile, un masque et des gants. Les rumeurs les plus fantaisistes circulaient à l'époque. N'allait-on pas jusqu'à affirmer qu'un simple échange verbal pouvait suffire à transmettre la maladie ? Comme elle affectait des catégories de citoyens en marge de la société, tels les homosexuels et les toxicomanes, l'ostracisme vis-à-vis de ses victimes s'en trouvait renforcé. Les autorités finirent par s'émouvoir. « Si le péché est condamnable, nous n'avons pas le droit d'abandonner le pécheur », finira par déclarer le cardinal archevêque de New York, John O'Connor.

Le prélat eut l'idée de créer une unité spécialisée pour les malades du sida dans le vieil hôpital Saint-Clare que finançait son archidiocèse. Des médecins motivés furent engagés, dont le docteur Jack Dehovitz. Deux étages furent aménagés pour recevoir une vingtaine de sidéens. La presse applaudit à cette initiative et les patients ne tardèrent pas à affluer. New York comptait enfin un hôpital où le sida était traité comme une maladie ordinaire. Cette situation fut aussi providentielle pour les malades que pour les finances déficientes de l'établissement jadis fondé par une religieuse pour secourir les immigrants pauvres du West Side. Mais elle soumit les équipes soignantes à un supplice que nul n'avait imaginé.

Récit du docteur Jack Dehovitz

« Chaque jour me projetait dans une catastrophe différente. Un matin, j'ai reçu un couple d'une trentaine d'années. Il était professeur d'anglais dans un collège des environs de New York ;

elle travaillait dans une agence de voyages. Des gens intelligents et apparemment responsables. Lui était au plus mal. Je m'arrangeai pour parler à la femme seul à seul car il fallait qu'elle réalise que son mari allait mourir dans les quarante-huit heures. Je lui expliquai qu'il était inutile de le torturer avec un quelconque acharnement thérapeutique désormais sans objet. Il était trop tard. J'essayai surtout de lui faire comprendre qu'elle-même était en danger. Je lui demandai si on lui avait récemment prescrit des analyses. « Oui, répondit-elle presque étonnée, mon gynécologue m'a fait faire des examens. Il m'a dit que j'étais sans doute porteur du virus, mais que je n'avais pas à m'inquiéter, que tout irait bien pour moi. » Elle avait un fils de deux ans, et cet enfant, selon toutes probabilités, avait été infecté durant la grossesse. Tous deux allaient vraisemblablement développer un sida, mais cette femme ne se rendait compte de rien. Voir tant d'inconscience chez des gens soi-disant responsables, c'était ahurissant. J'ai insisté sur la nécessité de tests biologiques approfondis. Nous avons pris rendez-vous pour le lendemain. Elle n'est jamais revenue. J'ai appris que son mari était effectivement décédé deux jours plus tard.

Annoncer à des patients qu'ils sont atteints d'un mal mortel est une rude épreuve, même pour des médecins plus endurcis que moi. Il n'existe pas de formule toute faite pour révéler à un pauvre type que sa « bronchite » est en réalité une *pneumocystose carinii*, et ses pustules violettes sur la figure un sarcome de Kaposi, bref, qu'il a le sida. Pendant mes études, j'avais été chargé d'expliquer à un malade qu'il avait un cancer du poumon. Il s'agissait d'un Noir d'une soixantaine d'années, un gros fumeur très sympathique. Il lui restait au maximum six mois à vivre. La perspective de lui avouer son mal me terrifiait, mais au moins avais-je la possibilité d'enrober la nouvelle d'un tas de propos rassurants sur les armes dont disposait la médecine : chirurgie, chimiothérapie, radiothérapie. Contre le sida, je n'avais à offrir que des mots dérisoires. J'attendais quelquefois quatre ou cinq jours avant de me décider à parler.

L'entretien se passait différemment selon les individus et les personnalités. Avec les homosexuels, c'était en général plus facile parce qu'ils étaient déjà au courant de la gravité du sida. Ils avaient vu des copains mourir autour d'eux. Ils s'attendaient au pire. Le jeune publicitaire gay de Baltimore à qui j'ai dû, l'autre jour, dire la vérité a réagi, pourtant, d'une manière inattendue. Je n'oublierai jamais notre conversation.

— Nous venons de recevoir les résultats de votre bronchoscopie, lui ai-je dit. Ils confirment que vous avez bien une pneumocystose.

— Doc, qu'est-ce que ça veut dire ?

— Que votre système immunitaire est en mauvais état, ai-je tenté d'expliquer, ce qui a permis à cette infection de se déclarer.

Cette explication conduit d'habitude les malades à poser la question cruciale : « Doc, est-ce que j'ai le sida ? » Mais ce patient-là n'a rien demandé. Il est resté silencieux. J'ai dû lui préciser moi-même que ce diagnostic permettait de reconnaître le sida. Il a écouté sans broncher. Je l'ai simplement vu se recroqueviller comme un fœtus dans le creux de son lit. C'était pathétique. Au bout d'un long moment, il a relevé la tête.

— Doc, a-t-il dit, je n'ai que trente ans. C'est dur de savoir que je n'atteindrai pas la quarantaine.

En moi-même, je pensais : « Mon pauvre vieux, tu n'iras même pas jusqu'à trente et un ans. » J'ai entonné mon petit couplet sur la mobilisation générale de la recherche médicale. J'ai raconté que des milliers de savants travaillaient partout dans le monde à identifier les causes du mal et qu'il y aurait des découvertes capitales d'ici à quelques mois. J'essayais de lui insuffler tout l'espoir possible. Mais il restait sans réaction. Ni ce jour-là ni le lendemain, il n'émit le moindre signe de vie. Cela commença à m'alarmer. Mon inquiétude était d'autant plus sérieuse que j'imaginais mon propre comportement en pareilles circonstances. Nous avions le même âge. À sa place, je me serais sans aucun doute également replié sur moi-même comme une larve et n'aurais plus voulu parler à personne.

Ce malade n'avait pas fini de me surprendre. Le sixième jour, alors que je l'examinais, il m'a pris la main et a déclaré :

— Pas question de me laisser faire, doc, je vais lui régler son compte à votre sale petite maladie. »

32

Latroun, Israël – Hiver 1983
Onze moines d'Israël au secours de deux petites servantes des pauvres

Philippe Malouf observa longuement les trois timbres sur l'enveloppe. Il lui semblait que l'Inde tout entière, avec ses emblèmes et ses symboles, venait de faire irruption sur son lit de paralytique. À côté de la silhouette d'une paysanne en sari guidant sa vache, une cruche d'eau sur la tête, et le bulbe futuriste du premier réacteur atomique de l'Asie, il reconnut les grandes oreilles décollées et le crâne luisant du mahatma Gandhi au-dessus duquel le tampon du postier de Calcutta avait dessiné une curieuse auréole.

L'enveloppe contenait une lettre de plusieurs pages et deux photographies. La première était le fameux portrait de Mère Teresa tenant un bébé dans les bras. On aurait dit un tableau de la Vierge à l'Enfant peint par quelque maître de la Renaissance. Le cliché était accompagné d'un verset d'Isaïe : « Regarde, je ne peux t'oublier, j'ai gravé ton visage dans la paume de ma main. Je t'ai appelé par ton nom. Tu es précieux pour moi et je t'aime. » Au-dessous, Mère Teresa avait de sa main formulé les vœux qu'elle adressait au seuil de cette année 1983 au jeune moine paralysé en Israël qui offrait ses souffrances pour soutenir la tâche de l'une de ses Missionnaires de la Charité. « Joyeuse année, cher frère Philippe, avait-elle écrit. Aime toujours les autres comme Jésus t'aime. Qu'il te protège et te bénisse. M. Teresa. »

Le deuxième document montrait une sœur en sari blanc et tablier bleu nourrissant un homme squelettique. On distinguait d'autres corps semblables sur des paillasses voisines. L'objectif avait réussi à saisir l'intensité de l'échange entre ces deux êtres, la religieuse qui souriait avec tendresse en tendant sa cuillère débordante de riz au pauvre affamé qui recevait la nourriture avec une touchante expression de reconnaissance. Philippe Malouf pressentit qu'il s'agissait d'Ananda, la petite sœur indienne à laquelle il était spirituellement « marié ». Il détailla minutieusement son visage, ses mains si fines, sa frêle stature, le décor qui l'entourait. Il tenta d'imaginer les bruits et les odeurs. Il songea aux hôpitaux de fortune du Liban en guerre où les chrétiens abritaient leurs blessés. Sur cette photo, personne ne portait de pansement. On ne voyait que des malheureux décharnés et de jeunes Indiennes souriantes occupées à les nourrir.

Curieusement, la lettre n'était pas signée d'Ananda, mais de la religieuse responsable du mouroir de Calcutta où elle travaillait.

Cher frère Philippe,
Je dois vous annoncer une bien triste nouvelle, écrivait sœur Paul. *Notre chère sœur Ananda a été victime d'un accident et nous craignons que le Bon Dieu vienne l'enlever à notre affection. L'autre matin, en arrivant au mouroir avec sœur Alice, elles ont été toutes deux cruellement mordues par un chien enragé.*

Il y a beaucoup de chiens errants dans notre quartier. Ils sont attirés par les déchets des sacrifices d'animaux pratiqués dans l'enceinte du temple hindou voisin. Tous les jours, des familles apportent des chevreaux ou des poulets qu'elles demandent aux officiants du temple de décapiter selon les rites dans l'espoir que la déesse Kâlî exauce leurs vœux. L'animal qui a mordu nos sœurs s'était déjà attaqué à deux enfants. Sa gueule écumait de bave et il poussait des hurlements horribles. Des hommes du quartier ont tenté de l'attraper à l'aide d'un sac de toile, mais il leur a échappé. Il s'est abrité sous le chariot d'un marchand de sucreries, juste devant la porte du mouroir, puis il a bondi sur une fillette qui passait là.

Nos deux sœurs se sont précipitées pour la protéger. C'est à cet instant que l'animal les a mordues aux mains et au visage. Un tireur de pousse-pousse a lâché les brancards de sa carriole pour se lancer à sa poursuite, mais le chien a disparu. Plus tard, il a été capturé au bord de la rivière, là où les hindous brûlent leurs morts. Un fourgon de la police est venu le chercher et l'a emporté.

Dans l'après-midi, deux policiers sont venus. Ils apportaient un certificat du service vétérinaire de la mairie précisant que « le cerveau du chien est bien celui d'un animal enragé ». J'ai immédiatement appelé un des taxis en stationnement devant le temple voisin et emmené moi-même nos deux blessées au service des urgences du Government Hospital. Mais il ne disposait pas de sérum antirabique. On nous a indiqué un autre hôpital. Là encore, le sérum manquait et on nous a envoyées à un troisième hôpital...

Sœur Paul relatait ensuite en détail l'odyssée qui l'avait conduite d'hôpital en hôpital, avec Ananda et Alice, à la recherche de l'indispensable sérum. Aucun centre de soins de l'immense cité ne semblait en détenir ce jour-là. Quelqu'un leur avait finalement conseillé de se rendre à l'établissement qui portait le nom de Pasteur Institute sur Convent Road. On élevait là, paraît-il, quelques moutons dont on se servait pour fabriquer un peu du précieux sérum. Mais elles ne trouvèrent qu'un bâtiment abandonné, au toit et aux murs délabrés par la mousson. Un voisin leur apprit que l'Institut avait fermé ses portes depuis longtemps et qu'avant de partir le personnel avait mangé l'un après l'autre tous les moutons. Les trois religieuses avaient fini par regagner le couvent de Lower Circular Road où un médecin était venu examiner les blessées. En l'absence de Mère Teresa en voyage à l'étranger, son assistante envoya un télégramme à New Delhi pour demander l'envoi urgent de sérum. Il n'était toujours pas arrivé le jour où sœur Paul écrivait à Philippe.

Notre inquiétude est grande, concluait-elle, *car, vous le savez, la rage est une maladie mortelle. Lorsqu'elle se déclare, il n'y a plus rien à faire. Si le sérum ne nous parvient pas dans les quarante-huit heures, il sera peut-être trop tard.*
Cher frère, nous avons un besoin pressant de vos prières.

Philippe Malouf rechercha la date inscrite en haut de la première page. La lettre avait été écrite douze jours plus tôt. Bouleversé, il fit appeler le père abbé.
— Père, dit-il au vieil homme barbu, lisez vite cette lettre. Notre communauté doit prouver d'urgence que la communion des saints est une réalité vivante.
Sa lecture terminée, le religieux se hâta sans un mot vers la cloche du monastère pour convoquer tous les moines à la chapelle. Sans attendre les vêpres, puis au cours de tous les offices des jours et des nuits suivantes, les dix trappistes de l'abbaye des Sept-Douleurs de Latroun s'associèrent par leurs chants et leurs prières à l'offrande des souffrances de leur frère paralysé « afin que survivent deux petits sœurs indiennes en sari qui ont donné leur vie pour soulager le malheur des hommes ».

33

Paris, France – Hiver 1983
Course contre la montre pour sauver des virus assassins

Le spectacle était d'une telle beauté que Françoise Barré-Sinoussi n'arrivait pas à en détacher les yeux. Aucun orfèvre n'aurait pu créer ni même concevoir ce parterre fluorescent de myriades de billes et de bâtonnets dorés qui tapissaient la lame de verre sous la lentille de son microscope. Des cellules, elle en avait contemplé des milliards au cours de sa carrière, et pourtant elle ne se lassait jamais du pouvoir de la nature à déployer tant d'harmonie dans la création de ces éléments infinitésimaux.

L'enjeu, en cet après-midi d'hiver, était si capital que la jeune biologiste ne pouvait toutefois donner libre cours à son émotion esthétique. Elle avait une tâche urgente à accomplir. Elle devait contrôler les lymphocytes nageant dans le liquide nourricier de ses tubes à essai et s'assurer que leur nombre était satisfaisant. Elle savait qu'une densité trop forte ou trop faible du liquide risquait de les empêcher de croître dans les normes. La lamelle sur laquelle elle avait déposé son échantillon était striée d'un fin quadrillage qui permettait le comptage. Quand elle releva la tête, une fossette s'inscrivait au creux de ses pommettes.

– C'est bon, dit-elle en souriant.

Depuis plusieurs jours, dans l'atmosphère confinée de la salle Bru de l'Institut Pasteur de Paris, chacun s'activait autour des tubes, des pipettes et des centrifugeuses afin de préparer la manipulation décisive qui confirmerait ou non la présence d'un rétrovirus dans les globules blancs du ganglion infecté du styliste parisien. Le problème était de faire se manifester l'enzyme qui lui servait de clef pour s'introduire dans le noyau des cellules. Il s'agissait de l'une des opérations les plus délicates et les plus complexes de la biologie cellulaire. Françoise Barré-Sinoussi introduisit les tubes dans une centrifugeuse tournant à mille tours minute, cette rotation étant destinée à faire tomber les lymphocytes au fond des récipients et à récupérer les particules virales présentes dans le liquide surnageant. Puis elle fit se concentrer ces particules virales grâce à une deuxième rotation, cette fois à cent mille tours minute. Elle porta ensuite le concentré derrière l'écran de sécurité de la hotte à flux d'air stérile et lui adjoignit quelques gouttes d'un simple détergent. Si tout se déroulait conformément à son attente, le détergent allait provoquer l'éclatement des cellules et, du même coup, libérer l'enzyme spécifique qui servait d'intermédiaire au rétrovirus. Il lui resterait alors à prouver la présence de cette transcriptase inverse et à la mesurer, une manipulation de routine dont l'outil essentiel était une mixture opaline contenant divers ingrédients devant activer cette enzyme-signature du rétrovirus recherché.

La jeune femme ne laissait à personne le soin de concocter ces cocktails nourriciers. Elle en composait plusieurs variantes, ajoutant tantôt du manganèse, tantôt du magnésium ou une autre substance, selon le type d'enzyme qu'elle espérait repérer. L'élément de base demeurait cependant une préparation conservée en congélateur et qu'on appelle « l'amorceur » en jargon de laboratoire, un nom qui correspond parfaitement à sa vocation. Cette solution transparente contenait une véritable machine d'amorçage génétique, une sorte d'appât diabolique fait d'un petit morceau d'ADN, porteur du code génétique des cellules, vers lequel l'enzyme se trouverait irrésistiblement attirée. Prise au piège, la « signature » du rétrovirus pourrait alors être détectée. Le travail de détection consisterait à introduire dans la préparation un produit radioactif destiné à « marquer » une sécrétion spécifique de cette enzyme-signature.

Après avoir incorporé son savant mélange aux concentrés de virus déposés au fond de ses tubes, la biologiste les plaça dans les alvéoles d'un incubateur oscillant. Les va-et-vient de l'appareil devaient permettre une osmose complète entre les différents éléments. La manipulation arrivait à sa phase critique. C'était à présent ou jamais que l'enzyme, irrépressiblement attirée par l'ADN amorceur, pouvait être mise en évidence grâce à sa sécrétion rendue radioactive. À condition, savait la biologiste, que les tubes contiennent réellement le rétrovirus recherché. L'incubateur oscilla pendant plus d'une heure. Le moment crucial approchait. Il fallait maintenant étaler la solution sur une batterie de filtres circulaires de la taille d'une hostie pour la sécher. Aidée de ses coéquipiers, Françoise Barré-Sinoussi enferma ces « galettes » dans un four chauffé à 90° pendant une dizaine de minutes. Cette cuisson terminée, elle répartit les « galettes » dans des coupelles en verre dans lesquelles elle versa quelques gouttes d'un liquide de scintillation. Il ne restait plus qu'à mettre les récipients dans l'appareil muni du compteur électronique qui se chargerait de prononcer le verdict.

Toute l'équipe se mobilisa alors devant l'écran verdâtre dans l'espoir de voir s'y inscrire les chiffres fatidiques qui démontreraient que l'assassin responsable du sida était bien un rétrovirus et que les chercheurs de l'Institut Pasteur venaient de l'identifier. Mais l'écran resta désespérément vierge, l'imprimante silencieuse. C'était l'échec. Comme chez Robert Gallo à Bethesda, le mystère cellulaire refusait de révéler ses secrets. Il fallait repartir de zéro, modifier la composition du cocktail amorceur, contrôler les opérations de détection de l'enzyme muette, vérifier de possibles erreurs de manipulation. En recherche biologique, un tel échec est monnaie courante. Tous le savaient. Pourtant, en ce soir glacial de janvier, la déception accablait les successeurs de Louis Pasteur.

★

– Non, toujours rien. Aucun signe de radioactivité au compteur.

Maussade, Luc Montagnier raccrocha pour la énième fois le récepteur téléphonique. Cela faisait déjà quatorze soirs que, dépités, ses collaborateurs lui donnaient la même réponse. Ils avaient pourtant tout mis en œuvre, et avec quel acharnement, pour faire parler leurs tubes à essai ! Si c'était bien un rétrovirus qui avait infecté le ganglion du styliste parisien, il paraissait impossible que cet agent de mort pût garder son incognito après une si longue traque. Le doute commença à envahir les équipiers de la salle Bru. Avaient-ils les moyens techniques de se confronter à un tel adversaire ? Et si ce virus n'existait pas ? S'il n'était qu'une invention, un fantasme des cliniciens et des épidémiologistes pour se disculper de leur impuissance à maîtriser la maladie ?

C'est dans cette ambiance sinistre que retentit, le matin du quinzième jour, le cri de joie qui allait tout bouleverser. Là, sur l'écran du compteur électronique, venait de s'inscrire le chiffre « 3 000 ». C'était certes un chiffre misérable et, pourtant, il était le premier signe irréfutable de la présence d'une substance radioactive au fond des tubes, peut-être la première manifestation de l'enzyme avec laquelle les chercheurs français espéraient prouver l'existence de l'hypothétique agent du sida. Il fallait en avoir la confirmation. Elle se matérialisa trois jours plus tard avec, cette fois, six mille impulsions radioactives par minute. Encore trois jours et le chiffre grimpa à neuf mille. Luc Montagnier accourut et congratula ses collègues. L'euphorie avait balayé les doutes de la semaine précédente quand le drame éclata.

Il survint au cours d'un simple contrôle de routine, celui de la bonne tenue des cultures de lymphocytes confiées vingt jours plus tôt par Luc Montagnier à l'équipe de la salle Bru. Ce contrôle était à ce point primordial que Françoise Barré-Sinoussi s'en acquittait elle-même plusieurs fois par jour. Parce qu'on les soupçonnait de contenir le fameux agent du sida, les globules blancs extraits du ganglion du styliste représentaient un capital inestimable. Jusqu'à ce jour, ils s'étaient admirablement bien comportés et faisaient la fierté de la biologiste, assurant la base de tous les espoirs. À condition de leur apporter une attention sans relâche et de leur en donner le temps, la jeune femme était convaincue de les voir se reproduire en nombre suffisant pour entraîner, du même coup, la multiplication du virus assassin qu'ils abritaient, ce qui devrait permettre son identification. Le spectacle de désolation qu'elle découvrit dans la lumière de son microscope anéantissait cette espérance. Les cellules étaient en train de mourir sous ses yeux. Le somptueux parterre de billes et de bâtonnets phosphorescents devant lequel elle s'était si souvent extasiée avait fait place à une funeste image. Certaines cellules gonflées comme des dirigeables étaient sur le point d'éclater. D'autres avaient fusionné pour former de géants et grotesques amalgames. Au lieu d'étinceler comme les facettes d'un diamant, leurs membranes avaient viré au noir. Elles étaient granuleuses, se morcelaient, se hérissaient d'aspérités, signes de leur fin imminente.

La consternation s'abattit sur les chercheurs français. D'où provenait ce désastre ? Quelle erreur avaient-ils commise ? À quel niveau ? Dans l'alimentation, dans le réchauffement, dans la respiration des cultures ? Un corps étranger avait-il pu contaminer les pipettes, les tubes, les filtres ? Jean-Claude Chermann et Françoise Barré-Sinoussi vérifièrent l'une après l'autre toutes les possibilités. Aucune cause accidentelle ne put être trouvée. C'est alors qu'une même intuition vint à leur esprit : et si le responsable de la catastrophe était le rétrovirus lui-même ? Celui dont ils s'acharnaient à prouver l'existence par la présence de l'enzyme qui lui servait de véhicule pour s'introduire dans le noyau des cellules ? Cette éventualité leur donna le vertige. Si l'agent qui tuait leurs cultures de globules blancs était bien un rétrovirus, il s'agissait alors d'un rétrovirus inconnu car il se comportait à l'inverse du premier rétrovirus humain découvert par Robert Gallo et de tous les rétrovirus trouvés chez les animaux. Au lieu de déclencher la folle et anarchique prolifération des globules blancs qu'il infectait comme dans le cas d'une leucémie, il les tuait, tout simplement.

Était-il possible qu'il existât un rétrovirus humain d'une tout autre famille que celle du rétrovirus découvert par le savant américain ? L'hypothèse avait en effet de quoi donner le vertige. Si elle devait se confirmer, quelle bombe dans la course à la recherche médicale ! Quelle consécration pour l'équipe de la salle Bru ! Quelle angoisse aussi ! « La mort des lymphocytes du jeune styliste risquait de nous priver de l'objet même de notre découverte, expliquera Jean-Claude Chermann. Elle allait à coup sûr aboutir à la destruction du virus que ces lymphocytes abritaient. Plus de cellules, plus de virus. » Pour conjurer cette catastrophe, il fallait de toute urgence essayer de prolonger la vie des cultures agonisantes avec un apport de cellules en bonne santé.

Les incubateurs et les congélateurs d'un laboratoire regorgent en permanence de cellules en culture destinées aux différents programmes de recherche en cours. Ceux de Jean-Claude Chermann contenaient cet hiver-là un grand nombre de cellules de souris, de visons et autres mammifères à fourrure. Le virus du styliste malade allait-il ressusciter au contact de ces cellules animales ? Voudrait-il en faire le siège ? Serait-il en mesure d'en forcer l'accès, de s'infiltrer dans leur noyau, de les contraindre à le reproduire ? Toutes les tentatives se soldèrent par un échec. Seul un apport de cellules humaines pourrait peut-être éviter le désastre.

La petite histoire de la recherche médicale ne retiendra pas non plus le nom des Parisiens qui se présentèrent ce 24 janvier 1983 au centre de transfusions de l'Institut Pasteur. Lequel de ces donneurs aurait pu imaginer que son sang allait peut-être faire revivre le virus coupable du pire fléau de l'ère moderne ? Le sang du donneur anonyme fut accueilli comme un trésor par l'équipe de la salle Bru. Françoise Barré-Sinoussi s'empressa d'en isoler les lymphocytes qu'elle immergea dans une solution de vitamines et de facteurs de croissance. Par précaution, la biologiste versa la moitié de sa préparation dans un tube à essai vierge. « Nous devions vérifier si le donneur n'était pas, par hasard, déjà porteur du virus que nous recherchions, expliquera-t-elle. Ou d'un autre virus qui risquait de nous entraîner sur une fausse piste. » Puis elle versa le reste de la préparation dans un des tubes contenant les lymphocytes moribonds provenant du ganglion infecté. Il faudrait patienter plusieurs jours avant de connaître le résultat de cet essai de réanimation.

Si le nombre d'impulsions radioactives s'amplifiait sur le compteur électronique, ce serait la preuve que le virus avait été sauvé, qu'il s'attaquait aux cellules fraîches qui le faisaient se reproduire. Les chercheurs français pourraient enfin l'isoler, le caractériser, peut-être même l'observer au microscope électronique.

34

New York, USA – Hiver 1983
« Ne pas me ressusciter. »

Pendant ce temps, la tragédie ne cessait de s'étendre. « C'était comme dans la fable des aveugles et de l'éléphant, dira Jack Dehovitz, le jeune médecin responsable adjoint de l'unité de soins de l'hôpital Saint-Clare à New York. Les chercheurs avec leurs tubes à essai, et nous autres sur le terrain, nous touchions un aspect différent de la " bête " et nous percevions donc différemment sa réalité. Pour les premiers, l'éléphant Sida n'était qu'un concentré de virus au fond de tubes ; pour nous, praticiens, c'était un masque mortuaire sur un oreiller blanc où deux grands yeux hallucinés regardaient déjà la mort. » Images insoutenables que Jack Dehovitz emportait chaque soir chez lui, au restaurant, au cinéma, dans la rue, dans le métro ; images terribles qui le hantaient encore quand il faisait l'amour ou qu'il lisait le New York Times. « Impossible de faire le vide, même sorti de l'hôpital, expliquera-t-il. Trop de malades avaient mon âge, ma culture, quelque chose à quoi je pouvais m'identifier. Je restais obsédé par le souvenir de ce garçon de Baltimore qui s'était littéralement défait sous mes yeux en apprenant qu'il avait le sida. »

L'obligation faite aux médecins américains d'obtenir l'assentiment formel de leurs patients avant certains actes thérapeutiques extrêmes ne facilitait pas les choses. L'accord ou le refus des malades devaient être confirmés par leur signature sur un document administratif. On trouvait ainsi dans chaque dossier médical une fiche intitulée « *Living Will* – Volonté de vivre ». Tout le monde l'appelait en fait DNR, abréviation de l'expression « *Do not resuscitate* – Ne pas ressusciter ». Bien que chacun eût le droit de s'accrocher ou non à la vie à l'aide des techniques modernes de réanimation, les médecins devaient éclairer les malades sur ce choix et obtenir leur décision.

Début 1983, cette contrainte devint de plus en plus fréquente pour le jeune docteur Dehovitz. « L'épidémie catastrophique nous forçait à des improvisations constantes, se souviendra-t-il. Il n'existait pas de discours passe-partout pour demander à quelqu'un s'il voulait qu'on le branche à un tas d'appareils afin de le prolonger coûte que coûte quand viendrait l'heure. Nous devions nous adapter à chaque personnalité, même si le propos restait le même : tout va bien aujourd'hui, cependant il est à craindre qu'un jour la situation se dégrade et qu'il faille décider de l'opportunité de continuer à lutter. Dans l'éventualité où vous ne seriez plus en état d'exprimer votre volonté, il y a lieu de prendre des précautions et de déterminer dès maintenant si vous souhaitez ou non être alors transporté dans la salle des soins intensifs. Je m'efforçais de délivrer ce message avec toute la douceur possible et sans exercer la moindre influence dans un sens ou dans l'autre. Je conseillais à mes malades de réfléchir quelques jours, d'en discuter avec leur famille, avec des membres du personnel soignant, avec d'autres patients. Dans mon for intérieur, j'espérais toujours qu'ils renonceraient à poursuivre un combat sans espoir. »

Quand c'était le cas, Jack Dehovitz sortait de la poche de sa blouse la fiche marquée des initiales DNR et la faisait signer par son interlocuteur. Il complétait ensuite le document en y consignant le résumé de leur entretien. Parfois, avant de prendre leur décision, des patients voulaient voir ce qui se cachait sous la notion d'acharnement thérapeutique. À Saint-

Clare, il y avait en permanence un ou deux malades dans la salle des soins intensifs. La vue de l'impressionnant écheveau de tuyaux et de fils reliant ces malheureux à la batterie de bouteilles et d'appareils qui les maintenaient artificiellement en vie abolissait presque toujours leur désir de s'accrocher à l'existence. Il arriva que le choc de ce spectacle fût tel que des malades rédigèrent des instructions particulières priant leurs parents ou un proche de faire cesser, s'il le fallait par voie judiciaire, toute tentative de prolonger leur vie dans de pareilles conditions. Ce comportement inquiétait les médecins, conscients qu'ils pouvaient en retour être accusés d'homicide s'ils ne se battaient pas jusqu'à la dernière extrémité.

★

Jack Dehovitz s'étonnait des réactions tellement opposées que suscitait cette obligation administrative. Des malades, prostrés, refusaient d'en parler. D'autres le conspuaient en exigeant de lui des soins illimités, allant jusqu'à le menacer des foudres de la justice. Dans certains cas, la maladie avait atteint le cerveau, ce qui compliquait encore les échanges.

Ses meilleurs contacts, le médecin les entretenait avec les membres de la communauté sur laquelle le fléau s'était abattu en premier. Socialement et culturellement, les homosexuels constituaient une élite dans l'unité de Saint-Clare. Victimes d'infections fréquentes, la majorité d'entre eux avaient déjà séjourné dans des hôpitaux et se trouvaient donc familiarisés avec les procédures médicales. Ils connaissaient leurs droits, dont celui de refuser telle ou telle médication. Les notices accompagnant les remèdes proposés n'échappaient pas à leur vigilance, en particulier la rubrique signalant de possibles effets secondaires. Jack Dehovitz regrettera souvent que des patients se comportent en fonction de priorités pour lui dérisoires compte tenu de la gravité de leur état. S'ils découvraient une information qui leur déplaisait, ils rejetaient l'ensemble du traitement.

Le médecin n'oubliera pas certains affrontements. Un jour, l'un de ses malades, qu'une infection virale était sur le point de rendre aveugle, apprit que le remède prescrit pour retarder la menace de cécité risquait d'entraîner des lésions mineures sur son appareil génital. À peine avait-il repéré les mots « testicules » et « troubles » sur la notice qu'il s'était dressé sur son lit comme un cobra prêt à mordre.

— Doc, j'interdis que l'on touche à mes couilles, cria-t-il avec rage.

— John, c'est pour te préserver la vue, plaida Jack Dehovitz.

— Mes yeux, je m'en fous, hurla-t-il de plus belle. Ce qui compte, ce sont mes couilles !

La manière sophistiquée dont d'autres patients s'exprimaient surprit plus d'une fois le médecin. « Vous annonciez à un jeune type que vous alliez lui implanter un tube de goutte-à-goutte dans la poitrine, et il vous répondait : " Non, doc, je ne veux pas que vous me branchiez une perfusion dans la sous-clavière ", ce qui était la désignation correcte de l'acte envisagé. » Le refus d'accepter certains soins étonnera aussi Jack Dehovitz. « Vous auriez pu croire que ces malades en danger de mort se seraient empressés de vous demander de faire absolument tout ce que vous jugiez utile. Eh bien, non. Les gays avaient une façon bien à eux de voir les choses. Pour la plupart, ils étaient d'abord soucieux de sauvegarder la qualité de leur vie et de rester aux commandes. Ils ne voulaient pas de ces tuyaux qui vous font vivre comme des légumes. »

Cette attitude n'était pas partagée par une autre catégorie de malades que Saint-Clare recevait en nombre croissant. Les toxicomanes ne se préoccupaient guère de leurs derniers instants. Ils refusaient même d'en discuter, préférant se réfugier dans un état d'agressivité ou de révolte ouverte qui ne facilitait pas la tâche des médecins et du personnel soignant. Avant de les traiter pour le sida, il fallait essayer de les désintoxiquer. Des semaines, parfois des mois s'écoulaient avant de pouvoir engager un timide dialogue, obtenir un début de confiance. « Leur comportement fit partir plus d'une infirmière de notre service, se souviendra Jack Dehovitz. Pour ces sujets avant tout obsédés par le manque de drogue, leurs crises d'étouffement dues aux champignons *Candida* ou les lésions défigurantes d'un sarcome de Kaposi étaient secondaires. Évoquer avec eux les conditions de leur mort, leur suggérer de renoncer par avance à une survie artificielle, c'était comme vouloir discuter des nuances de l'arc-en-ciel avec des aveugles. »

★

Il y eut beaucoup de décès à Saint-Clare cet hiver-là. Le premier malade à s'en aller fut le jeune publicitaire de Baltimore. Malgré le soutien de son compagnon sans cesse présent dans sa chambre inondée de fleurs et de musique, en dépit des soins acharnés de Jack Dehovitz, il n'avait pu tenir sa promesse de « régler son compte à la sale petite maladie ». Il était parti paisiblement, entouré de sa mère, de ses frères et de ses amis, laissant sur la table de chevet un manuel de marketing dont il n'avait pas eu le temps d'achever la lecture.

Curieusement, le jeune médecin ne ressentit sa mort ni aucune des autres comme des défaites, ce qui paraissait surprenant de la part d'un homme ayant embrassé l'idéal médical pour le seul bonheur de pouvoir guérir. « Les effets de cette maladie sont si atroces qu'elle a fini par me faire presque aimer la mort, avouera-t-il. Cette mort-là n'est plus à mes yeux un échec, mais une victoire sur la souffrance. Personne ne peut accepter que des gens souffrent trop longtemps de cette façon. Tout en me battant comme un lion pour lui barrer la route, il m'est arrivé d'appeler de mes vœux la fin d'un malade. Une certitude me réconfortait alors. Je savais qu'un jour prochain la mort ne serait plus l'inéluctable conclusion, que des traitements régleraient son compte à " la sale petite maladie " qui avait emporté le jeune homme de Baltimore. C'était indubitable.

« Cette conviction brûlante m'a permis de tenir le coup cet hiver-là. Et d'espérer que mon expérience de clinicien immergé dans les tragédies quotidiennes du sida contribuait un peu à gagner la guerre contre ce terrible mal. »

35

Paris, France – Hiver 1983
Des centaines de milliers de rétrovirus dans un Boeing

Depuis trois jours et trois nuits, les équipiers de la salle Bru avaient tout tenté pour que le compteur de radioactivité affiche enfin un chiffre favorable. Redoutant que le virus moribond du styliste parisien ne soit pas suffisamment réanimé par les seuls lymphocytes du donneur de sang, Françoise Barré-Sinoussi avait couru à la maternité la plus proche. Avec leur capacité de prolifération exceptionnelle, les cellules souches du sang provenant du cordon ombilical d'un nouveau-né lui procurèrent une nourriture sans égale à offrir à ses cultures défaillantes de globules blancs.

Le 27 janvier un peu avant midi, la biologiste porta le tube contenant sa dernière préparation jusqu'à l'appareil installé dans le couloir. D'interminables secondes s'écoulèrent. Puis il y eut un déclic et un chiffre apparut sur le compteur. Derrière ses grosses lunettes, les yeux de la jeune femme s'agrandirent démesurément.

– Dix-huit mille! s'écria-t-elle.

C'était le double du meilleur résultat obtenu précédemment.

— La culture est repartie! clama Jean-Claude Chermann.

— Cette fois, c'est certain, on a quelque chose! renchérit Françoise Barré-Sinoussi en allumant l'une des Marlboro qu'elle fumait à la chaîne.

Les Français avaient bien trouvé quelque chose, mais quoi? De toute évidence un rétrovirus, ainsi que le prouvait l'activité de l'enzyme-signature révélée par le compteur de radioactivité. Mais quel rétrovirus? Pouvait-il être identique au HTLV que Robert Gallo avait identifié dans de rares leucémies et qui restait le seul rétrovirus jamais détecté chez l'homme? Pouvait-il être de la même famille, comme celui que recherchait Prem Sarin, le collaborateur indien du savant américain? Ou s'agissait-il au contraire d'un rétrovirus complètement différent? Jean-Claude Chermann et Françoise Barré-Sinoussi n'avaient, quant à eux, pas le moindre doute : leur rétrovirus n'avait rien de commun avec celui de Robert Gallo. Le sien multipliait les lymphocytes, le leur les tuait. Des cousins, fussent-ils très éloignés, ne pouvaient se comporter de manière aussi diamétralement opposée.

★

Après l'euphorie vint à nouveau l'angoisse. Les Français savaient que leur découverte serait condamnée aux oubliettes s'ils ne parvenaient pas à en faire une éclatante démonstration devant la communauté scientifique internationale. Redoutable perspective! Qui allait croire des virologistes quasiment inconnus? Certainement pas l'Américain charmeur qui s'acharnait à défendre la thèse inverse et qui régnait en tyran sur la rétrovirologie mondiale. Dans son intime conviction, c'était forcément « son » rétrovirus que les aimables pastoriens venaient de repérer dans leurs tubes. Robert Gallo était cependant bien trop habile pour ne pas au moins affecter de s'intéresser aux résultats de ses concurrents. Il n'hésita pas à leur envoyer deux lignées de cellules produisant son HTLV, et quelques échantillons de ses anticorps spécifiques. Ainsi les Français pourraient-ils comparer au rétrovirus américain l'agent viral qu'ils croyaient avoir découvert et s'apercevoir qu'il s'agissait bel et bien d'un seul et même virus.

Les passagers du vol 021 d'Air France qui s'envolèrent ce soir-là de l'aérodrome Dulles de Washington ignoraient avec quels étranges compagnons de voyage ils allaient traverser l'Atlantique. À l'intérieur de deux petites boîtes – l'une rembourrée de coton, l'autre pleine de glace – placées dans un des compartiments du 747, se trouvaient deux flacons renfermant un liquide légèrement opalin. Dans le premier, protégé par le coton, nageaient des centaines de milliers de cellules porteuses du rétrovirus américain hautement cancérogène et dans le deuxième, maintenu au froid par la glace, autant d'anticorps capables de reconnaître cet agent de mort.

Françoise Barré-Sinoussi s'empressa d'ouvrir elle-même le précieux colis dès son arrivée à Paris. Son contenu risquait soit d'anéantir tous les espoirs des équipiers de la salle Bru, soit de les projeter jusque dans l'antichambre du prix Nobel. En effet, l'envoi de Robert Gallo allait permettre une vérification décisive. Elle consistait à mettre en présence son rétrovirus HTLV avec des anticorps provenant des lymphocytes infectés du styliste parisien. Si ces anticorps se jetaient à l'assaut du rétrovirus américain, la preuve serait faite qu'ils appartenaient à la même famille, et que l'agent mis en évidence par les chercheurs français était, en fait, identique au premier rétrovirus humain découvert par Robert Gallo. Si, à l'inverse, les partenaires en présence refusaient le contact, ce serait l'indication que les deux rétrovirus n'étaient pas de même nature.

Il existait deux façons de procéder à cette vérification. Tandis que Luc Montagnier utilisait une première méthode, Jean-Claude Chermann et Françoise Barré-Sinoussi confiaient à l'une de leurs meilleures techniciennes la mise en œuvre de la seconde. L'art de l'immunofluorescence n'avait pas de secrets pour la jolie Marie-Thérèse Nugeyre, vingt-sept ans. Opérant avec la délicatesse d'une harpiste, ses longs doigts armés d'une pipette mêlèrent sur une lame de verre un échantillon de lymphocytes américains porteurs du virus de Robert Gallo avec ses anticorps spécifiques préalablement colorés à la fluorescéine. Puis, sur une deuxième lame, elle mélangea cette fois des anticorps américains avec des lymphocytes abritant le rétrovirus français. Il ne restait plus qu'à patienter avant de pouvoir découvrir le résultat de ces mariages forcés.

Le soir même, la jeune technicienne eut soudain l'impression que « son cœur se décrochait dans sa poitrine ». Une gélatine de cellules et de particules virales entremêlées venait enfin d'apparaître dans la lumière irréelle du microscope à fluorescence. Le contraste entre les deux lames de verre était saisissant. La première avait l'aspect d'une scintillante broche d'émeraudes. Dans leur étreinte avec leurs anticorps américains teintés à la fluorescéine, les cellules infectées par le rétrovirus de Robert Gallo flamboyaient de mille feux. Sur l'autre, les cellules infectées par le rétrovirus français étaient restées complètement noires. Les anticorps américains ne les avaient pas enveloppées de leurs paillettes vertes lumineuses. Comme un organe rejetant une greffe, ils avaient refusé tout contact avec les particules virales qui leur étaient étrangères.

Marie-Thérèse Nugeyre sortit dans le couloir.

– Venez voir, cria-t-elle, je crois que cette fois c'est important !

Tous accoururent pour scruter l'inoubliable vision. Luc Montagnier, d'habitude plutôt austère et réservé, prit l'air dissipé « d'un écolier un soir de distribution des prix ». L'euphorie était telle autour du microscope « que nous avions envie de faire une farandole », se souviendra Françoise Barré-Sinoussi. Jean-Claude Chermann imaginait déjà « la tête qu'allait faire Gallo à l'annonce qu'il n'était plus le seul à avoir identifié un rétrovirus humain ».

★

Pour décisive que fût sa démonstration, l'équipe de la salle Bru savait qu'elle n'avait joué là que le premier acte. Avant d'annoncer sa découverte à la communauté scientifique internationale, elle devait établir les caractéristiques de ce nouveau rétrovirus humain, déterminer sa morphologie, sa densité, analyser ses différentes protéines, préciser leur poids moléculaire, définir ses gènes, bref réunir toutes les informations indispensables afin de lui donner une identité. Afin de réussir cette entreprise, les chercheurs français auraient besoin de nombreux concours. Le plus précieux serait celui d'un petit homme jovial et modeste qui avait passé toute sa vie professionnelle dans la lumière artificielle d'une minuscule pièce sans fenêtre de l'Institut Pasteur.

36

Calcutta, Inde – Hiver 1983
Le supplice d'une petite sœur indienne

Sœur Paul avait remué ciel et terre pour obtenir du sérum antirabique. En attendant les ampoules salvatrices, la religieuse avait fait aliter les deux novices qui avaient été mordues par un chien enragé et leur avait imposé un repos complet. Mais l'infirmerie choisie n'était pas située dans un lieu propice à l'inaction. Elle jouxtait le long bâtiment qui abritait l'un des principaux centres créés par Mère Teresa pour soulager la misère dans l'inhumaine métropole.

Le nom du centre s'étalait en énormes lettres noires sur la façade peinte en jaune : « PREM DAN - CADEAU D'AMOUR. » Il avait été offert à la fondatrice des Missionnaires de la Charité en 1975 par la multinationale britannique Imperial Chemical Industries, dont le personnel local refusait de supporter les odeurs pestilentielles des tanneries installées à proximité. Dans son luxuriant écrin de verdure tropicale, la longue construction pouvait, de loin, faire penser à quelque paradis touristique. On y oubliait presque les taudis qui la cernaient de tous côtés. Les laboratoires, les ateliers, les bureaux qui avaient hébergé les précédents occupants grouillaient aujourd'hui d'une humanité pitoyable. Beaucoup de ces épaves avaient perdu la raison, ce qui faisait de cet endroit le plus grand asile de fous du Bengale. Pourtant, Prem Dan n'était pas un dépotoir d'êtres brisés, vaincus, détruits. Sous l'impulsion des sœurs, l'hospice bourdonnait au contraire de vie et d'activité. Ici, des pensionnaires confectionnaient des paillassons en chantant. Là, d'autres tissaient des sacs ou tressaient des cordes avec les fibres des noix de coco récupérées sur les décharges publiques. L'idée de débarrasser la ville de ses déchets tout en donnant du travail à ses protégés venait de Mère Teresa. Elle appelait cela « faire de l'or avec des ordures ». Plus loin, des handicapés victimes de la poliomyélite suivaient une séance de rééducation physique. Un moniteur bénévole les guidait pas à pas entre deux barres parallèles. Ailleurs, une volontaire américaine s'efforçait d'initier des malades mentaux aux sonorités de sa guitare, tandis que de jeunes paralytiques épouillaient méticuleusement les cheveux d'un groupe de vieillards.

Lasses d'attendre sans rien faire l'arrivée du sérum, sœur Ananda et sœur Alice enfreignirent un matin leur vœu d'obéissance pour aller se mettre au service des pensionnaires de l'hospice. La gaieté d'une vieille femme toute parcheminée attira aussitôt l'attention de l'ex-petite lépreuse de Bénarès. Ses rires et son entrain créaient une atmosphère de joie surprenante dans le vaste dortoir. Elle saisit la main de la jeune novice et lui fit comprendre qu'elle souhaitait être massée. Ananda s'agenouilla près du petit corps rabougri et se mit à le pétrir délicatement. Elle apprit que cette femme avait été trouvée bien des années plus tôt par un chasseur au cœur d'une forêt himalayenne. On supposa qu'elle y avait été élevée par des ours car elle ne se déplaçait alors qu'à quatre pattes. Il avait fallu des mois pour accoutumer son estomac à la nourriture des hommes et pendant longtemps elle n'accepta de manger qu'à même le sol. À force de patience, les sœurs lui avaient appris à se tenir debout et à mettre un pied devant l'autre. Son existence sauvage l'avait privée de l'usage de la parole. Elle ne s'exprimait que par des grognements. Son plus grand bonheur semblait être de se faire masser. Les sœurs se demandaient si ce n'était pas la langue des ours qui lui avait enseigné ce plaisir.

La visite inopinée de sœur Paul mit un terme prématuré à l'escapade des deux novices. La religieuse apportait enfin les doses de sérum antirabique. Elle avait amené avec elle un jeune médecin anglais de passage au mouroir pour qu'il administrât immédiatement une première injection. Ce traitement, qui a la réputation d'être particulièrement douloureux, devait être renouvelé toutes les vingt-quatre heures pendant quatorze jours. Dans ce cas précis, le dépassement du délai normal n'offrait par ailleurs aucune garantie de succès.

★

Trois semaines plus tard, le frère Philippe Malouf, de l'abbaye des Sept-Douleurs de Latroun en Israël, reçut d'Angleterre une enveloppe contenant un court message rédigé sur une feuille à l'en-tête des Missionnaires de la Charité, ainsi qu'une lettre signée d'un certain docteur Williams. Le moine eut un serrement au cœur en reconnaissant l'écriture de sœur Paul.

Bien cher frère Philippe,
Je dois vous dire notre tristesse, lut-il avec impatience. *Nous n'avons sans doute pas assez prié. Le Seigneur vient de ravir à notre affection notre petite sœur Alice. Le docteur Williams qui rentre ce soir en Europe vous expliquera dans quelles circonstances atroces.*
Heureusement, sœur Ananda, votre « fiancée » spirituelle, ne présente jusqu'ici aucun des signes précurseurs de la rage. Mais elle a toujours un grand besoin du secours de vos prières et de l'offrande de vos souffrances.

Le moine attendit un long moment avant de se décider à lire la lettre du docteur Williams.

Les deux patientes enduraient courageusement leur traitement quand sœur Alice manifesta un état d'agitation et d'anxiété, racontait le médecin britannique. *Elle se mit à parler d'une façon intarissable, rapide, saccadée. Elle perdit l'appétit, souffrit d'insomnies, de maux de tête, de gênes respira-*

toires. Au bout de deux jours survint le symptôme vraiment caractéristique que nous redoutions tous. Elle montra une répulsion incontrôlable pour le moindre liquide. Bien que tenaillée par l'envie de boire, tout effort pour absorber ne fût-ce qu'une gorgée paralysait pendant plusieurs secondes ses muscles de la respiration. Bientôt, le seul bruit de l'eau qui coule suffit à provoquer de violentes crises d'étouffement. Les sœurs Paul et Ananda, d'autres religieuses, moi-même et deux médecins indiens, nous n'avons pas cessé de nous relayer auprès d'elle pour la soutenir dans l'espoir de donner au sérum le temps d'agir. Mais la maladie poursuivait son travail de destruction.

Sœur Alice devint terriblement sensible à tout élément extérieur comme une lumière vive, un bruit un peu fort, un souffle d'air frais. Son corps commença à être secoué de convulsions. Les suffocations se multiplièrent. Chacune de ses expirations s'accompagnait d'une sorte de râle. Elle donnait l'impression de gémir comme une bête. La terreur d'avaler sa salive la conduisit bientôt à cracher des flots d'écume. Elle se mit à claquer des dents avec tant de violence qu'on aurait pu croire qu'elle voulait mordre. C'était affreux. Son beau visage d'habitude si serein n'avait plus rien d'humain. Le quatrième jour, une crise d'étouffement plus forte que les précédentes mit un terme à son supplice.

Le médecin britannique expliquait ensuite brièvement avec quelle angoisse les sœurs et les médecins surveillaient l'état d'Ananda. Il confirmait que rien d'alarmant n'avait jusqu'ici justifié leur crainte, mais ajoutait qu'il faudrait attendre plusieurs semaines, voire des mois, pour avoir la certitude que la rage ne se déclarerait pas. Il terminait sa lettre par un long post-scriptum.

Pendant toute l'agonie de la pauvre sœur Alice, racontait-il, *un chien n'a pas cessé d'aboyer dans la cour devant l'infirmerie. Ce chien a l'air tellement féroce que les religieuses l'ont, à juste titre, surnommé « Kala Shaitan − Diable noir ».*

Les crocs de Diable noir font aussi peur aux voleurs qu'aux sœurs obligées de passer devant sa niche. Il en a mordu plu-

sieurs, mais aucune n'a demandé qu'on le renvoie de peur de faire de la peine à Mère Teresa. Car la Mère a une affection particulière pour ce molosse qui le lui rend bien. Dès qu'il l'aperçoit, Diable noir devient aussi doux qu'un agneau. Il se précipite vers elle en frétillant de la queue comme pour réclamer la bénédiction d'une caresse.

37

Paris, France – Hiver 1983
Des yeux émerveillés pour une petite sphère noire

Luc Montagnier désigna le flacon qu'il apportait.

– Vous le trouverez certainement là-dedans. Nous avons pu mettre en évidence son enzyme. À vous de chercher maintenant !

Charles Dauguet, dit « Charlie », cinquante-quatre ans, passa une main robuste sur le mince collier de barbe grise qui auréolait son visage. Une telle proposition comblait de joie ce petit homme jovial qui n'avait qu'une seule passion dans la vie : la photographie. Son laboratoire avait pour mission de fournir aux chercheurs de l'Institut Pasteur les documents confirmant de façon tangible le bien-fondé de leurs hypothèses. Il avait la tâche d'apporter la preuve par l'image.

Charlie ajusta ses lunettes à double foyer pour examiner la petite bouteille.

– Attention ! reprit Luc Montagnier. Je me dois de vous informer qu'il y a là-dedans un virus excessivement dangereux. Vous êtes libre de ne pas vouloir y toucher.

– Rassurez-vous, monsieur, répondit Charles Dauguet avec son inaltérable sérénité, il y a belle lurette que j'impose à ces sales petites bêtes de me respecter.

Voilà vingt-six ans que, dans une pièce minuscule du premier étage de l'ancien bâtiment de la rage de l'Institut Pasteur, Charles Dauguet photographiait les germes invisibles qui attaquent les hommes, les animaux, les végétaux. Peu de tueurs de l'infiniment petit avaient échappé au déclic de ce chasseur d'images. Il devait parfois traquer ses proies pendant des semaines avant de les fixer sur la pellicule. Charlie avait photographié des milliers de virus responsables de l'hépatite B, de la rage, de la poliomyélite, de la variole, de l'herpès, du zona et de multiples autres infections dont beaucoup étaient mortelles. La variété de leurs formes était infinie. Certains ressemblaient à des balles de golf, à des roues de voiture, à des pavés ; d'autres à des yeux de chouette, à des virgules, à des paquets de macaronis. Charles Dauguet s'était si souvent étonné de la malice et de l'originalité de leurs déguisements que les murs de son labo étaient couverts des trophées de sa carrière, ses clichés les plus remarquables.

Sa passion pour la photographie remontait à sa plus tendre enfance. Il avait à peine trois ans quand son grand-père, un garagiste normand, lui offrit son premier appareil. Ce fut le début d'une collection d'instruments qui comptait aujourd'hui une bonne cinquantaine de modèles rarissimes patiemment dénichés aux étalages des Puces et d'innombrables foires à la ferraille. Ses loisirs d'adolescent, il les avait consacrés à parcourir son pittoresque quartier des Halles, l'œil collé à son viseur. « Quelle joie de saisir l'instant de la vente d'un quartier de bœuf ou d'une brassée de roses, disait-il, de figer l'événement même le plus anodin à la seconde où il survient. Quelle émotion de regarder ensuite ces instantanés de la vie et de se dire : " Cela s'est passé à telle époque et j'en fus témoin. " »
L'insurrection de Paris et la libération d'août 1944 avaient permis au jeune lycéen de fixer à jamais d'inoubliables moments d'action et de liesse populaire. Il avait même immortalisé malgré lui une scène d'horreur, où un soldat FFI de l'insurrection exécutait un milicien proallemand. L'homme avait été capturé alors qu'il tirait sur la foule depuis les toits.

On lui avait arraché ses vêtements. Le FFI avait brandi son fusil à baïonnette. « Petit, fais la photo ! » avait-il crié à Charlie. Terrifié, le jeune garçon avait plaqué son œil sur le viseur et appuyé sur le déclencheur comme un automate.

Sa véritable réussite, Charles Dauguet la devait à la réalisation d'un document infiniment plus banal : celui d'une puce grossie quarante fois. Une belle puce femelle de couleur brunâtre avec sa trompe en dents de scie capable de percer les épidermes les plus coriaces, son corps ramassé et ses pattes d'athlète sauteur. Pour la photographier, il avait monté l'un des appareils de sa collection sur les lentilles d'un petit microscope allemand que ses parents lui avaient offert en cadeau de Noël.

Le destin voulut que ce portrait de puce tombât sous les yeux de la responsable du tout nouveau laboratoire de microscopie électronique de l'Institut Pasteur. Mademoiselle Croissant fut tellement émerveillée qu'elle proposa au jeune photographe amateur d'entrer dans son service. Bénissant sa puce, Charlie s'empressa d'accepter. Il ne regrettera jamais sa décision. « Passer sa vie à contempler un monde invisible pour essayer d'en découvrir les mystères et en offrir les images à ceux qui peuvent faire avancer la science, quelle exaltation ! » dira-t-il. Son univers était pourtant bien austère. Ni grand air ni soleil ni lumière et, pour seul compagnon, un gros cylindre vrombissant qui ressemblait à un périscope de sous-marin. Avec son compresseur, son refroidisseur à eau, ses lentilles à haute performance, ses flux d'ions, ses compteurs électroniques et son écran cathodique, le Siemens 101 du laboratoire de Charles Dauguet permettait des grossissements tellement gigantesques qu' « une seule cellule prenait une dimension correspondant à celle de la tour Eiffel ». Il fallait parfois une semaine entière au regard inquisiteur de Charlie pour explorer complètement le micro-univers de quelques globules blancs sur une lame de verre. Un espace monochrome en gris et blanc traversé de milliers d'îlots, de presqu'îles, de rivières, de deltas, de cratères, de boursouflures. Et soudain, après des jours de guet, surgissaient une trace étrangère, un bourgeonnement anormal, une curieuse sphère noire : un virus. Les doigts du photographe se crispaient alors sur les manettes du microscope pour cadrer délicatement la zone suspecte sur l'écran. Il variait les contrastes de l'éclairage, augmentait le grossissement, cherchait l'angle le plus favorable. « Une photo doit parler plus que tous les discours », affirmait Charlie. Il avait si bien appliqué cette formule à son travail que les chercheurs savaient d'un coup d'œil reconnaître sa griffe sur un document photographique.

Après tant d'années d'exploration au cœur de l'infiniment petit, Charles Dauguet caressait maintenant un nouveau rêve. « Si Dieu me permet de profiter de ma proche retraite, disait-il, je rejoindrai les rangs d'un club d'astronomes amateurs. Je souhaite désormais scruter l'infiniment grand et faire la relation entre le monde des cellules et celui des étoiles. » Il préparait déjà l'outil de cette conquête finale. Dans le mini-atelier aménagé chez lui, rue Lecourbe, la première ébauche de son futur télescope commençait à prendre forme.

★

Les Dauguet formaient un couple attendrissant. Leur amour était né dans le lieu le moins romantique que l'on puisse imaginer : leur petit laboratoire de l'Institut Pasteur où Charlie photographiait les virus. Claudine y lavait les échantillons cellulaires, avant de les centrifuger, de les sécher, puis de les « fossiliser » dans des coupes de résine.

Moins de trois heures après la visite de Luc Montagnier, les blocs de résine contenant le dangereux virus étaient prêts. Il ne restait qu'à les découper en une multitude de très fins copeaux. Pour ce travail délicat qu'il se réservait, Charlie disposait d'un rare outil d'orfèvre qu'il prenait soin d'enfermer sous clef après chaque usage. Il s'agissait d'un couteau en diamant, haut d'un millimètre et demi, au fil si mince et si parfait qu'il n'existait dans le monde que deux ou trois tailleurs capables de ciseler un tel bijou. Placée dans un hachoir électrique spécial, cette lame permettait « des coupes au-delà du réel » que l'on avait du mal à voir à l'œil nu. Charlie était particulièrement fier de son diamant. Il provenait d'une mine du Venezuela et avait coûté la bagatelle d'un million et demi de centimes.

Posé sur une grille percée de trous minuscules, chaque copeau allait être étudié au microscope en vue d'y détecter les particules virales recherchées et de les photographier. « Une diabolique partie de cache-cache », c'est ainsi que Charles Dauguet définira l'impitoyable traque qu'il commença alors aux commandes de son Siemens 101. Comme d'habitude, il régla l'appareil à son niveau favori de cinquante mille grossissements. « En microscopie électronique, il vaut mieux s'en tenir toujours au même agrandissement car, à elles seules, les tailles relatives des virus et celles des cellules peuvent fournir d'emblée un maximum de renseignements », expliquait-il. Chaque copeau de résine renfermait une cinquantaine de cellules, ce qui nécessitait plusieurs heures d'examen, parfois toute une journée. Comme le couteau de diamant en découpait une bonne centaine dans chaque bloc de résine, toute nouvelle recherche représentait un travail de Titan. Après dix à douze heures d'observation ininterrompue devant son écran luminescent, Charles Dauguet titubait comme un aveugle en retrouvant le monde extérieur.

C'est un peu avant six heures du soir, le vendredi 3 février 1983, que survint l'événement tant attendu. « J'allais arrêter le compresseur du microscope et éteindre l'écran après un dernier regard sur un vaste delta cellulaire quand j'ai sursauté, racontera Charlie. Je venais d'apercevoir une petite sphère noire qui bourgeonnait à la périphérie d'un lymphocyte. Bien qu'elle ne soit pas encore entièrement sortie de son enveloppe, je distinguais nettement par sa morphologie qu'il s'agissait d'un corps étranger à la cellule. J'ai saisi Claudine dans mes bras et j'ai crié : " Ça y est, je le tiens ce fameux virus ! " »

La secrétaire de Luc Montagnier bondit de surprise lorsque Charlie fit irruption dans le bureau du professeur. On aurait dit « un taureau échappé d'une arène ». Il hurlait à tue-tête : « J'ai trouvé le virus, j'ai trouvé le virus ! » En l'absence de son patron, la jeune femme fut la première à le féliciter. Très émue, elle n'arrêtait pas de répéter : « Bravo, Charlie, bravo. » Jean-Claude Chermann et Françoise Barré-Sinoussi n'étant pas là non plus, Charlie revint en courant dans son laboratoire pour graver sur un film de gélatine le spectacle que ses yeux éblouis venaient de découvrir. En quelques minutes il introduisit ses plaques, étalonna son appareil et régla le temps de pose en fonction du diaphragme et du flux d'électrons. Puis, de la même pression de l'index qui lui avait permis jadis d'immortaliser une puce, il appuya sur le déclencheur électronique et fixa, pour la première fois dans l'histoire, les photographies du rétrovirus du sida.

Ce scoop mondial n'allait rien changer aux habitudes de Charlie et de Claudine. Il n'était pas loin de minuit quand ils quittèrent le laboratoire pour retrouver leur automobile garée sous un marronnier. Comme chaque vendredi soir, ils prirent la direction de leur Normandie natale pour aller s'adonner à leur distraction favorite : la pêche à la crevette.

Dès huit heures du matin, le lundi suivant, Charles Dauguet rallumait son Siemens 101 et ses écrans électroniques. La nouvelle de sa réussite avait déjà fait le tour des étages. Luc Montagnier et toute l'équipe de la salle Bru se retrouvèrent dans son laboratoire pour admirer les premières images du virus assassin. Ils constatèrent son aspect tout à fait inhabituel. A première vue, il ne ressemblait pas à celui de Robert Gallo ni à aucun rétrovirus animal connu. Pour s'en assurer et pouvoir le confirmer officiellement, ils avaient besoin de preuves supplémentaires. Travaillant à partir d'échantillons de cellules provenant d'autres malades, Charlie prépara de nouvelles coupes et reprit ses patientes recherches. Le même cri de joie, la même étreinte avec Claudine saluaient chaque nouveau succès. Luc Montagnier et ses collaborateurs recevaient chaque jour des photographies de plus en plus précises.

Pour démontrer de façon irréfutable l'absence de toute parenté morphologique entre le HTLV de Robert Gallo et le rétrovirus découvert à l'Institut Pasteur, Charlie fit réaliser par Claudine des blocs de résine contenant des cellules infectées par le virus américain. Les photos permirent une comparaison directe entre les deux agents. Aucun doute n'était plus possible : ni leur forme, ni leur structure, ni leur façon de bourgeonner sur les cellules n'étaient identiques.

Les chercheurs français étaient cette fois convaincus qu'ils tenaient le coupable du sida.

38

Bethesda, USA – Printemps - Été 1983
« Sam, y a-t-il un risque que le virus contamine les enfants ? »

Petit, trapu, un cou de taureau, le visage volontaire barré d'une fine moustache, le docteur Samuel Broder, quarante et un ans, chef du programme d'oncologie clinique de l'Institut national du cancer de Bethesda, incarnait le type même du fonceur. Depuis son enfance en Pologne dans un maquis de partisans juifs traqués par les nazis jusqu'à sa brutale confrontation avec la tragédie du sida, toute sa vie n'avait été qu'une suite d'affrontements.

Arrivé en Amérique avec une poignée de Polonais survivants de l'holocauste hitlérien, il avait grandi dans les rues d'un faubourg industriel de Detroit, la capitale américaine de l'automobile. Il avait consacré week-ends et vacances à servir des Coca-Cola et des hamburgers chez Mary's, le snack-buvette tenu par ses parents à l'angle des rues Dexter et Boston. Le café avait brûlé en 1968 au cours des émeutes raciales déclenchées par l'assassinat du pasteur noir Martin Luther King. Le jeune Broder, qui n'avait jamais eu l'intention de faire carrière dans le commerce familial, ne s'en affligea pas outre mesure. Il avait d'autres ambitions. Dès ses années de lycée à la Frandale High School de son quartier, il avait compris que les carrières scientifiques étaient les seules où l'on pouvait réussir sans fortune ni statut social. Cette découverte orienta son destin.

Sam Broder s'était acharné à obtenir les meilleures notes en sciences, ce qui lui valut une bourse pour l'université de l'État du Michigan, l'un des dix ou douze campus les plus cotés des États-Unis. « À une heure à peine d'autocar de Detroit, je me suis retrouvé sur une autre planète, se souviendra-t-il. Une planète où toutes les chances de succès semblaient à portée de la main. Pour un jeune issu d'un ghetto ouvrier dont le plus grandiose des rêves aurait dû être un poste d'O.S. chez Ford ou chez Chrysler, quelle révélation de partager la chambre d'un condisciple qui, lui, travaillait jour et nuit pour devenir compositeur de musique! »

En quelques mois, l'attrait pragmatique de l'ancien serveur de hamburgers pour la science se transforma en véritable vocation. « Comment ne pas être envoûté par tant d'idées nouvelles aux implications fantastiques? dira-t-il. Qu'un simple brin d'acide nucléique puisse être le support de tout le patrimoine héréditaire d'un être vivant, qu'il suffise d'analyser le code génétique d'un individu pour prédire son comportement, l'idée que l'on pourrait un jour modifier ce comportement en agissant sur tel ou tel gène... n'y avait-il pas là de quoi enflammer l'imagination d'un petit émigrant assoiffé de savoir? »

Une lecture apporta à ces joies de l'esprit les traits d'un héros. Dans son roman *Arrowsmith*, le grand écrivain américain Sinclair Lewis trace le portrait d'un médecin d'une petite ville du Middle West qu'habite une passion dévorante pour la vérité scientifique et qui se retrouve, à la fin du siècle dernier, à la tête d'un des instituts de recherche médicale les plus renommés du pays. Ses nobles idéaux bousculant trop d'habitudes et trop d'intérêts, le savant se voit finalement contraint de choisir la solitude pour y poursuivre, dans l'ascèse, sa quête de la vérité. La « prière de l'homme de science », qu'offre l'auteur à ses lecteurs à la fin de son ouvrage, frappa tellement le jeune

Broder qu'après plus de vingt ans chaque mot en restait gravé dans son cœur et dans sa mémoire.

Ô Dieu, donne-moi une vision sans nuages et pré-
serve-moi de la hâte.
Donne-moi le courage de m'opposer à toute vanité et
de poursuivre, de mon mieux et juqu'au bout, chacune
de mes tâches.
Donne-moi la volonté de ne jamais accepter de repos
ni d'hommage avant d'avoir pu vérifier que mes résul-
tats correspondent à mes calculs ou d'avoir pu décou-
vrir et redresser mes erreurs.

Pour tenter de suivre l'exemple du docteur Martin Arrow-smith, Sam Broder s'inscrivit à la prestigieuse faculté de méde-cine de la Michigan University. L'un de ses maîtres en micro-biologie, le professeur Frank Whitehouse, remarqua cet étudiant si avide de connaissances et lui ouvrit les portes de son laboratoire. Broder allait y faire la rencontre décisive qui ins-pirerait toute sa vie professionnelle : le cancer. « Je m'y cloîtrais des soirées et des week-ends entiers afin d'apprendre à fabri-quer des anticorps destinés à combattre des cellules cancé-reuses. Mes efforts n'étaient pas toujours productifs, reconnaî-tra-t-il plus tard, mais j'y acquis la conviction que le cancer allait jouer un rôle fondamental dans la recherche biologique. Que la maîtrise de nombreuses pathologies passait forcément par une meilleure compréhension du comportement des cellules cancéreuses. Même mes échecs, je le sentais, n'étaient pas inu-tiles. Ils m'invitaient à comprendre que la recherche est avant tout une affaire de méthode, que la différence entre un grand savant et un médiocre chercheur tient au fait que l'un sait poser les bonnes questions, l'autre non ; que l'un est capable de se ser-vir des technologies de pointe, l'autre non. » Autant de leçons dont Sam Broder s'était inspiré tout au long du parcours qui venait de le placer au sommet de la lutte anticancéreuse.

★

À première vue, le centre hospitalier où il travaillait pouvait évoquer un palace cinq étoiles avec ses chambres décorées de reproductions de peintures contemporaines, ses couloirs aux épaisses moquettes de couleurs vives et ses baies vitrées dominant la campagne verdoyante du Maryland. Derrière ce luxueux aménagement, l'Institut national du cancer, soucieux d'associer étroitement recherche et traitement, avait créé une structure unique où des médecins-chercheurs désireux de mettre au point de nouvelles thérapeutiques disposeraient à la fois de malades et de laboratoires d'expériences. N'importe quelle personne atteinte de cancer ne pouvait espérer être hospitalisée dans cette unité de pointe que dirigeait aujourd'hui Sam Broder. Seuls étaient admis les cas dont la nature correspondait à des travaux de recherche en cours ou programmés, ainsi que certains patients relevant de pathologies si rares ou si exceptionnelles qu'elles en faisaient des sujets d'étude.

Le jeune cancérologue reconnaissait qu'il jouissait d'une liberté quasi miraculeuse sur ce campus de Bethesda, pourtant si souvent paralysé par l'écrasante bureaucratie gouvernementale. Il y était seul responsable du choix de ses recherches, comme du traitement de ses malades. Le fait qu'il soit quotidiennement confronté aux tragédies de la maladie donnait à son approche de chercheur un sens aigu de l'urgence de la découverte. Son impatience était presque maladive. « La grande différence entre un Robert Gallo et moi, expliquera-t-il, c'est que dans son laboratoire il n'est, lui, jamais confronté à la mort. Moi, je me sens obligé d'obtenir des résultats concrets le plus vite possible, d'autant que mes échecs s'avèrent plus nombreux que les victoires. » Ces échecs ne changeaient en rien la ligne de conduite qu'il imposait à ses collaborateurs et qui se résumait en une phrase : « Il y a toujours un médicament plus efficace à trouver. »

L'irruption du sida fut une épreuve traumatisante que Sam Broder ne devait pas oublier. « Au début, le plus insoutenable fut notre incapacité à comprendre le mal et la façon dont la plupart des scientifiques l'appréhendaient, dira-t-il. Ils me faisaient penser à des gens qui entendent du bruit dans la cave de leur maison et qui essayent de se convaincre qu'il ne peut s'agir d'un cambrioleur. » L'annonce qu'un rétrovirus était probablement responsable de l'épidémie n'avait pas manqué de renforcer ce comportement stérile, incitant bon nombre de chercheurs et de médecins à se réfugier dans un fatalisme commode. Puisqu'on ne peut rien contre ce virus, pourquoi faire quelque chose ? Cette politique de l'autruche engendra une telle révolte chez Sam Broder qu'il s'acquit rapidement une réputation d'enfant terrible sur le campus de Bethesda. Mais il ne désarma pas. Trouver un médicament capable de bloquer l'évolution de la maladie devint son idée fixe. Si les chercheurs se devaient de mobiliser leurs laboratoires pour découvrir les causes du mal, lui se devait d'inventer un remède apte à juguler l'agonie des morts-vivants qui peuplaient son service. « Ma conviction de mettre le sida en échec n'avait rien de conjectural ni de spéculatif, affirmera-t-il. Nous possédions déjà des produits chimiques qui avaient le pouvoir d'inhiber l'action de certains virus en laboratoire et nous disposions d'une vaste expérience dans l'art de développer des substances anticancéreuses. Il nous fallait seulement du temps, une plus grande connaissance du mal, beaucoup de travail, une bonne dose de discipline et... un peu de chance. »

★

Une jolie brune de quarante ans, avocate de profession, se souvient encore de l'air soucieux qui marquait le visage de Sam ce soir de printemps 1983. En dix-neuf ans de mariage, Gail Broder avait eu le temps de s'accoutumer aux humeurs taciturnes de son mari. La cancérologie n'étant pas a priori une spécialité génératrice d'optimisme et de joie de vivre, elle savait déceler sur ses traits, au ton de sa voix, les signes d'un drame qu'il avait vécu dans la journée, d'une bataille qu'il avait perdue au chevet d'un malade, l'échec d'un traitement prometteur qu'il avait prescrit. Gail savait atténuer les coups du sort et ouvrir au bon moment la bouteille de riesling ou de traminer qu'elle gardait toujours à son intention dans le réfrigérateur.
Ce soir-là, aucun vin du Rhin n'aurait pu dérider le can-

cérologue. Ce qu'il avait à dire à sa femme et à ses deux filles de quatorze et dix-sept ans était trop grave.

« Il nous annonça qu'il venait de prendre la décision de s'attaquer au virus soupçonné d'être la cause du sida en recherchant un médicament capable de bloquer son action, racontera Gail. Il souligna qu'il s'agissait d'une initiative dangereuse, car personne n'était en mesure d'évaluer les risques que ferait courir la manipulation en laboratoire d'importants concentrés de virus vivants. Tout en s'efforçant de ne pas trop nous affoler, il dut avouer que, sur ses cinq collaborateurs, deux avaient déjà quitté le laboratoire. Il faut dire que l'équipe de Sam était, à cette époque, la seule à avoir accepté de travailler sur de telles quantités de virus vivants.

« J'ai longuement regardé nos deux filles si innocentes avec leurs nattes d'écolières et j'ai posé l'unique question qui m'importait vraiment :

« – Y a-t-il un risque que tu rapportes le virus à la maison et qu'il puisse contaminer les enfants ?

« Sam a hoché plusieurs fois la tête.

« – Il y a un risque, a-t-il répondu. »

39

Cold Spring Harbor, USA – Printemps 1983
Crime de lèse-majesté contre le pape des rétrovirus

Des pelouses descendant jusqu'à la plage de sable fin, des allées de lauriers-roses, de vieilles maisons victoriennes, des courts de tennis et de volley-ball, des constructions basses, modernes, abritant cafétérias, chambres d'hôtes, auditoriums, bibliothèques, laboratoires, salles d'expériences et même une imprimerie, tel est Cold Spring Harbor qui tient à la fois du campus universitaire et du complexe touristique. Ce petit port blotti sur la côte nord de Long Island, la langue de terre qui prolonge la ville de New York, est connu pour ses moules et ses palourdes, mais aussi pour une tout autre spécialité. C'est l'un des temples mondiaux de la biologie moléculaire. Depuis un demi-siècle, chaque année à la belle saison entre avril et septembre, des symposiums, des colloques, des conférences réunissent sur son campus des savants venus du monde entier.

C'était là qu'en juin 1946 la toute nouvelle science de la génétique moléculaire avait acquis ses lettres de noblesse; là qu'un jour de juin 1953 Jim Watson, le futur prix Nobel alors âgé de vingt-quatre ans, avait révélé au monde l'une des découvertes les plus importantes du siècle, la structure de l'ADN, cette molécule support du code génétique; là qu'en 1966 le plus grand jamboree de microbiologistes, de généticiens, de virologistes avait définitivement codifié les principes de l'hérédité; là qu'en 1972 trois autres futurs prix Nobel, les biologistes David Baltimore, Renato Dulbecco et Howard Temin avaient démontré le rôle de la transcriptase inverse, l'enzyme qui permet aux rétrovirus de s'insérer dans le noyau des cellules. La liste des communications présentées aux séminaires de Cold Spring Harbor se confondait avec les progrès biologiques les plus marquants du dernier demi-siècle. Ces rencontres étaient si prestigieuses que l'honneur d'y participer ou même seulement d'y assister était convoité par toute l'élite scientifique mondiale, notamment par les jeunes cadres des laboratoires de recherche fondamentale. Cold Spring Harbor était devenu une foire aux cerveaux où les patrons venaient recruter les futurs cracks de leurs équipes.

Ce lundi 9 mai 1983, une jeune Française pratiquement inconnue de la communauté scientifique internationale arrivait sur le campus du petit port américain pour assister à une conférence sur les rétrovirus. En raison du maigre budget « Missions » de l'Institut Pasteur, elle se trouvait être l'unique envoyée du célèbre laboratoire parisien à cette importante manifestation, alors que le groupe de Robert Gallo et la plupart des autres unités de recherche américaines étaient représentés par bataillons entiers. Françoise Barré-Sinoussi qui, avec Luc Montagnier et Jean-Claude Chermann, venait peut-être de découvrir l'agent responsable du sida, n'était là qu'en qualité de simple auditeur. Elle ne devait présenter aucune des quatre-vingts communications prévues à l'agenda du colloque, le sida et les succès de la rétrovirologie française n'ayant pas encore éveillé, ce printemps-là, la curiosité des congressistes de Cold Spring Harbor. Déterminée à secouer cette indifférence, elle fit le siège du bureau de l'organisateur de la conférence, le biologiste Malcolm Martin de l'Institut américain de la santé. Elle voulait le persuader de l'importance des résultats de son équipe concernant la découverte d'un nouveau rétrovirus. Pour étayer sa démonstration, elle lui montra cinq diapositives qui expliquaient en graphiques les travaux de la salle Bru. Le cinquième document emporta la décision de l'Américain.

– C'est intéressant, déclara-t-il. Je vous donne cinq minutes vendredi en fin de séance. Cinq minutes, pas une de plus. À vous de nous convaincre de la valeur de vos conclusions.

Françoise Barré-Sinoussi se sentit « fondre de bonheur ». Elle savait que le droit de prendre la parole dans ce prestigieux sérail dépendait du bon vouloir d'un comité d'experts plus enclins à faire crédit aux délégués des grands centres de recherche américains qu'à d'obscurs chercheurs étrangers. Les sujets de communications devaient être soumis plus de six mois à l'avance et les candidats dont les thèmes avaient été retenus devaient se préparer à cette insigne épreuve des semaines durant, répéter leur intervention devant leurs collègues de laboratoire, se corriger inlassablement comme pour un « one-man-show » dont dépendraient leur réputation, leur avenir. La jeune femme en tremblait. Elle savait que les cinq minutes qu'on lui accordait risquaient de déclencher une tempête. N'allait-elle pas s'attaquer au dogme imposé par le puissant Robert Gallo, selon lequel il n'existait pas d'autre rétrovirus humain que son HTLV induisant de rares leucémies ? Comment se battre contre ce savant qui dominait si profondément la rétrovirologie mondiale ? Comment imposer l'existence d'une nouvelle famille de rétrovirus humains détectée chez un malade souffrant des symptômes du sida ?

« Je n'ai pas dormi jusqu'au jour fatidique, se souviendra Françoise Barré-Sinoussi. Quand je suis montée sur l'estrade de l'auditorium archicomble pour commenter ma première diapositive à l'aide d'une baguette, j'étais tellement émue qu'elle m'échappa de la main et tomba sur la tête de David Baltimore, le célèbre codécouvreur de l'enzyme transcriptase inverse, assis au premier rang. »

Hormis François Jacob, André Lwoff et Jacques Monod, les trois prix Nobel champions de la célèbre école biologique des bactériophages, peu de Français avaient eu, en cinquante ans de colloques à Cold Spring Harbor, le privilège de se tenir sur cet illustre podium. Pourtant, la jeune Française sut d'emblée gagner la sympathie de son exigeant auditoire. Les murmures flatteurs qui accueillirent le commentaire de sa dernière diapositive l'encouragèrent. La fine fleur de la biologie mondiale garda un long moment les yeux fixés sur l'image du rétrovirus photographié par Charles Dauguet dans son laboratoire à Paris. Les spécialistes présents ne pouvaient s'y tromper : avec son noyau de petite taille fortement excentré, la structure de cet élément n'offrait aucune similitude avec le fameux HTLV de Gallo. Il restait à apporter la preuve que c'était bien l'agent du sida qu'avaient isolé les Français et non quelque parasite résultant de la maladie ou d'un accident de laboratoire.

Sitôt la lumière revenue, les questions fusèrent.

– Avez-vous cloné votre virus ?

– L'avez-vous séquencé [1] ?

Françoise Barré-Sinoussi avait anticipé ces questions et préparé une réponse. Elle la formula avec le plus désarmant des sourires.

– Soyez patients, dit-elle. Nous avons décelé l'activité de la transcriptase inverse de notre virus au mois de janvier. Nous l'avons identifié au mois de février. Nous l'avons photographié au mois de mars. Nous ne sommes qu'en mai. De grâce, accordez-nous le temps nécessaire pour faire le reste !

Rires et applaudissements saluèrent la repartie.

À peine sortie de l'auditorium, la jeune Française se trouva assaillie par tous ceux que sa trop brève intervention avait laissés sur leur faim. Un des responsables de l'Institut américain des allergies et des maladies infectieuses lui offrit de venir s'adresser aux principaux scientifiques qui travaillaient sur le campus de Bethesda. Le chef du département de virologie du Centre de contrôle des maladies infectieuses la supplia de venir à Atlanta pour éclairer ses collègues sur cette découverte capitale. Même les représentants du laboratoire de Robert Gallo la pressèrent de se rendre à Washington afin d'expliquer à leur patron les travaux de l'équipe de l'Institut Pasteur.

★

Le patron en question était déjà au courant. Aucun événement ne se produisait dans le petit monde de la rétrovirologie

---

1. Cloner et séquencer sont des opérations biologiques complexes qui ont pour objet de déterminer la structure génétique d'un virus.

sans que Robert Gallo en fût aussitôt informé. Il n'existait pas un laboratoire de recherche, même dans le pays le plus lointain, où il n'entretenait quelque contact, où il ne possédait quelque obligé ou informateur. L'énorme budget dont bénéficiait son centre lui permettait de répandre aux États-Unis et à l'étranger une manne de bourses et de subventions. Cela lui valait tout un réseau de sympathies. Sa renommée scientifique, son art consommé de la communication, sa convivialité et son charme irrésistible lui avaient en outre acquis d'innombrables relations politiques et scientifiques aussi bien dans son pays qu'à l'extérieur. Son influence souveraine sur la recherche virologique mondiale s'avérait en fait si absolue qu'aucune découverte majeure ne pouvait espérer se voir reconnue sans qu'il l'eût lui-même approuvée. « Pour tout projet de recherche, la bénédiction du dieu Gallo nous était nécessaire, dira le Français Jean-Claude Chermann. C'était pour nous le seul moyen d'être pris au sérieux par nos propres patrons et de leur arracher les crédits indispensables. Aux pauvres sous-développés que nous étions, il fallait une sanction américaine. À l'époque, la recherche médicale française, voire européenne, ne produisait que des virgules là où les savants américains apportaient des phrases entières. »

Prétendre s'attaquer à l'infaillibilité de l'un des plus renommés de ces savants revenait à commettre un crime de lèse-majesté. S'ils voulaient porter leur découverte à la connaissance de la communauté scientifique internationale, Luc Montagnier et son équipe devaient courir le risque d'attirer les foudres du « dieu Gallo ». C'est pourtant ce « dieu » en personne qui suggéra aux Français le choix du support pour leur communication, ainsi que la date de publication. « Bob Gallo m'apprit en effet qu'il allait publier, dans le numéro de *Science* du 20 mai 1983, une étude démontrant l'implication de son HTLV dans le sida, racontera Luc Montagnier. Son article serait accompagné d'un texte du biologiste vétérinaire Max Essex qui, de son côté, venait de détecter la présence du rétrovirus HTLV chez trente pour cent d'un groupe de malades du sida. » L'Américain proposa à son confrère parisien de publier dans le même numéro une communication décrivant les résultats de l'équipe de l'Institut Pasteur.

Robert Gallo avait-il vu là une occasion de désamorcer la bombe française ? Car, non seulement il s'engagea à faire accueillir l'article de Luc Montagnier dans le même numéro de *Science*, mais de plus il s'offrit à en rédiger lui-même le résumé de présentation. Une « générosité » qui allait lui permettre d'exploiter une regrettable maladresse des Français dans la dénomination de leur rétrovirus. Comme ce dernier infectait essentiellement les lymphocytes T [1], ils l'avaient baptisé « Human T Lymphotropic Virus », ce qui donnait les mêmes initiales HTLV que celles du rétrovirus « Human T-cell Leukemia Virus » de Robert Gallo. Cette confusion renforçait sa conviction de toujours. Il s'empressa d'annoncer bien haut que les Français eux-mêmes considéraient leur virus comme un proche parent de son HTLV puisqu'ils lui avaient donné un patronyme identique.

Ce tour de passe-passe stupéfia l'équipe de Pasteur qui rebaptisa aussitôt son rétrovirus « Lymphadenopathy Associated Virus ». Les trois initiales LAV pouvaient également se lire « Lymphadenopathy *Aids* Virus », c'est-à-dire virus lymphadénopathique du sida.

LAV français contre HTLV américain : une bataille d'initiales qui allait, dans quelques semaines, faire les titres de la presse mondiale.

---

1. Des lymphocytes qui sont dépendants du thymus.

40

Paris, France – Bethesda, USA – Printemps - Été 1983
« Nous monterons tous bientôt sur le podium de la victoire. »

On l'appelait « la messe du samedi ». Chaque samedi de ce printemps 1983, à dix heures précises, toute l'équipe du laboratoire de virologie de l'Institut Pasteur se réunissait autour de Luc Montagnier dans son vaste bureau encombré de dossiers, de rapports, de revues médicales. Les travaux de cette dizaine d'hommes et de femmes, presque tous âgés de moins de quarante ans, visaient à obtenir la confirmation que le rétrovirus trouvé dans les tubes à essai de la salle Bru était, sans contestation possible, l'agent responsable du sida. Outre les pastoriens Luc Montagnier, Jean-Claude Chermann et Françoise Barré-Sinoussi, ce groupe des Dix comptait deux virologistes de l'hôpital Claude-Bernard, Françoise Brun-Vézinet et Christine Rouzioux, les cliniciens Willy Rozenbaum et Étienne Vilmer, les immunologistes Jean-Claude Gluckmann et David Klatzmann, ainsi qu'un épidémiologiste du ministère de la Santé, Jean-Baptiste Brunet. Comme le rétrovirus français avait été décelé dans un ganglion prélevé sur un individu souffrant seulement des signes précurseurs du sida, il restait à prouver sa présence dans la phase aiguë de la maladie, et cela chez toutes les catégories de malades, qu'il s'agisse d'homosexuels, de toxicomanes, d'hémophiles, de Haïtiens ou d'Africains. Toute affirmation ayant son contraire, il fallait aussi démontrer que le virus était absent chez les sujets bien portants. L'affaire n'était pas simple.

C'est chez un homosexuel atteint d'un cancer de Kaposi que l'équipe réussit à isoler le rétrovirus LAV pour la deuxième fois. Sa morphologie ainsi que ses caractères immunologiques et biochimiques étaient en tout point semblables à ceux du premier virus trouvé chez le styliste parisien. Un troisième virus identique fut détecté dans les lymphocytes d'un adolescent hémophile. Le sang d'une jeune femme zaïroise, qui se trouvait en traitement à l'hôpital Claude-Bernard et qui devait décéder du sida dix jours après le prélèvement, fournit un quatrième spécimen. D'autres virus de même nature et provenant de malades très variés prirent bientôt le chemin des congélateurs de la salle Bru. Luc Montagnier et son équipe avaient le sentiment d'être sur la bonne voie : tous ces virus d'origines diverses avaient une morphologie commune, les mêmes protéines, la même affinité à détruire les lymphocytes T.

Ces résultats concordants permirent de franchir une étape décisive dans la lutte contre le fléau mortel. S'ils n'apportaient aucun espoir de prévention par vaccination ni de traitement à court terme, ils suscitèrent toutefois une démarche originale pour freiner la propagation de l'épidémie. En quelques semaines, l'équipe de « la messe du samedi » parvint à élaborer un test capable de déceler la présence des anticorps que l'organisme fabrique automatiquement en cas d'attaque virale. Appelé *Elisa* [1], ce test permet, en d'autres termes, de dépister la « séropositivité » d'un individu, en l'occurrence de dire s'il a ou non été contaminé par l'agent du sida. L'un des avantages immédiats de ce système de détection concernait le contrôle du sang destiné aux transfusions. Il mettait fin au cauchemar de Jim Curran, le chef des médecins-détectives d'Atlanta qui n'avait pas réussi à convaincre les marchands américains de l'or

---

1. Elisa, en anglais : *Enzymes Linked Immunosorbent Assay;* en français : test immunoenzymatique.

rouge d'adopter des mesures urgentes pour protéger les réserves de sang des États-Unis.

La fabrication et la vente des trousses du test Elisa représentaient un enjeu économique considérable. Craignant de voir échapper ce fructueux marché de plusieurs millions de dollars, les responsables américains s'alarmèrent. Robert Gallo s'empressa de dénoncer de prétendues lacunes dans l'invention des Français. Voyant là une manœuvre visant à les obliger à renoncer à son exploitation, ceux-ci tinrent bon et l'Institut Pasteur annonça la commercialisation du test Elisa. En avril 1984, il déposera une demande de brevet auprès des autorités américaines. Un peu plus tard, les Américains feront la même démarche pour un test similaire mis au point à partir d'un procédé différent. Ce brevet leur sera accordé en quelques mois alors que les Français n'obtiendront satisfaction qu'au bout de deux ans.

Mais déjà la guerre faisait rage entre scientifiques français et américains.

★

Vexé par les succès inattendus d'une petite équipe française sans grandes ressources, le géant américain finit par se réveiller. Un matin d'avril 1983, Robert Gallo réunit tout le personnel de son laboratoire sous le néon blafard de la salle de conférences du sixième étage du bâtiment 37 à Bethesda.

Les « staff meetings » de l'éminent savant constituaient presque toujours un événement pour ses collaborateurs. Ils leur offraient l'occasion de rencontrer les maîtres de la recherche venus chez Gallo exposer en priorité leurs travaux et révéler leurs dernières découvertes. De ce fait, ces chercheurs privilégiés n'étaient pas obligés d'attendre la parution des publications scientifiques pour être informés des progrès en cours à travers le monde. « Un avantage formidable à une époque où la recherche avance tous les jours à pas de géant », aimait à répéter Gallo.

Personne n'aurait manqué la séance de ce jour d'avril 1983. Prodigieuse assemblée que cette équipe disparate de jeunes Américains, Japonais, Allemands, Indiens, Chinois,

274

Français, Suédois, Finlandais réunis autour de leur grand prêtre. Une concentration de matière grise qui représentait un instrument de recherche peut-être sans égal. Et pourtant son chef n'avait pas su en tirer parti pour relever le plus grand défi médical de cette fin de millénaire. Le timide biochimiste indien, qu'il avait choisi neuf mois plus tôt pour découvrir l'agent responsable du sida, était si peu préparé et si peu motivé que son fiasco n'avait rien de surprenant. Comme le reconnaîtra Robert Gallo : « C'est avec un sentiment de honte que je me présentai ce matin d'avril devant mon équipe. Je ne l'aurais pas avoué pour un empire, mais c'est vrai : j'avais honte. Honte que nous n'ayons pas découvert ce fichu virus avant les gens de Pasteur. Nous en avions pourtant tous les moyens ! Combien de fois ai-je vu Popovic [1] faire irruption dans mon bureau pour me dire que je n'aurais jamais dû mettre Sarin sur le coup et que c'était de ma faute si nous avions perdu tant de mois ! Qu'il aurait, lui, depuis longtemps identifié le virus coupable ! Popovic avait raison. Mon erreur était de ne pas avoir suffisamment cru dès le départ à l'ampleur de ce cataclysme du sida. J'étais déterminé à faire mon mea culpa. »

Désormais, tout allait changer. Quelques jours plus tôt, une rencontre au sommet tenue dans le bureau du docteur Vincent T. DeVita Jr., le directeur de l'Institut national du cancer, avait décidé la création d'une Task Force chargée de découvrir au plus vite l'agent causal du fléau. Cette initiative marquait un tournant capital dans la politique des responsables américains de la santé. Cette fois, ils déclenchaient une lutte sans merci contre l'épidémie. Ils accordaient à la recherche un crédit de quarante millions de dollars.

La direction de cette force spéciale d'intervention avait bien entendu été confiée à l'éminent découvreur du premier rétrovirus humain, ainsi qu'une part substantielle des moyens financiers. Robert Gallo avait carte blanche. Non seulement il pouvait entraîner dans cette aventure les meilleurs éléments de son équipe, mais il pouvait aussi se permettre d'engager tous les

---

1. Le biologiste tchèque Mikulas Popovic avait mis au point une lignée de cellules particulièrement susceptibles d'être infectées et de reproduire le virus responsable du sida.

chercheurs qu'il voudrait, tant en Amérique qu'à l'étranger. À cet effet, un budget particulier d'honoraires et de frais de mission était prévu.

★

En ce matin d'avril, l'air encore plus décontracté qu'à l'accoutumée avec son nœud de cravate défait et ses manches de chemise retroussées, le célèbre savant annonça qu'il avait décidé de jeter toutes ses forces dans la bataille. Phil Markham, Mikulas Popovic, Zaki Salahuddin, M. G. Sarngadharan, Flossie Wong-Staal, ses meilleurs cracks, devaient abandonner sur-le-champ leurs travaux en cours. « Je veux que chacun d'entre vous réfléchisse à la meilleure façon de mener ce combat et me communique par écrit le fruit de ses réflexions », leur déclara-t-il. Il avait déjà choisi les collaborations extérieures qu'il souhaitait intégrer à sa force de frappe, notamment Bill Jarret, un éminent spécialiste des rétrovirus qui travaillait en Écosse, et Wade Parks, un chercheur distingué de l'université de Miami.

Cette mobilisation n'aurait servi à rien si Gallo n'avait également procuré à ses troupes les munitions dont elles avaient besoin pour se battre. Or, aussi inconcevable que cela puisse paraître dans un pays aussi organisé que les États-Unis, les chercheurs manquaient cruellement d'échantillons d'organes, de moelle ou de sang prélevés sur des malades appropriés, au bon moment, et accompagnés de dossiers médicaux détaillés. Leurs recherches s'en trouvaient fatalement ralenties. L'une des raisons de cette pénurie était le manque de contacts et de collaboration entre chercheurs et cliniciens. Ces derniers avaient tendance à considérer leurs patients et leurs observations comme leur propriété exclusive.

Robert Gallo savait aussi que, dans le cas particulier de cette nouvelle épidémie, la situation géographique de son laboratoire représentait un handicap. À l'exception du centre anti-cancéreux voisin dirigé par son confrère Sam Broder, pratiquement aucun hôpital de Washington n'avait eu à soigner des cas de sida. Tout d'abord, parce que le sida se manifestait surtout à

New York et en Californie ; ensuite, parce que l'homosexualité représentait un tel tabou dans la puritaine capitale américaine que personne, même dans le milieu médical, n'osait parler ouvertement du « mal honteux ».

Robert Gallo promit à ses collaborateurs de se démener comme un diable afin que chacun puisse disposer du matériel biologique nécessaire. S'il le fallait, il se transformerait en commis voyageur. Il irait dans les hôpitaux new-yorkais solliciter le concours des médecins qui se battaient contre le mal au chevet de ses victimes. Il lancerait un S.O.S. au docteur Michael Gottlieb, le découvreur des premiers sidéens à Los Angeles. Il appellerait à l'aide ses confrères Marcus Conant et Paul Volberding qui soignaient déjà plusieurs dizaines de cas à San Francisco. « Une chose est sûre, affirma-t-il, nous monterons tous bientôt sur le podium de la victoire. »

Le résultat ne se fit pas attendre. Des prélèvements de sang, de tissus, d'organes, accompagnés de dossiers médicaux détaillés, commencèrent à affluer de tous côtés. « Il m'arrivait de recevoir certains envois chez moi en pleine nuit », racontera l'éleveur de cellules Zaki Salahuddin.

Robert Gallo était trop avisé pour ne pas prendre d'autres précautions afin de fournir à son équipe toutes les garanties de succès. Bien qu'il fût certain que l'agent viral trouvé par les Français appartenait à la famille de son HTLV, il pria Luc Montagnier de lui en envoyer quelques spécimens. Avec leurs techniques ultra-performantes, ses collaborateurs – Popovic et Salahuddin en tête – auraient vite fait de démontrer que le prétendu rétrovirus français n'était qu'un cousin de son virus à lui. Ses présomptueux concurrents n'auraient plus qu'à reconnaître leur défaite.

41

Latroun, Israël – Été 1983
Pèlerinage pour un miracle

— Philippe!
– Sam!
Les deux prénoms avaient jailli d'une même voix joyeuse.
L'Américain et le jeune moine de Latroun ne s'étaient pas
revus depuis presque deux ans. Quelque temps après son
accident, Philippe Malouf avait appris que Sam Blum et Josef
Stein, ses deux amis archéologues à ses côtés lors de sa chute au
fond des excavations de Gezer, avaient quitté l'équipe des
fouilles pour rentrer aux États-Unis. Il avait reçu plusieurs
cartes postales – du Mexique, de Haïti, de Paris. Puis les deux
Américains n'avaient plus donné de nouvelles, comme s'ils voulaient gommer de leurs mémoires le souvenir de leur camarade
paralysé sur son lit d'hôpital.
Sam Blum n'eut pas le temps de courir vers son ami pour
l'embrasser. Il vit le fauteuil roulant foncer sur lui comme une
auto tamponneuse de fête foraine, manœuvré avec dextérité par
Philippe, dont le regard triomphant était celui d'un enfant qui
vient de réussir une prouesse.

– Tu vois, je ne suis plus tout à fait en deuil de mon corps. Je me déplace comme une vraie gazelle.

Ils éclatèrent de rire et le moine consentit à faire le récit de sa métamorphose. Elle avait débuté quelques semaines après l'accident par un frémissement des épaules. Ce phénomène avait immédiatement alerté l'attention des médecins. Si Philippe parvenait à récupérer l'usage même partiel de ses bras, son invalidité allait s'en trouver radicalement transformée. Il lui suffirait de subir une intervention inventée par un chirurgien suédois qui lui permettrait de se suspendre par les bras à un support. Il pourrait alors passer tout seul de son lit à un fauteuil roulant. Cette relative autonomie changerait ses conditions de vie. Après douze mois d'exercices pour renforcer ses muscles deltoïdes, les chirurgiens de Jérusalem procédèrent à « une transposition musculaire ». Ils dévièrent les faisceaux inférieurs des deltoïdes des épaules vers les articulations des coudes que la lésion vertébrale avait rendues inertes. Au bout d'un certain temps, grâce à ces connexions nouvelles, Philippe Malouf put mouvoir, allonger, plier les bras. Une deuxième opération aux poignets vint compléter le résultat : cette fois, le jeune moine put tenir une cuillère entre deux doigts, appuyer sur un bouton, taper sur les touches d'une machine à écrire. C'était une résurrection.

Sam Blum avait écouté son ami avec un frisson d'émotion. Il revoyait les images de l'accident, la remontée du corps désarticulé, la course vers Jérusalem, l'expression livide du chirurgien à la sortie du bloc opératoire. En surimpression sur la voix joyeuse de Philippe, il entendait le praticien répondre à son camarade Josef Stein anxieux de savoir si la paralysie de leur ami serait définitive : « Dans l'état actuel de nos connaissances, je crains que oui. »

Sam prit les mains du moine dans les siennes.

– Tu as gagné, vieux frère, dit-il avec admiration.

Philippe recula son fauteuil de quelques mètres.

– Josef n'est pas avec toi ? lança-t-il, soudain confus d'avoir parlé de lui avant de poser cette question.

Le visage de l'Américain s'assombrit. Il retira ses lunettes, et les essuya lentement avec le pan de sa chemise.

– Josef est malade.

Le moine fit une grimace.

– C'est grave?

Sam inclina plusieurs fois son crâne maintenant presque chauve.

– Une saloperie que les médecins ne savent pas soigner.

Philippe Malouf ignorait qu'une étrange épidémie était en train de décimer de nombreux jeunes Américains, et qu'elle le faisait d'une façon atroce. Le mot même de sida lui était inconnu.

– Un an... peut-être un peu plus mais, de toute façon, il est perdu, reprit Sam. Se forçant à sourire, il ajouta en soupirant : À moins d'un miracle!

C'était justement dans l'espoir d'un tel miracle qu'à la demande pressante de son camarade il avait entrepris ce voyage en Israël. Sa visite coïncidait avec la Pâque juive. Demain il irait au mur des Lamentations de Jérusalem. Entre deux pierres, il glisserait le petit morceau de papier sur lequel Josef avait inscrit une supplique au Dieu des juifs, pour appeler Sa miséricorde. Sa mission accomplie, sur le chemin de l'aérodrome il s'arrêterait de nouveau à l'abbaye des Sept-Douleurs de Latroun pour revoir Philippe et lui dire adieu.

★

Vestige des fondations du temple bâti par Salomon, la longue façade faite d'énormes blocs de pierre est le lieu le plus sacré du judaïsme. Luisant, doré, patiné à sa base par le frottement séculaire des fronts, des lèvres, des mains, le mur des Lamentations incarne l'espérance des juifs en la bonté divine. Des milliers de bouts de papier enfoncés dans ses trous et ses fentes sont autant de messages de fidélité au Dieu tout-puissant, de prières implorant Sa bénédiction pour un fils nouveau-né, une épouse souffrante, un commerce en difficulté, la paix sur la terre de Sion. Deux fois par an, le jour de Yom Kippour, la fête du Grand Pardon, et celui de la Pâque, des gardiens du Mur collectent pieusement toutes ces suppliques et les enferment dans de grands sacs. En accord avec la loi du Talmud qui interdit de jeter ou de détruire ce qui porte le nom de

Dieu, ces sacs sont déposés dans un caveau de l'antique cimetière juif du mont des Oliviers, au milieu des sépultures où des générations de juifs reposent dans l'attente du Jugement dernier.

Cette veille de la Pâque, des centaines d'hommes en redingote noire coiffés du large chapeau rond bordé de fourrure, et de femmes, la tête serrée dans un foulard, rythmaient d'un balancement du buste la mélopée de leur prière. Des groupes compacts de fidèles et de touristes se pressaient devant l'imposante muraille étroitement surveillée depuis les terrasses alentour par des soldats israéliens armés.

En retrouvant le fabuleux décor au débouché de l'étroite ruelle qui descend des remparts de la Vieille Ville, Sam Blum s'immobilisa, le souffle coupé. Il songea aux heures de bonheur partagées avec Josef sur cette esplanade, à ces veilles de sabbat dans la même lumière rosée du crépuscule, à ces matins de fête emplis de farandoles, de chants, du tintamarre des shofars. Il lui sembla que c'était hier et qu'il allait à tout moment entendre la voix grave de son ami entonnant le *Shema Israel* devant la plus grosse pierre. Il descendit lentement les gradins et franchit la barrière qui borde l'espace réservé à la prière. Conformément au rituel, il mit sur sa tête la calotte de velours violet que sa mère lui avait brodée, et jeta sur les épaules son châle de prière apporté de New York. Puis, avec soin, il noua autour du bras gauche et autour du front deux petits étuis de cuir noir. Ces phylactères, qui rappellent que le travail manuel et la pensée doivent être constamment dédiés à Dieu, contiennent de minces rouleaux de parchemin sur lesquels sont calligraphiés les fondements de la foi juive. « Écoute Israël, proclame l'un des versets, le Seigneur notre Dieu, le Seigneur est Un. Tu L'aimeras de tout ton cœur, de toute ton âme, de toute ta force... Et tu attacheras les commandements que je te donne aujourd'hui sur ton bras pour te servir de signe, et ils seront sur ton front comme un guide entre tes yeux. »

L'ornement frontal donnait à l'Américain l'air d'un cyclope. Il s'approcha du plus gros bloc de pierre, celui devant lequel Josef Stein avait coutume de se placer pour réciter sa prière préférée. Ce psaume de David était un cri d'amour et d'espérance, un appel que depuis trente siècles les hommes de cette terre lancent au Créateur. « Seigneur, prête l'oreille à ma voix, récita Sam avec ferveur en balançant rythmiquement le buste vers le Mur, que ma prière soit devant Ta face comme l'encens, et l'élévation de mes mains comme l'offrande du soir... » Puis, paraphrasant l'appel de Moïse à Dieu pour lui demander la guérison de sa sœur lépreuse, il implora le Créateur de mettre fin à la lèpre moderne dont souffrait son ami. « Ô Dieu, je T'en supplie, guéris Ton serviteur Josef! », répéta-t-il plusieurs fois avec passion. Il sortit alors de son portefeuille le petit billet soigneusement plié sur lequel Josef avait rédigé sa supplique et le glissa parmi les autres messages dans une anfractuosité entre deux pierres. À côté de lui montait la prière lancinante des fidèles. L'appel d'un muezzin arabe traversa l'air immobile au-dessus du Mur. L'Américain sentait les dernières caresses du soleil qui se couchait au-delà de la Jérusalem nouvelle. Il resta encore de longues minutes à méditer, les yeux pleins de la vision de son ami malade. L'esplanade se vida peu à peu. À l'exception de quelques rabbins vénérables, il se retrouva bientôt seul. C'était le commencement de la Pâque. Tout autour, dans l'enchevêtrement bruissant du vieux quartier ainsi que dans toute la Jérusalem juive, les familles préparaient le repas du Seder qui commémore la délivrance du peuple hébraïque des souffrances de l'exil.

★

Le lendemain à l'aube, tandis qu'Israël se reposait des festivités de la Pâque, Sam Blum se fit conduire en taxi jusqu'à Tibériade, en Galilée. Il avait là un autre pèlerinage à accomplir pour la guérison de son ami. La tradition veut en effet que les juifs en détresse s'adressent aux grands saints de leur histoire pour leur demander d'intercéder auprès du Tout-Puissant. L'un d'eux était un médecin qui avait vécu au XIIe siècle. Moïse Maïmonide était aussi l'un des plus célèbres théologiens du judaïsme. Ses écrits, tel son fameux *Guide des égarés*, restent depuis huit siècles le recours des consciences juives. Sa dépouille repose au bord du lac où Jésus a apaisé la tempête et marché sur les eaux. Sam se prosterna devant l'humble cénotaphe de pierres blanches entouré de lauriers et implora Maïmonide « d'user de sa sainteté pour intervenir auprès de Dieu afin que Josef recouvre la santé ». Il alla ensuite adresser la même requête au rabbin Meir Ba'al Haness, un saint du IIe siècle enterré non loin de là. Lui aussi était un docteur de la Loi, un savant, un humaniste. Chaque printemps, une grande fête se déroulait auprès de sa tombe, attirant des milliers de fidèles.

Comme il l'avait promis, avant d'aller prendre son avion pour New York, l'Américain vint dire adieu à Philippe Malouf dans son abbaye. Le moine paralytique avait guetté sa venue avec une impatience qui se lisait sur son visage. D'un signe de la tête, il lui montra une enveloppe sur sa table de chevet.

– J'ai tapé à la machine une petite lettre pour Josef, dit-il. Oh, presque rien, juste quelques lignes de réconfort et d'amitié.

Sam prit l'enveloppe et la glissa dans son sac.

– Cela va lui faire rudement plaisir, assura-t-il avec chaleur. Il parle si souvent des moments heureux vécus ici ensemble.

Philippe sembla soucieux.

– Josef traverse une épreuve terrible, dit-il. Je ne voudrais pas risquer de le blesser. J'aimerais que tu prennes connaissance de ma lettre.

Sam ajusta ses lunettes et se mit à lire à mi-voix :

Cher Josef,
Quand j'ai su que je resterais paralysé à vie, je me suis révolté. Cela a duré des semaines, des mois. J'ai insulté Dieu. J'ai été odieux avec notre père abbé qui avait l'audace, lui, si éclatant de santé, de m'exhorter à donner un sens à ma souffrance. Il me disait que, s'il invitait toute la communauté à prier pour moi, ce n'était pas seulement pour demander à Dieu de me guérir mais surtout pour que je découvre un sens à ma vie d'handicapé. Pauvre père abbé ! Ma révolte restait totale.
Petit à petit, pourtant, cloué sur mon lit, j'ai commencé à comprendre que je restais quand même un homme. Et que, si je

le restais, c'était que je pouvais continuer à jouer mon rôle d'homme; que je n'étais ni un légume, ni un animal, mais un être pleinement capable d'avoir une vie qui serve à quelque chose.

Le moine racontait alors comment ses deux interventions chirurgicales lui avaient permis peu à peu de se réinsérer dans le monde des vivants, puis comment les circonstances l'avaient mis en contact avec une jeune religieuse indienne qui soignait des moribonds à Calcutta.

Elle a dix-huit ans et s'appelle sœur Ananda. Cela veut dire « sœur Joie ». Elle agit à ma place. Elle est mes bras et mes jambes. Moi, j'offre pour elle ma souffrance et ma prière. Elle en obtient la force d'agir. C'est magnifique : chaque jour, nous communiquons à des milliers de kilomètres de distance par le seul pouvoir de la prière.
Au nom du sens que j'ai trouvé à ma vie, sache, Josef mon frère, que dorénavant j'offrirai également ma souffrance pour que tu puisses, toi aussi, avoir la chance que j'ai eue.

42

New York, USA – Printemps - Été 1983
Des pustules violettes pour un fou d'opéra

Récit de Josef Stein

« Tout a commencé un jour de l'hiver dernier par une étrange sensation de fatigue. Moi qui avais l'habitude de descendre et remonter trente blocs de la Cinquième Avenue ou de courir deux heures le dimanche dans les allées de Central Park, je fus soudain incapable de gravir d'une traite les deux étages menant à mon appartement. Toutes les dix marches, je devais m'arrêter, à bout de souffle. Quelques jours plus tard, j'ai ressenti une brûlure dans la poitrine. Je me suis mis à tousser. Une petite toux sèche, comme celle de quelqu'un qui fume trop. Je n'avais pourtant jamais fumé. La toux s'est arrêtée aussi spontanément qu'elle était venue et j'ai mis cet incident sur le compte de la pollution de l'air. Les rues sont étroites dans Greenwich Village et, sur le toit de la maison juste en face de chez moi, il y a une cheminée qui crache jour et nuit de grosses volutes noires. Malgré la fatigue qui persistait, je me suis efforcé de ne rien changer à mes habitudes. À mon retour d'Israël, j'avais définitivement laissé tomber

285

l'archéologie pour venir m'installer à New York où vivait Sam Blum. J'avais trouvé un emploi dans une grande agence de voyages à Manhattan. J'ai d'abord travaillé au service des voyages d'entreprises puis on m'a confié la responsabilité des conventions et des congrès. À ce titre, je voyageais beaucoup, à l'intérieur des États-Unis et à l'étranger.

Vivre à New York me comblait. En plus de mon attrait pour les civilisations disparues, j'ai une passion que cette ville me permettait d'assouvir presque chaque semaine : je suis fou d'opéra. Je ne manquais jamais un spectacle du Metropolitan ou du Lincoln Center. C'est d'ailleurs le soir où je suis allé écouter *Samson et Dalila* que j'ai appris la nouvelle, pendant l'entracte après le fameux air du premier acte où Dalila chante : « Printemps qui commence, chargé d'espérance... » Tandis que les spectateurs se hâtaient vers le bar en quête d'un verre de vin blanc ou de champagne, je me suis précipité vers une cabine de téléphone pour appeler mon médecin.

Mes quintes de toux avaient repris et il m'arrivait de me réveiller la nuit inondé de transpiration. J'ai d'abord cru qu'il s'agissait seulement d'un refroidissement banal ou de la grippe. Personne souffrant d'un rhume ne veut s'imaginer qu'il puisse s'agir d'autre chose. La toux persistant, j'ai tout de même fini par aller voir mon médecin. Le docteur F. est tout petit et chauve. Avec ses grosses lunettes d'écaille et son nœud papillon, il ressemble à l'acteur Mickey Rooney. Il m'a ausculté soigneusement et prescrit des antibiotiques. Il ne semblait pas inquiet pour deux sous. La toux et les suées nocturnes ont disparu peu après. Par contre, je me sentais toujours aussi fatigué. Bientôt, en m'habillant, j'ai eu l'impression de flotter dans mes vêtements. J'avais dû maigrir et pourtant je ne manquais pas d'appétit. Plusieurs semaines passèrent. Je m'étais habitué à vivre au ralenti, me sentant un peu comme une voiture à laquelle il manque la moitié des pistons.

Un matin, en prenant mon petit déjeuner, j'ai eu du mal à avaler. J'ai été regarder le fond de ma gorge et j'ai constaté que ma langue était couverte de petites pustules bleuâtres, insensibles au toucher. J'ai pensé à des aphtes. Le lendemain, l'éruption avait diminué, mais j'étais toujours gêné pour avaler. J'ai revu le médecin qui m'a adressé à un dermatologue. Après un examen minutieux qui le laissa perplexe, il fit des prélèvements sur ma langue et me demanda de téléphoner à mon généraliste huit jours plus tard pour connaître les résultats.

J'essayai de ne pas trop y penser jusqu'à ce fameux soir où, du théâtre, j'appelai le docteur F. Le téléphone sonna interminablement et j'allais raccrocher quand je l'entendis enfin au bout du fil. Il me parut un peu embarrassé.

– Les nouvelles ne sont pas très bonnes, finit-il par me dire. Votre biopsie de la langue semble révéler quelque chose de sérieux. Il pourrait s'agir d'une affection très rare qui, d'ordinaire, ne touche jamais les gens de votre âge. Avant de le confirmer, d'autres analyses s'avèrent nécessaires.

J'ai demandé quelle était cette maladie. Le médecin m'a dit un nom que je n'ai pas compris. Il l'a répété et épelé : K pour Kilo, A pour America, P pour Providence... Kaposi, ai-je noté sur le coin de mon programme. Déjà la sonnerie du théâtre rappelait les spectateurs dans la salle. J'ai vite pris rendez-vous pour le lendemain et je courus regagner ma place. J'oubliai tout pour savourer le bonheur de retrouver la belle Dalila dans son morceau de bravoure du deuxième acte quand, ayant découvert le secret de la force herculéenne de Samson, elle lui coupe impitoyablement les cheveux.

Quelques jours plus tard, des examens complémentaires confirmaient le diagnostic de mon infection buccale. Entre-temps, j'avais essayé de me renseigner sur cette infection au nom bizarre. J'avais appris que cette maladie de Kaposi était l'une des manifestations de l'épidémie qui venait d'éclater à New York et en Californie, et qu'elle frappait surtout les homosexuels. Mon médecin m'a confirmé qu'il s'agissait bien de ce mal qu'on appelait « sida ». Un mal dont on ignorait l'origine, mais que l'on soupçonnait être un virus transmis par voie sexuelle ou sanguine. Le sida détruisait le système immunitaire de l'organisme, ce qui favorisait l'apparition de lésions infectieuses comme les pustules sur ma langue.

Le docteur F. s'appliqua à chercher la raison de mon immunodépression. Il me posa toutes sortes de questions. Certaines étaient vraiment embarrassantes. Il s'intéressait essentiellement à mon comportement sexuel au cours des trois années précédentes. Pratiquais-je l'échangisme ? Quel était le nombre de mes partenaires ? Est-ce que je fréquentais les *bath-houses* ? Etc., etc. Il prenait des notes. Je crains que mes réponses ne l'aient laissé sur sa faim.

En effet, je vivais seul. Avec Sam je n'avais que des relations épisodiques. Bien qu'une profonde affection nous unît, nous restions complètement libres l'un vis-à-vis de l'autre. Jusqu'à dix-huit ans, je n'étais sorti qu'avec des filles, sans avoir de besoins sexuels excessifs. J'ai découvert mon homosexualité dans un train, entre Salt Lake City et Chicago. Sur le moment, je m'étais senti horriblement coupable. J'avais reçu une éducation religieuse assez stricte et savais que la Torah condamne toute relation charnelle autre que conjugale. Tout jeunes, mon père nous fit apprendre par cœur, à mon frère et à moi, le fameux commandement du Lévitique qui proclame : « Tu ne coucheras pas avec un homme comme on fait avec une femme, car c'est une abomination. » J'ai longtemps hésité à transgresser cet interdit car je suis croyant. C'est seulement quand je suis allé faire mes études supérieures à San Francisco que j'ai finalement cédé.

Toutefois, depuis mon départ de la teinturerie familiale de Pittsburgh, je ne faisais guère d'excentricités. J'avais une vie plutôt rangée. J'ai rencontré un artiste peintre et nous avons vécu trois ans ensemble d'une façon presque monogame. Sans doute allais-je de temps à autre prendre un verre dans un bar, une disco ou une *bath-house* du Castro, mais c'était plus par curiosité que pour assouvir ma libido. Je trouvais même le spectacle assez déprimant. Je n'avais pas davantage été tenté par les orgies des établissements new-yorkais pourtant si nombreux dans le Village. Seul mon séjour en Israël m'avait entraîné à quelques incartades. Fallait-il mettre cela sur le compte du climat, ou de l'excitation d'être dans un pays dont chaque lieu enfiévrait mon imagination ? Cela venait-il de l'exotisme de certaines rencontres fortuites avec de jeunes Arabes ? Je ne sais pas. De toute façon, peu importe. Si c'était à refaire, je recommencerais. »

★

Un énergique traitement chimiothérapique à base de vinblastine permit de venir à bout de l'infection buccale de Josef Stein. Cependant, à la fin de l'été particulièrement torride dont souffrait New York cette année-là, de nouvelles pustules violettes semblables à celles qui avaient envahi sa bouche se mirent à bourgeonner en plusieurs endroits de son corps, notamment sur la plante d'un pied, au-dessous du genou, sur les ailes du nez. Cette brutale extension du mal qu'il croyait guéri coïncida avec la réapparition de la toux sèche, de la fièvre et de l'extrême fatigue qui l'avaient accablé l'hiver précédent. Cette fois, son médecin soupçonna une pneumocystose, l'une des très graves infections qui se déclenchent à la faveur de l'effondrement des défenses immunitaires. Il fit d'urgence transporter son patient au centre médical Bellevue dont les vingt-six étages surplombent l'East River. Aucun lit n'étant disponible, Josef Stein fut dirigé sur un autre hôpital dans le faubourg du Bronx. Une expérience terrible.

« Je ne sais pas si c'est par horreur des gays ou terreur du sida, mais on m'a laissé pratiquement sans soins ni nourriture deux jours durant, racontera Josef. On déposait le plateau de mes repas dans le couloir. Personne n'entrait dans ma chambre pour vider mon bassin ou faire le ménage. Les rares infirmières qui m'apportaient des médicaments avaient le visage masqué, des gants aux mains, et étaient vêtues d'une tenue spéciale. On aurait cru des astronautes. Pas un seul médecin n'a examiné les lésions de Kaposi sur mes jambes et mes bras. Elles me faisaient cruellement souffrir. Ma peau était devenue si dure, mes membres si raides, que je réclamais désespérément un massage. Personne n'osa me toucher. Au cours de ces deux jours de cauchemar, je n'ai pas entendu un mot de réconfort, la moindre parole de sympathie. J'étais moins qu'une bête. »

Sam Blum vint arracher son ami à ce véritable mouroir pour l'emmener dans un lieu où l'on soignait avec humanité les malades atteints de la nouvelle peste. Il montra au chauffeur de l'ambulance la direction des gratte-ciel de Manhattan qui émergeaient de la brume.

– À l'hôpital Saint-Clare! lança-t-il avant de préciser l'adresse de l'ancien établissement du quartier des immigrants italiens du West Side où le docteur Jack Dehovitz et une poignée d'infirmières volontaires étaient alors pratiquement les seuls qui soulageaient à New York la détresse des victimes de ce que beaucoup appelaient encore « la colère de Dieu ».

43

Bethesda, USA - Paris, France – Printemps 1983 - Hiver 1985
Compétition sans merci d'un bord à l'autre de l'Atlantique

Impitoyable et précis comme un horaire de chemin de fer, le modeste bulletin du Centre de contrôle des maladies d'Atlanta rapportait chaque semaine l'inexorable aggravation de l'épidémie. Les statistiques qu'il publiait le 22 juin 1984 étaient édifiantes. En trois ans, 4 918 Américains avaient été atteints par le sida. Près de la moitié, 2 221, étaient déjà morts, et le pourcentage de décès chez les malades diagnostiqués avant juillet 1982 s'élevait à plus des trois quarts. La situation en Europe était tout aussi alarmante. Dans son numéro du 2 novembre 1984, le CDC révélait qu'en huit mois le nombre de cas y avait augmenté de cent pour cent. La palme de ce triste bilan revenait à la France pour le nombre des malades, et au Danemark pour le pourcentage de victimes par million d'habitants.

Qu'une telle tragédie fasse l'union sacrée de tous les savants et chercheurs du monde paraissait dans la logique des choses. Pourtant, il n'en était rien. La nouvelle peste provoquait de regrettables conflits de personnes et d'intérêts, de violentes rivalités. Nul n'aurait pu imaginer le duel qu'engagèrent dans la coulisse l'Américain Robert Gallo et le Français Luc Montagnier. Un duel où les coups d'épée s'échangeaient sous couvert de la collaboration la plus fraternelle et de l'amitié la plus indéfectible. Les deux scientifiques et leurs équipes se rendaient visite, se téléphonaient, s'écrivaient, accueillaient leurs techniciens respectifs, se communiquaient leurs réactifs, leurs virus, leurs résultats. Ils festoyaient ensemble dans les trattorias italiennes de Washington et les bistrots auvergnats de la rive gauche. Ils se recevaient les uns les autres, se tutoyaient, s'attendaient et se raccompagnaient à l'aéroport. À l'occasion, ils barbotaient comme des collégiens dans les piscines des hôtels où se tenaient leurs colloques.

Derrière cette façade se cachait une compétition sans merci. Les pressions sur la presse scientifique, les substitutions, voulues ou non, de documents photographiques, les accusations de détournement à des fins mercantiles d'échantillons biologiques prêtés par le laboratoire rival, les additifs a posteriori dans le compte rendu de tel ou tel séminaire, la liste des nombreuses indélicatesses dont certains chercheurs – rares, il est vrai – se rendirent coupables en cette troisième année d'épidémie n'ajoutait pas une page glorieuse à l'histoire de la recherche médicale.

Depuis qu'il s'était finalement lancé dans la course, Robert Gallo se montrait l'adversaire implacable des Français. Fort de son incontestable suprématie en matière de rétrovirologie, il était convaincu qu'il lui revenait de droit d'attacher son nom à la découverte de l'agent responsable du fléau. En osant lui contester ce privilège, Luc Montagnier et son équipe marchaient sur ses plates-bandes. Une audace que l'éminent savant américain était bien décidé à ne pas tolérer. Mais, stratège habile, il s'était gardé de heurter ses concurrents de front. Il avait au contraire cherché à les amadouer, à endormir leur vigilance, à les envoûter avec sa verve légendaire, sa bonhomie, son amicale condescendance. Dès qu'il eut connaissance des résultats obtenus dans la salle Bru, il s'empressa d'envoyer aux Français des spécimens de son propre rétrovirus HTLV pour leur permettre de le comparer au soi-disant nouveau rétrovirus humain qu'ils croyaient avoir trouvé, et constater ainsi leur erreur.

Il traversa l'Atlantique au début de juin 1983 pour mieux écouter ses « amis » et consolider leur idylle. Certes, il éleva des objections. À ses yeux, le virus sorti des tubes de Jean-Claude Chermann et de Françoise Barré-Sinoussi n'était pas comme ils le pensaient un *nouveau* virus, mais à coup sûr un proche cousin de son HTLV. N'avaient-ils pas l'un et l'autre les mêmes propriétés ? Tous deux se transmettaient par le sang, les contacts sexuels et les infections congénitales. Tous deux s'attaquaient aux mêmes lymphocytes T4, supports des défenses immunitaires. Ses accents de sincérité, ses promesses d'assistance, son pouvoir de conviction étaient tels que les Français n'avaient aucune raison de se méfier.

Robert Gallo invita Luc Montagnier à venir à Bethesda exposer ses résultats aux membres de sa Task Force, cette force spéciale d'intervention antisida créée par les autorités sanitaires américaines. Le Français débarqua avec, dans sa valise, une petite boîte de carboglace contenant l'échantillon du virus isolé à l'Institut Pasteur que lui avait demandé son confrère américain. Montagnier s'attendait à ce que Gallo et ses collaborateurs l'étudient à loisir et reconnaissent son originalité. Mais le maître de Bethesda n'avait, semble-t-il, aucune intention d'admettre son erreur. Il enfouit le cadeau au fond d'un de ses congélateurs et n'accorda que quelques minutes à son invité, ne lui laissant même pas le temps de faire naître une once de curiosité dans l'aréopage de chercheurs qu'il avait réuni.

Humilié, déçu, Luc Montagnier rentra en France bien décidé à relever le défi. Puisque l'élite de la rétrovirologie américaine refusait de prendre en considération la découverte française, il ferait à nouveau appel aux médias. En août 1983, il proposa à la revue scientifique *Nature* un texte décrivant l'affinité spécifique du virus LAV [1] pour les lymphocytes T4 garants des défenses immunitaires du corps humain. Mais, l'emprise de Robert Gallo s'étendant à toute la presse scientifique, la revue déclina l'offre des Français : « Votre prétendu virus n'est peut-être qu'une contamination de laboratoire ! objecta son rédacteur

---

1. Nom donné par l'équipe de l'Institut Pasteur à son virus découvert dans la salle Bru. LAV : *Lymphadenopathy Associated Virus*, virus associé aux lymphadénopathies.

en chef. Attendez donc un peu avant de faire connaître officielle-ment vos résultats. Prenez exemple sur Gallo qui, lui, a travaillé pendant deux ans avant de publier son travail sur le premier rétrovirus humain HTLV. »

L'article d'un journaliste britannique dans le *Journal of the American Medical Association* en août 1983 adoucit quelque peu la frustration de l'équipe française. Pour la première fois, le sigle LAV apparaissait dans la presse médicale internationale. Mais Gallo ne s'était pas laissé surprendre. Il avait pu noyer le pois-son à temps. Un autre article, du même journaliste et dans le même numéro, chantait les louanges du chercheur américain et clamait que son virus HTLV était le suspect numéro un en tant que principal agent responsable du sida.

Comme s'il voulait endormir la vigilance de ses concur-rents, Robert Gallo chargea son spécialiste des cultures de rétro-virus, le Tchèque Mikulas Popovic, de réclamer à l'équipe de l'Institut Pasteur l'envoi de nouveaux spécimens du virus LAV. Popovic reconnut humblement qu'il n'avait pas réussi à faire pousser dans ses cultures de cellules l'échantillon du virus apporté en juillet par Luc Montagnier. Avant d'accéder à cette demande, le chercheur français exigea la signature d'un docu-ment par lequel le laboratoire américain s'engageait à n'utiliser le virus LAV de l'Institut Pasteur qu'à des fins de recherche fon-damentale et jamais à des fins commerciales. Mikulas Popovic s'empressa d'accorder, au nom de Gallo, la garantie demandée. Une garantie qui allait se révéler un torchon de papier. Le jour où il annoncera sa propre découverte de l'agent responsable du sida, Robert Gallo affirmera n'avoir jamais utilisé les spécimens envoyés par les Français.

★

Continuant de feindre pour l'instant la plus cordiale colla-boration, l'Américain invita de nouveau Luc Montagnier à venir parler du LAV à l'occasion d'un colloque qu'il organisait les 15 et 16 septembre 1983 à Cold Spring Harbor, le campus où Françoise Barré-Sinoussi avait quelques mois auparavant éveillé la curiosité de la fine fleur de la recherche. Une fois encore, Montagnier constata que cette rencontre était un festival bien orchestré à la gloire du maître de Bethesda et de son seul HTLV. « On ne m'offrit la parole qu'à la dernière séance de nuit, se plaindra-t-il. La moitié des participants étaient déjà partis et l'on ne m'accorda que vingt minutes à peine [1]. » Cet auditoire réduit accueillit son exposé par un barrage d'interrogations critiques. Gallo lui-même fit preuve d'une virulence toute particulière, allant jusqu'à mettre en doute l'appartenance même du LAV à la famille des rétrovirus.

Stupéfait, Luc Montagnier interpella son hôte pour connaître les motifs de son agressivité.

– *You have punched me out* – Tu m'as cassé la baraque! aurait répondu l'Américain.

Robert Gallo se rendait compte que la découverte de l'équipe de l'Institut Pasteur commençait à ébranler les certitudes de certains scientifiques américains quant au rôle du rétrovirus HTLV dans le sida. Pourtant, son ascendant sur ses confrères était tel que personne n'osait encore approfondir la question. « Pour l'Amérique, le LAV restait un pelé, un galeux », dira Montagnier.

Un nouveau colloque dans un château de la vallée de la Loire, une réunion internationale à Paris, une conférence sous l'égide de l'Organisation mondiale de la santé à Genève, et enfin un monumental congrès à Park City, dans le cadre féerique des montagnes de l'Utah au début de février 1984, permirent aux Français de poursuivre leur inlassable croisade pour faire reconnaître la validité de leurs travaux. Sans grand succès en fait. Un an après sa découverte, la majorité des virologistes d'outre-Atlantique s'obstinaient encore à refuser d'admettre que le virus isolé à Paris pouvait être l'agent du sida. À Park City cependant, les Français décelèrent quelques failles dans ce front hostile. Brillamment défendue par Jean-Claude Chermann, l'un des principaux artisans de la salle Bru, la thèse de l'Institut Pasteur parut notamment convaincre les représentants du Centre de contrôle des maladies d'Atlanta qui réclamèrent des

---

1. Luc Montagnier, *Vaincre le sida, Entretiens avec Pierre Bourget*, Éditions Cana, Paris, 1986.

spécimens du LAV à l'intention de leurs experts. Deux mois plus tard, un coup de théâtre ébranla les milieux de la recherche. Dans une interview au *New York Times*, James Mason, le directeur du Centre d'Atlanta, annonçait que « le LAV de l'Institut Pasteur est l'agent le plus probable du sida ».

★

Les Français eurent la sagesse de ne pas se réjouir trop vite. En effet, l'encre du vénérable quotidien new-yorkais n'était pas encore sèche qu'éclatait une nouvelle jugée encore plus sensationnelle : « Le professeur Robert Gallo a isolé le *vrai* virus du sida ! » Décrétant que le nouveau venu appartenait à la famille des rétrovirus HTLV-1 et HTLV-2 qu'il avait auparavant découverts, il l'avait baptisé HTLV-3. Ce petit dernier de la famille allait faire une fracassante entrée sur les fonts baptismaux de la recherche médicale mondiale. Voulant tirer tout le parti de cette découverte, le gouvernement américain lui choisit pour marraine Margaret Heckler, le secrétaire d'État à la Santé publique, une charmante rousse pleine de bonne volonté, mais peu informée des affrontements scientifiques qui se déroulaient en coulisse. À quelques mois des élections présidentielles, le pouvoir politique jugeait providentielle l'arrivée du « bébé » de Robert Gallo. L'annonce de cette victoire sur le terrifiant fléau n'allait pas manquer de faire tomber les votes de millions d'homosexuels dans l'escarcelle de Ronald Reagan. Elle fournissait par ailleurs la justification éclatante que les montagnes de dollars allouées à la recherche ne l'avaient pas été en vain.

Vantant « le triomphe de la science sur la terrible maladie », madame le ministre annonça officiellement dans une conférence de presse tenue le 24 avril 1984 à Washington que « le professeur Robert Gallo et son équipe avaient trouvé un nouveau virus, le HTLV-3, et apporté la preuve qu'il était l'agent du sida ». Elle affirma, en outre, que les chercheurs de Bethesda disposeraient avant sept mois d'un test permettant d'éliminer tout risque de contamination dans les stocks de sang utilisé pour les transfusions, et qu'avant deux ans un vaccin serait disponible. Elle ne souffla mot du virus français, se contentant de faire une vague allusion à « d'autres chercheurs qui, dans le monde, sont parvenus à des résultats dans ce domaine » et condescendit à citer « particulièrement les efforts de l'Institut Pasteur en France qui a, en partie, travaillé en collaboration avec l'Institut national du cancer ».

Un journaliste osa troubler le déluge d'éloges que cette déclaration fit aussitôt pleuvoir sur l'illustre virologiste américain et ses collaborateurs.

— Votre virus n'est-il pas le même que celui des Français ? demanda l'impertinent.

Robert Gallo éluda d'une pirouette l'embarrassante question.

Apprenant la mise en scène de Washington, Luc Montagnier ne put réfréner son indignation. « Sur le plan de l'éthique scientifique, l'annonce officielle de cette découverte était des plus critiquables, écrira-t-il plus tard. Ayant reçu des échantillons de notre rétrovirus, le chercheur américain se devait de comparer celui qu'il venait de trouver avec le nôtre et publier lui-même la comparaison ; de la même façon que, lorsque nous avions découvert le LAV, nous l'avions comparé avec son rétrovirus HTLV-1. Pensait-il que les Français, comme il devait le déclarer à un journal de New York, ne tiendraient pas la distance et, s'inclinant devant le rouleau compresseur américain, se résigneraient à appeler leur virus HTLV-3 ? »

Tout allait pour le mieux dans le meilleur des mondes pour le maître de Bethesda. Quelques heures avant que son ministre annonce qu'il avait mis au point son propre test détecteur du virus du sida, des avocats du gouvernement des États-Unis déposaient une demande de brevet. Cette précaution aurait notamment pour effet d'interdire l'accès au marché américain du test Elisa développé un an plus tôt par l'équipe de l'Institut Pasteur. S'ils voulaient faire valoir leurs droits, les Français n'avaient plus qu'un recours : attaquer en justice le gouvernement des États-Unis.

La parution de quatre articles dans le numéro du 4 mai 1984 de la revue *Science* allait encore envenimer par de nouvelles polémiques l'affrontement franco-américain. Cette offensive scientifico-littéraire, qui avait Robert Gallo pour auteur, était illustrée de spectaculaires photographies qui prétendaient montrer le virus HTLV-3 aux différents stades de son développement. Deux ans plus tard, le savant américain sera contraint de reconnaître que les documents publiés sous sa signature ne montraient en aucun cas son virus, mais bel et bien le LAV des chercheurs français. Il se disculpera en affirmant qu'il s'agissait d'une stupide erreur commise par le photographe travaillant pour son laboratoire.

Un mois plus tard, Luc Montagnier découvrira que le compte rendu officiel du colloque auquel il avait assisté au mois de septembre de l'année précédente à Cold Spring Harbor avait été modifié. Alors qu'il n'avait pas soufflé mot de son HTLV-3 au cours de cette rencontre – pour l'excellente raison qu'il ne l'avait pas encore identifié –, voilà que le maître de Bethesda décrivait longuement ce rétrovirus dans l'introduction qu'il fit ajouter au document avant sa publication. « Ce n'était pas la première fois que Robert Gallo, s'estimant le maître incontesté de la recherche médicale, se permettait de faire croire à l'antériorité de résultats auxquels il n'était parvenu que plus tard », écriront deux journalistes scientifiques réputés [1]. Luc Montagnier, lui, se contentera d'ajouter une ligne mélancolique à la longue liste de ses griefs : « Au mépris de toutes les règles de déontologie scientifique, Gallo réécrivait l'histoire à sa manière. »

★

Cette façon de faire devait finir par éveiller certains soupçons. Des scientifiques américains commencèrent à se poser des questions. Ce virus HTLV-3 annoncé à grand roulement de tambours était-il bien un *nouveau* rétrovirus, ou tout bonnement celui que les Français avaient trouvé depuis déjà plus d'un an ? Était-il l'incontestable agent responsable du sida ? Deux interrogations fondamentales qui poussèrent Gallo à descendre de son estrade politico-médiatique pour redevenir le virolo-

---

1. « Mécanismes de concurrence et de défense dans un conflit scientifique », par Johan Heilbron et Jaap Gondsmidt, *Actes de recherches en sciences sociales*, septembre 1987.

giste exceptionnel qu'il était. Il dépêcha à Paris le biologiste indien M. G. Sarngadharan, l'un des premiers violons de son orchestre, avec mission de comparer les protéines de son virus avec celles du virus de l'équipe de l'Institut Pasteur. L'étude révéla qu'elles étaient en tout point semblables. De son côté, le CDC d'Atlanta demanda aux deux laboratoires concurrents de lui fournir des échantillons de sang contenant leurs virus respectifs. Ces envois codés permirent d'aboutir aux mêmes résultats. Les deux virus étaient de vrais jumeaux.

En fait, une dernière comparaison, cette fois au niveau moléculaire, était nécessaire pour confirmer leur similitude de façon irréfutable. Cette analyse moléculaire fait appel à des techniques extrêmement sophistiquées. La première, appelée clonage, consiste à introduire des éléments génétiques du virus dans des bactéries. Celles-ci, en se multipliant, permettent d'obtenir d'importantes quantités de virus. La deuxième opération, appelée séquençage, a pour objet de décrypter le code génétique d'un virus. Il s'agit d'établir l'enchaînement exact de ses nucléotides, c'est-à-dire des éléments composant, dans un ordre déterminé, son code génétique. Infiniment complexes et minutieux, ces travaux moléculaires requièrent de véritables orfèvres et un savoir-faire qui donnait au groupe de Robert Gallo, du fait de sa vaste expérience, un net avantage sur l'équipe de l'Institut Pasteur.

Les deux laboratoires se lancèrent dans une course effrénée. Ce fut la Chinoise Flossie Wong-Staal, l'un des biologistes surdoués de l'équipe de Bethesda, qui réussit la première le clonage du rétrovirus américain, battant de quelques semaines les chercheurs français. Ces derniers allaient prendre leur revanche. Le 21 janvier 1985, ils décrivirent, sur trois pages de la prestigieuse revue *Cell*, l'enchaînement des 9 139 nucléotides constituant le code génétique du virus LAV qu'ils avaient découvert près de deux ans auparavant. Cinq jours plus tard, l'équipe de Gallo publiait à son tour dans la revue *Nature* les résultats concernant le rétrovirus américain. L'article était signé par vingt auteurs appartenant à trois centres de recherche différents, alors que cinq biologistes seulement, tous du même laboratoire, avaient cosigné le texte français [1]. « Un Français vaudrait-il quatre Américains ? » demandera Luc Montagnier, ravi de laver là quelques-unes de ses humiliations.

L'important était la similarité parfaite de ces divers résultats. Plus personne ne pouvait à présent en douter : le virus américain et le virus français étaient bel et bien un seul et même virus. Le décryptage de leur code génétique démontrait en outre qu'il s'agissait d'un virus nouveau, sans lien de parenté, comme l'avait cru Robert Gallo, avec le premier rétrovirus humain qu'il avait découvert. L'identification minutieuse de ses gènes permit de confirmer surtout ce que tout le monde guettait avec impatience : oui, le HTLV-3/LAV était bien l'agent mortel de l'épidémie.

★

Par-delà les querelles qui continueront de les opposer des deux côtés de l'Atlantique, un champ d'expérience entièrement vierge s'ouvrait désormais aux chercheurs du sida. En perçant un à un les secrets des gènes du virus, ils allaient mieux comprendre son rôle dans la maladie. Ils allaient pouvoir perfectionner à moyen terme les tests de diagnostic et peut-être, dans un avenir proche, mettre au point des vaccins.

Ce beau concert d'espoir en l'avenir ignorait curieusement la tragique réalité du présent. Des victimes agonisaient et mouraient chaque jour de plus en plus nombreuses sans que les sommes gigantesques investies dans l'identification du virus aient pu leur apporter le moindre soulagement. On parlait de tests et de vaccins, mais pratiquement jamais de traitement, comme s'il était plus impérieux de régler son compte à l'assassin que de réparer les dégâts qu'il avait déjà commis.

Pour le docteur Sam Broder, l'ancien serveur de hamburgers d'origine polonaise quotidiennement confronté dans son hôpital à la souffrance, au désespoir et à la mort des malades, cet oubli était inacceptable. Le directeur du programme d'oncologie clinique de l'Institut national du cancer se devait de l'effacer.

---

1. Marc Alizon, Stewart Cole, Olivier Danos, Pierre Sonigo et Simon Wain-Hobson.

44

Bethesda, USA – Automne 1984
Une première lueur dans la nuit sidéenne

Il fallait l'acharnement viscéral d'un rescapé de la terreur
nazie pour s'attaquer à ce défi. Le docteur Sam Broder mesu-
rait l'énormité de la tâche à accomplir. Tous les efforts passés
pour mettre au point des médicaments antiviraux n'avaient
produit que des résultats très limités. La faculté qu'ont les
rétrovirus de se cacher au cœur du patrimoine génétique des
cellules en fait des cibles particulièrement difficiles à atteindre.
D'autant plus qu'ils peuvent y rester inactifs – donc indéce-
lables – pendant des années. Comment les détruire sans risquer
d'anéantir du même coup les globules blancs qui les abritent ?
Toute la question était là : on devait inventer un remède qui
offrirait ce que les médecins appellent « un indice thérapeutique acceptable », c'est-à-dire un remède dont la toxicité par
rapport à son efficacité serait tolérable par les malades.
    Le rétrovirus du sida infectant une grande variété de tissus
et de cellules, le problème se compliquait encore. Il pouvait par
exemple se loger dans le système nerveux central où il se trouvait alors protégé par une barrière que très peu de composés
pharmaceutiques étaient à même de franchir. Et si, par chance,

ils parvenaient à l'atteindre, les cellules déjà touchées par le virus ne guériraient probablement jamais. D'autres complications dues au sida, tels le sarcome de Kaposi et certaines tumeurs malignes du système lymphatique particulièrement agressives, n'étaient pas, elles non plus, entièrement curables. En un mot, la complexité de cette maladie et ses dégâts dévastateurs représentaient, de l'aveu même du cancérologue américain, « un défi exceptionnel, quasiment insurmontable ».

La science, pourtant, n'était pas totalement désarmée. S'ils n'avaient pas encore eu le temps de se pencher sur l'unique rétrovirus humain connu à ce jour, et qui semblait ne communiquer que de très rares leucémies, les chercheurs travaillaient depuis longtemps sur les rétrovirus animaux. Ils avaient déjà expérimenté contre eux un grand nombre de substances chimiques. Sam Broder en connaissait au moins cinq qui avaient remporté de notables succès. Des produits efficaces sur des souris ou des moutons ne pourraient-ils pas l'être également sur des hommes ? Devant l'urgence et l'absence d'alternative, l'idée avait de quoi séduire. Mais, comme seul un essai sur des malades pouvait permettre d'y répondre, la question se heurtait à un obstacle d'une autre nature. En effet, aucun produit curatif ne peut être expérimenté aux États-Unis sur un être humain, fût-il volontaire ou à l'article de la mort, sans avoir été au préalable reconnu et approuvé par la toute-puissante Food and Drug Administration, l'agence fédérale chargée du contrôle des produits alimentaires et pharmaceutiques. Les procédures sont si compliquées qu'elles exigent des mois, voire des années de vérifications. « Comment pouvais-je attendre un tel délai, dira Sam Broder, alors que mes malades me criaient chaque jour de leur lit d'agonie : " Dépêchez-vous, docteur ! " »

Le médecin-chercheur fut donc contraint de prospecter d'autres voies. Imaginant que des traitements thérapeutiques déjà approuvés par l'omnipotente FDA pour différentes infections virales auraient peut-être des chances de se révéler actifs contre le sida, il lança ses collaborateurs dans une exploration systématique de la littérature pharmaceutique et médicale des dernières années. Un travail de fourmi rendu possible en un temps record grâce aux ordinateurs de la Bibliothèque nationale de médecine située à moins de cinq cents mètres de son laboratoire.

Poussé par le même sentiment d'urgence que Jim Curran, son confrère du CDC d'Atlanta tout aussi infatigable que lui, Sam Broder entendait jouer les mouches du coche auprès des équipes de virologistes rassemblées sur le campus de Bethesda. Afin de les obliger à rejoindre sa croisade, il les bombardait depuis plusieurs mois d'un déluge de matériel biologique provenant des cas les plus sensibles des malades qu'il soignait. Pour rendre encore plus attractifs ces prélèvements de ganglions, de sang, de moelle, il allait souvent les remettre lui-même en mains propres à leurs destinataires. À cinq minutes à pied seulement de son hôpital, le laboratoire de Robert Gallo, au sixième étage du bâtiment 37, constituait une étape de choix sur le circuit de ses livraisons. Au début, l'éminent chercheur et ses collaborateurs s'étonnèrent de voir le chef du programme d'oncologie clinique de l'Institut national du cancer prendre la peine de se déranger en personne. « Très vite, ils comprirent tous que je ne venais pas seulement pour leur apporter quelques morceaux d'organes ou un peu de sang infecté, expliquera Sam Broder, mais que ma présence soulignait une situation exceptionnelle qui exigeait leur implication immédiate et totale. »

Son obstination finit par porter des fruits. Ses collaborateurs découvrirent, dans une des revues scientifiques conservées à la Bibliothèque nationale de médecine, l'existence d'un composé aux propriétés surprenantes. Certes, très peu d'Américains souffraient aujourd'hui du mal que soignait depuis soixante ans la suramine, ce sel sulfonique de couleur rose pâle qui tue le *Trypanosoma gambiense*, le parasite africain responsable de la maladie du sommeil. C'était cependant un tout autre pouvoir de ce sel qui avait éveillé l'attention des enquêteurs de Sam Broder. Selon les auteurs de la publication, la suramine avait la faculté d'inhiber l'action de la transcriptase inverse des rétrovirus animaux, cette enzyme spécifique qui permet à ce type de virus de s'insérer dans le patrimoine génétique des cellules. Par bonheur, ce médicament avait reçu depuis longtemps l'approbation des censeurs de la FDA. Le cancérologue ne put réfréner son enthousiasme.

Plusieurs autres études, dont une dénichée dans les pages jaunies d'un journal de médecine tropicale vieux d'un demi-siècle, devaient néanmoins révéler que la suramine a des effets toxiques sérieux, notamment sur le fonctionnement des capsules surrénales, et qu'elle peut entraîner un risque de coma. « Mais ce remède avait au moins le mérite d'exister, dira Sam Broder. Il suffisait d'un coup de téléphone chez Bayer, en Allemagne, pour recevoir aussitôt de quoi traiter nos malades. » Après avoir contrôlé son efficacité en laboratoire, il publia, dans le numéro du 12 octobre 1984 de *Science*, une communication déclarant que « les essais *in vitro* de la suramine montraient une protection des globules blancs mis en contact avec le virus du sida ». Aussitôt exploitée par la grande presse, l'information fit l'effet d'une bombe. Le jour même de la parution, des dizaines d'appels téléphoniques provenant de l'Amérique entière bloquèrent le standard de l'hôpital de Bethesda. Des malades de San Franscisco s'engouffrèrent dans le premier avion pour Washington dans l'espoir de faire partie des volontaires auxquels Sam Broder allait injecter les premières doses de suramine. Des cliniciens désespérés par leur impuissance à soulager leurs patients de plus en plus nombreux accoururent de New York, de Los Angeles, de Miami, de Houston, de tout le pays. D'autres offrirent à Broder de tester directement le nouveau traitement dans leur service hospitalier.

L'un des adeptes les plus ardents de tout effort en vue de découvrir un médicament était Michael Gottlieb, le jeune immunologiste de l'université de Californie à Los Angeles qui, en juin 1981, avait révélé au monde l'existence de la nouvelle épidémie. « Ma volonté de guérir mes malades me rendait fanatiquement attentif à la moindre recherche entreprise pour la découverte d'un remède, dira-t-il. Je surveillais tout particulièrement les divers protocoles thérapeutiques en cours d'essai sur le campus de Bethesda. Pour des praticiens comme moi confrontés chaque jour à l'horreur, Sam Broder incarnait l'espoir de sortir un jour du cauchemar. »

Comme Sam Broder, il avait exploré la littérature médicale, examiné les comptes rendus d'expériences des grands laboratoires de virologie, interrogé dans les colloques et les congrès ceux qui travaillaient sur les substances antivirales. Un jour, en sirotant un Campari avec le chercheur français Jean-Claude Chermann devant la romantique baie de Naples, il avait appris l'existence d'un médicament développé par l'Institut Pasteur sous le nom de HPA-23, et qui paraissait très prometteur. Il s'agissait d'un composé de molécules minérales et d'éléments chimiques qui avait, à l'égal de la suramine, la faculté d'empêcher les rétrovirus de s'introduire dans les cellules. Sa toxicité semblait si faible que Michael Gottlieb s'était empressé d'envoyer son malade le plus illustre à ses confrères parisiens. Grâce à des injections de HPA-23, l'acteur Rock Hudson avait pu bénéficier d'une rémission spectaculaire qui lui permit d'achever le tournage du célèbre feuilleton *Dynastie*. Hélas, l'inexorable mal n'allait pas tarder à le terrasser malgré une deuxième traitement de HPA-23 à l'Hôpital américain de Neuilly. Quelques jours après son retour à Los Angeles, il s'était éteint dans les bras impuissants de Michael Gottlieb. Répercutée par les médias comme un drame national, la mort de Rock Hudson traumatisa l'Amérique. Pour la première fois, la tragédie du sida avait un visage. Le visage d'un de ses demi-dieux.

Le HPA-23 français tombé dans l'oubli, Gottlieb partit à la recherche d'autres substances curatives. De même que Sam Broder, il avait trouvé la trace de la poudre rose qui guérit la maladie du sommeil et bloque l'action de la transcriptase inverse des rétrovirus animaux. Dès que Broder annonça l'organisation d'un essai clinique sur quelques dizaines de malades, Gottlieb demanda à y participer. Il tira au sort douze de ses patients atteints de sida et douze autres souffrant seulement de pré-sida, et commença à leur administrer une dose hebdomadaire de suramine. Six autres hôpitaux à travers les États-Unis se joignirent à l'expérience.

Sam Broder exultait. Ses efforts avaient fait admettre à la communauté médicale que l'idée même d'un traitement était possible. Pour la première fois, des médecins avaient consenti à se grouper pour étudier la meilleure façon de l'appliquer. Les notions d'expérimentation clinique, de monitoring, de protocoles thérapeutiques, bref la visualisation d'un succès sur le mal, la perspective d'une guérison balayaient soudain les scepticismes pour illuminer d'une première lueur la nuit sidéenne.

Paradoxalement, cette espérance déclencha un monumental tollé de protestations dans la communauté gay. « S'il existe un médicament, le gouvernement doit le distribuer d'urgence à tous les malades sans exception, et non pas le réserver en secret à quelques privilégiés ! », clamèrent dans les journaux, à la radio, à la télévision les porte-parole des homosexuels américains. Furieux d'être privés de ce premier moyen d'agir, de nombreux médecins gay de Los Angeles et de San Francisco allèrent se procurer directement de la suramine auprès du fabricant allemand Bayer.

Au début de la huitième semaine de traitement, Sam Broder convoqua à Washington tous les médecins participant à son essai clinique. Il voulait faire le bilan des premiers résultats. « Nous étions en pleine euphorie, racontera Michael Gottlieb. Nous souhaitions tous tellement que cette fichue suramine marche que nous en avions perdu toute objectivité scientifique. Un de nos confrères, le docteur Alexandra Levine de l'université de Californie du Sud, avait même apporté les photographies de ses malades en traitement. Ils avaient l'air si joyeux et en si bonne santé que nous ne pouvions en douter : la suramine était efficace. »

Une voix discordante tempéra toutefois l'enthousiasme général de cette première réunion. Le docteur Peter Wolf, un clinicien de Los Angeles, avança que le remède était loin d'être inoffensif car il avait constaté, au bout de la sixième semaine de traitement, de violentes éruptions cutanées chez plusieurs de ses patients. Ses craintes ne devaient pas tarder à se voir confirmées par d'autres réactions de toxicité. Au début de la dixième semaine, plusieurs centres poursuivant l'essai clinique signalèrent des cas de comas. On enregistra bientôt les premiers décès. Tous les espoirs finirent par s'écrouler : la suramine n'était pas la panacée attendue. Elle se révéla même plus toxique encore que Sam Broder l'avait craint. En quelques semaines, elle provoquait la destruction massive des capsules surrénales. Loin de guérir, elle risquait de tuer avant même que le sida s'en chargeât. Il fallut immédiatement stopper l'essai sur les malades.

Malgré sa déception, Sam Broder restait convaincu de n'avoir perdu qu'une bataille et non la guerre. « Aussi cruel que cet échec ait pu être, il fut loin d'être inutile, devait-il conclure. Paradoxalement, il constituait même la première victoire contre le mal. La suramine était certes un produit inadapté à la lutte contre le sida mais, pour infructueuse qu'elle fût, son utilisation n'en avait pas moins secoué l'inertie du monde médical. L'idée que l'on pouvait soigner la maladie s'était définitivement imposée. Cette idée ouvrait des horizons illimités. Maintenant, chacun le savait : un jour nous disposerions d'un médicament pour guérir le sida. »

TROISIÈME PARTIE

Des savants et des saints flambeaux d'espérance

45

Research Triangle Park, USA – Printemps 1984
Des pharmaciens tueurs de virus

C'est sans doute le complexe de recherche privée le plus important du monde. Sur un espace aussi vaste que le Grand Duché du Luxembourg, le Research Triangle Park de Caroline du Nord abrite plusieurs établissements de haute technologie où travaillent vingt mille chercheurs et techniciens. Cet immense campus triangulaire est délimité par trois villes en plein essor – Raleigh, Durham et Chapel Hill. Sa matière grise lui est fournie par trois des meilleures universités du Sud américain, la Duke University, celle de North Carolina et celle de North Carolina State.

La filiale américaine du groupe britannique Burroughs Wellcome Co., l'un des géants de la production pharmaceutique mondiale, s'était établie dans ce paysage de plaines et de pinèdes digne d'une scène de chasse à courre de Thomas Gainsborough. Elle y avait installé son quartier général dans un bâtiment futuriste dont les étages ressemblaient aux superstructures d'un paquebot. Ici, mille quatre cent cinquante spécialistes de toutes disciplines – médecins, biologistes, chimistes – élaboraient et expérimentaient les remèdes qui faisaient la réputation de la firme. Les deux pharmaciens américains de génie, Silas M. Burroughs et Henry S. Wellcome, qui l'avaient fondée en 1880 à Londres, lui avaient donné pour emblème une licorne, cet animal mythique dont la légende veut qu'il protège du poison et guérisse tous les maux.

C'était en effet à l'ensemble de la pathologie humaine que prétendaient s'attaquer les quatre-vingt-treize médicaments fabriqués aujourd'hui par leurs successeurs. Ils soignaient aussi bien les tumeurs cancéreuses, les affections cardio-vasculaires, les rhumatismes, le paludisme, la goutte et la maladie de Parkinson qu'une foule d'infections virales. Ce dernier domaine constituait en fait le cheval de bataille de l'établissement du Research Triangle Park. Ses chercheurs avaient récemment mis au point le premier traitement efficace contre la tristement célèbre peste rouge que les Américains désignaient avec un grand H, l'Herpès. À elles seules, l'expérimentation et la fabrication de cette spécialité, l'acyclovir, avaient nécessité un investissement de cent millions de dollars. On pouvait donc estimer que le laboratoire Wellcome était, dans son genre, un bienfaiteur de l'humanité. Chaque jour, des millions d'hommes affectés par la maladie demandaient à ses produits de leur rendre la santé.

À ses découvertes scientifiques, le laboratoire ajoutait un sens de l'aventure humaine qui en avait fait un véritable pionnier en maintes circonstances. C'était muni de trousses de survie frappées de l'emblème de la licorne que l'explorateur John Stanley avait affronté les pièges du fleuve Congo, que les amiraux Robert Peary et Richard Byrd avaient bravé les dangers de leur conquête du pôle Nord, que Theodore Roosevelt avait pu résister aux fièvres de l'Amazone, que Charles Lindbergh avait défié l'immensité de l'Atlantique dans son monomoteur Spirit of St. Louis ; c'était dotés de ses antihistaminiques et de ses antibiotiques que, le 20 juillet 1969, des hommes avaient débarqué sur la Lune et que, plus tard, d'autres cosmonautes avaient tourné dans l'espace à bord du vaisseau Skylab et de la navette Columbia.

Cet esprit d'aventure et son expérience des virus semblaient vouer le laboratoire Wellcome à jouer un rôle clef dans la recherche d'un médicament qui vaincrait le sida. C'était du moins l'espoir de Michael Gottlieb, le jeune immunologiste de Los Angeles qui avait le premier diagnostiqué la maladie. Dès l'automne 1983, il était allé sensibiliser les chercheurs du Research Triangle Park sur le sida et ses infections opportunistes. Il leur avait même suggéré une voie originale de recherche. Puisque l'agent causal du sida était un rétrovirus et qu'un rétrovirus a besoin du concours d'une enzyme transcriptase inverse pour pouvoir s'introduire dans le noyau des cellules, pourquoi ne pas chercher une substance qui agisse directement sur cette enzyme ? Sa proposition n'avait apparemment suscité qu'un intérêt poli.

Les raisons de cette réserve étaient multiples mais d'abord financières, la mise au point d'un produit pharmaceutique coûtant plusieurs dizaines de millions de dollars. Pour garantir la rentabilité d'investissements aussi considérables, les dirigeants de Wellcome avaient établi des critères précis. Tout nouveau médicament devait s'adresser à une clientèle potentielle d'au moins deux cent mille malades. Au-dessous de ce seuil, une affection pathologique était considérée comme une *orphan disease* – une « maladie orpheline ». Avec ses cinq mille victimes recensées à l'époque, le sida ne répondait pas aux critères commerciaux de l'industrie pharmaceutique.

La visite de l'immunologiste californien eut en fait plus d'importance qu'il n'y parut. Son vibrant appel poussa le prestigieux laboratoire à s'intéresser de façon indirecte à l'étrange épidémie. Depuis quelque temps déjà, son jeune vice-président pour la recherche, le docteur David W. Barry, s'étonnait de la montée en flèche des ventes de certains produits commercialisés par sa firme. Ces médicaments traitaient différentes maladies sexuellement transmissibles, comme l'herpès génital ou la shigellose, une grave dysenterie bactérienne. Ces infections étant évidemment liées à la pathologie du sida, David Barry comprit que son laboratoire se trouvait déjà impliqué dans le traitement de certaines manifestations du nouveau fléau. Cette constatation n'était pas pour déplaire à cet homme de science qui consacrait sa vie à faire la guerre aux virus.

Originaire de la côte Est, sorti couvert de lauriers du sérail de l'université de Yale, ancien élève *emeritus* de la Sorbonne, le docteur David Barry, quarante ans, avait commencé sa carrière à la tête du département de virologie générale de la Food and Drug Administration, l'agence fédérale de contrôle des produits alimentaires et pharmaceutiques. Cavalier intrépide, lecteur assidu des classiques français, fumeur à la chaîne de longues Winston, ce polyglotte aux yeux bleus, toujours tiré à quatre épingles, personnifiait l'archétype du savant manager produit par l'enseignement supérieur américain de cette fin de siècle. Membre de nombreuses académies médicales, auteur de plus d'une centaine d'articles scientifiques traitant de sujets aussi variés que les virus chez les singes verts d'Afrique, l'influenza de la souris, le traitement rectal de la pneumocystose infectieuse ou la tolérance aux vaccins chez les vieillards, il animait aujourd'hui le département de la recherche et du développement des nouveaux médicaments du célèbre laboratoire de Research Triangle Park.

D'autres faits allaient renforcer l'intérêt de David Barry pour la troublante épidémie. Wellcome fabriquait en effet une médication à base de nitrate d'amyle que des millions d'Américains souffrant d'angine de poitrine et d'autres insuffisances vasculaires s'empressaient d'inhaler ou de mettre sous la langue à la moindre douleur cardiaque. Ce produit avait la propriété de dilater presque instantanément les vaisseaux sanguins. C'étaient ses fines ampoules qui faisaient « pop » lorsqu'on les brisait et qu'avait baptisées « poppers » une autre catégorie d'utilisateurs que l'austère code pharmaceutique n'avait pas prévue. Les habitués des différentes arènes de l'échangisme gay n'avaient pas tardé à découvrir dans le nitrate d'amyle un moyen de dilater les vaisseaux de la verge et de la muqueuse anale. Les « poppers » connurent de ce fait une telle vogue que les médecins-détectives du CDC d'Atlanta s'étaient un moment demandé s'ils n'étaient pas la cause directe du sida. « Notre situation devint bientôt franchement délicate, confiera David Barry. Certains journaux osaient nous rendre responsables de l'épidémie. C'était à peine croyable : à San Francisco et à Los Angeles, des gays arboraient même des T-shirts décorés de slogans qui clamaient : " Nous prenons du bon temps grâce aux poppers de Wellcome ! " » Le jeune médecin-manager comprit que son laboratoire ne pouvait rester plus longtemps à l'écart du drame de santé qui secouait l'Amérique.

C'est alors que la jolie Françoise Barré-Sinoussi débarqua de Paris, le 1ᵉʳ juin 1984, dans l'étouffante moiteur de l'été carolinien. Elle venait exposer à la fine fleur de l'industrie pharmaceutique américaine la découverte du virus LAV dont elle avait dressé la carte d'identité génétique avec ses collègues de l'Institut Pasteur. Pour l'un de ses auditeurs, le docteur Sandra Lehrman, chef de la recherche virologique chez Wellcome, « cette Française décrivait une expérience à mes yeux aussi phénoménale que celle de son compatriote Pasteur quand il découvrit les microbes. Que d'efforts, que de passion pour forcer un hypothétique virus à se démasquer ! ». Pour son confrère le docteur en biologie Phil Furman, « cette femme nous apportait tout à coup la preuve que ce mystérieux virus n'était pas une tarte à la crème mais quelque chose de bien réel ». Pour la chimiste Janet Rideout, « l'heure avait sonné d'aller chercher dans nos réserves une substance qui puisse régler son compte à ce monstre ». Pour Marty St. Clair, une jeune virologiste de vingt-huit ans au regard candide de petite fille derrière ses grosses lunettes, « les révélations de cette Parisienne appelaient nos pipettes et nos incubateurs à une mobilisation générale ». Pour David Barry, à qui incombait l'écrasante responsabilité de décider de l'opportunité d'une telle mobilisation et de l'organiser, « le tableau du fléau mortel brossé par celle qui en avait identifié le coupable nous invitait à sortir de notre réserve ».

D'autres arguments en faveur de la mobilisation du laboratoire Wellcome arrivèrent de Bethesda quelques semaines plus tard. Un auditorium comble jusqu'aux cintres fit un triomphe à Robert Gallo, le flamboyant maître en rétrovirologie, venu offrir la caution de son prestige et ses encouragements aux chercheurs du Research Triangle Park.

Mais c'est d'une autre autorité que David Barry espérait recevoir le soutien décisif capable d'emporter l'accord des dirigeants de sa firme. Il ne fut pas déçu. Plus que jamais, le battant Sam Broder considérait l'engagement des laboratoires privés comme un atout essentiel dans la croisade qu'il menait presque solitaire pour la découverte urgente d'un médicament pouvant soigner les malades du sida. « Je sentais bien que les responsables de Wellcome hésitaient encore à entrer dans la danse, racontera le jeune cancérologue. Ils craignaient de ne pouvoir obtenir de leur direction le financement nécessaire pour mener une telle aventure à son terme. Et même s'ils parvenaient à mettre une drogue au point, ils n'étaient pas certains à cent pour cent que l'opération serait un jour commercialement profitable. Je ne pouvais leur en vouloir. Plus que tout autre, je souhaitais que cette entreprise soit rentable. Non par quelque dévotion personnelle au capitalisme, mais pour la simple raison qu'un échec commercial aurait pour conséquence de détourner tous les autres laboratoires pharmaceutiques de la recherche d'un médicament antisida. Une autre raison motivait leurs réticences. Ils voulaient bien tester leurs composés chimiques sur des rétrovirus animaux, mais pas sur l'agent humain du sida. Sécurité oblige. Je les ai rassurés en leur proposant une solution qui leur offrait toutes les garanties de sécurité. Ils m'enverraient les substances qu'ils trouveraient actives sur leurs virus animaux, et je les essayerais sur le rétrovirus du sida dans mon propre laboratoire de l'hôpital de l'Institut national du cancer. Si l'on en trouve une qui marche, leur ai-je dit, on l'injectera à des malades et je superviserai moi-même l'opération. »

Cette proposition permettait au laboratoire Wellcome de s'engager dans une collaboration rêvée. Ses chercheurs allaient questionner leurs ordinateurs pour mettre la main sur un maximum de composants doués d'une action antivirale, et les tester ensuite sur leurs rétrovirus animaux.

Il restait bien sûr une inconnue : un remède qui tuait un rétrovirus animal serait-il également actif sur un rétrovirus humain ? La réponse viendrait des tubes et des pipettes de l'ancien immigrant polonais de Bethesda.

46

Research Triangle Park, USA – Automne 1984
Une lune de miel qui commence mal

Marty St. Clair raffolait de sa maison. Elle en avait elle-même dessiné les plans puis, avec son mari géomètre, ils l'avaient bâtie de leurs mains, des fondations jusqu'à la surprenante cheminée centrale. Tout en bois, la construction faisait autant penser à un refuge de haute montagne qu'à une capsule spatiale imaginée par Jules Verne. Mais pour Marty, la jeune virologiste de Wellcome, elle évoquait surtout la forme d'une de ces particules qui accaparaient sa vie professionnelle : un virus.

Ce dernier dimanche d'octobre 1984, la « maison virus » des St. Clair connaissait une exaltation inaccoutumée. Une véritable veillée d'armes. Demain, le prestigieux laboratoire pharmaceutique auquel appartenait Marty se jetterait officiellement dans l'aventure du sida.

Quel défi pour cette fille de petits fermiers de l'Oregon née avec la passion de la science ! Alors que ses camarades de classe vouaient un culte aux idoles du rock, elle avait écrit à l'un des plus célèbres virologistes d'Amérique pour le supplier de l'accueillir dans son laboratoire de la Duke University. Le docteur Dani Bolognesi avait accédé à sa requête et Marty avait pu réaliser son rêve. Elle s'était retrouvée sur le fameux campus et y avait gagné ses galons de chercheur avant d'être engagée par Wellcome. D'emblée, David Barry avait été séduit par « cet étonnant petit bout de femme aux cheveux crépus tellement courts qu'elle ressemblait à un garçon », à cet être opiniâtre capable de travailler trente-six heures d'affilée sans que l'on entendît le son de sa voix, à cette ascète qui ne mangeait que des légumes et portait sur les mains les ecchymoses consécutives à ses travaux dans sa curieuse maison.

C'est à Marty St. Clair que revint l'honneur d'ouvrir les hostilités du célèbre laboratoire contre le virus du sida. David Barry la chargea de se procurer les éléments de base indispensables à la recherche d'un médicament, en l'occurrence des échantillons de divers rétrovirus animaux et des lignées de cellules qu'ils aimaient infecter. Car c'était seulement en confrontant ce matériel biologique avec des substances antivirales que l'on pouvait espérer faire la découverte d'un traitement curatif.

Trouver les virus et les cellules nécessaires ne posait guère de difficultés. Ces « articles » s'achètent et se vendent comme n'importe quel produit de pépinière. Il existe même une banque officielle de tissus cellulaires, l'American Type Culture Collection, qui, pour la modique somme de vingt ou trente dollars — moins de cent cinquante francs —, expédie par la poste des échantillons congelés et garantis d'à peu près toutes les cultures de cellules inventées par les biologistes. Cependant, les chercheurs préfèrent en général s'adresser à des fournisseurs qu'ils connaissent. Ceux de Wellcome avaient la chance de pouvoir s'approvisionner chez leurs voisins virologistes de la Duke University.

Avec son vaste hôpital spécialisé dans les maladies infectieuses, sa faculté de médecine, ses centres de recherche et ses bataillons de médecins et de chercheurs triés sur le volet, l'université de Duke représentait un prodigieux réservoir de matière grise et de compétences. Ce temple du savoir avait pourtant bien failli ne jamais exister. En effet, son fondateur, un planteur de tabac milliardaire, avait d'abord eu l'intention de léguer sa fortune à Princeton, la grande université du Nord. Il avait assorti son legs d'une condition, l'édification d'un beffroi semblable à celui de l'université de Yale, mais plus haut d'un pied, soit de trente-trois centimètres. Princeton ayant refusé sa proposition, le planteur s'était tourné vers la modeste université de son pays natal, lui avait offert ses millions, y avait bâti la tour gothique de ses rêves, lui avait donné son nom, et en avait fait le centre d'enseignement et de traitement médical le plus renommé du Sud américain.

Dani Bolognesi, le virologiste en chef de Duke, n'eut aucune difficulté à trouver dans ses congélateurs les rétrovirus animaux demandés par Marty St. Clair. Tout comme un horticulteur attentionné soucieux de présenter à un client ses meilleures boutures, il sélectionna deux de ses rétrovirus préférés. Le premier provoquait des tumeurs cancéreuses chez les souris et le deuxième des leucémies chez les poulets. Il choisit ensuite les cultures cellulaires qu'affectionnaient ces petits monstres. Marty entreposa le tout à l'abri du froid polaire de ses propres congélateurs. Dès que ses collègues chimistes lui fourniraient des substances antivirales, elle pourrait passer à l'action.

– Combien crois-tu pouvoir en tester ? s'inquiéta David Barry.

– Un maximum! assura la jeune femme.

★

La vraie difficulté résidait dans le choix des substances à soumettre à son expérimentation. Les armoires, les tiroirs, les étagères, les flacons et les tubes de Wellcome regorgeaient de dizaines de milliers de composés organiques et chimiques. Chaque année, chimistes, pharmacologues, enzymologues, ajoutaient de mille à quinze cents nouvelles formules à cet incroyable capital. Comment déterminer dans une telle profusion les molécules susceptibles de tuer le virus du sida ? David Barry décida de sélectionner d'abord les composants des médicaments antiviraux déjà commercialisés par Wellcome et de poursuivre avec ceux qui faisaient partie des programmes de recherche en cours. « Le fait que les premiers aient déjà été expérimentés sur l'homme éliminait au moins les problèmes de toxicité », dira-t-il. Cela faisait une bonne cinquantaine d'échantillons, de quoi assouvir momentanément la fringale de Marty St. Clair.

L'histoire de la science ne retiendrait ni la date ni l'heure de la première manipulation accomplie sur le campus du Research Triangle Park en vue d'élaborer la première arme contre le sida. Ce jour-là, les gestes de Marty furent les mêmes que d'habitude. Elle répartit d'abord dans des dizaines de petites boîtes rondes en plastique disposées sur des plateaux quelques gouttes d'une solution teintée en bleu contenant tantôt les cellules de souris et tantôt celles de poulets fournies par le virologiste de la Duke University. Après avoir ajouté à cette préparation un liquide bourré de vitamines et de minéraux destinés à favoriser la croissance et la multiplication de ces cellules, elle porta chaque plateau sous sa hotte de sécurité à flux stérile. Ainsi protégée, elle put verser dans chaque récipient quelques gouttes d'une deuxième solution renfermant les rétrovirus qui donnaient soit des tumeurs cancéreuses aux souris, soit des leucémies aux poulets. Après un séjour d'une heure dans des incubateurs à 37°, les boîtes se trouvaient alors prêtes à recevoir l'élément antiviral faisant l'objet du test. Afin d'augmenter les chances, Marty avait prévu des concentrations différentes de ce produit pour chaque série de boîtes. Cette dernière adjonction terminée, elle replaça les plateaux de boîtes dans les incubateurs. Il n'y avait plus qu'à attendre que s'accomplisse l'œuvre de la nature. Dans sept jours exactement, la jeune virologiste examinerait à l'œil nu la pellicule bleutée restant au fond de chaque boîte. Si elle se trouvait constellée de trous minuscules, ce serait la preuve que les cellules avaient été tuées par les virus. Si, au contraire, le fond avait uniformément gardé sa couleur bleue, ce serait le signe que les cellules étaient intactes, qu'elles avaient été protégées de l'assaut des virus par la substance antivirale testée.

À la fin de chaque semaine, une espérance fébrile agitait la jeune femme. Mais aucun des cinquante premiers composants expérimentés ne daigna manifester la moindre agressivité contre ses virus. Il fallait qu'elle s'en procure d'autres. Par bonheur, les ressources de Wellcome étaient quasiment inépuisables. « Chacun de nos chercheurs dorlotait en permanence plusieurs préparations antivirales qu'il avait inventées avec le ferme espoir de les conduire un jour à la célébrité », racontera David Barry. Une nouvelle série de tests suscita cette fois quelques timides résultats aptes à calmer l'impatience de Sam Broder qui, depuis Bethesda, bombardait presque chaque jour Barry de coups de téléphone. Marty s'empressa de lui expédier les composés les plus prometteurs. Mais elle savait que, dans ce lot, aucun n'apporterait la panacée espérée.

Les chimistes de Wellcome recommencèrent à questionner leurs ordinateurs, à passer leurs registres au crible, à fouiller leurs armoires. David Barry organisa des séances collectives d'interrogatoires dans le but de contraindre ses collaborateurs à se remémorer s'ils avaient un jour travaillé sur une molécule, une formule, un composé chimique ou organique ayant montré, même imparfaitement, une quelconque propriété antivirale.

« Pour torturer nos méninges et les forcer à découvrir une piste, nous nous réunissions à tout instant et n'importe où, dans la tabagie des cigarettes et une orgie de tasses de café », racontera le jeune vice-président de Wellcome chargé de la recherche.

Un jour, Janet Rideout, la responsable du département de chimie organique, frappa du poing sur la table et s'écria :

– Je crois que j'ai trouvé! C'est le 509 qu'il nous faut!

Ses collègues la regardèrent, éberlués. Ils avaient beau être habitués à identifier leurs produits par un numéro, le 509 n'évoquait pour eux aucun composant particulier.

« Souvenez-vous! Il s'agit de ce nucléoside dont les propriétés antibactériennes nous ont donné, il y a trois ans, de si grands espoirs », expliqua Janet. Puis elle rappela les essais auxquels le 509 avait donné lieu, la relative déception qu'il avait causée, et finalement son envoi à la branche britannique de Wellcome pour y subir une expérimentation plus approfondie sur les animaux. Depuis elle n'en avait plus eu de nouvelles.

L'information mit l'équipe en émoi. David Barry convoqua les responsables du service de toxicologie. Il voulait connaître d'urgence les résultats des travaux faits en Grande-

Bretagne. Quel effet avait eu le 509 sur les animaux ? Les avait-il tués, guéris ou laissés périr de leurs infections bactériennes ? Wellcome Angleterre répondit par télex que le 509 avait été expérimenté sur des poulets, des porcs et des veaux nouveau-nés atteints de complications infectieuses. Si son activité avait été jugée modérément satisfaisante, en revanche sa toxicité s'était avérée parfaitement acceptable. C'était suffisant pour lancer les chercheurs du Research Triangle Park sur les traces du 509.

On s'enquit aussitôt de son pedigree. Qui l'avait inventé ? Pour quel objectif ? Était-il immédiatement disponible ? Les réponses auraient pu fournir la matière d'un de ces romans à rebondissements dont la recherche scientifique est coutumière. Le produit devait son appellation au fait qu'il avait été la 509ᵉ substance synthétisée en 1981 par les chimistes de Wellcome. Il s'appelait en réalité azido-thymidine ou AZT. Sa structure était celle d'un nucléoside analogue aux composants de l'acide ADN constitutif du noyau cellulaire. En 1964, un cancérologue de la Michigan Cancer Foundation, le docteur Jerome Horovitz, avait eu l'idée d'exploiter cette analogie pour essayer de leurrer des cellules cancéreuses et casser ainsi le mécanisme de leur reproduction anarchique. La tentative avait échoué. Après avoir décrit ses efforts infructueux dans une publication scientifique, Horovitz avait remisé l'AZT au placard des expériences ratées. Dix ans plus tard, un laboratoire allemand l'avait exhumé et l'avait testé contre un virus de souris. Bien que cet essai-là eût connu un certain succès, le produit avait été une seconde fois abandonné.

En 1981, Janet Rideout, la chimiste de Wellcome toujours en quête de nouvelles substances antivirales, avait encore tenté de tirer l'AZT des oubliettes. Comme ses collègues et elle-même l'avaient déjà fait pour la mise au point de l'acyclovir, le premier médicament qui parvenait à traiter l'herpès, elle chercha à intensifier les propriétés de l'AZT – auquel elle donna le numéro de code 509 – par l'adjonction d'une enzyme particulière. Le stratagème était extrêmement ingénieux. Il consistait à contraindre le virus à activer le médicament pour se faire ensuite anéantir par lui. D'où le nom de « remède suicide » donné aux substances antivirales ainsi manipulées[1]. Mais l'AZT-509 n'avait pas répondu aux espérances de Janet Rideout. Bien que doué d'un incontestable pouvoir contre les infections bactériennes humaines, son spectre d'action fut finalement jugé trop restreint pour justifier une poursuite des essais. C'était la raison pour laquelle la chimiste américaine avait passé la main à ses collègues britanniques afin qu'ils entreprennent de plus amples expérimentations sur des animaux.

Trois ans plus tard, ses armoires conservaient-elles encore quelques milligrammes de cet AZT-509 pour permettre de nouveaux tests ? La jeune femme se précipita sans trop d'espoir sur ses ordinateurs et ses registres. Des quelque quinze cents composants synthétisés chaque année chez Wellcome, il ne restait souvent, après leur expérimentation, qu'une simple fiche d'identité accompagnée d'une recette. Or, l'AZT-509 n'était pas un produit très courant : il fallait une matière première aussi rare que du sperme de hareng pour obtenir la thymidine qui en était l'un des composants.

★

La lune de miel entre le laboratoire Wellcome et le chef de programme d'oncologie clinique de l'Institut national du cancer de Bethesda commença aussi mal que possible. Jamais le docteur Sam Broder n'avait vu son collaborateur japonais Hiroaki Mitsuya, dit « Mitch », se départir à ce point de son impassibilité asiatique. Biologiste de haut niveau, « Mitch » dirigeait le petit laboratoire de l'hôpital où Sam Broder avait entrepris de tester des substances antivirales sur des souches vivantes du rétrovirus du sida. Ensemble, ils avaient conçu et mis au point des schémas originaux d'expériences en vue d'obtenir des résultats rapides et fiables. « Mitch » avait déjà commencé à travailler sur plusieurs produits suggérés par Sam Broder quand le premier paquet à l'emblème de la licorne était arrivé de Caroline du Nord, bientôt suivi d'autres.

---

1. Le stratagème avait été inventé par Howard Schaeffer, l'un des principaux chercheurs de Wellcome.

— Du poison! Ils ne nous ont envoyé que du poison, grogna le Japonais avec une mine piteuse. Du poison qui, chaque fois, tue toutes nos cellules. Un désastre!

Sam Broder sentit un frisson de colère lui glacer la nuque. Il chercha une explication.

— Nous nous sommes peut-être trompés dans la conception de nos expériences, hasarda-t-il.

Le Japonais hocha la tête en montrant un tube à demi rempli d'un liquide transparent.

— Tous leurs envois baignent dans ce foutu liquide. C'est du formol!

— Du formol? répéta Sam Broder stupéfait tout en pianotant furieusement le numéro de téléphone de Wellcome.

Aucun responsable du laboratoire du Research Triangle Park n'osa lui dire comment ni par la faute de qui une telle erreur avait pu être commise, mais la fureur du moustachu de Bethesda balaya longtemps le campus carolinien comme un ouragan tropical.

« C'était sans doute un accident, racontera plus tard Sam Broder. Ils avaient voulu trop bien faire. Ils ont aussitôt remplacé les spécimens défectueux et nous ont régulièrement fait parvenir les autres substances qu'ils continuaient de tester. "Mitch" les donnait sans relâche à ses cellules porteuses du rétrovirus du sida. Il y avait parfois quelques faibles signes d'une action positive. Quand c'était le cas, j'appelais David Barry ou l'un de ses adjoints pour les exhorter à développer d'urgence le produit en question. Mais, chaque fois, je tombais sur un bec. Ils n'étaient pas des philanthropes. Ils voulaient d'abord être certains d'avoir trouvé l'oiseau rare. Alors seulement, ils consentiraient à dépenser les millions de dollars nécessaires à la transformation de quelques milligrammes de poudre en un médicament efficace. »

47

Research Triangle Park, USA – Automne 1984 - Hiver 1985
« Peut-être un petit pas vers la victoire. »

Un travail d'orfèvre, de fourmi, de forçat. Finis les soirées et les week-ends. Marty St. Clair a déserté son mari géomètre et leur drôle de maison en forme de virus. Elle campe vingt heures par jour dans sa salle d'expériences du Research Triangle Park, enfournant sans trêve ses petites boîtes rondes en plastique dans les incubateurs. Les résultats peu encourageants de ses premiers essais et les colères répétées de Sam Broder au téléphone ont mis toute l'équipe du laboratoire Wellcome sur le qui-vive. À chaque instant, quelqu'un fait irruption pour apporter quelque nouveau composant chimique ou organique à tester. En six semaines, Marty a soumis plus de deux cents produits présumés anti-infectieux à l'agressivité de ses rétrovirus de souris et de poulets. Moins d'une vingtaine ont fait preuve d'une timide activité antivirale. Quand c'est le cas, elle en transmet aussitôt un spécimen à Sam Broder pour qu'il l'expérimente sur le rétrovirus humain du sida.

Après l'enthousiasme des premières semaines, la jeune femme souffre de cette série ininterrompue de revers. En dépit de la proximité de Noël, la morosité est générale. Même David Barry est saisi par le doute. En cette fin d'après-midi de ce vendredi de décembre, Marty est au bord des larmes, épuisée et découragée. Elle vient d'examiner plus de quatre cents boîtes, recensant les trous qui constellent la fine pellicule bleutée au fond des récipients. Chaque trou représente un échec, le vide laissé par les cellules mortes que la substance antivirale testée n'a pas pu protéger de l'agression du virus. D'une certaine manière, chaque trou signe la présence de ce virus. Depuis le matin, elle en a compté des milliers. Aucune des différentes concentrations des vingt-deux substances expérimentées ce jour-là n'a été active et il lui reste encore un plateau avec deux lots de quatorze boîtes à contrôler. Après avoir compté leurs trous, Marty n'aura plus qu'à verrouiller ses congélateurs, éteindre la lumière et rentrer chez elle, la mort dans l'âme.

Plus tard, la jeune femme aura du mal à reconstituer dans le détail ce qui se passa alors. Elle se souviendra seulement avoir sorti de l'incubateur le dernier plateau de boîtes. Comme un automate, elle s'apprêtait à compter les trous du dernier lot de la journée. Elle en consigna d'abord méthodiquement les références, à savoir le numéro de code de la substance antivirale testée. Elle l'avait inscrit elle-même sept jours plus tôt au crayon feutre sur le couvercle de chaque boîte. Était-ce une hallucination ? Ce que voyaient ses yeux rougis de fatigue au fur et à mesure qu'elle retirait chaque couvercle était de plus en plus difficile à croire. Il n'y avait pas un seul trou dans la couche bleutée tapissant le fond des récipients. Par habitude, elle nota l'heure de sa vérification. Il était 16 h 57, le vendredi 20 décembre 1985. Marty se laissa tomber sur un tabouret, retira ses lunettes et s'enfouit la tête dans les mains. « Ce n'est pas possible, ce n'est pas possible, murmura-t-elle plusieurs fois. J'ai dû me tromper. Aurais-je oublié de mettre des virus dans ce lot de boîtes ? Non, c'est invraisemblable : pourquoi aurais-je commis cette erreur pour ces quatorze boîtes uniquement, et non pour toutes les autres ? Je me sentis tout à coup comme Christophe Colomb découvrant le Nouveau Monde dans sa longue vue ! » Elle courut jusqu'au bureau de son chef Phil Furman.

– Phil, viens voir! supplia-t-elle en arrachant le jeune docteur ès sciences à son fauteuil.

Ensemble, ils examinèrent le fond des quatorze boîtes. Aucun doute : pas la plus petite tête d'épingle blanche ne perçait la surface bleue.

– Tu penses que j'ai pu oublier de mettre les virus dans ces seules boîtes? demanda Marty timidement.

Phil Furman hocha la tête.

– Le seul moyen de le savoir est de recommencer l'expérience. On saura dans sept jours. Il posa amicalement sa main sur l'épaule de la jeune femme. « Ne t'inquiète pas, dans sept jours, cette fichue épidémie sera toujours là. »

Il regagnait déjà son bureau quand il se retourna :

– Mais, à propos, quel composant testais-tu dans ces boîtes ?

– Le 509.

Il s'agissait de la molécule à base de sperme de hareng dont sa collègue Janet Rideout avait miraculeusement retrouvé quelques grammes dans ses armoires du service de chimie organique.

★

« Ce fut la plus longue semaine de ma vie », racontera Marty St. Clair. Faute de cellules fraîches disponibles, elle dut attendre le lundi suivant pour renouveler ses préparations et les verser dans quatorze boîtes neuves. Il lui restait si peu de 509 qu'elle résolut de diluer certaines concentrations à des doses infimes, quitte à diminuer les chances d'obtenir un résultat comparable à celui de l'expérience précédente. Elle décida de mettre David Barry dans la confidence. Tout le laboratoire fut bientôt au courant. D'un bout à l'autre des quatre étages du long bâtiment commença une attente inquiète. Renouant avec une vieille habitude, Marty se mit à se ronger les ongles en surveillant « ce maudit incubateur qui devait emprisonner mes boîtes aussi longtemps ».

Le jour fatidique arriva enfin. Tout le monde put entendre le cri de victoire que poussa la jeune virologiste. Au fond des quatorze boîtes, la pellicule bleue était intacte. Même dans ses concentrations les plus faibles, le 509 avait protégé les cellules contre les deux espèces de virus. La nouvelle fit le tour des étages, déclenchant une vague d'euphorie dans les couloirs, les escaliers, les ascenseurs, les bureaux, les magasins, les salles d'expériences. « C'était comme si nous avions subitement découvert le remède miracle qui allait guérir toutes les maladies de l'humanité », se souviendra David Barry.

Pour la dix-neuvième fois, Marty St. Clair confectionna avec soin un paquet à l'intention de Sam Broder et de son équipe de Bethesda. Pour identifier la substance qu'elle leur expédiait, elle inscrivit la lettre S, la dix-neuvième lettre de l'alphabet. Le 509 devint ainsi le « compound S – le composé S ».

« Sous ce code abstrait se cachait notre espérance d'avoir peut-être fait un petit pas en avant pour sauver des gens », dira Marty St. Clair.

★

L'homme qui volait de Washington à Raleigh en ce matin glacial de février 1985 apportait la concrétisation de cet espoir. Le médecin-chercheur Sam Broder avait, dans ses tubes à essai, confronté le « composé S » aux concentrés du rétrovirus vivant qui tuait chaque semaine un ou deux des malades de son hôpital. Il avait aussitôt pu constater que le produit bloquait la réplication du virus, c'est-à-dire qu'il l'empêchait de se reproduire en cassant sa chaîne génétique. De ce fait, le virus ne pouvait pas envahir de nouvelles cellules. Le résultat avait été si spectaculaire que Sam Broder rêvait déjà de pouvoir injecter du « sperme de hareng » à tous ses patients condamnés. L'impétueux cancérologue savait hélas que des mois, peut-être des années, le séparaient de l'accomplissement de ce rêve.

Il fallait d'abord arracher l'autorisation de la FDA, l'agence fédérale de contrôle des produits alimentaires et pharmaceutiques. Sam Broder s'était maintes fois insurgé contre les pesanteurs bureaucratiques de cette organisation chargée de surveiller ce que mangent deux cent cinquante millions d'Américains et de réglementer la mise sur le marché de tout nouveau produit destiné à sauvegarder leur santé. Il connaissait l'acharnement de ses fonctionnaires à vérifier l'absence d'effets toxiques d'un remède avant d'en permettre l'essai sur l'homme. Mais, en scientifique responsable et conscient des dangers de toute expérimentation, il admettait leur utilité. N'avaient-ils pas débarrassé la pharmacopée de son pays d'une tragique succession de tromperies, de fraudes et d'abus criminels?

L'Amérique avait pourtant été bien longue à faire son ménage : il avait fallu la mort, en 1937, de cent sept enfants empoisonnés par un sirop contre la toux pour que le Congrès des États-Unis se décidât à voter une loi réglementant la fabrication et la vente des médicaments. Depuis, la FDA n'avait cessé de renforcer sa surveillance, tant sur les denrées alimentaires que sur les produits pharmaceutiques. Elle comptait aujourd'hui quelque sept mille inspecteurs, au nombre desquels des médecins, des chimistes, des toxicologues, des vétérinaires, des biologistes, des nutritionnistes et des statisticiens. La compétence de ses inspecteurs s'étendait aux implants de sein au silicone, aux hanches artificielles, aux lentilles de contact, aux stimulateurs cardiaques, aux seringues à insuline, et autres matériels bio-médicaux. À ces responsabilités s'ajoutait encore la surveillance des produits sanguins et des dangers radiologiques présentés par des matières ou équipements médicaux. Certains problèmes défiaient l'imagination. Depuis qu'une loi obligeait les fabricants à garantir que leurs produits sont à la fois sans danger et efficaces, de nombreux contrôleurs vérifiaient que les trois cent mille spécialités vendues sans ordonnance remplissaient bien ces deux conditions. Ils avaient déjà découvert qu'un tiers des sept cents ingrédients actifs contenus dans de prétendus remèdes était nocif ou sans la moindre action curative. Des agents contrôlaient si telle drogue pharmaceutique faisait effectivement baisser le taux de cholestérol comme l'affirmait son fabricant ou si telle autre pouvait réellement prévenir les maladies coronaires chez les femmes enceintes sans faire courir des risques de malformations congénitales à leurs futurs bébés. C'était grâce à cette inquisition que les enfants américains avaient été préservés des méfaits de la thalidomide, ce somnifère qui avait été responsable en Europe de la naissance de centaines de nouveau-nés anormaux.

Sam Broder savait que la FDA n'accordait jamais l'autorisation d'expérimenter un médicament sur l'homme sans qu'ait d'abord été conduit sur les animaux un programme d'expériences tellement étendu et complexe qu'il se prolongeait parfois plusieurs années. La FDA exigeait notamment que la preuve de l'innocuité d'un produit soit constatée sur au moins deux variétés de rongeurs – en général des rats et des souris, ensuite sur des cobayes, des lapins et des chiens, puis sur des singes. Les essais devaient être menés selon des protocoles déterminés, avec des doses croissantes et pendant des durées précises. La substance testée devait d'abord être injectée par voie intraveineuse puis administrée par voie buccale. Chaque phase du protocole devait être contrôlée par une série d'examens biologiques et toxicologiques approfondis. Enfin, il fallait impérativement détailler les résultats obtenus dans des rapports dont le plus modeste couvrait plusieurs centaines de pages.

C'était pour organiser ce travail de titan avec les dirigeants du laboratoire pharmaceutique Wellcome que Sam Broder accourait au Research Triangle Park en ce matin de février 1985. L'accueil qu'il reçut le combla. David Barry était disposé à investir sur-le-champ les deux ou trois millions de dollars nécessaires aux premières expérimentations animales. Mais que d'obstacles le jeune vice-président chargé de la recherche allait-il devoir surmonter, à commencer par l'opposition persistante du grand patron de son groupe qui, depuis son quartier général de Londres, lançait contre l'aventure anathème sur anathème! Sans compter les adversaires de la vivisection et les ligues de défense animale qui, à peine avertis des expériences envisagées, se déchaînèrent. Ils allèrent jusqu'à faire sauter à la bombe le cottage britannique de Sir John Vane, l'un des principaux dirigeants de Wellcome, avant de lancer un raid de commando sur les laboratoires de Beckenham, dans le Kent, non loin de Londres, pour libérer des centaines d'animaux. Craignant de subir un assaut identique, les responsables de la filiale américaine durent renforcer en hâte la protection de leurs installations par des clôtures en fil de fer barbelé, des systèmes d'alarme et des patrouilles de vigiles. « Mais rien ni personne ne pouvaient nous arrêter, dira David Barry. Même s'il n'avait encore tué que deux ou trois mille malades, le sida était un fléau majeur. Nous avions le devoir de contribuer à lui barrer la route. »

Il restait un dernier obstacle et non des moindres. Marty St. Clair avait épuisé dans ses boîtes rondes la petite quantité de thymidine retrouvée par Janet Rideout. Il fallait d'urgence trouver du précieux et coûteux sperme de hareng nécessaire à la fabrication de cette molécule. Télex et S.O.S. téléphoniques partirent aux quatre coins du monde pour essayer de rafler tous les stocks existants. Mais la récolte fut des plus maigres, à peine quelques centaines de grammes. Une rupture d'approvisionnement risquait de se produire avant que les chimistes de Wellcome parviennent à synthétiser et à fabriquer eux-mêmes la rarissime molécule. Mais qu'importe! La machine était en route.

Combien d'animaux – souris blanches, lapins, chiens, singes – furent torturés cet hiver-là par les virologistes du laboratoire de Caroline du Nord pour calculer la toxicité du « composé S » ? La crainte d'actions violentes contre les animaleries du Research Triangle Park était telle que le chiffre restera un secret farouchement gardé. Sam Broder et les inspecteurs de la FDA auront quant à eux toutes les raisons d'être satisfaits. Non seulement l'équipe de David Barry exécuta méthodiquement le programme d'expériences requis, mais elle alla beaucoup plus loin. Elle chercha à savoir comment la thymidine circulait dans le sang, quelle était sa durée d'efficacité à des doses différentes, si elle parvenait à franchir les barrières protectrices du cerveau et à pénétrer dans les méninges. « C'était fantastique, se souviendra David Barry. Les lumières restaient allumées toute la nuit. Plus personne ne rentrait chez soi. Nous savions que nous étions les meilleurs pour relever le défi. Et ce que nous voulions, ce n'était pas le paiement d'heures supplémentaires, mais toujours et davantage de sperme de hareng afin de pouvoir multiplier nos expériences. *Thymidin was our currency*, la thymidine avait pour nous plus de valeur que les dollars de nos salaires. »

48

New York, USA – Été 1985
Un mouroir au pied des gratte-ciel

De son vaste bureau au bas de Manhattan, le maire de New York contemplait sa ville avec tendresse et mélancolie. En huit années de mandat, Edward I. Koch avait accompli un tour de force. Il avait enrayé la course à l'abîme des finances municipales, ralenti l'exode massif des grandes sociétés, restauré la confiance des investisseurs, amélioré les conditions d'hygiène et de propreté, augmenté la sécurité des personnes et des biens, réduit la grande criminalité. Mais cet audacieux célibataire au crâne chauve ne se faisait guère d'illusions. Son orgueilleuse cité abritait encore de hideux îlots de misère et de violence. Chaque jour il se trouvait obligé de trouver la solution à quelque détresse ou à quelque pressante injustice. Plus d'un million de chômeurs et de nécessiteux dépendaient des seuls secours des services sociaux. Dans certains quartiers, des centaines de milliers de Noirs et de Portoricains s'entassaient dans d'hallucinants ghettos sans eau ni électricité, où l'on n'avait pas une chance sur vingt de mourir de mort naturelle. Les rues chaudes de New York hébergeaient la moitié des drogués des États-Unis. Les commissariats de police enregistraient une urgence toutes les secondes, un vol toutes les trois minutes, un hold-up chaque quart d'heure, deux viols et un meurtre toutes les cinq heures, un suicide et un décès par overdose toutes les sept heures.

En cet été 1985 s'ajoutait à ce sombre tableau un nouveau et terrible fléau. Le bulletin du CDC d'Atlanta révélait que New York abritait le quart des victimes américaines du sida. L'épidémie frappait 2 140 personnes, soit deux fois plus que l'année précédente. Malgré sa formidable infrastructure hospitalière comptant une centaine d'hôpitaux et cinq centres de recherche médicale, la ville n'arrivait pas à faire face à une telle situation. Bon nombre d'établissements refusaient encore d'accepter les malades. Quand ils s'y résignaient, c'était pour les isoler comme des pestiférés ou, pire encore, ils les disséminaient dans différents services, ce qui les exposait à quantité d'infections supplémentaires. Quelques-uns seulement, tel le vieil hôpital Saint-Clare, disposaient d'unités spécialisées où l'on ne considérait pas le sida comme un mal honteux. Mais ces services disposaient de trop peu de lits et ne pouvaient satisfaire les besoins grandissants. L'ostracisme suscité par cette maladie, sa propagation rapide parmi les toxicomanes noirs ou hispaniques sans ressources, créaient par ailleurs des situations sans issue. Faute d'une famille ou d'une structure d'accueil, de nombreux malades dont l'état ne justifiait pas l'hospitalisation se trouvaient condamnés à la rue. Devant l'urgence de cette situation, Ed Koch décida de partir en campagne pour trouver un endroit apte à héberger quelques-uns de ces malheureux. Il dénicha dans le faubourg du Queens l'aile inoccupée d'un hospice municipal pour vieillards, mais son projet déclencha dans le quartier une telle levée de boucliers qu'il dut renoncer. Découragé, il fit appel à celui qu'il pensait être à même de lui venir en aide. Un prélat catholique pourrait peut-être, mieux que lui, un politicien juif, toucher le cœur de ses électeurs.

★

Le cardinal archevêque John O'Connor régnait sur les quatre millions de paroissiens de l'archidiocèse de New York. Ce quinquagénaire à la carrure athlétique était aussi sensible que le maire aux injustices et aux malheurs de la *Big Apple*, la chère « grosse pomme » comme l'avaient surnommée ses habitants. C'était cet ancien aumônier amiral de la marine américaine qui avait créé l'unité spéciale de traitement du sida à l'hôpital Saint-Clare, et sa devise, gravée à l'entrée de son bureau au dernier étage de son quartier général de la Première Avenue, proclamait : « Il ne peut y avoir d'amour sans justice. » Certes, ses prises de position intransigeantes sur l'avortement et les droits civiques des homosexuels lui avaient parfois fait perdre le bénéfice de sa croisade en faveur des pauvres et des sans-abri. Mais tous les New-Yorkais rendaient hommage à son engagement caritatif. Son organisation faisait de lui l'un des PDG les plus puissants de la ville. Il était à la tête de nombreux hôpitaux, d'un collège de médecine, de crèches, de foyers pour jeunes et pour vieillards, d'établissements d'enseignement supérieur, de dizaines d'écoles primaires et secondaires souvent implantées, telle l'école Saint-Simon, en plein cœur des pires jungles urbaines. Un budget de plusieurs centaines de millions de dollars alimenté par les dons des fidèles et les subventions municipales couvrait les besoins de ce formidable réseau d'aide médicale, sociale et éducative.

Le S.O.S. du maire mobilisa sur-le-champ le prélat. Son état-major ne tarda pas à découvrir tout en haut de Manhattan un vieux bâtiment désaffecté appartenant au couvent du Saint-Nom-de-Jésus. Sa situation aux confins de Harlem paraissait idéale. L'archevêché commanda aussitôt les travaux d'aménagement. Mais, à l'image de ce qui s'était passé dans le Queens, le projet souleva la fureur des habitants du quartier. Ils ameutèrent les journaux, organisèrent des meetings, lancèrent des pétitions, menacèrent d'empêcher par la force l'entrée des malades, noyèrent le prélat sous un déluge de pétitions et de protestations. Ni les réunions d'information, ni les tracts, ni les appels à la radio, ni ses interventions personnelles ne purent faire taire le mécontentement populaire. La rage au cœur, Mgr O'Connor dut capituler.

Loin de lui faire baisser les bras, cet échec l'aiguillonna. Après des semaines de prospection, son équipe lui signala l'existence d'un presbytère de cinq étages près de l'église de

Sainte-Véronique, une paroisse jadis florissante mais aujourd'hui pratiquement sans fidèles. Ne vivaient là que deux vieux prêtres. Il serait facile de les reloger ailleurs et de transformer leur résidence pour y accueillir une vingtaine de malades atteints du sida. Afin de célébrer dignement l'heureuse découverte, le maire convia l'archevêque et ses collaborateurs au Peking Duck, son restaurant préféré de Chinatown. Comme dans toutes les grandes occasions, Ed Koch découpa lui-même le canard laqué pour ses invités. Puis les convives se rendirent au presbytère, 657 Washington Street, pour une visite des lieux et l'étude de leur aménagement.

La Providence n'aurait pu choisir d'emplacement plus symbolique. Le mouvement de libération gay auquel certains attribuaient aujourd'hui la tragique épidémie du sida avait commencé à quelques blocs de là, par une nuit étouffante de juin 1969, sur la fameuse Christopher Street qui coupait la rue Washington. Le presbytère de Sainte-Véronique se trouvait en plein cœur de Greenwich Village. Le ghetto gay de New York était depuis seize ans le théâtre des expériences homosexuelles les plus audacieuses. Malgré de vigoureuses campagnes visant à changer les comportements, le quartier restait un temple du sexe. Plusieurs *bath-houses* avaient été fermées, mais d'autres subsistaient, ainsi que des salons de plaisirs sadomasochistes. Dans des arrière-salles de bars spécialisés, des clubs d'orgies recevaient chaque nuit la clientèle de la plus grande ville gay du monde après San Francisco, ainsi que les touristes venus la visiter.

Contrairement aux espoirs du maire et de l'archevêque, la communauté gay accueillit le projet avec une méfiance teintée d'hostilité. Les déclarations publiques du prélat sur le péché d'homosexualité n'étaient probablement pas sans rapport avec cette attitude. Des groupes militants gay craignaient que se cachât, derrière cette façade d'accueil, une « usine à repentir ». Richard Dunne, l'énergique directeur de la Gay Men Health Crisis, une organisation très active de soutien aux victimes du sida, exprima son « inquiétude de voir les pensionnaires de ce foyer soumis jusqu'à leur mort à un endoctrinement religieux et à des conversions forcées à l'hétérosexualité ».

De leur côté, les non-gays du quartier manifestèrent aussi leurs réticences. Des réunions avaient pourtant été organisées dans l'église Sainte-Véronique pour prévenir leur colère. Des médecins expliquèrent que la proximité d'un hospice pour cette catégorie de malades ne représentait aucun danger. Un comité de citoyens fut nommé et l'on procéda à un vote. Une écrasante majorité accepta finalement la création du premier centre d'accueil new-yorkais pour les personnes sans ressources atteintes du sida.

★

Les tribulations de Mgr O'Connor n'étaient pas achevées pour autant. Il lui fallait trouver un personnel suffisamment motivé pour faire fonctionner le foyer. Ces dernières années, les mentalités avaient énormément changé dans l'Église catholique américaine. Peu de religieuses acceptaient de consacrer leur vie entière uniquement à soulager la souffrance physique. Soixante pour cent des sœurs qui s'occupaient de malades avaient démissionné et, pour celles qui restaient, l'âge moyen dépassait soixante-cinq ans. La plupart avaient renoncé à leur habit, préférant se vêtir comme les autres femmes chez Macy ou chez Bloomingdale. Elles souhaitaient des logements confortables et des salaires en rapport avec leur travail. Le prélat chercha en vain des solutions de remplacement. Mais dès qu'il prononçait le mot « sida », ses interlocuteurs ne voulaient plus rien entendre.

Une seule personne pouvait l'aider à résoudre son casse-tête : l'indomptable religieuse qui avait arraché les moribonds à l'enfer des trottoirs de Calcutta. Depuis la création de son mouroir du Cœur Pur, Mère Teresa avait étendu son action au reste de l'univers, en particulier aux pays riches dont elle connaissait les innombrables détresses et la misère cachée. « Les pauvres y sont souvent plus déshérités et plus abandonnés qu'en Inde », disait-elle. À cet Occident incapable de résoudre le problème des exclus de la prospérité, elle avait envoyé ses petites sœurs indiennes à peau noire, vêtues de leur simple sari de coton, pieds nus dans leurs sandales. Elle avait ouvert des hospices, des dispensaires, des soupes populaires, des asiles de nuit dans les banlieues pauvres des grandes cités capitalistes. A Melbourne, Rome, Londres, Detroit, Marseille, Rio, Chicago, Los Angeles, de longues files de chômeurs, de sans-abri, d'affamés, de déracinés se pressaient chaque jour aux portes de ses refuges. Et même à New York, en plein cœur du South Bronx, un faubourg de cauchemar dévasté par les incendies, jonché d'ordures, où la mortalité infantile dépassait celle des bidonvilles de Calcutta, elle avait ouvert en 1971 un centre de secours qui distribuait nourriture et vêtements à des milliers de chômeurs noirs et hispaniques, à des drogués, tous oubliés du rêve américain. Au prédécesseur de John O'Connor qui s'inquiétait un jour de savoir quelle rémunération souhaitaient recevoir ses Missionnaires de la Charité, Mère Teresa avait répliqué : « Monsieur l'archevêque, servir le Christ est notre unique salaire. »

En débarquant à New York par une orageuse journée de juillet 1985 pour une tournée d'inspection de ses maisons américaines, la « sainte de Calcutta » ne se doutait pas qu'elle était attendue comme le Messie. Avec cet instinct infaillible qui, toute sa vie, l'avait guidée vers le vrai malheur, Mère Teresa accepta d'assumer la responsabilité du premier centre d'accueil pour les victimes du sida.

49

Rockville – Bethesda, USA – Printemps 1985
Un manteau de vison pour une ressuscitée

On l'aurait plutôt imaginée arpentant les links d'un terrain de golf ou présentant quelque publicité de mode dans les pages de *Harper's Bazaar*. Cette ravissante brune, élégante et sportive, ne ressemblait guère en effet à l'image que l'on se fait d'un fonctionnaire gouvernemental. À trente-cinq ans, le docteur Ellen C. Cooper occupait pourtant l'un des postes clefs de la ruche de verre et d'acier qui, sur les lisières champêtres de Washington, abritait le quartier général de la Food and Drug Administration, la toute-puissante agence fédérale chargée de contrôler les produits alimentaires et pharmaceutiques. Son titre de médecin inspecteur du département des médicaments anti-infectieux lui valait d'être l'une des autorités les plus courtisées par l'industrie pharmaceutique américaine. Elle en était aussi l'une des plus redoutées car c'était d'elle que dépendait l'autorisation d'expérimenter sur l'homme de nouvelles substances antivirales avant d'en permettre la commercialisation.

Fille d'un avocat de Philadelphie, rien ne la destinait à une carrière administrative. Devenue docteur en médecine à vingt-six ans après des études à Yale et à Cleveland, Ellen Cooper s'était spécialisée dans les maladies infectieuses des enfants. La lecture d'une petite annonce l'avait un jour poussée à s'intéresser de plus près à l'un des principaux virus de la pathologie infantile, celui de la varicelle. Les mécanismes de contagion de ce germe faisant l'objet d'une étude approfondie dans les laboratoires de la FDA, Ellen Cooper s'était jointe à l'une des équipes de recherche. Deux ans plus tard, l'agence fédérale lui confiait le poste de médecin inspecteur qu'elle occupait aujourd'hui. Mais, plus que cette promotion, ce fut un charmant événement familial qui lui gagna sa popularité. L'inspecteur Cooper avait mis au monde des triplés. La photo des trois adorables têtes blondes – Emmy, Benjamin et Kimberley – trônait en bonne place sur sa table de travail au milieu des piles de rapports scientifiques qui envahissaient son bureau. Ellen Cooper passait de douze à quatorze heures par jour à éplucher des centaines de pages de documents, à en analyser les diagrammes, à en disséquer les synthèses. Il y en avait tant qu'elle devait les emporter chez elle pour en poursuivre l'étude le soir et même le dimanche après la traditionnelle promenade au bord du Potomac avec ses enfants et son mari, un avocat réputé de Washington. « Une vie banale de fonctionnaire, reconnaissait-elle, mais qui me plaçait parfois en face de quelque important problème de santé publique et me donnait la satisfaction de contribuer à le résoudre. »

La tragédie du sida et les efforts désespérés de la communauté scientifique pour en atténuer les ravages projetaient aujourd'hui l'inspecteur Ellen Cooper en plein cœur d'un drame crucial. Le médicament à base de sperme de hareng du laboratoire Wellcome pouvait-il être expérimenté sur l'homme et, en cas de succès, être proposé comme traitement contre le fléau dévastateur ? C'était elle, et elle seule, qui avait la responsabilité d'en décider.

★

Ce lundi 22 avril 1985, le vice-président du laboratoire Wellcome chargé de la recherche était venu lui soumettre les arguments en faveur d'une telle expérimentation. Pour soutenir son plaidoyer, David Barry avait apporté un volumineux rapport établissant que l'AZT présentait un taux de toxicité acceptable pour l'homme. Depuis le jour où le docteur Jonas Salk avait fait devant les censeurs de la FDA la preuve que son vaccin contre la poliomyélite pouvait mettre un terme à la tragédie de l'été 1953, aucun document de cette importance n'était entré dans la prestigieuse enceinte de la FDA. Nulle sténographe n'enregistra la discussion qui se déroula autour de la table ovale de la salle de conférences du troisième étage. La rencontre avait pourtant quelque chose d'historique. Quatre ans après qu'un médecin de Los Angeles eut diagnostiqué le premier cas de l'épidémie, deux ans après que des biologistes de l'Institut Pasteur de Paris eurent découvert le rétrovirus responsable du sida, des fonctionnaires de la santé publique et des chercheurs de l'industrie pharmaceutique se réunissaient pour jeter les bases d'un protocole clinique en vue de l'expérimentation de la première arme inventée contre le fléau mortel.

« La tâche avait de quoi nous donner des cauchemars », rappellera un responsable de Wellcome. D'abord, à cause de l'absence de références. Aucun produit n'avait encore été testé avec succès contre une maladie aussi complexe et dont on savait si peu de choses. Ensuite, en raison des nombreuses inconnues concernant l'AZT lui-même. Son mode d'action n'avait pu être totalement élucidé et ses effets toxiques n'avaient été mesurés que pendant quelques courtes semaines sur des animaux. Qu'en serait-il sur l'homme en cas d'utilisation prolongée ? « Nous naviguions à l'aveuglette », dira David Barry. L'une des questions majeures concernait le choix des premiers cobayes humains. Quels allaient être les critères de ce choix ? Fallait-il, comme le souhaitait la représentante de la FDA, donner la priorité à des malades dont l'état laissait présager une mort prochaine ou, au contraire, à des patients encore à un stade précoce de la maladie ? Fallait-il limiter l'essai clinique aux seules victimes d'un sida déclaré, et donc éliminer ceux qui n'étaient qu'au stade de l'ARC, cette forme préliminaire et atténuée de la maladie que les spécialistes appelaient « Aids Related Complex – syndrome associé au sida » ? Fallait-il accepter indifféremment tous les cas, ceux souffrant de pneumocystose et ceux atteints du sarcome de Kaposi, ou seulement les uns et non les autres ?

La concertation se prolongea durant plusieurs heures. Elle n'était toutefois que le prélude d'une longue suite de discussions entre les responsables de Wellcome, le cancérologue Sam Broder et le médecin inspecteur Ellen Cooper. Tous brûlaient de la même impatience. Tous étaient d'autant plus fébriles que l'efficacité de l'AZT dans les tubes à essai avait été confirmée par les docteurs Dani Bolognesi de la Duke University et Robert Yarchoan de l'Institut national du cancer. La diligente coopération de l'inspecteur Ellen Cooper comblait ses partenaires peu habitués à ce qu'un fonctionnaire de la FDA montrât autant d'empressement. « Elle confia ses triplés à la garde de son mari et de sa belle-mère pour se plonger dans nos incessants rapports », racontera David Barry. La jeune femme donnera elle-même une explication qui résumait bien le sentiment d'urgence que tous ressentaient : « Le médicament qui nous mobilisait n'était pas destiné à déboucher les narines de gens enrhumés, dira-t-elle. Il devait sauver la vie de malades qui mouraient tous les jours sous les yeux de leurs médecins impuissants. »

★

Les études de Wellcome montraient qu'il faudrait administrer l'AZT pendant de longues périodes pour lui donner le temps d'agir. Elles montraient aussi qu'il était mieux assimilé par voie veineuse que par voie buccale et qu'il restait actif pendant deux heures à peine. Ces trois paramètres posaient de sérieuses difficultés : pouvait-on condamner des patients à une hospitalisation de plusieurs semaines, voire plusieurs mois, à seule fin de recevoir six ou huit injections quotidiennes ? La solution la plus simple eût été de mettre au point une thérapie par voie orale à suivre chez soi, mais les expériences sur les animaux avaient révélé que le métabolisme de certaines espèces, en particulier les lapins, assimilait seulement vingt à trente pour cent de l'AZT ingéré de cette façon. Qu'en allait-il être chez l'homme ? Seul un essai sur des malades pouvait fournir la réponse. Or, la loi américaine était implacable : une telle expérimentation ne pouvait se dérouler qu'après le dépôt d'une demande officielle par le laboratoire concerné et l'approbation de la FDA. Malgré toute la bienveillance de l'inspecteur Cooper, l'octroi d'une autorisation prendrait fatalement du temps.

« Nous avons donc résolu de prendre le risque d'un raccourci un tantinet illégal », confessera David Barry. L'histoire tragique du sida ne devra pas l'oublier : les premiers milligrammes d'AZT administrés à des humains eurent pour receveurs ses trois principaux inventeurs, à commencer par le vice-président du laboratoire Wellcome en personne. L'expérience se déroula à l'abri des regards indiscrets. « Ah, quel abominable breuvage ! » dira l'audacieux médecin en évoquant l'amertume du jus d'orange qu'il ingurgita ce jour-là en guise de petit déjeuner. Comme il n'existait encore ni comprimés ni gélules, il avait été contraint de dissoudre dans du jus de fruit la poudre de sperme de hareng. Avec ses deux complices, il s'en était déjà fait injecter la veille une petite quantité dans les veines. Un prélèvement de sang avait ensuite permis de constater la parfaite et totale assimilation du produit. Semblable contrôle sanguin après la prise par voie buccale ne fut pas aussi concluant : seulement soixante-dix pour cent de l'AZT avalé était passé dans le sang. Ce pourcentage fut confirmé sur trois jours consécutifs d'expérimentation.

David Barry était satisfait. Il allait pouvoir proposer un premier protocole de traitement à l'inspecteur de la FDA. Comme il s'y attendait, Ellen Cooper ne manqua pas de s'étonner de la précision des doses d'AZT préconisées.

— Comment savez-vous qu'il faudra donner exactement cette quantité supplémentaire s'il s'agit d'une prise par voie orale et non d'une injection intraveineuse ? s'étonna-t-elle.

— Nos ordinateurs ont effectué ce calcul, répondit David Barry, imperturbable.

— *My God !* s'exclama la jeune femme. Vous avez de sacrés appareils !

Ellen Cooper n'était pas encore au bout de sa surprise.

— Et pourquoi recommandez-vous de mélanger le produit à un peu de liquide sucré ?

— Tout simplement parce que ce fichu sperme de hareng est horriblement amer. Encore plus que la quinine.

— Comment le savez-vous ?

David Barry sentit se refermer le piège, mais l'inspecteur eut la délicatesse de ne pas insister. Elle était trop avisée pour ne pas savoir qu'il faut parfois laisser leurs secrets aux alchimistes. Une semaine plus tard, elle confirmait l'accord officiel de la FDA. Jamais encore cette tyrannique organisation n'avait accordé une autorisation dans un délai aussi court. L'essai d'efficacité et de toxicité de l'AZT sur l'homme pouvait commencer.

★

La date du 3 juillet 1985 restera à jamais gravée dans la mémoire du cancérologue Sam Broder. Ce jour-là, dans son hôpital de Bethesda, un jeune marchand de meubles de Boston nommé Joseph Rafuse devint une sorte de pilote d'essai de la science en recevant la première dose du premier traitement du sida à l'AZT. Cette dose était évidemment beaucoup plus forte que celle que s'étaient administrée en secret les trois collaborateurs de Wellcome. « Sam et moi avons branché notre flacon sur le cathéter de perfusion, racontera le docteur Robert Yarchoan, et nous avons retenu notre respiration en regardant les gouttes tomber une à une. La première heure était critique. Si le malade faisait un choc anaphylactique, cette réaction violente d'intolérance biochimique pouvait le faire mourir. » Au début de la nuit, sa température monta brutalement. Les deux médecins réussirent à la faire descendre et à stopper la fièvre. À l'aube, épuisé, Sam Broder retira sa blouse blanche et lança devant ses assistants les deux mots sans doute les plus lourds de signification de sa carrière :
– L'expérience continue.
Ils seront dix-neuf. Dix-neuf hommes et femmes dont la rareté et la gravité des symptômes leur avaient valu d'être acceptés dans l'hôpital de pointe que dirigeait le cancérologue Sam Broder sur le campus de Bethesda [1]. L'expérience pour laquelle ils allaient servir de cobayes n'était pas principalement destinée à les guérir, mais à vérifier que la drogue qu'on allait

---

1. Deux malades seront également traités dans le centre clinique de la Duke University.

leur administrer ne risquait ni d'aggraver leur état ni surtout de les tuer. Les assistants de Sam Broder leur avaient fait signer un document de huit pages dactylographiées attestant qu'ils se déclaraient volontaires, qu'ils acceptaient les risques de l'expérimentation et que, en cas d'accident, ils déchargeaient le centre de toute responsabilité.

Le protocole de l'essai clinique prévoyait l'augmentation progressive des doses d'AZT, d'abord par voie intraveineuse durant deux semaines, puis par voie orale pendant les quatre semaines suivantes. On savait que les rats et les chiens avaient supporté jusqu'à quatre-vingts milligrammes d'AZT par jour et par kilo de leur poids. On débuta plus modestement par trois, sept et demi, quinze, puis trente milligrammes, et ensuite le double pour les prises orales. Au fur et à mesure que les jours passaient, l'espoir de Sam Broder grandissait. Les effets secondaires se révélaient presque négligeables. À peine dix pour cent de diminution des globules rouges chez trois patients, des maux de tête chez une dizaine d'autres, quelques tremblements chez un seul. En revanche, des résultats positifs se manifestèrent presque immédiatement : une reprise générale de poids d'environ cinq livres en moyenne, une augmentation notable du nombre des lymphocytes T4 défenseurs du système immunitaire chez quinze des dix-neuf sujets, l'élimination totale d'une sérieuse infection des ongles chez deux autres patients, la disparition de la fièvre et des suées nocturnes chez six autres. On ne trouva plus aucune trace du rétrovirus dans les globules blancs de plusieurs sujets. Deux des malades bénéficiaient même d'une véritable résurrection.

★

Le premier était l'épouse d'un médecin de Washington, une ravissante infirmière contaminée par une transfusion sanguine. Elle s'appelait Barbara. Son sida avait été diagnostiqué au cours de son voyage de noces en France. Pour le microbiologiste Dannie King, directeur du projet AZT chez Wellcome, « Barbara symbolisait toute la tragédie de cette maladie. Elle n'était pas une personne à risques et, en plus, elle avait choisi comme profession de soigner les autres ». Ni Sam Broder ni son collaborateur Robert Yarchoan n'avaient encore vu de pareilles lésions. La jeune femme souffrait d'une infection générale des muqueuses de la bouche. Sa langue, son palais, ses gencives, la paroi interne de ses joues, son gosier, ses lèvres n'étaient plus qu'une plaie à vif, un tapis enflammé d'ulcérations sanguinolentes. « On aurait dit qu'un boucher lui avait arraché toutes les dents d'un seul coup », racontera David Barry. Elle endurait un véritable martyre. Incapable de s'alimenter depuis des semaines, elle n'était plus qu'un squelette vivant. À l'exception de son mari et des médecins, personne n'osait plus entrer dans sa chambre.

Un jour qu'il l'aidait à enfiler une robe devenue beaucoup trop ample pour son corps décharné, son époux, qui savait qu'elle en caressait depuis longtemps le rêve, lui dit tendrement :

– Ma chérie, dès que tu auras repris quelques kilos, nous irons acheter ton manteau de vison.

La promesse aurait pu sembler cruelle tant l'état de Barbara paraissait désespéré. Pourtant, après deux semaines de traitement à l'AZT, le visage méconnaissable de la jeune femme reprit forme humaine. Elle put reparler normalement. Ses lésions buccales régressèrent et finirent par disparaître. Alors qu'elle en était incapable depuis trois mois, elle put se réalimenter normalement. Elle parvint à se lever, à s'habiller seule, elle retrouva des gestes de coquetterie. Ses forces lui revinrent et elle brûlait d'impatience de retourner à la vie active. Barbara n'avait pas oublié sa profession. Un jour, Sam Broder eut la surprise de la trouver, en blouse blanche, en train de donner des soins à d'autres malades. Malgré quelques accès d'anémie promptement corrigés par des transfusions, sa guérison se confirma au point qu'elle put quitter l'hôpital au bout de quatre semaines. Pour cette occasion mémorable, elle revêtit la robe de soie turquoise achetée à Paris qu'elle affectionnait et qu'elle n'avait pas mise depuis si longtemps. Le docteur Broder ne pouvait cacher son émotion. Avec toute son équipe, il accompagna la jeune femme et son époux jusqu'à leur taxi. À l'instant de s'engouffrer dans la voiture, Barbara se retourna vers son mari.

— Chéri, dit-elle, n'oublie pas que tu me dois un manteau de vison !

★

La deuxième « résurrection » fut elle aussi à ce point spectaculaire que Sam Broder s'en servit pour convaincre le docteur Ellen Cooper de l'autoriser à ne pas interrompre les traitements au bout des six premières semaines par l'intervalle du repos de trente jours qu'impose le protocole. Cet arrêt, habituel dans ce genre d'expérimentation, a pour but de procurer aux malades un répit afin qu'ils puissent éliminer d'éventuels effets toxiques. L'inspecteur de la FDA considérait indispensable un tel entracte.

Cette fois, le patient était un acteur originaire de Palm Beach, en Floride. La forme particulière de son sida avait tellement frappé son médecin traitant, le docteur Margaret Fischl du centre clinique de l'université de Miami, qu'elle n'avait pas hésité à l'envoyer à Sam Broder. Chez ce malade, le virus s'était attaqué au cerveau. Le malheureux était paralysé des membres inférieurs. Il avait presque complètement perdu l'usage de la parole et souffrait de troubles psychiques. « Un homme en pleine forme, athlétique, flamboyant, que le sida avait réduit en trois mois à l'état d'infirme se traînant sur deux cannes », racontera David Barry. L'effet que produisit l'AZT en trois semaines sur ce mort-vivant laissa pantois les responsables du laboratoire Wellcome comme ceux de l'hôpital de Bethesda. Non seulement le malade put se lever sans aide, mais il se mit à gambader dans les couloirs. Mieux encore, il s'amusa à dévaler à toute allure les douze étages de l'hôpital jusqu'au rez-de-chaussée et à remonter aussi vite pour battre l'ascenseur dans sa course. Exploit qu'il prit plaisir à renouveler plusieurs fois.

Sam Broder téléphona à Ellen Cooper pour la prier d'accepter que le traitement de ce sujet exceptionnel ne soit pas interrompu par le couperet fatidique des trente jours d'arrêt prévus au protocole.

— J'ai entendu parler de ce cas, maugréa l'inspecteur de la FDA. C'est un acteur professionnel. Les artistes de son genre sont capables de toutes les mystifications !

– Venez vous rendre compte par vous-même, insista le praticien.

Vingt minutes plus tard, l'incrédule jeune femme faisait son entrée dans la chambre. Elle ne serait pas près d'oublier le spectacle qui l'attendait. S'il s'agissait d'un numéro, l'ancien paralytique le maîtrisait parfaitement. Il saisit une canne dans chaque main, bondit sur son lit et, brandissant les bâtons vers la visiteuse, s'écria :

– Voici' les instruments qui m'ont servi à me traîner jusqu'à cette chambre il y a trois semaines! Il lança les deux cannes comme des javelots dans la corbeille à papier au fond de la pièce et ajouta : « Et voici ce que l'AZT a fait pour moi! » Avec la souplesse d'un acrobate, il sauta sur le sol, se jeta à plat ventre et commença une série de tractions en criant : « Mes bras sont aussi forts que mes jambes! »

Ellen Cooper était médusée. L'ex-infirme se releva enfin et vint se planter devant elle.

– Vous voulez que je vous montre aussi comment je descends et grimpe les douze étages de ce fichu bâtiment?

– Non, c'est inutile, je vous crois, se défendit Ellen Cooper avec un sourire complice.

Elle sortit de la chambre accompagnée de Sam Broder. Posant une main amicale sur l'épaule du cancérologue, elle le rassura :

– C'est d'accord, Sam, n'interrompez pas son traitement!

50

New York, USA – Automne 1985
Faire sentir à chacun qu'il est aimé et respecté

— Doc, si j'avais des couilles, je me jetterais par cette fenêtre.
Le docteur Jack Dehovitz considéra avec surprise les deux grands yeux bleus luisant de révolte et l'épais collier de barbe rousse qui donnait à Josef Stein un air saisissant de prophète. L'ex-archéologue était visiblement dans un mauvais jour. C'était la première fois qu'il exprimait ouvertement l'envie de mourir. Cette envie était courante chez les homosexuels atteints du sida. Beaucoup la mettaient à exécution. Les médecins attribuaient ces penchants suicidaires à un complexe de culpabilité autodestructeur exacerbé par la maladie, conjugué parfois à un abus d'alcool et de drogue. Ce matin, Jack Dehovitz décida de prendre la morbide perspective de son patient sur le ton de la plaisanterie :
— *Quit kzetching!* Arrête ta pleurniche! répliqua-t-il vivement dans un mélange d'anglais et de yiddish qui les fit tous deux partir d'un grand éclat de rire.
Chaque journée de travail du responsable adjoint de l'unité du sida de l'hôpital Saint-Clare commençait par une visite à son malade favori. « Josef était si ouvert, si intelligent,

348

si plein d'humour et bourré de charme, se souviendra le médecin. Sa culture juive et ses longs séjours en Israël nous avaient rapprochés. J'aimais entrer dans sa chambre en lançant quelques phrases en yiddish ou en hébreu que personne ne comprenait. Avec Josef, je pouvais enfin rire et parler d'autre chose que de la maladie. »

Il en allait ainsi pour tous les membres du personnel. A la première occasion, ils venaient se distraire auprès de Josef Stein, fumer une cigarette, boire une tasse de thé, s'amuser de ses plaisanteries, écouter le récit de ses aventures de fouilleur de pierres. Même quand la chimiothérapie le réduisait à l'état de loque, il ne laissait jamais repartir un visiteur sans lui avoir insufflé un peu de son tonus et de sa joie de vivre. « Pour nous qui étions confrontés sans relâche à une maladie qui frappait des êtres de nos âges et qui les menait inexorablement vers la mort dans d'insupportables souffrances, Josef nous apportait de l'oxygène, des vitamines, dira encore Jack Dehovitz. Dans la situation parfois intenable où nous nous trouvions cet automne-là en raison du caractère si particulier de la maladie, il fallait un Josef Stein pour nous remonter le moral. »

Au cauchemar physique des malades s'ajoutait un supplice d'ordre moral qui aggravait souvent leur épreuve et la tâche de leurs soignants. « Si vous annoncez à votre famille ou à vos amis que vous avez un cancer, personne ne va mettre en cause votre moralité, expliquera Terry Miles, le " clinic coordinator " de Saint-Clare, un garçon de Floride âgé de trente ans, chargé de la surveillance des soins et du maintien du moral des équipes soignantes. Un malade du sida, lui, doit automatiquement faire face à l'opprobre. Conséquence d'un mode de vie jugé condamnable, son mal " honteux " est ressenti comme un châtiment. D'où sa terreur qui se résume par une question cruelle : " Va-t-on me traiter comme un malade ordinaire ou m'exclure comme un paria ? " »

Les réactions variaient avec les individus. Pour le chauffeur d'autobus new-yorkais Frank Korda, un gringalet de vingt-huit ans aux cheveux gominés, couvert des pieds à la tête du hideux bariolage violet du sarcome de Kaposi, le sida avait pris le visage d'un petit bout de femme attentive à ses moindres soupirs.

« J'ai su que Frank était gay avant qu'il le sache lui-même, racontera sa mère, opératrice dans un central téléphonique de Manhattan. Je l'ai conduit chez un médecin avec l'espoir qu'il pourrait faire quelque chose. Mon autre fils était tout le contraire, tellement macho. À seize ans, quand il a découvert ses tendances homosexuelles, Frank en fut complètement désemparé. Il s'est confié à son frère qui lui a dit : " Parles-en à maman ! " Je savais qu'il avait essayé de sortir avec deux ou trois filles. Il m'a dit : " Maman, je suis gay. " J'ai répondu : " Tu es mon fils, c'est tout ce qui compte pour moi. " Je voulais seulement qu'il reste un homme. C'était l'époque de la révolution sexuelle, beaucoup de gays s'habillaient comme des filles. Je lui ai dit : " Tes préférences sexuelles sont une chose, mais je n'accepterai pas que tu te ridiculises en te déguisant en femme. " J'ai ajouté : " Quoi que tu fasses, fais-le avec dignité et respect. " J'ai fait la connaissance des garçons qu'il fréquentait. Il les amenait à la maison. Ils étaient très corrects. La plupart de ses amis m'ont adoptée.

« Un jour, il est tombé malade. Tout a commencé par un amaigrissement inexplicable. Bien qu'il n'ait jamais été grassouillet, je constatais qu'il perdait quelques centaines de grammes chaque semaine. Lui ne se rendait compte de rien. Soudain, des pustules apparurent sur ses jambes puis il se mit à tousser. La nuit, je guettais sa respiration. Elle faisait un bruit de piston impressionnant. En avril dernier, il m'a dit : " Maman, j'ai le sida. " J'avais déjà entendu ce mot. Un de nos voisins, qui était surveillant au pénitencier de Sing Sing, nous avait parlé d'un détenu qui était mort du sida. À l'époque, je n'y avais guère prêté attention. Quand Frank m'a annoncé sa maladie, j'ai éclaté en sanglots. Puis je suis allée chercher ma Bible. Je suis très croyante et j'ai pensé qu'il devait y avoir une raison à cette épreuve. J'ai dit à Frank : " Il y a un sens à tout ce que permet le Seigneur. Peut-être a-t-Il voulu se servir de toi. " Je lui ai lu des passages des Écritures. Il a commencé à aller à l'église. Les fidèles de la paroisse ont été formidables. Pour qu'ils prient tous pour lui, je leur ai dit que mon fils avait un cancer. Dans son cas, ce n'était pas un mensonge.

« Frank a failli mourir à deux reprises. La dernière fois,

ceux qui s'occupaient de lui avaient abandonné la lutte – tous, sauf le Seigneur et moi. Je suis restée à ses côtés des jours et des nuits. Je l'ai nourri cuillerée à cuillerée. Je l'ai bourré de vitamines, de fortifiants, de crème glacée, de tout ce qu'il aimait. Surtout, je n'ai pas cessé de l'encourager à se battre, à espérer, à vouloir vivre. Dans les chambres voisines, chaque jour, les infirmiers fermaient les yeux d'un mort. Frank, lui, est toujours là. Personne, dans le service, n'est autant que lui farouchement décidé à gagner contre la maladie. Il m'a fait promettre que, s'il lui arrivait malheur, je deviendrais la mère des autres malades. Un grand nombre d'entre eux sont abandonnés par leur famille. Beaucoup de parents accceptent que leur enfant soit atteint du sida, mais pas qu'il soit gay. »

★

Il n'y avait cet automne-là ni mère, ni famille, ni compagnon dans la vie de Roddy, vingt-sept ans, un ancien détenu toxicomane du pénitencier de Sing Sing. Des années d'isolement dans un quartier de haute surveillance avaient transformé ce docker du New Jersey en une véritable bête fauve, toujours prête à bondir sur quiconque entrait dans sa chambre. Malgré la pneumonie qui ravageait ses poumons, ce n'était pas le souffle qui lui manquait. Il ne parlait pas, il hurlait. Quand quelqu'un accourait, alerté par ses rugissements, il le recevait avec une bordée d'insultes et de menaces. Un patient plutôt difficile qui mettait les nerfs de Jack Dehovitz et de son équipe à rude épreuve, et confirmait que soigner les malades du sida était davantage une question d'accueil qu'un problème purement médical.

« Entrer dans la chambre d'un patient avec l'intention de lui consacrer un peu de temps pour l'écouter peut être un acte thérapeutique cent fois plus efficace que de lui brancher une perfusion, dira Jack Dehovitz. Lui faire sentir qu'il est respecté, considéré, aimé, que personne ne le juge. Quoi de plus vivifiant que de lui tenir la main, d'appliquer un peu de baume sur un membre douloureux et de le masser délicatement. Certains malades avouent que, durant des mois, personne n'a osé les toucher. Ce qui est terrible, c'est d'avoir affaire à une maladie contre laquelle nous ne disposons d'aucune arme. Tout ce que nous pouvons tenter, c'est d'assurer à nos patients la meilleure qualité de vie possible pour le temps qui leur reste. »

La diversité ethnique et sociale des malades exigeait une adaptation sans faille à chacune des situations individuelles. Établir un contact, vaincre la méfiance, apaiser la peur demandaient des trésors de patience et d'imagination que seul un personnel volontaire et motivé pouvait offrir.

L'infirmier Ron Peterson, un ancien marine de la guerre du Vietnam reconverti dans la danse moderne puis dans les soins médicaux, eut ainsi l'idée d'offrir des cours de gymnastique aux malades de Saint-Clare. « Ce fut une révélation, racontera-t-il. Des gens découvraient tout à coup qu'ils pouvaient faire quelque chose avec leur corps. Qu'ils n'étaient plus des épaves paralysées au fond de leur lit. J'ai même enseigné des mouvements de danse à des malheureux cloués sur une chaise roulante. » Au Vietnam, Ron avait vu tant d'hommes perdus et désespérés qu'il s'employait avec passion à aider les malades à mettre leurs affaires en ordre et à les réconcilier avec l'idée de la mort, à faire en sorte que, l'heure venue, ils ne meurent pas en se haïssant eux-mêmes. « Rien au monde n'est plus gratifiant que de pouvoir apporter ce genre de soutien concret », dira-t-il.

Curieusement, la terreur qu'inspirait ordinairement la maladie ne décourageait pas l'afflux des candidats désireux de travailler dans une unité de soins spécialisés. « Le sida est la tragédie de notre génération, dira Terry Miles, le jeune " clinic coordinator ". Je suis ici parce que je crois qu'il est de mon devoir de participer à la bataille et de faire tout pour la gagner. » D'autres postulants à pareil engagement avaient des raisons personnelles de se mobiliser. En général, ils connaissaient quelqu'un qui était atteint du sida ou qui en était déjà mort. Certains se considéraient eux-mêmes en danger en raison de leur style de vie.

La première explication que Terry Miles donnait à ceux qui sollicitaient un emploi à l'hôpital Saint-Clare était qu'ils auraient tout d'abord à « aider des moribonds à mourir ». Nombre de ceux qu'il engagea craquèrent très vite et disparurent au bout de quelques jours. D'autres connurent de tels stress que leur comportement changea au point qu'il fallut les renvoyer. Ainsi cet infirmier qui, se trouvant tout à coup dans un univers de drogués, se mit à boire frénétiquement des litres de café. La toxicomanie de ses patients l'avait contaminé. D'autres, au contact de malades gay, découvrirent leurs propres pulsions homosexuelles et, sous le choc, prirent la fuite. D'autres encore s'attachèrent tellement à leurs patients qu'ils ne purent supporter de les voir mourir. « Jour après jour, ils revenaient dans la chambre du disparu, un bouquet de fleurs à la main, les yeux emplis de larmes », se souviendra une infirmière.

Cet automne-là fut particulièrement meurtrier à Saint-Clare. Il arrivait que la maladie fît trois ou quatre victimes en moins d'une semaine. « Une atmosphère de deuil, d'impuissance, de dépression s'abattait alors sur tout le service, racontera Terry Miles. Il semblait que tout devenait plus difficile. » L'ancien marine du Vietnam Ron Peterson sentit qu'il perdait pied. Ne pouvant se confier à ses amis, il finit par aller voir un psychanalyste. « Tous ceux qui sont confrontés à pareille situation ont besoin de parler de leurs angoisses à quelqu'un, confiera-t-il. Sans cela, on court le risque de projeter son anxiété sur les malades. » Pour conjurer ce danger, Terry Miles organisa des séances de thérapie collective à l'intention du personnel. Chacun pouvait venir y déballer ses doléances, se défouler de ses frustrations, partager son inquiétude quant aux réactions de tel ou tel patient. « C'était un bienfait inestimable que de pouvoir échanger ses impressions, exprimer son désarroi, recevoir le réconfort de ses collègues, sentir que l'on n'est pas seul, que les autres affrontent les mêmes drames », reconnaîtra Gloria Taylor, une infirmière noire de quarante ans.

★

Vétéran des unités de soins intensifs de la chirurgie à cœur ouvert de plusieurs grands hôpitaux de New York, Gloria Taylor était l'un des piliers de Saint-Clare. Avec sa généreuse poitrine, son sourire inaltérable et son accent du Sud, elle faisait penser aux nounous noires de *La Case de l'oncle Tom*. Personne n'assumait sa tâche avec plus de ferveur et de compassion. Cette femme d'un milieu modeste venait chaque matin de sa banlieue lointaine pour aider les malades agonisants à partir dans la dignité. Le sida lui avait pris son ami d'enfance le plus cher. « C'était mon frère de lait, racontera-t-elle. Ma mère l'avait adopté comme son fils. Il était gay, mais cela n'a jamais compté entre nous. » Quand elle sut qu'il allait mourir, elle le fit hospitaliser là où elle travaillait. Elle se battit comme une lionne pour qu'il soit traité décemment, « mais, à cause de ce mal terrible dont personne ne savait rien, on le considéra comme un pestiféré ». Sa mort dans de telles conditions la bouleversa au point qu'elle voulut brûler sa blouse d'infirmière. C'est alors qu'elle lut dans un journal un article annonçant l'ouverture de l'unité spécialisée de Saint-Clare. Elle courut aussitôt à l'adresse indiquée. « Tout ce que je voulais, dira-t-elle, c'était apporter à d'autres la douceur et la tendresse qu'on avait refusées à mon petit frère. » Chaque patient qu'on lui confiait devenait à son tour son « petit frère ». Elle avait le don d'accueillir un nouveau malade et de le mettre tout de suite à son aise. « Bonjour, je suis Gloria et je suis si heureuse de vous connaître et de pouvoir m'occuper de vous. Appelez-moi par mon prénom, cela me fera plaisir. Vous verrez, nous allons très bien nous entendre. » Quand des gens sont en train de mourir, il n'est plus temps de se donner du Madame et du Monsieur, expliquait-elle à ses collègues. Cette familiarité faisait naître entre elle et ses malades une complicité immédiate, même avec ceux qui se montraient les plus méfiants ou les plus hostiles. Cet automne-là, avec son cœur débordant de tendresse et ses qualités innées de soignante, la plantureuse Gloria adoucissait un peu le cauchemar de Saint-Clare.

On lui réservait les cas les plus difficiles, comme celui de Damien, un décorateur de vingt-huit ans dont le sida rongeait peu à peu le cerveau. « C'était un homme merveilleux mais têtu comme une mule. Il pouvait se murer des jours entiers dans un mutisme total, racontera Gloria. S'il savait encore tenir une fourchette entre les doigts, il ne savait plus qu'il fallait ensuite la porter à la bouche pour se nourrir. Lui faire avaler quelques bouchées était mon obsession. Chaque cuillerée de nourriture, chaque gorgée de liquide absorbées représentaient mes seules pitoyables victoires sur son mal. Je restais des heures assise au bord de son lit à jouer avec lui, à lui raconter des histoires, à le distraire pour lui faire prendre un peu de crème glacée ou de yaourt. » Chacun, à Saint-Clare, faisait l'impossible pour encourager les patients à se nourrir. Des distributeurs de potages, de salades, d'entremets et de friandises avaient même été installés dans les couloirs pour que leur moindre envie de grignoter quelque chose pût être satisfaite à toute heure du jour et de la nuit.

Un matin, Gloria entra dans la chambre de Damien et le trouva sur son lit en train de manger délicatement ses excréments. « J'ai cru que mon cœur allait s'arrêter, dira-t-elle. Je suis restée là, à le regarder, incapable de faire un geste. J'ai fini par demander : " Est-ce que c'est bon ? " Que pouvais-je dire d'autre ? Il m'a jeté un regard malicieux et il a répondu : " Très savoureux. " Quand il a eu terminé, il a pris son drap et s'est soigneusement essuyé les lèvres. Il a ensuite nettoyé ses doigts et le bord de son assiette comme quelqu'un de tout à fait bien élevé. Puis il s'est assoupi de plaisir. J'avais envie de crier, mais aucun son ne pouvait sortir de ma bouche. Il ne me restait que les larmes pour maudire le virus qui avait détruit la raison de mon petit frère. »

★

Gloria et ses camarades de l'équipe soignante de Saint-Clare auraient, cet automne-là, bien d'autres occasions de maudire le virus diabolique dont Robert Gallo et Luc Montagnier se disputaient la découverte. Le nombre croissant de malades toxicomanes rendait chaque jour leur travail plus difficile. Comme Rondy, l'ancien docker, beaucoup de patients avaient fait de longs séjours en prison.

« Les toxicomanes avaient une personnalité très différente des homosexuels, expliquera Gloria. Ils niaient leur maladie. Pour eux, une seule chose comptait : avoir leur dose de drogue. Si vous leur disiez : " Cette seringue va te tuer ", ils répondaient : " Je m'en fiche. Je prends le risque. " Il fallait d'abord les désintoxiquer car il était hors de question de garder des toxicomanes actifs et agressifs dans le service. Le sida, ils s'en balançaient : ce qu'ils voulaient, c'était flipper. Nous avons dû nous séparer de certains malades que des copains continuaient à approvisionner. Nous avons dû en mettre d'autres en quarantaine. Selon le degré d'intoxication, il fallait trois ou quatre semaines pour réussir à diminuer leurs doses et de ce fait leur dépendance à la drogue. Pour ceux qui consommaient jusqu'à quatre cents dollars de poudre par jour, il fallait davantage de temps. On ne pouvait aller trop vite sous peine de les tuer. Une suppression trop brutale pouvait provoquer chez les malades des suées, des hallucinations et déclencher des comportements suicidaires. Nous procédions donc par paliers successifs à l'aide de médicaments de substitution.

« Mais les toxicos sont d'extraordinaires comédiens prêts à utiliser tous les subterfuges : faire semblant de mourir par manque de drogue, ou prétendre qu'un malaise les a fait vomir et que, par conséquent, ils ont besoin d'une autre dose. Mais avec un vieux singe comme moi, ils tombaient sur un bec. Je n'oublierai jamais nos dialogues.

« " Montre-moi donc ce que tu as vomi ? " demandai-je un jour à l'un d'eux. Il avait l'air sincèrement navré. " Impossible, Gloria, j'ai tiré la chasse d'eau ! " J'ai insisté : " La chasse d'eau ? Cela fait six semaines que tu n'es pas descendu de ton lit, et tu as soudain pu aller jusqu'aux toilettes ? " Il m'a regardé, imperturbable. " Ouais, Gloria, aujourd'hui j'ai réussi à marcher tout seul jusqu'aux W.-C. "

« Le malheureux était couvert de pustules de Kaposi. L'herpès lui avait dévoré la moitié de la rétine. Il était presque aveugle. Il lui restait peut-être trois mois à vivre. Il se moquait qu'on le soigne pour son sida. Ce qu'il voulait, c'était sa came. Il aurait vendu père et mère pour une capsule de poudre. »

★

Si les esclaves des drogues dures étaient bien une classe à part dans les étages de Saint-Clare, les rescapés des *bath-houses* et des salons d'orgies n'échappaient pas toujours à de semblables « manques ». Des simples « poppers » déclencheurs de libido aux injections de « speed » à la cocaïne offrant leurs giclées d'adrénaline et douze heures d'un nirvana garanti bon marché, la drogue faisait aussi partie des habitudes de vie de nombreux homosexuels hyperactifs. De tous les toxicomanes que s'efforça d'apprivoiser Gloria cet automne-là, aucun ne lui donna plus de fil à retordre que Rondy, l'ancien pensionnaire de Sing Sing. Ses hurlements et sa vulgarité faisaient de plus en plus régner la terreur dans les couloirs de Saint-Clare.

Récit de Gloria Taylor

« Il ne pesait maintenant plus qu'une quarantaine de kilos, mais il gardait encore une force herculéenne. Il essayait de me griffer et de me mordre chaque fois que je le prenais dans mes bras comme un enfant pour le porter sous la douche. En six semaines, je réussis à en faire un agneau. Je lui faisais découvrir une chose qu'il n'avait jamais ressentie de sa vie : quelqu'un l'aimait. Je l'ai installé sur un fauteuil roulant et je l'ai promené de chambre en chambre. Très vite, il s'est fait une foule d'amis parmi les autres malades et le personnel. Il m'appelait « Baby ». Il était devenu le plus tendre des garçons et je n'arrivais pas à accepter l'idée qu'il allait mourir. Il savait exactement ce qui l'attendait. Il avait déjà assisté à l'agonie horrible de deux de ses amis. Il me disait : « Je ne veux pas m'en aller de cette façon. »

Un matin, il m'a pris la main et il m'a dit :

— Baby, je voudrais que tu organises une fête dans ma chambre et que tu invites tous mes copains. Je veux leur dire adieu.

Il m'a envoyée acheter des jouets pour sa petite fille de deux ans qu'il n'avait vue qu'une seule fois derrière les barreaux de sa prison. Il voulait aussi revoir ses parents qu'il n'avait pas embrassés depuis quinze ans, juste avant son premier cambriolage. Il m'a aussi fait inviter un des gardiens de Sing Sing qu'il aimait bien. Comme nous étions tout près de Noël, je lui ai suggéré de préparer un cadeau pour ses parents.

— Qu'est-ce qui pourrait leur faire plaisir ? m'a-t-il demandé.

Personnellement, je ne suis pas quelqu'un de très religieux. Mais j'encourage toujours les malades à chercher soutien et réconfort là où ils le peuvent, et en particulier dans la foi. Dans le bureau des infirmières, il y a d'ailleurs une feuille épinglée avec la liste des malades qui souhaitent l'assistance d'un ministre du culte. Devant chaque nom, une lettre identifie leur religion : C pour catholique, H pour hébraïque, P pour protestante. On l'appelle la « Pastoral List ».

— Tu sais, je crois que le plus beau cadeau pour tes parents serait que tu invites aussi l'aumônier à ta « party », lui ai-je répondu. Ainsi, il pourrait te bénir avec les saintes huiles en leur présence.

— Ouais, s'est-il exclamé, ravi, je pense en effet que je ne pourrais rien leur offrir de mieux.

Le jour de la « party », il y avait une vingtaine de personnes autour de son lit. Les uns avaient apporté des gâteaux, d'autres des fleurs et même des ballons et des guirlandes. Quelqu'un était venu avec un lecteur de cassettes. La chambre était pleine de musique de jazz. Rondy avait de plus en plus de mal à respirer, chacun de ses gestes lui demandait un effort, mais son visage rayonnait d'une joie sereine. L'aumônier a récité la prière des agonisants puis il a tracé le signe de la croix sur le front de Rondy avec un coton imbibé d'huile. Bouleversée, sa mère a éclaté en sanglots. Elle est sortie de la chambre. Rondy a ensuite dit un mot d'adieu à chacun comme s'il partait en voyage. J'avais assis sa fille sur son lit. De sa main maigre et plissée, il lui caressait la joue. Il paraissait heureux.

Soudain, il a été secoué de spasmes. Sa respiration est devenue irrégulière. Je lui ai mis le masque à oxygène, mais il l'a arraché. Il nous souriait. Il a cherché sa mère du regard. Ne la voyant pas, il m'a fait signe d'approcher.

— Baby, donne-moi ta main, a-t-il murmuré.

Il paraissait content. J'ai vu ses paupières tomber doucement sur ses yeux. Comme un rideau de théâtre à la fin d'une pièce. Le virus m'avait pris un autre de mes « petits frères ». »

51

Research Triangle Park – Bethesda, USA – Automne 1985
Cinquante kilos de sperme de hareng pour dénouer une tragédie

Cela avait bien l'air d'un miracle. Depuis que le cancérologue Sam Broder avait commencé, en juillet 1985, à administrer de l'AZT à dix-neuf malades de son hôpital de Bethesda, Barbara avait pu choisir le manteau de vison promis par son mari et reprendre son travail d'infirmière. Tous les espoirs semblaient donc permis. Mais, en médecine, rien n'est plus illusoire qu'un miracle. « L'euphorie légitime suscitée par ces débuts prometteurs ne devait pas nous cacher la réalité, confiera le vice-président chargé de la recherche du laboratoire pharmaceutique Wellcome. Nous naviguions depuis trop longtemps dans le monde imprévisible des infections virales pour nous laisser abuser par un tel succès, si spectaculaire fût-il. » Le docteur David Barry se souvenait de l'aventure vécue durant son internat à Yale à propos de l'idoxuridine administrée à des sujets atteints d'encéphalites virales mortelles. Le biochimiste qui avait développé cette substance l'avait essayée sur trois patients. Deux ayant survécu, il en avait un peu trop vite conclu que le produit était efficace dans soixante-six pour cent des cas. Or, non seulement il s'avéra dangereux, mais il accéléra le décès de plusieurs personnes. « Celui qui avait préconisé ce traitement n'avait pas étudié le mécanisme évolutif de la maladie, ni tenu compte du fait qu'un certain pourcentage de malades survivent toujours à leur mal, expliquera David Barry. Les réactions immunitaires d'un individu peuvent varier d'un jour à l'autre sans que l'on comprenne pourquoi. C'était peut-être ce qui s'était passé pour Barbara. Affirmer que son apparente guérison était due à notre AZT eût été prendre nos désirs pour des réalités. Il pouvait s'agir d'une amélioration spontanée. »

David Barry avait bien des raisons d'être circonspect. L'histoire de la thérapeutique abonde en phénomènes trompeurs. Il y a d'abord le fameux « effet placebo » à l'origine de progrès surprenants dus à la seule autosuggestion. Un meilleur moral réactive souvent l'appétit, ce qui provoque le réveil des défenses immunitaires, lequel peut enrayer certaines manifestations pathologiques. Le fait d'être associé à un essai clinique dans un environnement hautement spécialisé peut aussi être un facteur décisif, les malades faisant alors l'objet d'une surveillance médicale plus intense. Comment savoir si ces divers éléments avaient joué un rôle dans les résultats constatés et, si oui, lequel ? De toute façon, même si l'on avait pu prouver l'action bénéfique de l'AZT sur la majorité des premiers malades traités, cette première expérimentation sur l'homme était trop limitée à la fois par sa durée et par le nombre de ses participants pour que l'on soit en mesure de prédire s'ils allaient se maintenir. Le virus pouvait à la longue se montrer résistant au médicament, des effets secondaires pouvaient survenir après l'utilisation prolongée de celui-ci. « Bref, le bienfait obtenu au départ risquait à tout moment de disparaître », dira David Barry. Les faux espoirs placés dans d'autres substances, tel le HPA-23 de l'Institut Pasteur de Paris qu'avait essayé en vain l'acteur Rock Hudson, devaient inciter l'équipe de Wellcome à redoubler de prudence et de discrétion. Mais comment imaginer pareille réserve de la part de patients qui se retrouvaient apparemment sauvés après avoir pris de l'AZT ?

★

À peine rentré en Floride, le comédien qui, quelques semaines plus tôt, ne pouvait marcher sans béquilles, proclama haut et fort devant des caméras de télévision qu'un médicament venait de le guérir de son sida. « Toutes les personnes atteintes doivent avoir le droit d'être soignées avec de l'AZT », déclarat-il en rendant un vibrant hommage au laboratoire qui le fabriquait. « Un déluge d'appels s'abattit aussitôt sur notre standard téléphonique », racontera David Barry, qui n'hésita pas à répondre lui-même à de nombreux correspondants. Des malades, dont la voix presque inaudible augurait la fin prochaine, rassemblaient leurs dernières forces pour supplier qu'on leur procure le remède. Des parents de drogués décrivaient le supplice de leur enfant souffrant de toxoplasmose cérébrale qui le rendait aveugle ou fou. Des activistes appelaient pour s'indigner que l'AZT ne soit pas déjà en vente dans les drugstores. Il y eut aussi des gens qui téléphonaient pour annoncer : « Je viens d'avoir de la diarrhée et je transpire beaucoup la nuit. Si l'on ne me donne rien, je sens que je vais mourir. Envoyez-moi d'urgence votre médicament. » Une mère angoissée expliqua que sa fille de quinze ans venait de perdre sa virginité avec un homme réputé « à voile et à vapeur » et qu'elle était persuadée d'avoir attrapé le sida. Comme elle avait lu dans la presse qu'en prenant de l'AZT on avait une chance d'enrayer l'action du virus, elle voulait savoir comment faire pour recevoir les doses nécessaires. Des avocats d'affaires et des agents de cinéma intervinrent pour leurs clients parmi lesquels figuraient des hommes politiques et des acteurs souvent très connus. Ils offraient les sommes les plus extravagantes et se montraient parfois fort déplaisants, certains n'hésitant pas à menacer les dirigeants de Wellcome de les poursuivre en justice « pour non-assistance à personne en danger de mort », ou de leur « faire la peau » s'ils n'obtempéraient pas à leurs exigences.

Il y eut aussi les appels poignants de praticiens confrontés à l'horreur de la maladie. David Barry n'oubliera jamais celui du docteur Durack, du centre clinique de la Duke University voisine. Ce jovial père de quatre enfants implorait qu'on lui envoie de l'AZT pour l'un de ses patients, un garçon de dix-neuf ans hémophile. Originaire d'un village au fin fond de la Caroline du Sud, Steve avait contracté le sida à l'occasion d'une transfusion. Malgré sa faiblesse et ses malaises de plus en plus éprouvants, il s'acharnait à poursuivre ses études secondaires. Deux mois avant l'examen, des parents s'étant plaints de la présence d'un sidéen dans le collège fréquenté par leurs enfants, le proviseur le pria de ne plus venir suivre les cours de l'établissement. Relevant le défi, Steve prépara son diplôme par correspondance et fut reçu avec la mention « très bien ». La cérémonie de la remise des prix aurait dû être le plus beau jour des quelques mois qui lui restaient à vivre, mais ils ne fut pas autorisé à prendre place parmi ses camarades ni à monter sur l'estrade pour recevoir sa récompense. C'est caché derrière un rideau, à l'abri des regards, qu'il fut obligé de suivre le déroulement de la fête. Et c'est à travers ce même rideau, lorsque tout le monde fut parti, qu'on lui remit son parchemin en catimini au bout d'une paire de pincettes. Quelques jours plus tard, un zona foudroyant couvrait son corps d'ulcérations si douloureuses qu'il fallut le transporter à l'hôpital et l'installer dans une chambre isolée afin que ses gémissements n'affolent pas les autres malades. L'absence de tout soutien familial ajoutait encore à ses souffrances.

« Comment rester sourd à tant d'injustice ? dira David Barry. Ce collégien n'était ni un homosexuel ni un toxicomane. Il était innocent. » Le vice-président de Wellcome mit un flacon d'AZT dans sa poche, monta dans sa voiture et fonça jusqu'à l'hôpital. « Le pauvre garçon était à l'agonie, racontera-t-il. Il n'y avait aucune chance de le voir survivre six mois, la durée minimum de pronostic imposée pour pouvoir participer à un essai clinique. Devant une si grande détresse, ce critère paraissait absurde. J'ai remis l'AZT à son médecin et j'ai souhaité bonne chance à Steve. » Quatre semaines plus tard, son zona avait disparu et il pouvait se joindre aux adolescents de son village pour courir de maison en maison récolter les traditionnelles friandises de la fête de Halloween, une sorte de Mardi gras. Pour se moquer de la mort à qui il venait de jouer un tour, il avait choisi de se déguiser en squelette.

★

Les gens ne se contentèrent pas de téléphoner. Certains se rendirent jusqu'au Research Triangle Park pour faire le siège du laboratoire Wellcome, décidés à obtenir coûte que coûte, pour un parent ou un proche, le médicament dont l'efficacité était portée aux nues par les médias. Il fallut aux employés de la réception des trésors de patience et de compréhension pour faire admettre à ces visiteurs, porteurs du dernier espoir de tant de condamnés à mort, qu'il était impossible d'accéder à leur demande. David Barry reçut un jour l'appel au secours d'une des hôtesses d'accueil : un homme refusait de s'en aller « avant d'avoir parlé au directeur ». Il descendit dans le hall d'entrée en compagnie de son collègue Tom Kennedy, un Irlandais habile à démêler les situations les plus délicates. Ils se retrouvèrent en face d'un quinquagénaire d'une extrême maigreur à l'allure de clochard. Le malheureux leur confia avec une sincérité déchirante que son compagnon était en train de mourir à Miami. « Il est toute ma vie, déclara-t-il. Dès qu'il n'a plus pu s'alimenter, j'ai cessé de me nourrir moi-même. Ses souffrances sont mes souffrances. Je ne partirai pas d'ici avant que vous m'ayez donné la possibilité de le sauver. » David Barry expliqua que sa firme envisageait une expérimentation à grande échelle à laquelle son ami pourrait sûrement participer. Le visiteur restait inaccessible au langage de la raison. « C'était à la fois tragique et pathétique, dira le médecin. Cet homme nous donnait une magnifique leçon d'amour, mais notre conscience de scientifiques nous commandait de ne pas répondre à ses suppliques. »

Parmi les appels qui parvinrent cet automne-là au laboratoire pharmaceutique, il y eut celui d'un médecin new-yorkais. Le docteur Jack Dehovitz traduisait bien le désarroi croissant de centaines de praticiens américains devant cette situation insupportable : un médicament existait, il s'était déjà montré actif, mais il n'était pas disponible pour les malades. Hanté par les souffrances de Josef Stein, de Sugar et des nombreux malades qui agonisaient à l'hôpital Saint-Clare et qu'il ne pouvait guérir, Jack Dehovitz exhorta les responsables de Wellcome à « mettre les bouchées doubles afin que nous puissions enfin disposer de quelque chose à offrir à ceux qui nous accusent de les laisser mourir sans rien faire ».

★

Il fallait, certes, mettre les bouchées doubles. Mais avec quoi ? L'essai clinique effectué sur les dix-neuf malades de Sam Broder et les deux patients du centre médical de la Duke University avait épuisé jusqu'au dernier gramme du stock d'AZT constitué au printemps précédent par l'achat de toutes les réserves mondiales de sperme de hareng. De leur côté, les chimistes de Wellcome n'avaient pas encore réussi à reproduire en laboratoire la fameuse substance contenue à l'état naturel dans la semence de ce poisson de mer. Leur retard avait des excuses : la synthèse de la thymidine est d'une grande complexité. Elle requiert le succès en chaîne de dix-sept opérations et un savoir-faire que seuls de très rares laboratoires dans le monde maîtrisaient alors. La fabrication de l'AZT présentait d'autre part certains dangers qui nécessitaient la construction d'installations spéciales, en particulier d'énormes réservoirs en verre conçus pour empêcher l'explosion des molécules de thymidine au contact d'éléments métalliques.

En attendant le fruit du travail des chercheurs, techniciens et chimistes, la solution à la pénurie de matière première fut trouvée grâce à Sam Broder. Il se rappela que, vingt ans plus tôt, l'Institut national du cancer s'était procuré la totalité du sperme de hareng existant dans le monde à l'époque – une cinquantaine de kilogrammes – pour expérimenter une thérapeutique sur des malades atteints de tumeurs cancéreuses. Comme on s'était très vite aperçu que le produit ne donnait pas l'effet bénéfique escompté, l'expérience avait été abandonnée. Persuadé que le stock devait se trouver oublié au fond de quelque entrepôt poussiéreux, le cancérologue appela aussitôt le centre des Developmental Therapeutic Programs. Il pria le responsable de ce service des thérapeutiques expérimentales de « retrouver de toute urgence les cinquante kilos de sperme de hareng ». Quelques minutes plus tard, l'insolite cargaison était localisée.

– Parfait! déclara Sam Broder au diligent fonctionnaire. Expédiez-la immédiatement au laboratoire Wellcome du Research Triangle Park. Ne me demandez surtout pas de remplir tout un tas de formulaires. C'est urgent. Contentez-vous d'envoyer la marchandise.

Le ton n'autorisait aucune discussion. Les combattants du sida allaient recevoir in extremis de nouvelles munitions.

52

Calcutta, Inde – New York, USA – Automne 1985 -
Hiver 1986
Un accueil céleste pour le commando en sari blanc

C'était sans doute l'un des plus beaux spectacles pour ses yeux presque aveugles. À travers le voile laiteux de sa double cataracte, Mère Teresa devinait les contours de la procession qui traversait le chœur de la cathédrale en chantant le *Magnificat*. En ce matin de décembre, quarante de ses novices, un cierge dans la main droite, le document scellant leur profession de foi dans la gauche, allaient prononcer les vœux des Missionnaires de la Charité au pied de l'autel décoré de lys blancs. En tête de la procession, parée comme ses compagnes du sari de soie blanche des mariées bengalies chrétiennes, le front ceint d'une couronne de fleurs, l'ancienne petite lépreuse des bûchers funéraires de Bénarès marchait fière et radieuse. Sœur Ananda avait surmonté les embûches de son *karma*. Ce jour était pour elle celui d'une deuxième naissance. Le cœur battant, elle vint s'agenouiller sur la première marche de l'autel pour recevoir des mains de l'archevêque de Calcutta les marques de sa nouvelle vie. « Reçois, mon enfant, le symbole de ton Époux crucifié », déclara Mgr Picachy, un Anglo-Indien originaire de

Bombay, en lui remettant le crucifix en bois d'olivier que portent sur la poitrine les Missionnaires de la Charité. Puis le prélat déposa entre ses mains l'humble sari de coton blanc bordé de bleu qui serait désormais son unique habit.

— Que ce vêtement te conduise toujours sur les traces du Seigneur, qu'il te fasse entrer dans les maisons des pauvres pour y porter Sa lumière et y étancher Sa soif des âmes.

Quand toutes les novices eurent reçu leur crucifix et leur sari, la procession se dirigea en chantant vers la sacristie au fond de la nef. Les parents des nouvelles professes s'y pressèrent à leur suite pour assister au geste qui symboliserait la rupture de leur enfant avec son passé. À défaut de son père et de sa mère qu'elle n'avait jamais revus depuis son bannissement, Ananda frémit de joie en apercevant les yeux bridés et les pommettes saillantes de sœur Bandona. La religieuse népalaise était venue de Bénarès pour participer à ce jour qui couronnait tant d'efforts communs, tant d'espérances partagées. Derrière elle, sœur Ananda reconnut aussi, sous le voile léger d'un sari de fête rouge et or, le sourire complice de Domenica, son ancienne amie mauricienne du mouroir du Cœur Pur. À ses côtés, l'air plus juvénilee que jamais avec son diamant à l'oreille et ses cheveux noués en queue de cheval, se tenait son mari, le docteur allemand Rudolph Benz.

Mère Teresa fit alors son entrée, une paire de ciseaux à la main. Dans un silence ému, sœur Ananda et ses compagnes perdirent leur longue natte noire. Selon la tradition, leurs parents recueillirent précieusement dans des carrés de coton ces reliques d'un monde qu'elles venaient de quitter. Il restait aux novices à échanger leur tenue de mariée contre leur habit religieux. Une sœur leur distribua des cierges qu'elles allumèrent à celui que tenait Mère Teresa. Puis la procession revint en chantant dans le chœur de la cathédrale. L'instant solennel était arrivé. Dans le cliquetis des vieux ventilateurs qui brassaient un air moite s'éleva la voix claire et ferme de l'ancienne lépreuse de Bénarès.

— Moi, sœur Marie Ananda, je promets au Dieu Tout-Puissant de respecter les vœux de pauvreté, de chasteté, d'obéissance et celui de service, offert de tout mon cœur, aux plus pauvres d'entre les pauvres.

Par cet engagement, Ananda devenait, en ce 8 décembre 1985, la 2 458ᵉ sœur de l'ordre fondé par Mère Teresa.

★

Une fête bruyante et joyeuse attendait les nouvelles « épouses du Christ » à leur retour au couvent de Lower Circular Road. Comme pour de vraies noces indiennes, familles, relations, amis, toutes les sœurs, les novices et les postulantes de Calcutta et des environs s'étaient rassemblés dans la cour décorée de fleurs, de lanternes et de serpentins.

Le front marqué, selon la tradition indienne, du point rouge de bienvenue, une guirlande de fleurs au cou, sœur Ananda et ses compagnes reçurent l'accolade de Mère Teresa. Son visage ridé rayonnant de bonheur, la vieille religieuse les bénit l'une après l'autre.

– Qu'il y ait toujours un sourire sur tes lèvres, Ananda, murmura-t-elle en posant ses mains sur la tête de la jeune sœur. N'oublie jamais que ce n'est pas seulement de tes soins que les pauvres ont besoin, mais surtout de la joie de ton cœur.

Sœur Ananda avança vers l'assistance en fête. Tout en blanc, les postulantes tournoyaient devant elle dans une farandole endiablée au son d'un harmonium et de *bhajan*, de vieux chants rythmiques bengalis, mi-hymnes mi-poèmes, qui célèbrent le nom de Jésus et de ses saints. D'autres faisaient pleuvoir depuis les étages une mousson de pétales de rose, de jasmin et d'œillet. D'autres lançaient des confettis ou dansaient en faisant vaciller les flammes de chandelles multicolores.

Selon la tradition, c'est par l'annonce des affectations que s'acheva la fête. Ses yeux malades ne lui permettant pas d'en lire la liste cette année, Mère Teresa chargea sœur Paul de la remplacer. Jusqu'à son dernier jour sœur Ananda se rappellera ce tournant dans sa vie. « Un étrange sentiment s'empara de nous toutes, au fur et à mesure que sœur Paul égrenait nos noms, liés à des noms de villes et de pays dont la plupart nous étaient inconnus. Je dus attendre presque jusqu'à la fin pour apprendre que Mère Teresa avait décidé de m'envoyer à New York. Dès le lendemain, je devais partir vivre aux États-Unis avec trois autres sœurs afin d'y travailler dans un foyer pour malades. » Une réconfortante nouvelle devait atténuer l'appréhension de sœur Ananda devant la perspective de cette aventure dans un monde étranger. C'était la sœur Paul, celle qui l'avait formée au mouroir pendant ses années de noviciat, que Mère Teresa avait choisie pour diriger la nouvelle maison des Missionnaires de la Charité à New York.

★

Les douaniers américains de l'aéroport John F. Kennedy se souviendraient longtemps de leur stupéfaction. Jamais ils n'avaient vu pareille collection de bagages hétéroclites à l'arrivée d'un avion. On aurait dit des immigrants du siècle dernier débarquant avec leurs quelques misérables possessions sur le sol américain. Il y avait des seaux, des ustensiles de cuisine usagés, des cartons ficelés avec des bouts de chanvre, des sacs de jute rapiécés bourrés de linge et de chiffons, des paillasses roulées dans des pièces de toile maintenues par des cordes, de vieux parapluies, des sandales de plastique, des balais, des serpillières et même des journaux indiens. Sur chaque colis de cet invraisemblable bric-à-brac s'étalaient un nom et une adresse calligraphiés à l'encre bleue : « MOTHER TERESA – NEW YORK – USA. »

C'était la règle. Chaque fois que des Missionnaires de la Charité allaient s'installer quelque part, fût-ce dans l'une des capitales du riche Occident, elles emportaient de Calcutta tout ce dont elles avaient besoin. Mère Teresa avait donné de strictes consignes à l'archevêque de New York pour l'aménagement du bâtiment de Washington Street. Il fallait respecter l'esprit de dénuement de toutes ses institutions, surtout en ce qui concernait le sous-sol destiné à servir de couvent à sa petite communauté. Pour literie, pas de sommiers ni de matelas, mais de simples châlits métalliques récupérés ou achetés d'occasion sur lesquels les sœurs dérouleraient leurs paillasses. Comme mobilier, il suffirait d'un banc et de tabourets. Des caisses ou des cartons d'emballage serviraient d'étagères où ranger notamment les livres de prière. Nul besoin de réfrigérateur ni de machine à laver ; encore moins de climatiseur ou de téléviseur.

Pas un sou ne devait être dépensé inutilement, même pour du papier hygiénique.

La fille du propriétaire des bûchers de Bénarès n'oubliera jamais le surprenant accueil que lui réserva New York. « C'était la première fois de ma vie que je voyais tomber du ciel des flocons de neige. Petit à petit, les arbres, les maisons, les voitures se cachaient sous un immense sari blanc. Quel enchantement ! » Les yeux écarquillés, sœur Paul et les trois autres religieuses partageaient son émerveillement. Bientôt la voiture du coopérateur bénévole venu les chercher fut pratiquement engloutie dans un maelström cotonneux. Pour des Indiennes superstitieuses et sensibles aux manifestations des forces de la nature, cette tempête de neige ne pouvait être qu'un signe du ciel, le salut de bienvenue que leur offrait le Créateur. Éblouie, Ananda songea au cantique de Daniel. Les mots du prophète qu'elle avait tant de fois récités dans la fournaise de Calcutta devenaient réalité. Sa voix claire entonna gaiement : « Gelées et frimas, glaces et neiges, exaltez à jamais le Seigneur. » Repris aussitôt à tue-tête par les autres sœurs, le psaume accompagna leur voyage à travers la bourrasque jusqu'à la porte de leur maison new-yorkaise.

Une autre surprise y attendait Ananda. Les trois ouvriers qui étaient occupés à installer le téléphone du futur hospice avaient la peau encore plus noire que la sienne. Le choc fut grand pour celle qui, depuis l'enfance, s'était crue condamnée à l'abjection sociale, celle que des moribonds avaient rejetée à cause de sa couleur, celle qui avait associé peau noire et laideur. L'ex-paria de Bénarès fut transportée de bonheur. « Le bon Dieu me montrait qu'il avait fait des créatures beaucoup plus noires que moi ! dira-t-elle. Il voulait me convaincre que je n'étais pas laide comme je l'avais toujours pensé. »

L'Amérique n'avait pas fini d'étonner ce jour-là les voyageuses de Calcutta. En dépit des recommandations de Mère Teresa, des donateurs trop zélés avaient équipé la maison avec tous les appareils ménagers présents dans un foyer américain. Sœur Ananda resta un long moment figée devant la batterie des machines qui occupaient le fond de la pièce de séjour. Mis à part les réfrigérateurs aperçus à Calcutta dans des vitrines de

Park Street sur le chemin du mouroir, tous ces instruments lui étaient aussi étrangers que les satellites tournant dans l'espace. Sœur Paul s'empressa d'user de son autorité pour demander l'enlèvement immédiat de ces équipements superflus. Seul le gros tuyau fixé sur l'un des murs échappa au déménagement. En voulant voir à quoi il servait, sœur Ananda se brûla les doigts. C'est ainsi que la jeune Indienne découvrit un précieux bienfait du confort moderne pour cette ville aux hivers polaires, le chauffage central.

Son exploration du sous-sol lui fournit d'autres surprises. Les rénovateurs de l'ancien presbytère avaient prévu une installation à leurs yeux si élémentaire qu'ils n'en avaient même pas informé l'archevêque. Pour eux, il allait de soi qu'une salle de douches était indispensable aux visiteuses, fussent-elles de saintes femmes habituées à la pauvreté de Calcutta. Ni les bûchers de Bénarès, ni la léproserie au bord du Gange, ni le mouroir du Cœur Pur n'avaient préparé Ananda à cette curieuse découverte. Bouche bée et les yeux écarquillés, elle considéra avec un intérêt mêlé de crainte la grosse pomme de douche étincelante accrochée au plafond. Elle effleura timidement une des poignées de robinet. Suffisait-il de la tourner pour que de l'eau jaillisse de cette source métallique ? Elle ne pouvait le croire. Comme de si nombreux Indiens, sœur Ananda gardait avec l'eau un rapport quasi charnel. Depuis sa plus tendre enfance, les corvées d'eau n'avaient cessé d'occuper ses journées, parfois jusqu'à l'épuisement. Jamais encore elle n'avait rempli un seau ou une cruche autrement qu'à la force de ses bras. Cette éreintante tâche quotidienne avait déformé son squelette, lui avait inculqué pour l'eau un respect presque religieux, la conscience aiguë de sa valeur et de sa rareté, l'absolue nécessité de l'économiser. En Inde, on ne pouvait se permettre de la gaspiller. On se servait de la même eau d'abord pour la toilette, ensuite pour la lessive et enfin pour le nettoyage des sols.

Émue, sœur Ananda se signa, avança une main tremblante et tourna la poignée. Un véritable déluge tomba aussitôt du plafond. Hypnotisée, elle regardait l'eau couler. C'était moins la vue du jet puissant que son bruit qui la saisissait, ravivant dans sa mémoire celui de la mousson frappant les flots du Gange, le brusque martèlement des averses tropicales qui faisaient reverdir les champs autour de Bénarès, le bombardement du ciel apportant un peu de fraîcheur dans la fournaise de l'été. Ananda écoutait l'eau tomber avec extase. Sous l'emprise de la magie de ses souvenirs, elle se jeta tout habillée sous la douche. Bras écartés, tête penchée en arrière, elle s'offrit au merveilleux ruissellement. L'eau, la chaleur la pénétraient comme dans son enfance, quand les nuages libéraient leur manne de vie sur les hommes et leur terre aride. Seule une Indienne pouvait savourer cette communion, cet instant de bonheur indicible. Elle eut à nouveau envie de chanter. « Pluies et rosées, exaltez le Seigneur, et vous, astres du ciel, bénissez-Le à jamais... »

Attirées par sa voix qui résonnait dans toute la maison, sœur Paul et les trois autres religieuses arrivèrent en courant. En voyant leur compagne s'amuser comme une enfant, elles partirent toutes d'un fulgurant éclat de rire. Mère Teresa pouvait être rassurée. C'était avec la joie au cœur que ses sœurs commençaient leur apostolat à New York.

53

New York, USA – Automne 1985 - Hiver 1986
L'an prochain à Jérusalem

Il n'y avait pas que des tragédies à l'hôpital Saint-Clare de New York, il y avait aussi de vraies fêtes. Un soir de décembre, toute l'équipe soignante, le docteur Jack Dehovitz en tête, ainsi que ceux des patients de l'étage qui avaient la force de faire quelques pas, envahirent la chambre de Josef Stein pour fêter avec lui son départ. Une nouvelle thérapie à base de vinblastine, un alcaloïde extrait d'une herbe de la forêt amazonienne aux propriétés anticancéreuses, avait pratiquement fait disparaître son infection buccale due au cancer de Kaposi. L'ex-archéologue avait recommencé à s'alimenter et il avait déjà repris plusieurs kilos. Personne n'aurait pu dire en le croisant dans la rue qu'il était atteint du sida et n'avait peut-être plus pour très longtemps à vivre.

Cette victoire n'avait pas été obtenue sans mal. La chimiothérapie est une épreuve que tous les malades redoutent à cause des troubles pénibles qu'elle provoque – nausées, vomissements, migraines, diarrhées, suées, frissons, éruptions cutanées – souvent liés à une sévère anémie. La toxicité de plusieurs médicaments est si mal supportée par certains sujets qu'il faut contrôler très attentivement leurs fonctions cardiaque et respiratoire. Il faut surtout être prêt à interrompre le traitement à tout moment. Il y a pourtant de curieuses exceptions. Gloria Taylor eut ainsi à s'occuper d'un travesti noir qui « dévorait comme un ogre après chaque séance de chimio » alors que, d'habitude, elle avait le plus grand mal à lui faire avaler ne fût-ce qu'une cuillerée de potage.

Jack Dehovitz et son équipe ne se faisaient pas d'illusions : l'apparente guérison de Josef Stein n'était qu'une rémission temporaire. Dans quelques mois, peut-être quelques semaines ou seulement quelques jours, ils le verraient revenir, tenant à peine debout. Tout le drame du sida résidait dans ces perpétuels retours en arrière. « On a beau stopper une infection, enrayer ici ou là une tumeur, la maladie n'en progresse pas moins inexorablement, dira le médecin. D'une part, le virus est toujours présent, et d'autre part, l'effondrement du système immunitaire favorise le développement de toutes sortes de maladies opportunistes. Nous disposons de divers moyens thérapeutiques contre les infections et les cancers, mais d'aucun hélas contre le virus lui-même. Les complications se succèdent, s'aggravent et finissent par avoir raison de la résistance des malades. » Le docteur Sam Broder dans son hôpital de Bethesda, ses confrères Michael Gottlieb à Los Angeles, Paul Volberding à San Francisco, Willy Rozenbaum à Paris et, d'une façon générale, tous les médecins du monde confrontés au sida partageaient cet hiver-là l'amertume de Jack Dehovitz.

Toujours en quête de sensationnel, les médias au contraire proclamaient périodiquement la découverte de quelque nouvelle panacée. C'est ainsi qu'une équipe de la chaîne de télévision CBS débarqua un matin à l'hôpital Saint-Clare pour interviewer à la fois un patient et un médecin à propos d'un médicament expérimental à base d'interféron présumé guérir les tumeurs de Kaposi. « Le journaliste voulait à tout prix me faire dire que je plaçais d'énormes espoirs dans cette substance et que j'étais fort impatient de pouvoir l'utiliser, racontera Jack Dehovitz. Après avoir connu tant de déceptions, j'avais beaucoup de mal à m'exciter sur une innovation thérapeutique. J'étais bien sûr au courant des différentes publications consacrées au produit en question et je savais que certains de mes confrères l'avaient déjà employé. Sans me montrer particulièrement dithyrambique, j'ai simplement exprimé mon intention de m'en servir moi aussi, au même titre que d'autres médications. L'équipe de télévision s'est ensuite rendue dans la chambre de Josef Stein. Après avoir complaisamment filmé ses lésions sous toutes les coutures, le journaliste lui apprit qu'un nouveau remède capable d'améliorer rapidement son état venait d'être trouvé. La séquence fut diffusée le soir même à une heure de grande écoute. Pour donner plus d'impact à la réaction d'une victime du sida qui se croyait condamnée à plus ou moins brève échéance et qui découvre, sous les yeux de millions de téléspectateurs, qu'un nouveau produit peut le sauver, mon intervention avait été purement et simplement coupée. Le résultat de ce tapage médiatique intempestif fut déplorable. Le reportage traumatisa tellement le pauvre Josef qu'il me fit une scène violente et m'accusa de ne pas chercher à le guérir puisque je n'utilisais pas tout ce que la science médicale découvrait constamment. »

Comme la majorité des malades du sida, Josef Stein s'intéressait de très près à l'évolution de son mal, aux traitements qu'il recevait, aux progrès de la recherche. Il lisait attentivement chaque jour le *New York Times*, épluchait les principaux hebdomadaires d'information et plusieurs revues médicales. Il surveillait les journaux télévisés et radiophoniques. Il se laissait ainsi souvent abuser par les médias qui suscitaient de faux espoirs chez les malades. Cela compliquait la tâche des médecins.

Certains patients n'hésitaient pas à prendre l'avion pour le Mexique afin d'acheter dans les *farmacias* de Laredo ou de Tijuana des remèdes dont la Food and Drug Administration interdisait la vente sur le territoire des États-Unis. « Moi qui n'avais rien à leur offrir, au nom de quels principes aurais-je pu les en empêcher ? demandera Jack Dehovitz. Avais-je le droit de retenir des hommes et des femmes qui se savaient menacés d'une mort prochaine de courir au bout du monde pour chercher l'hypothétique espérance de prolonger leur vie ? L'expérience avait prouvé, hélas, qu'aucune des drogues anti-sida vendues au Mexique ou ailleurs n'était efficace. J'avais soigné des malades qui en avaient pris et ils étaient malheureusement morts comme les autres. Si j'en avais rencontré un seul qu'un de ces médicaments avait sauvé, je n'aurais sans doute pas hésité à transgresser les règles de l'éthique de ma profession pour m'en procurer secrètement afin d'en faire profiter ceux qui agonisaient tous les jours sous mes yeux. »

★

Ce matin de décembre, la spectaculaire amélioration de l'état de Josef Stein donnait un air de fête à tout l'étage de Saint-Clare. Le malade favori du personnel soignant était debout, joyeux, triomphant. Heureux d'avoir partiellement obtenu la guérison de son ami qu'il était allé demander aux moines de l'abbaye de Latroun et aux prophètes d'Israël, Sam Blum avait apporté un magnum de dom-pérignon.

— *L'chaïm!* Trinquons à la vie! lança le fils du rabbin de Brooklyn en versant le champagne.

— *L'chaïm!* répéta l'assistance en chœur.

Il y eut un cliquetis de verres entrechoqués. Josef Stein étreignit Jack Dehovitz.

— Tu es le roi des toubibs, Doc!

L'infection chronique de ses muqueuses avait fini par donner un son métallique à sa voix. Le jeune médecin éclata de rire.

— *No more kzetching!* Finies les pleurniches! répondit-il dans le mélange de yiddish et d'anglais qu'ils s'amusaient à parler entre eux. Le service va paraître bien vide après ton départ. Nous allons tous nous sentir un peu orphelins. N'oublie pas de donner de tes nouvelles.

— Je vous enverrai une carte de Jérusalem! Josef se tourna vers Sam : N'est-ce pas, vieux frère ? Nous allons partir là-bas faire une surprise à notre ami paralysé pour le remercier de ses prières.

★

Deux jours avant le départ prévu pour Tel Aviv, Josef Stein fut, à son réveil, saisi de vomissements qui l'épuisèrent au point qu'il n'eut pas la force de se lever. Il sentit que des pustules gonflaient à nouveau les parois de sa bouche, de sa gorge, et atteignaient même sa trachée. De courtes mais très douloureuses quintes de toux commencèrent à le secouer de la tête aux pieds. Une fièvre élevée accompagnée de suées et de frissons confirma rapidement une rechute foudroyante.

Rassemblant ce qui lui restait de forces, il appela Sam au téléphone. En prenant soin de ne pas l'alarmer, il lui suggéra de retarder de quelques semaines leur voyage en Israël pour le faire coïncider avec la prochaine Pâque.

— Nous en profiterons pour emmener notre petit moine au Mur de Jérusalem, déclara-t-il. Quelle superbe action de grâces ce sera pour lui comme pour moi !

Soulagé, il raccrocha. Avant de se laisser retomber sur son lit, il laissa sa main errer une minute sur les objets qui encombraient sa table de chevet : son réveil d'étudiant, un petit silex taillé rapporté de ses fouilles en Israël et sans doute vieux de plus de cent mille ans, un cadre en argent avec la photo prise sur le site archéologique de Gezer en compagnie de Sam et de Philippe quelques instants avant le tragique accident, un exemplaire de la Torah et une vieille édition reliée en cuir noir des *Mitzvot*, les commandements de la loi juive.

Un signet marquait une page de cet ouvrage. Josef l'avait lue et relue maintes fois ces derniers temps. Il en avait analysé chaque phrase, médité chaque mot. Il s'agissait du *mitzvah* relatif à l'interdiction d'entreprendre une quelconque action en vue de supprimer sa vie. Cet interdit se fondait sur de nombreux écrits sacrés. L'ouvrage citait notamment la réplique lancée des flammes de son bûcher par le rabbin Chanadiah ben Terodyan mis à mort au IIᵉ siècle. Tandis qu'on lui criait d'abréger ses souffrances en respirant la fumée à pleins poumons, il avait répondu : « C'est le Créateur qui a donné son âme à l'homme. Lui seul peut la reprendre. Personne n'a le droit de hâter sa propre mort. » Le texte rappelait que la loi juive refuse tout service religieux et toute manifestation de deuil pour un défunt coupable d'avoir mis fin à ses jours, y compris le rite du *keriah*, cette pratique par laquelle les juifs témoignent leur affliction au disparu en déchirant devant sa tombe un morceau de leur vêtement. Dans le même ouvrage, Josef avait découvert que d'autres commentaires atténuaient quelque peu l'intransigeance absolue de ce commandement. Le rabbin Yore Deah proclamait ainsi que « toute personne dont l'existence est devenue misérable est autorisée à s'abstenir de faire en sorte de la prolonger ».

Témoin de tant d'agonies autour de lui à l'hôpital Saint-Clare, Josef Stein n'ignorait rien de la fin atroce qui l'attendait. Il s'en était confié plusieurs fois dans ses lettres à son ami moine en Israël. Ce n'était pas la souffrance physique en elle-même qu'il redoutait, mais l'état de déchéance progressive qui détruit fatalement tout ce qui fait la fierté de vivre. « Je ne regrette rien, avait-il souvent rappelé à son entourage. J'ai aimé tout ce que j'ai fait dans ma vie. Si c'était à recommencer, je ne changerais pas un iota. » En signant le document « Ne pas ressusciter » au début de sa première hospitalisation à Saint-Clare, il avait exprimé sa volonté de ne pas être maintenu en vie artificiellement.

Ce matin-là, se sentant si mal en point, il réalisa combien son état s'était dégradé. Il songea au sort cruel de Philippe Malouf, condamné à vivre dans un fauteuil roulant jusqu'à la fin de ses jours. Comme lui, il savait qu'il ne serait plus jamais un homme debout. Tant qu'il avait encore la liberté de choix, le moment n'était-il pas venu de mettre un terme à cette lutte inutile contre un virus plus fort que lui ?

Sur la table de chevet se trouvait le flacon de gélules blanches qu'on lui avait donné avant son départ de Saint-Clare. Le pharmacien de l'hôpital en avait inscrit le nom sur l'étiquette. C'était du Dilaudid, un analgésique plus puissant que la morphine. Josef regarda avec reconnaissance les petites bombes chimiques qui avaient tant de fois apaisé ses souffrances et soutenu sa volonté de vivre. D'habitude, une seule suffisait à calmer ses douleurs les plus intolérables. Combien en faudrait-il pour supprimer à jamais le mal suprême, celui d'une existence devenue misérable ? se demanda-t-il.

Avant de chercher la réponse, il voulut parler à l'ami qui l'avait tant exhorté à accepter son sort jusqu'au bout, à faire siens les lamentations de Jérémie, à écouter la voix d'Isaïe proclamant que « celui qui porte la souffrance du monde est celui qui rachètera le malheur des hommes ». Josef Stein composa le numéro de l'abbaye des Sept-Douleurs de Latroun. En tapant sur les touches du téléphone, il revit en pensée le petit cimetière derrière l'église, avec sa haie de cyprès, ses buissons d'asphodèles, ses rangées de croix de bois plantées à même la terre et qu'identifiaient de simples prénoms.

Frère Philippe était absent. Il avait été conduit à Jérusalem pour y subir des examens en vue d'une prochaine intervention chirurgicale qui devait lui redonner l'usage complet de ses doigts.

— Y a-t-il un message à lui transmettre ? demanda la voix au bout du fil.

— Dites-lui seulement que son ami Josef Stein souhaitait l'embrasser avant de partir.

★

A côté du téléphone, il y avait en permanence un petit bloc de papier. Josef Stein s'en empara et griffonna avec peine : « *Good bye and Mazel Tov. I love you all.* » Il détacha la feuille et la plaça en évidence contre la lampe de chevet. Puis il se versa un verre d'eau, décapsula le flacon de Dilaudid, fit tomber dans sa paume le reste des gélules et les avala une à une.

54

New York, USA – Noël 1985 - Hiver 1986
« La vie est une chance, saisis-la. »

Depuis les grandes grèves de dockers d'antan et les manifestations de la libération gay des années 70, cette rue de Greenwich Village n'avait jamais vu accourir autant de journalistes. Tenus à distance par un cordon de policiers, les habitants du quartier regardaient le plus insolite des spectacles. À peine remise d'une opération de la cataracte, son visage ridé presque entièrement caché par de grosses lunettes noires, Mère Teresa, au milieu d'un tourbillon de micros et de caméras, accueillait les personnalités à la descente de leurs limousines. Le maire Ed Koch, radieux et souriant, serra avec effusion la main que lui tendit l'illustre vieille dame sous l'œil ravi du cardinal archevêque de New York. John O'Connor triomphait. C'était sous les auspices de son archidiocèse que s'ouvrait aujourd'hui le premier foyer d'accueil pour les malades du sida sans ressources.

Sur le mur à droite de la porte d'entrée, la fondatrice des Missionnaires de la Charité avait fait apposer la plaque qui désignait le nouvel établissement de sa congrégation. Les caméramen se bousculaient pour cadrer les trois mots qui y étaient gravés. L'ancien presbytère du 657 Washington Street s'appelait désormais « GIFT OF LOVE - DON D'AMOUR ». Malgré sa fatigue, la religieuse ne s'était pas opposée à une inauguration officielle. « Chaque malade du sida est une incarnation du Christ », déclara-t-elle aux reporters qui se pressaient autour d'elle, frêle et minuscule. Comme date d'ouverture, elle avait choisi la veille de Noël parce que « Jésus est né cette nuit-là et je veux aider chacun à naître à la joie, à l'amour, et à la paix ».

C'était elle aussi qui avait désigné les trois premiers pensionnaires. Elle les avait trouvés derrière les barreaux de Sing Sing, le pénitencier à la sinistre réputation où l'avait conduite une religieuse américaine qui consacrait sa vie à soulager la détresse morale et physique des prisonniers. Ce qu'elle y avait vu l'avait horrifiée. La consommation de stupéfiants faisant rage dans les prisons, les seringues contaminées y propageaient l'épidémie de manière fulgurante. Les malades ne bénéficiaient ni de soins appropriés ni du moindre réconfort moral. Mère Teresa estima leur situation plus tragique que celle des moribonds sur les trottoirs de Calcutta. Elle demanda aussitôt que lui soit confié un premier groupe de trois malades parmi les plus atteints.

L'un d'eux, Daryl Morsette, vingt-sept ans, avait été danseur à l'Electric Circus et au Gilded Grape, deux boîtes discos de New York. Toxicomane irréductible, Daryl avait agressé un couple dans une rue de Manhattan un jour qu'il manquait d'argent pour se procurer sa dose. Il s'était retrouvé à Sing Sing, condamné à six ans de réclusion. Il lui restait six mois à faire avant de pouvoir solliciter sa libération conditionnelle. Mère Teresa remua ciel et terre et obtint que deux représentants du bureau des Grâces de l'État de New York se rendent au chevet du condamné pour lui offrir une mise en liberté anticipée.

La sainte femme se souviendra longtemps du surprenant dialogue qui s'échangea à cette occasion.

– Détenu Daryl Morsette, vous devez savoir que, par cette grâce, vous cessez d'être à la charge de l'État, annonça l'un des fonctionnaires au prisonnier. Cela signifie que vous perdez le bénéfice de sa protection médico-sociale. Désormais, tous les frais occasionnés par votre maladie seront à votre charge.

Le malheureux qui était très mal en point et couvert de pustules de Kaposi hocha tristement la tête.

– Je ne sais pas combien de jours il me reste à vivre, grommela-t-il, mais j'aime mieux les passer dehors que derrière ces foutus barreaux. Au diable votre protection médicale! Je préfère la liberté.

★

Mère Teresa attendait au milieu d'une meute de journalistes et de badauds. Pourquoi l'ex-prisonnier et ses deux codétenus malades qu'elle avait pris sous son aile, des petits braqueurs nommés Antonio Rivera et Jimmy Matos, n'étaient-ils pas encore arrivés? Quand le gyrophare d'une ambulance apparut enfin au bout de la rue, elle se précipita à la rencontre du véhicule. Le garçon barbu, pâle, amaigri qui s'apprêtait à en descendre eut un mouvement de recul à la vue des caméras et des micros soudain braqués vers lui. Mère Teresa ne reconnut en lui aucun des trois pensionnaires de Sing Sing. Elle apprit alors que, leur état s'étant sérieusement aggravé, les médecins de Saint-Clare – où ils avaient été hospitalisés en attendant que la maison du Don d'Amour soit prête – avaient dû les mettre sous soins intensifs. À leur place, ils envoyaient un autre malade pour l'inauguration officielle du foyer. Éberlué par cet accueil inattendu, Josef Stein se laissa entraîner par Mère Teresa à l'intérieur du bâtiment qui sentait la peinture fraîche. Il fut encore plus surpris d'y être salué par le maire, le cardinal archevêque et l'envoyé du gouverneur.

★

La mort n'avait pas voulu de l'ex-archéologue. Pressentant le pire après l'appel téléphonique de son ami, Sam Blum avait sauté dans un taxi. Il était arrivé juste à temps. Joseph respirait encore. Lavage d'estomac, injections tonicardiaques, perfusions, oxygène, l'unité mobile de réanimation de Saint-Clare appelée sur place avait réussi à ranimer le désespéré. La première chose qu'il découvrit en ouvrant les yeux fut le pouce que pointait en l'air le docteur Jack Dehovitz. Un signe de victoire.

– *Welcome back to the world of the living!* Sois le bienvenu pour ton retour dans le monde des vivants ! avait lancé le médecin avec chaleur.

– Pourquoi as-tu fait ça ? lui reprocha Josef dans un murmure.

– Je n'y suis pour rien, mais je m'en réjouis. L'équipe des secours d'urgence a bien fait son travail. Nous sommes tous très contents !

« Pendant plus de trois jours, Josef ne cessa de sangloter, racontera l'infirmière Gloria Taylor. Chaque fois que j'entrais dans sa chambre, il attrapait mon bras, le serrait aussi fort qu'il le pouvait et me suppliait de l'aider à mettre fin à ses jours. Il arrachait constamment les tuyaux de ses perfusions et je dus lui attacher les mains. »

C'est alors que le malade bénéficia d'une nouvelle rémission spectaculaire. En moins d'une semaine, grâce à une chimiothérapie particulièrement ajustée, l'infection buccale disparut, les quintes de toux s'espacèrent. Josef Stein put bientôt se lever. « J'avais l'impression d'être un astronaute de la Nasa rentrant d'une promenade sur la Lune », dira-t-il. Pour l'obliger à se nourrir, Gloria lui apportait toutes les heures une coupe de glace à la fraise, son parfum préféré.

« Je me sentais un peu confus. J'avais honte. Je cherchais dans les regards une lueur de blâme. Je n'y trouvais que de la tendresse. »

Un matin, le vaguemestre de l'hôpital lui apporta une lettre d'Israël. Par Sam, leur ami moine avait appris sa tentative de suicide. Mais Philippe Malouf ne faisait aucune allusion à cet événement. Avec son enthousiasme habituel, il annonçait une nouvelle en laquelle il voyait un signe merveilleux. « Je viens d'apprendre que la petite sœur indienne Ananda dont je t'ai parlé a été envoyée à New York pour y soigner les malades du sida dans un foyer d'accueil ouvert par Mère Teresa, écrivait-il. C'est la Providence qui te l'envoie, vieux frère. Je t'en supplie : va vite la voir. »

.

Josef Stein relisait le message de son ami quand Gloria Taylor entra en trombe dans sa chambre. L'infirmière noire exultait.

— Habille-toi vite, Josef, on t'emmène faire un petit voyage, lança-t-elle. Mère Teresa a besoin de toi.

★

Au Don d'Amour, c'était la bousculade. Revêtu d'une aube blanche brodée, une étole dorée sur les épaules, l'archevêque John O'Connor brandissait son goupillon au-dessus des têtes, aspergeant d'eau bénite la vieille bâtisse remise à neuf. Comme pour tous ses centres à travers le monde, Mère Teresa avait décoré son premier foyer pour les victimes de la nouvelle peste qui frappait l'Occident des emblèmes de sa foi. Dans le salon du rez-de-chaussée orné d'un immense crucifix, elle avait elle-même écrit à la craie sur un tableau noir les paroles du « Je vous salue, Marie ». Elle avait pris soin de rédiger la dernière ligne — « Maintenant et à l'heure de notre mort » — en lettres capitales et l'avait soulignée de deux traits épais. Sur une étagère où les sœurs avaient placé son portrait, elle avait posé deux bibles à la disposition des malades, l'une en anglais et l'autre en espagnol pour ceux de culture hispanique. Au seuil de chacun des paliers, une inscription indiquait le nom qu'elle avait choisi pour les différents étages. Il y avait celui du Christ-Roi, celui de Saint-Joseph, celui du Cœur-Immaculé-de-Marie et celui du Sacré-Cœur de Jésus. Les chambres avaient été également baptisées. Celle de Josef Stein était dédiée à Notre-Dame-de-Bonne-Espérance. Elle contenait deux lits métalliques, une commode, une table, une chaise et un fauteuil recouvert de skaï vert pomme. Une sorte de manifeste placardé sur l'un des murs en constituait l'unique décoration. Trente ans plus tôt, dans une colonie de lépreux à l'écart d'un village indien au bord du Gange, Mère Teresa en avait composé le texte pendant une nuit d'orage.

La vie est une chance, saisis-la.
La vie est beauté, admire-la.

La vie est béatitude, savoure-la.
La vie est un rêve, fais-en une réalité.
La vie est un défi, fais-lui face.
La vie est un devoir, accomplis-le.
La vie est un jeu, joue-le.
La vie est précieuse, prends-en soin.
La vie est une richesse, conserve-la.
La vie est amour, jouis-en.
La vie est un mystère, perce-le.
La vie est promesse, remplis-la.
La vie est tristesse, surmonte-la.
La vie est un hymne, chante-le.
La vie est un combat, accepte-le.
La vie est une tragédie, prends-la à bras-le-corps.
La vie est une aventure, ose-la.
La vie est bonheur, mérite-le.
La vie est la vie, défends-la.

Mère Teresa

Allongé sur son lit, Josef Stein méditait ces lignes quand une jeune religieuse en sari entra dans sa chambre.

« Un grand sourire illuminait son visage, racontera-t-il. Elle joignit les mains à hauteur de sa poitrine et inclina la tête pour me saluer avec le geste traditionnel de son pays. Je sus d'instinct qu'elle était la petite " fiancée " spirituelle de mon ami moine.

« – Je suis sœur Ananda, me dit-elle. C'est moi qui suis chargée de l'étage du Christ-Roi. »

55

Pine Needle Lodge – Bethesda, USA – Automne 1985
AZT ou placebo : la roulette russe

La priorité qui s'imposait maintenant au vice-président du laboratoire Wellcome et à son état-major était le choix d'une stratégie. Plusieurs voies s'offraient à eux. Le providentiel cadeau des cinquante kilos de sperme de hareng retrouvés par Sam Broder et, surtout, l'imminente synthèse de la thymidine par leurs chimistes permettaient d'envisager une production massive d'AZT en vue de sa mise rapide sur le marché. Cela coûterait des millions de dollars, mais c'était réalisable. Comme il n'existait aucun autre médicament anti-sida, David Barry savait qu'une telle décision serait accueillie avec soulagement par le corps médical, les malades et l'opinion publique et, sans aucun doute, approuvée par la bienveillante inspectrice de la Food and Drug Administration Ellen Cooper. « Nous étions comme l'unique chasse-neige disponible que chacun espère voir ouvrir une piste dans la tempête, dira-t-il. Tout le monde était prêt à nous suivre les yeux fermés. »

Les responsables de Wellcome choisirent pourtant une autre voie. Une voie qui coûterait plus cher et ne rencontrerait pas les faveurs du public, mais qui était plus conforme aux traditions de rigueur scientifique du prestigieux laboratoire. David Barry et ses collaborateurs décidèrent d'approfondir l'expérimentation de l'AZT. Ils voulaient le soumettre au verdict d'un « essai clinique comparatif en double aveugle ». Il s'agissait de sélectionner plusieurs centaines de malades, de les répartir en deux groupes homogènes, d'administrer le remède à tous les membres de l'un des groupes, tandis que les autres recevaient un produit neutre, dit placebo. Ni les malades ni leurs médecins ne devaient savoir s'ils prenaient le médicament ou le placebo, d'où son qualificatif de « double aveugle ». La comparaison de l'état médical des sujets des deux groupes en fin d'expérience permettrait d'évaluer l'effet réel du produit testé. La plupart des traitements pour les maladies cardiaques, les affections urinaires et pulmonaires, les pathologies infectieuses, avaient fait l'objet de ce système de contrôle. « Il était de notre devoir de respecter cette méthode, dira David Barry. C'était notre seule façon de ne pas jouer les apprentis sorciers avec la thymidine dont nous ne connaissions pas suffisamment les propriétés bénéfiques et les inconvénients. »

Cette décision risquait de soulever de violentes objections dans le cadre d'une épidémie mortelle comme celle du sida. « Donner pendant des mois des gélules de placebo à des gens en danger de mort, alors qu'un médicament pourrait peut-être les sauver, n'est-ce pas violer les principes les plus élémentaires de l'éthique médicale ? » demanderait Michael Gottlieb, le médecin de Los Angeles qui avait diagnostiqué les premiers cas de la maladie.

★

Un superbe parcours de dix-huit trous et des écuries pour cinquante chevaux faisaient de la Pine Needle Lodge l'un des lieux de villégiature favoris des cavaliers et des amateurs de golf de la Caroline du Nord. En ce premier week-end de novembre 1985, des hôtes inattendus s'étaient donné rendez-vous dans cette paisible auberge au milieu des pins. Le docteur David Barry y avait convié tout son état-major. Il comptait sur le calme bucolique de l'endroit pour les aider à répondre aux questions urgentes et multiples que suscitait la préparation de l'essai clinique en double aveugle de l'AZT.

Combien de semaines devait-il durer ? Combien de sujets devaient y participer ? Quels critères fallait-il retenir pour leur sélection ? Devaient-ils être au premier stade de la maladie ou dans sa phase terminale ? Devaient-ils être atteints de pneumocystose, d'un sarcome de Kaposi, ou des deux à la fois ? Quels autres paramètres médicaux fallait-il prendre en compte ? Un nombre anormalement bas de globules blancs T4 ? Une perte de poids supérieure à sept kilos dans les trois derniers mois ? Une forte fièvre pendant plus de trois semaines sans cause infectieuse évidente ? Des suées nocturnes régulières et des diarrhées inexpliquées ? Fallait-il exclure les toxicomanes, les enfants, les femmes enceintes, celles qui allaitaient ? Fallait-il interdire la prise d'autres médicaments, y compris un simple cachet d'aspirine, tant que durait le test, même si l'état du sujet s'aggravait ? Si incroyablement vaste était le champ à explorer qu'à tout instant « l'un de nous devait aller consulter un spécialiste au téléphone », racontera la virologiste Sandra Lehrman.

À cela s'ajoutaient le choix des hôpitaux destinés à conduire l'expérimentation et le contrôle des résultats par les experts de Wellcome, la collecte minutieuse des informations, la stricte comptabilité des gélules à distribuer aux malades afin d'en prévenir le vol ou le trafic, les dosages du traitement, sa fréquence, le suivi de la condition physique des sujets par des examens cliniques et biologiques, la conduite à tenir en cas de réactions d'intolérance, l'évaluation des accidents de parcours et la nature des infractions commises par des malades justifiant leur exclusion de l'expérimentation. Tous les éléments furent méthodiquement discutés un à un, analysés, consignés. Les rédacteurs et les informaticiens pourraient ensuite engranger cette masse de données dans leurs ordinateurs afin de mettre au point les directives et les questionnaires qui constitueraient les bases du protocole de traitement. L'une des rubriques mobilisa tout particulièrement l'imagination des hôtes de la Pine Needle Lodge. Elle concernait le principe essentiel de l'opération, la garantie du secret. Afin que nul ne puisse savoir qui recevait le médicament et qui recevait le placebo, on décida qu'un numéro de code serait inscrit sur chaque flacon correspondant au numéro de code du patient auquel il était destiné. Les clefs de cette codification seraient enfermées dans un coffre-fort dont seul un collaborateur de Wellcome connaîtrait la combinaison. Avec sa carrure de shérif, Richard H. Clemons, soixante ans, était tout désigné pour assumer cette responsabilité. A dix-huit ans, ce fils d'un fermier de l'Iowa avait déserté les champs de maïs paternels pour assouvir sa vocation scientifique. Les expérimentations sur cobayes humains étaient sa spécialité. Ses collègues pouvaient avoir confiance : la petite armoire blindée de son bureau serait aussi inviolable que la réserve d'or de Fort Knox.

Avant de conclure leur week-end de travail, David Barry et ses collaborateurs attribuèrent un nom à l'opération dont ils venaient de concevoir les grandes lignes. Puisque c'était la cinquante-troisième bataille qu'engageait le laboratoire contre des virus, ils l'appelèrent « Opération 53 ».

★

Les douze médecins – dix hommes et deux femmes – qui se retrouvèrent deux mois plus tard à l'Institut national de la santé sur le campus de Bethesda partageaient le même acharnement à soigner leurs patients atteints du sida, la même frustration devant la vanité de leurs efforts, et le même enthousiasme à l'idée de participer à l'expérimentation d'un médicament porteur d'espoir. Choisis par les responsables de Wellcome, ils travaillaient tous dans des villes où l'épidémie frappait avec une particulière intensité. Le docteur Michael Gottlieb de Los Angeles en faisait partie. Malgré sa répugnance à administrer un placebo à des malades en danger de mort, il était parvenu à la conclusion que « la vraie compassion et la vraie morale consistaient à trouver une thérapeutique efficace le plus vite possible ».

Les douze praticiens avaient été convoqués par David Barry en vue de réaliser la mise au point finale du protocole clinique de l'Opération 53. Des experts de l'Institut national de la santé et de la Food and Drug Administration participaient également à cette concertation. Si le séminaire de Pine Needle

Lodge avait déblayé le terrain, il restait plusieurs points importants à discuter.

Les chimistes de Wellcome avaient calculé qu'ils étaient en mesure de fournir les doses d'AZT nécessaires à cent vingt-cinq sujets pendant six mois. On fixa donc à deux cent cinquante le nombre des participants admis à l'essai clinique. Cent vingt-cinq d'entre eux recevraient de l'AZT, les cent vingt-cinq autres du placebo. On élimina définitivement les toxicomanes parce qu'ils absorbaient des drogues susceptibles de fausser les résultats, ainsi que les enfants de moins de douze ans en raison des dangers de toxicité. Pour assurer la plus grande homogénéité possible à l'expérience, certains fonctionnaires de santé suggérèrent de ne choisir que des hommes. David Barry estima que semblable discrimination serait contraire à l'éthique médicale et l'on décida d'inclure des femmes. On s'accorda ensuite sur le principal critère d'éligibilité : une espérance de vie d'au moins six mois. Mais, contrairement à l'habitude dans ce genre d'expérimentation, on exigea que l'état des candidats soit très sérieux. Pour l'équipe de Wellcome, c'était courir un risque : si l'AZT ne prouvait pas son efficacité chez des sujets gravement atteints, il y avait de bonnes chances pour qu'il soit à tout jamais condamné. Le risque n'était pas moindre pour les malades, la probabilité de réactions toxiques dangereuses, voire mortelles, étant inévitablement plus élevée sur des organismes très affaiblis. D'un autre côté, si le produit se montrait actif, les résultats n'en seraient que plus éloquents. Toujours dans le souci de garantir une homogénéité maximale entre les sujets, on choisit un dénominateur clinique commun très rigoureux : les sujets devaient tous avoir été victimes d'une première attaque de pneumocystose au cours des trois mois précédents. Cela excluait automatiquement les malades dont le sida ne se manifestait que par un sarcome de Kaposi. David Barry devait justifier cette décision par le fait que leur espérance de vie variait considérablement selon la localisation et l'étendue de leurs lésions. En cas d'atteintes cutanées seules, la survie pouvait atteindre cinq années. Lors d'extension aux muqueuses des organes internes, elle pouvait se réduire à quelques semaines.

Il résulta de cette concertation un protocole monumental

de deux cent soixante-deux pages. La seule liste des examens et analyses à effectuer tout au long des vingt-quatre semaines de l'essai clinique comprenait plusieurs centaines d'interventions. Certains tests qui visaient à déceler d'éventuelles atteintes cérébrales étaient si complexes que le laboratoire Wellcome serait contraint d'organiser en toute hâte la formation du personnel qui allait en être chargé.

Il ne restait plus qu'à déterminer le jour J. L'expérimentation à grande échelle du premier médicament anti-sida commencerait le 18 février 1986.

56

New York, USA – Hiver 1986
« Ce n'est pas votre crucifix sur la poitrine qui vous protégera. »

En neuf ans de règne sur sa capricieuse cité, le maire de New York avait de quoi être blasé. Il avait sans doute entendu plus de discours extravagants, subi plus de pressions et reçu plus de menaces que tout autre édile. Pourtant, Ed Koch ne se souvenait pas avoir jamais affronté un interlocuteur aussi coriace que le visiteur qu'il recevait en ce 2 janvier 1986. Les gros bras des syndicats de dockers, de policiers, de pompiers ou d'éboueurs, les durs à cuire des comités de citoyens, les mafiosi des innombrables rackets, les parrains du Waterfront, les activistes gay, les trublions des associations ethniques, raciales et religieuses de cette ville mosaïque lui paraissaient des anges de patronage en comparaison de la vieille femme ridée qui lui faisait un implacable chantage à la vertu. Des lunettes noires protégeant toujours ses yeux éprouvés par la récente opération d'une cataracte, Mère Teresa exhortait l'ancien émigré juif polonais devenu le gardien de la plus grande ville d'Amérique.
  – Les trois prisonniers de Sing Sing que l'on a bien voulu gracier avant Noël ne représentent qu'une infime minorité

parmi les malades du sida dont regorgent les établissements pénitentiaires de l'État de New York, monsieur le maire. Il en reste au moins deux cent cinquante. Je vous conjure d'obtenir du gouverneur leur libération pour que mes sœurs et moi puissions nous occuper d'eux et les aider à mourir dans la dignité.

– Ma Mère, ces détenus sont tous des criminels, certains sont de dangereux assassins, objecta Ed Koch avec fermeté. On ne peut tout de même pas les relâcher dans la nature uniquement parce qu'ils sont en mauvaise santé !

– En leur infligeant le sida, Dieu les a punis plus durement que la justice des hommes, monsieur le maire. Ne pensez-vous pas qu'ils méritent notre compassion ?

– C'est entendu, j'en parlerai au gouverneur, finit par promettre Ed Koch. En attendant sa décision, je vais essayer de vous trouver un autre immeuble à New York afin que vous soyez à même de les accueillir le jour venu.

– Un immeuble à New York ? protesta la religieuse. Il n'en est pas question ! C'est une maison à la campagne qu'il nous faut. Que ce soit en Inde ou ailleurs, les gouvernements et les particuliers nous ont offert des terrains sur lesquels nous avons pu installer des lépreux. Nos fermes et nos villages en abritent aujourd'hui cent soixante-dix-huit mille. Ils y font pousser leurs légumes, ils élèvent des poules et des poissons. Ils y ont eux-mêmes construit leurs maisons. Vous devriez venir voir, monsieur le maire, cela vous intéresserait beaucoup.

Ed Koch gratta les quelques petits boucles qui lui restaient sur la nuque. La perspective d'aller faire du tourisme dans les colonies de lépreux de Mère Teresa ne soulevait chez lui aucun enthousiasme.

– Les gens qui ont le sida sont très malades, ma Mère, se contenta-t-il d'observer. Ils n'ont souvent même pas la force de se tenir debout. En outre, ils n'ont pour la plupart aucune qualification. Comment voudriez-vous qu'ils se métamorphosent du jour au lendemain en menuisiers, en plombiers ou en électriciens ?

Mère Teresa balaya l'air de sa grosse main calleuse.

– Si des lépreux qui n'ont plus de doigts, plus de mains, plus de pieds parviennent à bâtir leurs maisons, pourquoi des individus qui ont leurs quatre membres n'y arriveraient-ils pas ? S'ils ne savent pas s'y prendre, nous leur montrerons. Des professionnels bénévoles viendront nous donner un coup de main.

– Et comment ferez-vous pour équiper et meubler tous ces logements ?

Un sourire malicieux accompagna sa réponse favorite.

– Dieu y pourvoira, monsieur le maire.

– Quoi qu'il en soit, ce que vous me demandez ne pourra se faire en un jour, répliqua Ed Koch visiblement exaspéré. Il faudra du temps. Revenez me voir dans trois mois.

Aucun argument ne pouvait désarmer la messagère des hommes souffrants.

– Je vous donnerai le temps qu'il faudra, concéda-t-elle. Puis, pointant l'index vers son hôte, elle ajouta d'une voix ferme : Mais soyez sûr que je ne vous laisserai pas en paix jusqu'à ce que cela soit fait.

Elle se leva et posa une petite feuille sur le bureau du maire avant de le saluer.

Après avoir raccompagné la religieuse, Ed Koch lut le message qu'elle lui avait laissé : « Le fruit du silence est la prière, le fruit de la prière est la foi, le fruit de la foi est l'amour. Et le fruit de l'amour est le service des autres. Mère Teresa. »

L'appel de la sainte femme pour la libération de tous les prisonniers atteints du sida et leur installation dans une communauté rurale fit l'effet d'une bombe. La presse lui consacra de grands articles en première page. Ébranlé, Mario Cuomo, le gouverneur de l'État de New York, promit d'envisager une mesure de grâce pour les cas les plus graves. Plusieurs propriétaires de terrains et de bâtiments agricoles inutilisés les proposèrent à la municipalité. Curieusement, c'est dans la hiérarchie catholique locale que l'audacieuse suggestion provoqua quelque réticence. « Cette vieille femme et sa ferme me donnent des cauchemars ! déclara Mgr James Cassidy, responsable de l'action sociale et sanitaire de l'archidiocèse. Elle n'a aucun sens des réalités de New York. Elle se croit toujours dans les bidonvilles de sa chère Inde ! »

★

New York était en effet bien différente de Calcutta. Les jeunes religieuses indiennes allaient vite s'en apercevoir. Au cours de ses vingt années à la tête du mouroir de Calcutta, sœur Paul avait soigné plus de cinquante mille moribonds sans subir d'autre contrôle que celui de sa conscience. Depuis qu'elle assumait la responsabilité du foyer du Don d'Amour, les inspections des services d'incendie, d'hygiène, de santé, de l'habitat, l'obligation de procéder à toutes sortes d'exercices de sécurité, d'emballer le moindre déchet dans un container inviolable (ce qui, à son grand regret, privait les chiffonniers d'un revenu) bref, la réglementation tatillonne d'une ville américaine lui parut enfermer sa mission de charité dans un carcan insupportable. Quand un fonctionnaire zélé prétendit un jour contrôler l'installation électrique, elle le chassa en s'écriant :

– *It's not your business how we do things here!* Ce que nous faisons ici ne vous regarde pas !

Par ailleurs, dans cette mégapole où l'on compte autant d'opinions que de citoyens, la présence de nonnes catholiques soignant les « pestiférés » du sida ne pouvait manquer de susciter quantité de réactions. « À chaque instant quelqu'un sonnait à la porte, racontera sœur Ananda. Il y avait ceux qui voulaient nous encourager et nous aider ; ceux qui venaient nous insulter et conspuer les malades ; ceux qui prétendaient détenir une cure miraculeuse. Il y avait des gens admirables, mais aussi beaucoup de détraqués, comme je n'en avais jamais rencontré à la léproserie de Bénarès ou au mouroir de Calcutta. »

Le fait que parmi les premiers malades recueillis au Don d'Amour se trouvent de nombreux toxicomanes fut mal ressenti par les résidents homosexuels de Greenwich Village. L'intégration des Indiennes dans le quartier en pâtit jusqu'au jour où sœur Paul décida de ne pas limiter le service de sa petite communauté aux seuls malades du sida. La soupe populaire offerte sur le parvis de l'église Sainte-Véronique et les visites aux pauvres et aux vieillards lui gagnèrent bientôt une reconnaissance unanime. « Le Don d'Amour et son équipe ne tardèrent pas à représenter un îlot de compassion et d'espérance pour tous les habitants », remarquera Terry Miles, le « clinic coordinator » de Saint-Clare. C'était lui que la direction de l'hôpital avait chargé de superviser les soins donnés par les religieuses à leurs pensionnaires. D'emblée, il se trouva déconcerté. « Ces Indiennes étaient arrivées de leur pays avec l'idée qu'elles allaient continuer à aider des moribonds à mourir en paix », dira-t-il. Il dut leur faire comprendre que la situation était tout autre. « Nos malades ne sont pas des miséreux ramassés dans la rue, expliqua-t-il. Ce sont des Américains dans la force de l'âge terrassés par un virus mortel. Leur offrir un lit, un bain quotidien, un peu de nourriture et des paroles de réconfort ne suffit pas. Comme tous les citoyens de ce pays, ils ont droit à un traitement médical approprié. Notre devoir de soignants est de penser en termes d'analyses biologiques, de thérapie intraveineuse, d'injections, d'oxygène, de médicaments. » Ce discours laissa les sœurs complètement indifférentes. « J'avais l'impression de m'être exprimé en grec ou en chinois, dira Terry Miles. Mon raisonnement était totalement étranger à la mentalité de ces femmes qui considéraient que leur mission première était d'accompagner les mourants sur le chemin du paradis, et non d'essayer de prolonger leur pitoyable existence. »

Terry Miles frémit encore au souvenir des difficultés qu'il rencontra pour préparer l'équipe du Don d'Amour à sa tâche véritable. « Parler de sperme, de sexe, de libido, de groupes à risques à des religieuses élevées dans la morale catholique la plus stricte me semblait une gageure impossible, reconnaîtra-t-il. Elles ne savaient pratiquement rien du sida ni des habitudes sexuelles de la majorité des victimes qu'il frappait. La fiche d'information qu'elles avaient reçue à leur escale de Rome n'aurait pas éclairé un enfant de six ans. Il fallait tout leur apprendre. » Terry Miles se fit l'avocat du diable. « Ce n'est pas parce que vous portez un crucifix sur la poitrine que vous serez épargnées, leur dit-il. Au contraire, certains malades se feront une joie de vous scandaliser. Soyez prêtes à entendre les pires horreurs. »

Dans sa tâche d'éducateur, il allait recevoir un soutien inattendu. Intrigué par la recommandation pressante de son ami de l'abbaye de Latroun, Josef Stein avait demandé à rester quelques jours au foyer afin d'y faire plus ample connaissance avec sœur Ananda. Une amicale complicité ne tarda pas à lier l'Indienne et l'ex-archéologue américain. Il fut immédiatement sensible à « sa pratique parfaite de l'attention aux autres ». Était-ce la douceur de ses gestes, son don pour deviner la moindre de ses douleurs ou son plus petit désarroi, était-ce l'intensité de son regard et la pureté de son sourire ? Jamais Josef Stein ne s'était senti l'objet d'une telle qualité d'amour. « Ses mobiles religieux ne coïncidaient sans doute pas avec mes convictions, dira-t-il, mais il n'empêche que cette fille donnait à chaque malade le sentiment qu'il était le centre du monde. » Un jour, tandis qu'elle lui massait les jambes, sœur Ananda se hasarda à questionner Josef Stein sur l'origine des pustules violettes qui lui parsemaient le corps. Josef raconta. Il se fit même un devoir de ne rien éluder, la découverte de son homosexualité dans un train, la révolution gay, les *bath-houses* de San Francisco, ses frasques en Israël, sa soirée à l'opéra et l'annonce du terrible verdict. Attentive au travail de ses doigts sur la peau meurtrie, les yeux baissés, sœur Ananda l'écouta en silence. Pour elle, le sida avait désormais une histoire et un visage.

★

Sœur Paul n'eut pas la chance d'avoir affaire à un malade aussi courtois. Quelques jours après le nouvel an, deux infirmiers de Saint-Clare lui amenèrent Orlando, un travesti de trente-deux ans aux lèvres outrageusement fardées, affublé de faux cils, de faux seins et d'une perruque aux longues mèches blondes laquées. Il était vêtu d'un fourreau noir qui l'obligeait à marcher à petits pas. Le salut à l'indienne et le sari de sœur Paul provoquèrent chez lui des gloussements amusés. Il se précipita pour la serrer dans ses bras. La religieuse le repoussa sans ménagement.

— *Darling*, n'aie pas peur ! protesta-t-il de sa voix de fausset. Sugar ne te fera aucun mal.

Sœur Paul apprit plus tard la raison pour laquelle Orlando se faisait appeler Sugar. C'était le surnom affectueux donné par Humphrey Bogart à son épouse, l'actrice Lauren Bacall que le travesti personnifiait chaque nuit dans les cabarets de burlesque du bas de la ville. Pour gagner sa vie, Sugar se prostituait aussi dans un camion de déménagement parqué au bord de l'Hudson. À ses multiples marques de piqûres sur les bras, on voyait tout de suite qu'il s'adonnait en outre aux drogues dures. Son maquillage ne pouvait rien dissimuler : le sida le frappait cruellement. Son corps entier, jusqu'à la plante des pieds, n'était plus qu'un tapis violacé de tumeurs de Kaposi. Sugar savait qu'il n'avait plus que quelques mois à vivre, mais la maladie ne l'avait pas encore mis KO.

– Venez, dit sœur Paul, je vais vous installer dans votre chambre.

Le travesti battit furieusement des cils.

– Oh la, *darling*! Sugar ne reçoit jamais d'ordre de personne!

Cela commençait mal. Si ce malade ne possédait ni toit ni famille, du moins avait-il des amis. Une horde bruyante et grossière se mit bientôt à semer la pagaille au Don d'Amour. Sœur Paul ne tarda pas à comprendre l'intérêt de ces visiteurs pour son curieux pensionnaire. Le travesti était l'un de leurs meilleurs clients. Chaque jour, il s'injectait pour trois cents dollars d'héroïne dans les veines.

Infortunée sœur Paul! Terry Miles avait raison. Les maux de New York étaient bien pires que la pauvreté de Calcutta. Une telle réalité n'était pas pour effrayer la religieuse : elle saurait soumettre cette faune à sa discipline. Trois jours après l'arrivée de Sugar, elle placarda à l'entrée du foyer un tableau énumérant les mesures qu'elle avait décidées : expulsion immédiate et définitive de tout patient trouvé en possession de boissons alcoolisées ou de stupéfiants, restriction des visites à certaines heures, suppression de l'usage du téléphone pendant les offices religieux des sœurs, extinction des feux à vingt heures trente.

Cette rigueur provoqua un tollé immédiat dans les milieux gay de la ville. Des responsables de Saint-Clare protestèrent à leur tour. Des journaux clouèrent au pilori « les religieuses-gardes-chiourmes de Washington Street ». Même confrontée à un fléau mortel, l'Amérique attachait plus de prix au respect des libertés individuelles qu'à la guérison de ses citoyens en danger de mort. Sœur Paul tint bon, notamment pour les heures de visite. À moins qu'il ne fût un membre de la famille, tout visiteur était à ses yeux une relation suspecte : un partenaire de boisson, de jeu, de drogue, ou de sexe. Cette intransigeance posa quelques problèmes avec les « buddies » qui n'étaient rien de tout cela, mais seulement des « potes », des copains. L'extrême détresse physique et psychique entraînée par le sida avait incité les milieux homosexuels à créer des associations d'entraide et de soutien dont ces visiteurs bénévoles étaient les dévoués représentants [1]. Chaque « buddy » avait la charge d'un malade particulièrement abandonné. Il l'aidait à mettre ses affaires personnelles en ordre, restait chaque jour de longues heures près de lui pour le faire manger et le distraire. Il faisait ses courses, le réconfortait, l'assistait dans ses derniers moments, se chargeait des formalités après son décès. L'équipe soignante de Saint-Clare, qui savait depuis longtemps que les « buddies » étaient irremplaçables, chargea Terry Miles d'obtenir de sœur Paul qu'elle assouplisse les règlements du Don d'Amour. « Je m'aperçus que le problème tenait à une question de langage, raconta le " clinic coordinator ". Dans l'esprit de la religieuse, le mot de " buddy " évoquait toutes les turpitudes possibles. Je lui proposai de le remplacer par " concerned visitor – visiteur concerné ", et la question fut réglée. » Terry Miles échoua par contre dans une autre de ses interventions. Il eut beau plaider que la télévision aiderait les malades à oublier leur état et à tuer leur ennui, sœur Paul objecta qu'elle empê-

---

1. La plus remarquable de ces associations, la *Gay Men Health Crisis*, avait été créée dès 1981 par le scénariste et romancier Larry Kramer et cinq de ses amis new-yorkais pour suppléer aux lenteurs de l'action gouvernementale au sujet de l'épidémie. Devenue un modèle du genre, l'organisation compte aujourd'hui plus de soixante-dix cadres permanents et 1 600 bénévoles qui soutiennent quelque 2 000 malades. Elle fournit en outre une assistance juridique aux patients, organise des sessions de groupes pour les familles et les proches, développe sans cesse un très important programme d'éducation et de prévention, répond jour et nuit grâce à une ligne rouge à tous les appels de détresse. Sans la *Gay Men Health Crisis*, le sort des sidéens new-yorkais eût incontestablement été encore plus tragique.

cherait au contraire toute chance de développer des échanges entre les pensionnaires du foyer. Il valait mieux leur offrir des jeux de société, des livres, des disques ou des cassettes que « de les laisser s'enfermer à longueur de journée dans un abrutissement solitaire devant un écran ». L'appareil qu'avait apporté un généreux donateur ne fut jamais sorti de son emballage.

★

La discipline de fer imposée par sœur Paul fut peu à peu acceptée. Terry Miles finit lui-même par en reconnaître les bienfaits. À chaque visite, il s'émerveillait du travail accompli. « Ces petites Indiennes avaient fait de la vieille bâtisse un vrai bijou, dira-t-il. Tout y était si propre qu'on aurait pu manger par terre. » Ce qui étonnait le plus cet Américain agnostique, c'était « la façon que les sœurs avaient de s'en remettre à la volonté du Dieu qu'elles servaient. Qu'une difficulté surgisse, qu'une chose vienne à manquer, elles levaient les bras vers le ciel et disaient le plus naturellement du monde : " Le Seigneur y pourvoira. " Terry Miles s'étonnera que sœur Ananda oblige un jour la cuisinière à confectionner le dessert prévu au menu du déjeuner en dépit du fait qu'il ne restait plus un seul œuf dans la maison. « Il m'est impossible de faire un gâteau sans œuf ! » s'énerva la cuisinière. La religieuse lui dit calmement de compter sur la Providence. Elle avait raison. Un peu plus tard, on sonna à la porte : c'était un voisin qui apportait dix douzaines d'œufs.

Les quatorze premiers lits du Don d'Amour furent vite occupés. Gays et toxicomanes – les deux groupes à risques essentiellement frappés par le sida à cette époque – étaient à peu près en nombre égal. Le second groupe comprenait principalement des Noirs et des Hispaniques. Terry Miles se rendait fréquemment au foyer pour faire partager aux sœurs le fruit de son expérience médicale acquise à l'hôpital Saint-Clare. Il eut toutefois du mal à les convaincre de l'importance d'un régime alimentaire adapté à chaque cas. Pour des Indiennes végétariennes, accoutumées depuis si longtemps à ne distribuer à leurs mourants qu'une louche de riz avec un peu de purée de lentilles, la notion de diététique n'avait aucun sens. Les repas qu'elles servaient se composaient pour l'essentiel d'une soupe épaisse, alors que ces malades avaient besoin d'aliments riches en protéines et en calories tels que la viande, le poisson, les céréales. Du fait des caprices de leur appétit, il fallait en outre que ces aliments soient à leur disposition à tout moment, et non distribués deux fois par jour à heures fixes.

Terry Miles résolut avec patience chaque problème l'un après l'autre. Bientôt, il fut si fier de ses infirmières en sari qu'il affirmait : « La seule chance qui peut arriver à un malade du sida, c'est de tomber entre leurs mains. »

Le « clinic coordinator » ne se doutait pas des tourments qui affectaient parfois ces femmes dans l'exercice de leur sacerdoce. Un matin, pendant la prière à la chapelle, une des sœurs éclata en sanglots.

– Je n'en peux plus, gémit-elle à travers ses larmes. Ce ne sont ni des lépreux ni des moribonds qu'on nous demande de soigner, mais de véritables monstres. Des parias que Dieu a maudits, qu'il a châtiés pour leurs péchés. Les respecter et les aimer est au-dessus de mes forces.

Sœur Paul la serra dans ses bras, essuya ses larmes et tenta de l'apaiser.

– C'est parce que Dieu les a punis que nous devons Lui offrir leurs souffrances et les nôtres.

C'est alors que sœur Ananda intervint.

– Ces hommes ne sont ni des monstres ni des pécheurs. Ils ne sont que des victimes. J'ai vécu l'esclavage de certains, j'ai connu leur dégradation physique et morale. J'ai été abusée comme beaucoup l'ont été. Non, petite sœur, leur maladie n'est pas un châtiment, mais la preuve que Dieu les aime, comme Il m'a aimée moi-même, comme Il t'aime, toi aussi, dans ton désarroi.

57

New York, USA – Février 1986
Champignons japonais et concombres chinois au
secours des désespérés

Les femmes indiennes ne manifestent leurs émotions qu'avec une extrême pudeur. Ce matin-là pourtant, la stupéfaction la plus totale se lisait sur le visage de sœur Ananda. Un de ses pensionnaires avait disparu. Personne n'avait vu Josef Stein sortir du foyer du Don d'Amour et il était parti sans laisser de message. Rien n'aurait pu faire présager cette fugue. Bien au contraire, en dépit du fait qu'il n'était ni un indigent ni un marginal sans ressources, l'ex-archéologue avait lui-même sollicité la faveur de prolonger son séjour chez les sœurs de Mère Teresa.

Depuis son arrivée lors de l'inauguration du foyer, son état s'était aggravé. Après s'être estompées, ses lésions de Kaposi étaient revenues en force. Il en avait de nouveau sur tout le corps, y compris dans la bouche et sur la langue. L'absorption d'aliments solides lui était si douloureuse qu'il avait peu à peu cessé de se nourrir. Pendant des années à Calcutta, sœur Ananda avait eu affaire à des gens torturés par la faim et qui ne parvenaient plus à avaler. À New York, avec les malades du sida, elle retrouvait ce problème qu'elle tentait de résoudre en suivant les conseils de diététique de Terry Miles. « Elle n'a pas sa pareille pour vous confectionner, avec quelques boules de glace au chocolat, un peu de miel et des amandes écrasées, un repas complet qui glisse tout seul et qui vous ferait grimper au sommet de l'Himalaya », disait Josef Stein. Cela n'avait pourtant pas suffi à le retenir.

Il faudra plusieurs semaines aux religieuses du foyer et au docteur Jack Dehovitz pour connaître le motif de son escapade. La coupure de journal trouvée sur sa table de chevet aurait pourtant dû les éclairer. C'était un article du *New York Post* concernant un médicament contre le sida qui venait de remporter « des résultats quasi miraculeux sur les premiers cobayes humains traités à l'hôpital du cancer de Bethesda ». Le texte annonçait le prochain essai clinique de l'AZT sur une grande échelle. En lisant cette nouvelle, Josef Stein s'était aussitôt emballé à l'idée de participer à cette expérimentation. Attendant que les sœurs soient à la chapelle, il s'était traîné jusqu'au téléphone du rez-de-chaussée pour appeler l'un des trois centres new-yorkais où allait se dérouler l'expérience.

« Même si je n'avais qu'une chance sur deux de recevoir le médicament, c'était mon dernier espoir de m'en sortir, expliquera-t-il plus tard. Il fallait absolument que je fasse partie de cette opération. » Au bout du fil, son interlocuteur lui posa différentes questions. Quand Josef prononça le mot de Kaposi, la conversation tourna court. Cette forme d'attaque du sida l'éliminait d'office de la sélection.

— Vous ne devez pas vous décourager pour autant, lui recommanda son correspondant. En cas de succès, l'AZT sera distribué sans distinction à tous les malades.

— Dans combien de temps ? hasarda Josef Stein.

— Dans un an environ.

Un an ! Pour un homme qui sentait chaque jour un peu de sa vie s'en aller dans « une hémorragie continue », autant parler d'un siècle ou d'un millénaire ! Pourtant, au lieu de l'assommer, cette échéance clairement posée le secoua comme une onde de choc. « C'était sidérant, racontera-t-il. Deux mois plus tôt, j'avais avalé je ne sais combien de pilules pour en finir une fois pour toutes, et voilà que je me sentais subitement emporté par un désir furieux d'atteindre à tout prix ce rendez-vous avec l'AZT. De retour dans ma chambre, je me mis à relire toutes les informations que j'avais accumulées avant mon suicide raté sur les palliatifs proposés par les médecines parallèles. »

★

La réaction de Josef Stein n'avait rien d'exceptionnel. Dans leur désespoir de se savoir condamnés à mourir avant que soit trouvé un médicament qui puisse les guérir, un nombre croissant de malades américains se précipitaient cet hiver-là sur des traitements de substitution. C'est ainsi que des centaines de victimes – au dernier stade de la maladie ou seulement séropositives – traversaient la frontière mexicaine pour aller acheter à prix d'or des médications antivirales dont la FDA n'avait pas encore autorisé la vente sur le territoire américain. À l'exemple de l'acteur Rock Hudson, d'autres patients se rendaient en France ou en Israël pour y bénéficier des thérapies appliquées dans ces pays. D'autres préféraient chercher leur salut aux États-Unis mêmes, auprès d'un réseau d'officines plus ou moins clandestines.

On les appelait les « guerilla clinics ». Chaque semaine, elles accueillaient quelque deux mille malades. On y soignait le sida avec une pharmacopée pour le moins originale dans laquelle on trouvait un acide utilisé pour le développement des photos, un dérivé du soja, un extrait de champignon japonais et la décoction de l'écorce d'un arbre de l'Amazonie brésilienne. L'un de ces remèdes de fortune les plus recherchés était fabriqué dans son appartement de San Francisco par un certain James D. Henry, employé dans une fabrique de matériel orthopédique. Il s'agissait d'un mélange de dinitrochlorobenzène, d'éthanol et d'une lotion capillaire vendue dans le commerce. La mixture avait eu les honneurs de plusieurs revues médicales. Badigeonnée chaque jour sur les pustules cancéreuses de Kaposi, elle avait, disait-on, le pouvoir de stimuler l'activité du système immunitaire. À New York, les sidéens disposaient d'un répondeur téléphonique qui communiquait une adresse sur la 23ᵉ Rue Ouest où acheter, pour deux cents dollars, un médicament à base de jaune d'œuf importé d'Allemagne sous l'appellation AL-721. À San Francisco, la ligne rouge du « Project Inform », une organisation bénévole de soutien aux malades, procurait à ses correspondants des renseignements sur diverses thérapeutiques expérimentales disponibles sur la côte Ouest. L'une d'elles concernait une préparation à base de racines de concombre chinois. Dénommé « Composé Q », ce produit s'était, semble-t-il, montré doué dans les tubes à essai de la remarquable propriété de tuer sélectivement les cellules infectées par le virus et d'épargner les cellules saines. Nombre de malades se feront injecter cette panacée providentielle. Faute de contrôles préalables sur sa toxicité, le concombre chinois sera cause de multiples tragédies. Certains de ses imprudents consommateurs se retrouvèrent paralysés, aveugles, en état de démence, ou dans le coma.

À Miami, des médecins proposaient des ampoules de cellules fraîches d'embryon de veau capables, assuraient-ils, d'obliger le thymus à stimuler la reproduction des lymphocytes T4. Toujours à Miami, des agents de voyages organisaient des excursions dans une île antillaise où un laboratoire fabriquait une certaine substance baptisée « réticulose » et dont les inventeurs vantaient les qualités curatives par voie de presse. En neuf jours, elle était censée guérir le cancer de Kaposi et la pneumocystose infectieuse. On en trouvait aussi au Mexique et en Amérique centrale au prix astronomique de six mille dollars, soit environ trente-cinq mille francs, pour un traitement de vingt et un jours.

★

« Quand la médecine officielle et les grands professeurs vous abandonnent à la plus horrible des morts, quand tous les pontes de la science couverts de prix Nobel se laissent narguer par un misérable virus malgré leurs faramineux budgets de recherche, comment ne pas aller chercher une dernière flamme d'espoir n'importe où et même en enfer ? » confiera Josef Stein. Cet hiver-là, c'est au milieu des bananiers et des buissons de jacarandas antillais de l'île de Saint-Martin que brillait la « dernière flamme d'espoir » de l'ancien archéologue. Un médecin français, installé depuis une trentaine d'années dans ce paradis caraïbe, y administrait un vaccin qu'il obtenait à partir de souris infectées par le virus du sida. Apparemment, l'homme n'était pas un charlatan. Il jouissait même d'une réputation d'authentique chercheur. Contrairement à la plupart des propriétaires de « guerilla clinics », il ne faisait aucune publicité et, dans bien des cas, offrait son vaccin gratuitement. Certains journalistes n'avaient pas hésité à le présenter comme une sorte de docteur Schweitzer.

« L'île de Saint-Martin était seulement à quatre heures d'avion de New York, dira Josef Stein. J'étais sûr d'être de retour avant trois jours. Ma petite équipée devrait presque passer inaperçue. »

58

New York - Los Angeles - Miami - San Francisco, USA –
Printemps - Été 1986
281 cobayes pour une poignée de gélules amères

Le docteur Paul Volberding était l'un des douze praticiens désignés par le laboratoire pharmaceutique Wellcome pour conduire l'essai clinique en double aveugle de l'AZT. Depuis le jour où il avait découvert chez un prostitué homosexuel les lésions d'un des premiers sarcomes de Kaposi de la côte Ouest, Paul Volberding n'avait jamais cessé de soigner des victimes du sida. Sa consultation au cinquième étage du vieil hôpital général de San Francisco était l'un des centres de traitement les plus actifs de la capitale gay de l'Amérique.

Ce printemps 1986, il comptait parmi ses malades le compagnon d'un marchand de journaux mort du sida quatre ans auparavant. À l'époque, il s'était battu comme un lion pour sauver l'infortuné commerçant. Faute de médicaments spécifiques, il avait perdu là bataille. Paul Volberding espérait aujourd'hui prendre sa revanche avec le compagnon du disparu. Le fait que son patient souffrait d'une pneumocystose diagnostiquée depuis moins de quatre-vingt-dix jours le qualifiait pour participer à cet essai à grande échelle de l'AZT.

Avant de lui annoncer la bonne nouvelle, le médecin devait toutefois procéder aux examens imposés par les organisateurs. L'un d'eux, un test de sensibilité cutanée, provoqua l'apparition de nodules dont le diamètre excédait de deux millimètres les critères de sélection. La différence était si minime que Paul Volberding pensa d'abord ne pas en tenir compte. Son premier devoir de médecin n'était-il pas de porter assistance par tous les moyens à une personne en danger de mort? D'un autre côté, avait-il le droit de tromper, même de façon infime, ceux qui lui faisaient confiance dans l'intérêt supérieur de la science? Ses liens d'amitié avec ce patient ajoutaient à l'insupportable dilemme. « Comment expliquer à quelqu'un qui vous est cher et qui attend de vous un miracle que vous devez le priver d'une possibilité de survivre à cause d'un pareil détail? » Après deux jours et deux nuits d'un débat dramatique, Paul Volberding renonça, la mort dans l'âme, à faire bénéficier son ami de la seule chance d'être enfin soigné. « Mon honneur de serviteur de la science m'imposait de respecter à la lettre les règles du jeu. »

★

Ce fut la ruée. Le nombre de malades répondant aux critères d'éligibilité excéda partout le quota attribué à chacun des douze centres. Des incidents parfois violents éclatèrent. À l'hôpital de l'université de Californie de Los Angeles, des patients évincés menacèrent le docteur Michael Gottlieb aux crix de « Génocide! Nous voulons tous de l'AZT! » Comme il fallait s'y attendre, la sélection provoqua de pathétiques cas de conscience. Pourquoi choisir ce candidat plutôt que cet autre? Le docteur Oscar Larry Laskin du Medical Center de l'université Cornell de New York et plusieurs de ses confrères résolurent de surmonter « cette difficulté émotionnelle » en adoptant la vieille pratique commerciale du « premier venu, premier servi ». Ailleurs, le destin favorisa ceux qui se trouvaient là juste au bon moment. Paul Volberding décida quant à lui de confier au hasard le soin de désigner son contingent de malades. Il chargea son assistante Roby Wong « de tirer leurs noms du fond d'un chapeau ».

La grande majorité des deux cent quatre-vingt-un sujets finalement admis – cent quarante-quatre recevaient de l'AZT et cent trente-sept du placebo – affronta l'expérience d'une manière positive. Tous avaient lu et dûment signé le document de cinq pages qui relatait sans ménagement les dangers qu'ils acceptaient d'encourir. « L'un des effets secondaires de l'AZT est de provoquer la chute du nombre des globules rouges de façon assez conséquente pour nécessiter plusieurs trans-fusions », déclarait le texte avant d'énumérer d'autres effets possibles, comme « des migraines, une légère confusion men-tale, un état d'anxiété, des nausées, des éruptions cutanées dou-loureuses, ainsi qu'une éventuelle diminution du nombre des globules blancs pouvant prédisposer à diverses infections ».

Ces mises en garde ne rebutèrent presque personne. « Le désespoir dû à l'absence de traitement était tel que la plupart des gens auraient absorbé du cyanure si on leur avait dit que cela pouvait supprimer les méfaits de leur virus », expliquera un médecin. Les malades se sentirent avant tout rassurés de savoir que leur état de santé allait être étroitement surveillé. Ils avaient en outre été informés qu'en cas de succès de l'AZT, ils seraient les premiers à en recevoir de façon permanente. Cet avantage était vital puisque ce remède ne prétendait pas guérir du sida, mais seulement stopper la prolifération du virus. Selon Roby Wong, l'assistante du docteur Volberding, « nombre d'entre eux se sentaient également fiers de participer à une aventure scientifique susceptible de faire progresser la recherche médicale ».

Malgré tout, l'Opération 53 ne démarra pas toujours en fanfare. Certains patients souffrirent d'être traités comme des cobayes. « En nous lançant cette bouée de sauvetage, ils nous tenaient à leur merci », dira l'un d'eux à propos des organisa-teurs. « Ils vous distribuaient une ration de gélules pour une semaine et vous ordonnaient d'en prendre deux toutes les quatre heures, y compris la nuit », se plaindra un autre. L'interdiction absolue de manger quoi que ce soit pendant l'heure précédant et celle suivant la prise du médicament était « particulièrement éprouvante du fait que le sida rend votre appétit très capricieux », expliquera un autre. Le véritable supplice était pour tous d'endurer ces tourments en se disant que « ce n'était peut-être qu'un peu de poudre de perlimpinpin que nous ingurgitions ».

Nombre de malades raconteront que, dans les premières semaines, leur hantise était de se voir brutalement rejetés de l'expérience. « Personne ne savait au juste si certains symptômes dus à l'évolution de notre sida ne risquaient pas de nous disqualifier », confiera l'un d'eux. « Un jour, j'ai eu la trouille de ma vie après avoir dit au médecin contrôleur que j'avais pris un comprimé d'aspirine, dira un autre. J'ai cru qu'il allait m'arracher la langue. J'ai compris la leçon et je n'ai plus jamais mentionné les médicaments que je continuais à prendre pour soulager mes petites misères. Je ne révélais plus les troubles dont je souffrais. C'était une question de vie ou de mort. » Des sujets se plaignirent de l'ignorance dans laquelle les médecins les tenaient sur l'évolution de leur état. « On me prenait du sang à tout bout de champ, mais personne ne voulait me dire si j'allais mieux ou non », protestera un architecte de Los Angeles. D'autres tentèrent d'échapper à ce black-out sur l'information en se faisant faire des analyses dans des laboratoires privés « pour connaître la vérité ». D'autres s'inquiétèrent des délais qu'il faudrait pour dépouiller les résultats alors que le temps était, ainsi que le rappellera un acteur malade de Broadway, « un facteur primordial dans cette maudite maladie ».

Ces récriminations ne furent pas les seules notes discordantes qui marquèrent les débuts de l'Opération 53. Nombre de médecins ne tardèrent pas à critiquer sévèrement certains aspects du protocole qui posaient à leurs yeux un sérieux problème moral dans le contexte de cette tragique épidémie. Sur les vingt-deux mille cas de sida identifiés aux États-Unis depuis 1981, plus de la moitié s'étaient déjà soldés par des décès. La durée moyenne de vie à partir du diagnostic dépassait rarement deux ans. Ceux que frappaient des maladies opportunistes comme la pneumocystose avaient peu de chances de survivre plus de six mois. Des chercheurs de plus en plus nombreux étaient même convaincus qu'avant l'apparition des premiers symptômes le virus avait déjà causé d'irréversibles dégâts au cerveau. Pour Barbara Starrett, un médecin new-yorkais qui s'était vouée à soulager les détresses d'une clientèle largement composée de sidéens, « il est franchement inhumain d'imposer à des malades à qui l'on ne donne qu'un peu de lactose de ne prendre aucun remède pour prévenir ou soigner les infections secondaires résultant de leur sida ». De tels arguments ne pouvaient être pris à la légère.

★

AZT ou placebo ? La règle du secret entraîna chez certains malades une névrose obsessionnelle. Les uns se réjouissaient à la moindre nausée, au plus anodin mal de tête, persuadés qu'ils absorbaient le vrai médicament. D'autres cherchaient à doubler leurs chances en partageant avec un autre patient leurs deux rations de gélules. Pour couper court à son angoisse, un malade de Miami utilisa une ruse que les chercheurs de Wellcome n'avaient pas prévue. Il trancha l'enveloppe de gélatine d'une gélule pour goûter la poudre. La saveur sucrée de la substance lui fit froid dans le dos : il venait de comprendre qu'il recevait des « sugar pills », de vulgaires pilules au sucre. Un autre patient découvrit que son produit avait au contraire un goût très amer, preuve qu'il s'agissait d'AZT. À Miami, où la communauté gay entretenait un réseau d'informations parallèle très efficace, l'indice de l'amertume du médicament se répandit comme un feu de brousse. « Les malades venaient comme d'habitude chercher leur ration de gélules mais, à peine rentrés chez eux, ils en ouvraient une pour en goûter le contenu, racontera un médecin. S'il était amer, ils poursuivaient le traitement. Dans le cas inverse, ils jetaient le flacon à la poubelle et couraient prendre un avion pour tenter leur chance ailleurs en essayant de se faire admettre dans un autre centre. »

Le docteur David Barry était atterré. « Au cours des cent soixante essais cliniques en double aveugle que Wellcome avait déjà réalisés, personne n'avait jamais ouvert une seule de nos gélules », dira-t-il. Il demanda à ses chimistes de rendre le placebo aussi amer que l'AZT. Il dépêcha ensuite ses contrôleurs dans les douze centres afin d'y substituer de nouveaux flacons codés aux anciens. L'infortuné médecin n'était pas encore au bout de ses peines. Dans leur frustration de ne plus pouvoir identifier le produit qu'ils recevaient, plusieurs malades de San Francisco et de Miami en firent analyser la composition par des laboratoires spécialisés. Il fallut plusieurs jours pour que les techniciens de Wellcome trouvent une parade à ce nouveau stratagème. Ils ajoutèrent à l'AZT et au placebo une certaine molécule qui empêchait de faire la distinction entre les deux.

Des praticiens chargés de l'essai clinique tentèrent eux aussi de percer le secret par une observation attentive de leurs malades. Comme ils n'avaient pas le droit de consulter les résultats de leurs analyses de contrôle, ils essayèrent de deviner à l'évolution de leur état général quels étaient ceux qui bénéficiaient de l'AZT. Des signes favorables tels qu'une reprise de poids s'avéraient parfois trompeurs car ils résultaient en fait de l'action des antibiotiques administrés aux sujets dès l'apparition de leur pneumocystose. « Ces rémissions au début d'un traitement sont courantes, expliquera Paul Volberding. On les appelle " The honeymoon – La lune de miel ". Elles peuvent durer sept ou huit mois, jusqu'à l'inévitable rechute, bien souvent fatale. L'amélioration de l'état d'un certain nombre de nos patients ne devait pas être automatiquement attribuée à l'AZT. »

Dès le deuxième mois, il fut clair dans chaque centre que les sujets se divisaient en deux catégories bien distinctes : ceux qui allaient mieux au point de pouvoir reprendre une vie presque normale, et ceux dont l'état ne cessait d'empirer. La différenciation était si flagrante que plusieurs médecins prièrent les responsables de Wellcome de lever le secret et de permettre l'attribution de l'AZT à ceux qui avaient reçu le placebo. L'une des principales autorités américaines en matière de traitement anti-sida, le docteur Margaret Fischl, responsable du centre de Miami, fournit à David Barry des observations qui ne laissaient aucun doute : l'AZT était actif. « C'était un déchirant dilemme, dira David Barry, mais mon devoir était de veiller à ce que l'expérimentation se poursuive jusqu'à son terme. »

★

Deux événements vinrent précipiter le cours des choses. Le 15 mars 1986, la célèbre revue médicale britannique *Lancet* publia un article que la grande presse reprit aussitôt. Le docteur Sam Broder y rendait compte des résultats encourageants enregistrés lors du premier essai de l'AZT sur l'homme réalisé dans son hôpital de Bethesda à l'automne précédent. Venant de pareille autorité, la nouvelle provoqua une immense vague d'espoir. Des malades, des médecins, des journaux, des associations, de nombreuses personnalités réclamèrent à leur tour que le médicament soit immédiatement distribué à tous les sidéens.

C'est alors que le décès des sujets identifiés sous les numéros 102, 412, 452 et 808 survenus respectivement les 1er mai, 16 mai, 24 juin et 26 juin amena les inspecteurs de la Food and Drug Administration et les responsables de Wellcome à envisager l'arrêt prématuré de l'Opération 53. Pas plus que les médecins des centres d'expérimentation, personne au laboratoire pharmaceutique ne savait quelle substance avaient reçue les malades décédés. Il avait été prévu que cette information ne serait divulguée qu'à la fin de l'essai clinique, c'est-à-dire au bout des six mois fixés. C'était la règle du jeu. Du moins en théorie, car l'usage voulait que ce type particulier d'expérimentation soit supervisé par un groupe d'experts indépendants réunis au sein d'un comité d'éthique et de surveillance appelé Data Safety and Monitoring Board. Ses membres avaient pour mission d'examiner tous les deux mois les comptes rendus fournis par les douze centres afin de déclarer si, du point de vue de la recherche scientifique et de la morale médicale, il était opportun de poursuivre l'opération. Ils étaient les seuls à savoir quel produit recevait chaque patient.

Le 1er août, la mort d'un sixième sujet, emporté par une pneumonie foudroyante, marqua le début d'une véritable hécatombe. Six décès allaient suivre au cours du même mois. Inquiet, David Barry téléphona au président du comité d'éthique pour lui demander s'il restait conforme à la morale de continuer l'expérimentation. La réponse qu'il reçut ne manqua pas de le surprendre. Le comité voulait attendre l'examen des prochains résultats.

Les dix mille Américains victimes de l'épidémie n'étaient pas de cet avis. Une croisade pour l'arrêt de l'Opération 53 et la distribution immédiate de l'AZT à tous les malades battait déjà son plein dans les médias. Elle avait même sa passionnaria en la personne d'une femme de cœur, docteur en biologie, chef de laboratoire à l'hôpital Saint-Luc-Roosevelt de New York et, par ailleurs, épouse de l'un des plus célèbres producteurs de cinéma de Hollywood. Spécialiste éminente de l'interféron, Mathilde Krim s'était enflammée pour la cause du sida. Indignée du manque d'empressement des autorités fédérales à débloquer des crédits pour lutter contre le fléau, elle s'était associée l'année précédente avec le docteur Michael Gottlieb de Los Angeles pour créer l'American Foundation for Aids Research. Cette fondation privée devait, en cette seule année 1986, distribuer un million six cent mille dollars de bourses de recherche et d'aides aux scientifiques travaillant sur le sida.

C'était avant tout pour la défense des malades que Mathilde Krim menait cet été-là son implacable combat. « L'essai clinique en double aveugle de l'AZT est une insulte à la morale », n'hésita-t-elle pas à déclarer publiquement au cours d'une grande manifestation tenue à New York. Elle dénonçait pêle-mêle le trop petit nombre des sujets sélectionnés, les restrictions des critères d'éligibilité, l'usage d'un placebo, les six mois de privation de tout autre traitement, ce qui « donnait tout le temps de mourir à ceux qui ne recevaient pas le médicament ». Elle considérait que l'AZT devait être au moins donné « *for compassionate use* – pour des raisons charitables » à tous les patients auxquels il ne restait que peu de temps à vivre. « Si les laboratoires Wellcome ne sont pas en mesure ou ne veulent pas fabriquer suffisamment d'AZT, il faut que le gouvernement fédéral signe des contrats avec d'autres laboratoires et distribue gratuitement le médicament ! » déclarait-elle en toutes occasions. Et qu'on ne vienne pas lui parler d'une pénurie de sperme de hareng ! « Avec ses bateaux de guerre aux quatre coins du monde, le gouvernement américain a les moyens de faire pêcher tous les harengs de toutes les mers du globe. » À ceux qui lui objectaient la forte toxicité de l'AZT, elle rétorquait : « Un homme qui n'a plus que six mois à vivre a bien le droit de prendre un risque et de s'offrir une dernière chance d'espérer. »

Mathilde Krim mena sa croisade sur tous les fronts à la fois. Elle parvint même à aller défendre sa cause à Washington devant le Congrès des États-Unis. Puissamment orchestrée par les associations gay, soutenue par de nombreuses personnalités politiques et scientifiques de tous bords, encouragée par les médias, la campagne pour l'arrêt de l'essai clinique et la distribution générale de l'AZT finit par émouvoir certains élus du peuple américain. Le député démocrate de New York Ted Weiss convoqua les principaux protagonistes du débat devant le comité pour les Ressources humaines, qu'il présidait.

« N'avons-nous pas le devoir d'offrir à ceux qui sont en train de mourir la possibilité de se battre jusqu'à la fin ? » s'empressa de demander Mathilde Krim. La présence à ses côtés de deux supporters de choc donnait une réalité poignante à sa question. L'un d'eux, d'une extrême maigreur, le teint verdâtre et le visage marqué de tumeurs de Kaposi, fit un témoignage qui bouleversa les membres du comité et rendit quelque peu incongrue la discussion qui s'ensuivit entre experts sur les avantages et les inconvénients des essais cliniques comparatifs en double aveugle. « Ce que j'aimerais entendre, moi, de la bouche de mon médecin, c'est que plusieurs remèdes sont en cours d'expérimentation et qu'au moins un d'entre eux va sans doute m'aider, déclara-t-il. Chaque fois que je le vois, il doit au contraire m'avouer qu'il n'existe encore aucun médicament disponible et qu'aucune expérimentation n'est prévue dans la région où j'habite. Je regrette de devoir décharger sur lui ma colère alors qu'il fait tout ce qu'il peut pour essayer de me maintenir en vie jusqu'au jour où l'on trouvera quelque chose qui puisse me guérir. »

★

Les audiences de Washington provoquèrent une émotion considérable, mais c'est une froide statistique qui emporta la décision. Au début de septembre, le vingtième décès fut enregistré. Les experts du comité d'éthique et de surveillance n'avaient qu'un regard à jeter sur leurs listes pour savoir à quel groupe appartenaient les morts. Sur les vingt victimes, dix-neuf avaient reçu le placebo, une seule l'AZT. Qui aurait osé s'obstiner dans ces conditions ? La décision du comité fut rendue publique dans l'après-midi du 11 septembre 1986 : l'essai clinique était stoppé. Tous les malades allaient enfin pouvoir bénéficier du premier médicament anti-sida.

Tandis qu'une nuée de cameramen, de photographes, de journalistes se précipitaient autour de David Barry et de ses collaborateurs, un homme quitta discrètement la salle de l'Institut national des maladies infectieuses où allait se tenir la conférence de presse annonçant la prochaine commercialisation de l'AZT. Le docteur Paul Volberding s'enferma dans une cabine téléphonique et composa un numéro à San Francisco. Il voulait apprendre lui-même la nouvelle à son ami marchand de journaux. Plus tard, en évoquant ces moments d'intense optimisme, il dira : « Pour la première fois, nous allions pouvoir faire autre chose que de regarder mourir nos malades. »

59

New York, USA – Automne 1986
« Vous êtes tous encore plus grands que l'amour. »

Dans un hurlement de sirène, l'ambulance de l'hôpital Saint-Clare s'immobilisa devant la porte du foyer du Don d'Amour. Sœur Paul en tête, toutes les religieuses se précipitèrent sur le trottoir de Washington Street. À la vue du station waggon rutilant, sœur Ananda songea à la guimbarde à bout de souffle qui amenait au mouroir de Calcutta les moribonds ramassés dans la rue. Ce matin de septembre, les deux véhicules avaient un dénominateur commun. Que ce soit à cause de la misère ou du sida, leurs passagers se trouvaient réduits à la même déchéance physique. Aux yeux de l'Indienne, celui que deux infirmiers sortaient avec précaution de l'ambulance était une copie saisissante des indigents apportés là-bas près du temple de Kâlî, un squelette vivant au regard brûlant de fièvre et à la respiration haletante. Elle sursauta en reconnaissant l'épais collier de barbe sur le visage décharné.

– Quelle heureuse surprise de t'accueillir à nouveau, cher petit frère, lança-t-elle joyeusement à Josef Stein. Sois le bienvenu.

Trop ému pour répondre, l'Américain ne put que serrer la main de son infirmière avec le peu de force qui lui restait.

Sœur Ananda devait apprendre un peu plus tard de sa bouche le récit de son escapade aux Caraïbes à la poursuite d'un traitement miracle. À peine débarqué dans l'île de Saint-Martin où résidait le médecin au vaccin prometteur, il avait ressenti sur les mains, le ventre et les jambes, les signes précurseurs d'une foudroyante crise d'herpès. Son corps entier ne fut bientôt plus qu'une plaie à vif. Transporté à l'hôpital local, il avait enduré pendant treize jours et treize nuits des douleurs à le rendre fou au point qu'il avait fallu le sangler sur son lit. L'éruption s'était calmée le matin du seizième jour. Il avait pu appeler New York et joindre Sam Blum qui le cherchait partout. Craignant qu'il ne soit parti en Israël pour y mettre fin à ses jours, il avait alerté le moine de Latroun. Personne n'avait vu le fugitif ni reçu de nouvelle de lui. Sam avait pris le premier avion pour Saint-Martin et organisé son rapatriement sanitaire à New York. Vingt jours de soins vigoureux à Saint-Clare permirent un recul spectaculaire de l'infection et même la restauration partielle de ses défenses immunitaires. Malgré son extrême faiblesse, Josef avait été autorisé à quitter l'hôpital. Mais Jack Dehovitz ne souhaitait pas qu'il rentre chez lui. Le médecin savait qu'une des caractéristiques du virus du sida est de détruire petit à petit l'instinct de survie. Deux de ses patients s'étaient suicidés à la fin de l'été en se retrouvant seuls dans leur appartement.

Josef Stein obtint la permission d'aller passer quelques jours de convalescence au foyer du Don d'Amour. Reçu comme le fils prodigue de l'Évangile, il y retrouva sa chambre dédiée à Notre-Dame-de-Bonne-Espérance. « À l'époque, nos pensionnaires étaient presque tous des toxicomanes au comportement difficile et violent, racontera sœur Ananda. Ils nous menaient la vie dure et le retour de Josef nous apparut comme un cadeau de la Providence. » Bien piètre cadeau en vérité. La chimiothérapie avait littéralement empoisonné son organisme. Il souffrait de nausées à répétition qui l'empêchaient parfois de s'alimenter plusieurs jours de suite. Il fallait le nourrir avec des perfusions de sérum glucosé.

Un soir, en passant dans le couloir pour vérifier avant la nuit que tout allait bien, sœur Ananda l'entendit pleurer. Elle entra dans sa chambre, s'assit au bord du lit et lui prit la main.

– Petite sœur, j'ai peur, gémit-il.

La religieuse ne chercha pas de paroles rassurantes. Ses années auprès des agonisants de Calcutta lui avaient appris que le contact d'une main peut calmer les pires angoisses mieux qu'un discours de réconfort. À un certain moment, elle sentit les doigts de Josef se crisper sur les siens. Son regard brillait d'un éclat inattendu. De tels changements d'humeur n'étaient pas toujours de bon augure. À Calcutta, elle avait vu des mourants qui, juste avant de rendre l'âme, étaient brusquement sortis de leur prostration pour lui saisir la main et la plaquer sur leur sexe afin d'exprimer leur reconnaissance.

– *I love you, little sister*, murmura seulement Josef Stein. *I love you so much.*

Sœur Ananda resta près de lui jusqu'à ce qu'il s'endorme, apaisé. Puis elle dégagea doucement sa main, regarda avec tendresse le visage amaigri rongé de taches violettes. Avant de s'éloigner sur la pointe des pieds, elle se pencha vers lui pour accomplir un geste bien étranger à la tradition indienne. Elle l'embrassa sur le front.

★

Un matin qu'il se sentait mieux, Josef Stein sortit d'une mallette un gros album de photos et invita son infirmière à le feuilleter avec lui. Quarante années de sa vie défilèrent alors comme un film au ralenti devant les yeux émerveillés de sœur Ananda. Au cours des trois années qu'elle avait passées au mouroir de Calcutta, elle n'avait jamais vu ses pensionnaires autrement qu'allongés dans un état de dégradation absolue. Combien de fois, pourtant, les avait-elle imaginés labourant fièrement leurs champs, courant entre les brancards d'un pousse-pousse, s'habillant de vêtements de fête pour leurs noces, se baignant avec leurs enfants dans la mare du village. Aujourd'hui, elle découvrait le passé d'un mourant, toute une vie faite de scènes de joies enfantines, de tendresse familiale, d'adolescence espiègle, de jeunesse vagabonde, avec ses décors intrigants et ses situations insolites. Josef commenta pour elle les photographies une à une, essayant chaque fois d'en faire revivre le contexte. Quand ils arrivèrent à la dernière, l'Américain déclara :

— Je voudrais que tu choisisses celle que tu aimerais garder de moi.

L'Indienne parcourut l'album et en sortit l'instantané en noir et blanc qui symbolisait le mieux à ses yeux le contraire de l'être anéanti qui se trouvait devant elle. Le document montrait un jeune homme hilare debout sur la rambarde du Golden Gate Bridge, bravant le vide, rappel du temps où, pour payer ses études d'archéologie, il travaillait la nuit comme caissier au péage du célèbre pont de San Francisco.

★

Le docteur Jack Dehovitz n'en crut pas ses oreilles. C'était bien Sugar qui l'appelait du fond de Brooklyn.

— Doc! Doc! s'époumonait le travesti toxicomane, on a touché le jack-pot! Je lis dans le journal qu'ils ont enfin trouvé un médicament qui marche! Je veux que tu m'en « shootes » plein les veines immédiatement. Je saute dans un taxi et j'arrive.

Les soins attentionnés de sœur Ananda et de ses compagnes avaient permis à ce personnage pittoresque de surmonter sa maladie et de remonter sur les scènes des cabarets de burlesque où il obtenait chaque soir un triomphe en personnifiant l'idole de sa vie, l'actrice Lauren Bacall. Jack Dehovitz savait que ce renouveau n'était qu'une illusion, que le cancer de Kaposi n'avait pas disparu, qu'il n'était qu'endormi pour quelques semaines ou quelques mois, que les pustules violettes allaient resurgir et faire craquer son maquillage, pour s'étendre ensuite à d'autres parties du corps et peut-être s'infiltrer dans ses poumons, son foie, son cœur, son cerveau.

« C'était pathétique, dira le médecin au souvenir de ce coup de téléphone. Ce n'était pas en lisant les journaux que Sugar avait pu apprendre l'existence de l'AZT : il était totalement analphabète. C'était par le fébrile bouche à oreille qui circulait déjà entre les malades. »

★

La carte postale géante représentait la vieille ville de Jérusalem déployée à l'abri de ses antiques remparts, son foisonnement de clochers, de coupoles, de terrasses, ses entrelacs d'escaliers, son labyrinthe de ruelles. « Ces lignes sont écrites de ma main, annonçait Philippe Malouf, le moine de Latroun. Une opération m'a rendu l'usage complet de mes doigts. Je viens t'apprendre que notre communauté s'est réunie ce matin pour inaugurer officiellement le musée de l'abbaye. Une plaque indique désormais son nom. Il s'appelle le " Josef Stein Museum of Palestinian Antiquities ". C'est moi qui ai été chargé d'assurer l'accueil des visiteurs. Alléluia, Josef ! Chante avec moi : " *Leshanah haba'ah beyerushalayim* – L'an prochain à Jérusalem ! " »

« Le Josef Stein Museum of Palestinian Antiquities », s'extasia Josef, le cœur battant, des larmes plein les yeux. Il revécut d'un coup ses années d'archéologue, son émotion à la découverte des vestiges des temps anciens déterrés par la charrue des moines entre les pieds de leurs vignobles.

L'entrée de sœur Ananda coupa court à sa rêverie.

– Viens voir, petite sœur, ce que je viens de recevoir de ton « fiancé de prières » ! s'écria-t-il en brandissant la carte postale. C'est Jérusalem !

La Jérusalem céleste de la Bible ! La religieuse indienne était fascinée par le prodigieux fouillis du panorama. Josef essaya de lui faire imaginer les bruits, les cris, les voix, les rumeurs des souks, les appels à la prière des muezzins, les carillons des églises, les sonneries des shofars, tout ce charivari qui montait perpétuellement de cet enchevêtrement d'hommes, de croyances et de lieux saints. Il s'étouffait. Sa voix se faisait par moments si faible qu'elle devinait plus qu'elle n'entendait les mots de Golgotha, de Via Dolorosa, d'Ecce Homo, ces noms qu'elle avait appris, agenouillée dans la chapelle de Calcutta, durant ses années de noviciat.

Jack Dehovitz interrompit leur pèlerinage. Le médecin affichait un air victorieux qui ne lui était pas coutumier.

— Je tiens à être le premier à t'annoncer la grande nouvelle!

Josef leva le bras pour l'interrompre.

— Regarde d'abord cette photo, dit-il en lui tendant la carte de Philippe Malouf. Ces pierres ne te rappellent rien?

Dehovitz eut un sourire plein de mélancolie.

— Jérusalem! Israël! Les moments les plus inoubliables de ma vie. J'ai tant désiré faire mon *alya*, m'installer là-bas pour toujours. Mais c'était la guerre du Kippour. Mes parents m'ont obligé à rentrer d'urgence en Amérique. Je n'ai pas eu le courage de leur résister. Après, c'était trop tard.

Josef ferma les yeux pour mieux saisir ses propres souvenirs. Comme pour défier son anéantissement physique, sa mémoire lui renvoyait des scènes viriles, choquantes.

— Doc, si tu savais quel pied j'ai pris là-bas! C'est la seule période de ma vie où je me suis réellement éclaté. Ce que les garçons pouvaient être beaux, affectueux et disponibles! Un signe et n'importe lequel était à toi. Sur la plage, dans un jardin public, dans les toilettes d'un restaurant, dans ton lit. Si le sida avait existé à l'époque, je crois que j'aurais contaminé tout le Proche-Orient à moi tout seul!

La vulgarité de cette évocation stupéfia Jack Dehovitz. Jamais son ami n'avait fait allusion à son homosexualité de façon aussi crue. Sa pudeur et sa discrétion avaient au contraire été remarquées par tous ceux qui l'avaient soigné. Le médecin se demanda si cet écart de langage n'était pas le signe d'une aggravation de son état, la preuve que le virus avait attaqué son cerveau.

Josef émit un rire cynique et changea de sujet.

— Alors, Doc, quelle est cette grande nouvelle?

Jack Dehovitz sortit de sa poche un flacon d'AZT qu'il déposa dans la main du malade.

— Ils ont enfin trouvé quelque chose!

Josef regarda les gélules blanches. Elles ressemblaient à celles qu'il avait avalées quand il avait voulu en finir avec la vie.

– Je commence quand ?

– Dans une semaine ou deux. Dès que j'aurai obtenu l'autorisation de me procurer les premières doses de ton traitement.

– L'autorisation ?

Jack Dehovitz expliqua que, pour l'instant, seuls les cas jugés désespérés pouvaient bénéficier du médicament. Leurs médecins devaient soumettre une demande en règle « pour usage charitable ».

– Et tu crois, Doc, que je serai encore là dans une semaine pour avaler tes petites gélules offertes « par charité » ?

★

Trois jours plus tard, un surprenant spectacle devait accueillir sœur Ananda à la porte de la chambre Notre-Dame-de-Bonne-Espérance. Josef Stein l'attendait nu comme un ver. Il semblait enchanté de s'exhiber ainsi.

– C'est nu que je suis arrivé dans ce monde, c'est nu que je veux en repartir, annonça-t-il.

La religieuse n'eut guère besoin d'explications. Elle comprit que le virus avait atteint le cerveau de son protégé et qu'il cessait le combat. L'effet de cette reddition fut immédiat : une nouvelle attaque de pneumocystose terrassa Josef Stein dans les heures suivantes. Chaque quinte de toux semblait lui assener le coup de grâce. Les lésions du sarcome de Kaposi avaient gagné ses glandes salivaires, lui asséchant la langue, le palais et la gorge d'une onde de feu qu'aucun liquide ne pouvait rafraîchir. Alerté par les sœurs, Jack Dehovitz était arrivé d'urgence. Le médecin voulut encore espérer que des symptômes aussi graves ne laissaient pas forcément présager le pire. De la vinblastine administrée par perfusion permit de repousser provisoirement l'échéance finale. Quelques jours plus tard, sœur Ananda eut la surprise de découvrir son malade « tranquillement installé dans son fauteuil, dégustant avec gourmandise un pot entier de glace à la fraise ».

Les défenses immunitaires de l'ancien archéologue étaient toutefois trop épuisées pour que ce répit se prolongeât. Bientôt son corps ne réagit plus aux médicaments. La toux réapparut, plus sèche et plus douloureuse. La prolifération des pustules dans sa gorge finit par bloquer définitivement l'entrée de l'œsophage, empêchant le passage du moindre aliment. Même l'acharnement de son infirmière indienne échoua devant ce verrouillage.

La situation empira très vite. Les poumons cessèrent de jouer leur rôle. À court d'oxygène, le cœur eut de plus en plus de peine à distribuer le sang nécessaire aux organes vitaux. La machinerie se mit peu à peu en panne. Un soir, l'Américain fit signe à sœur Ananda de venir à son chevet. Il lui prit la main.

— Cette fois, je le sens, c'est vraiment la fin, murmura-t-il en cherchant du regard son approbation.

Elle acquiesça d'un léger mouvement de la tête.

Josef commençait à étouffer. Cette « faim d'air » qui accompagne l'agonie de si nombreux malades du sida était impressionnante. La religieuse tenta de lui appliquer le masque du respirateur artificiel. Josef le refusa.

Durant sa visite ce soir-là, le docteur Dehovitz accomplit le seul acte médical qu'il pouvait encore offrir. Il posa son stéthoscope sur la poitrine du mourant. Il ne fut guère surpris de ne rien capter de vraiment anormal. Il savait que les parasites du sida, comme les squales des grands fonds, détruisent leur proie en silence. « De toute façon, je n'étais pas là pour accomplir un acte thérapeutique, dira le médecin. *J'étais juste là.* » Il avait senti le regard de son ami suivre chacun de ses gestes. « Je n'oublierai jamais son expression qui semblait me dire : "Ne perds pas ton temps. Ce n'est plus utile." »

— Y a-t-il quelque chose que tu aimerais que je fasse pour toi ? questionna Jack Dehovitz en cachant son émotion.

Le visage du barbu pivota lentement en direction de la fenêtre où sœur Ananda avait collé la vue de Jérusalem.

— Oui, murmura Josef, je voudrais qu'un jour tu emmènes ma petite sœur Ananda au monastère de Latroun pour qu'elle fasse la connaissance de son « fiancé de prières ». Et qu'ensuite tu lui fasses visiter Jérusalem.

— Banco, vieux frère ! assura le médecin en cherchant la main de son ami sous le drap pour marquer son accord en lui tapant dans la paume. Il s'aperçut que Josef avait arraché le tuyau de la perfusion qui devait lui distiller encore quelques gouttes de vie. Il voulut le rebrancher dans le cathéter. Josef l'en empêcha. Il n'attendait plus rien de la médecine.

Plusieurs personnes entrèrent alors dans la chambre et firent cercle autour du malade. Ses yeux s'illuminèrent d'une telle joie à la vue des visiteurs que Jack Dehovitz en fut surpris. Il avait remarqué que les regards des sidéens s'estompaient progressivement comme la lumière d'une lampe sous l'effet d'un interrupteur à rhéostat. La nouvelle de la fin imminente de celui qui avait un peu humanisé les couloirs de Saint-Clare avait couru dans l'hôpital voisin. Ceux qui l'avaient aimé et soigné venaient lui dire adieu. À côté de sœur Paul, de sœur Ananda et du docteur Dehovitz se trouvaient Gloria Taylor, Palma, Ron, Terry Miles, Jack Lekko, tous ces compagnons d'une longue épreuve que leur générosité, leur dévouement, leur compétence avaient contribué à adoucir.

Josef les regarda longuement l'un après l'autre, cherchant à exprimer en silence à chacun sa gratitude. Il souriait. Il aspira un peu d'air avec difficulté et lâcha, dans un souffle :

— Vous êtes tous encore plus grands que l'amour.

Ce qui lui restait de vie s'éteignit sur ces mots.

Épilogue

Trois cent mille personnes ont déjà partagé le cruel destin de Josef Stein. Entre six et dix millions d'individus se trouvent aujourd'hui infectés par le rétrovirus du sida. Nul n'est à l'abri. Les statistiques sont terrifiantes. Deux millions de femmes et quelque deux cent mille enfants sont contaminés. L'extension de la maladie atteint, dans plusieurs zones du globe, des proportions tragiques. Dans certaines régions d'Afrique, dix pour cent de la population est touchée. Dans les orphelinats en Haïti, plus d'un nourrisson sur deux est porteur du virus. Sur deux mille cent enfants roumains examinés en février 1990 dans les hôpitaux de Bucarest et de Constanza par l'organisation Médecins du monde, plus d'un tiers ont été trouvés contaminés, à l'occasion de transfusions de sang et par l'usage répété de seringues polluées. Une constatation si tragique que les experts n'hésitèrent pas à parler d'une « épidémie de sida pédiatrique ». Dans la seule ville de New York, on estime que cinquante à cent mille enfants sont ou vont être orphelins avant l'an 2000 à cause du sida. Si l'on ne découvre pas très vite un vaccin, les experts de l'Organisation mondiale de la santé prévoient, pour ce même an 2000, environ quinze millions de personnes contaminées. Il y aura alors six millions de sidéens.

★

Sugar, le travesti toxicomane, fut le premier pensionnaire du Don d'Amour à bénéficier de la découverte de l'AZT. Malgré d'épisodiques rechutes qui le contraignent à de courts séjours au foyer new-yorkais de Mère Teresa, il continue à parodier chaque soir son idole l'actrice Lauren Bacall dans les théâtres de burlesque du bas de Manhattan. Toutes les quatre heures, la sonnerie de sa montre-réveil lui rappelle qu'il doit avaler deux gélules. Sugar est l'un des trente ou quarante mille malades du sida dont la survie prolongée peut aujourd'hui être attribuée à ce médicament.

La substance testée par Marty St. Clair dans son laboratoire de Caroline du Nord est à ce jour le seul remède efficace contre le sida disponible dans le commerce. De nouvelles expérimentations élargissent périodiquement son champ d'action. Deux essais en double aveugle réalisés en août 1989 sur plusieurs centaines de sujets – séropositifs mais n'ayant aucun symptôme de la maladie – démontrèrent que l'AZT retardait ou empêchait le déclenchement du sida.

Le médicament devait pourtant faire l'objet de critiques, à commencer par son prix jugé exorbitant, voire scandaleux. Aux États-Unis, où dix-huit millions de citoyens ne bénéficient d'aucune protection sociale, la moitié des victimes du sida n'ont pas les moyens de s'offrir un traitement dont le coût annuel s'élève à six mille cinq cents dollars, soit près de quarante mille francs. Au cours de l'été 1989, des activistes des mouvements gay s'enchaînèrent aux balcons de la Bourse de Wall Street pour dénoncer les bénéfices spectaculaires du laboratoire Burroughs Wellcome Co. dont les actions connaissaient des hausses jugées immorales en raison du contexte dramatique de l'épidémie. À New York et à San Francisco, des protestataires envahirent les pharmacies et collèrent sur tous les produits de la firme des pastilles rouges portant la mention « Profiteurs du sida ». L'un des pères de l'AZT, le docteur David Barry, dut comparaître devant une commission du Congrès « pour y subir le feu roulant de questions parfois hostiles » et expliquer que le prix du médicament se justifiait par l'importance des investissements qu'avaient nécessités sa mise au point et son expérimentation continue sur des milliers de malades. L'annonce que le laboratoire allait distribuer gratuitement l'AZT aux enfants atteints par le sida ne fit pas taire toutes les polémiques.

Le milieu médical s'émut par ailleurs du fait que des effets secondaires sérieux contraignirent de nombreux malades à interrompre, après quelques mois seulement, le traitement qu'ils auraient normalement dû poursuivre à vie. Un essai de thérapie avec des doses de plus en plus réduites devait heureusement montrer que le produit continuait à jouer pleinement son rôle tout en perdant une grande partie de sa toxicité. Le 16 janvier 1990, la Food and Drug Administration recommanda une posologie de six cents milligrammes par jour, soit la moitié des doses administrées jusqu'à présent. Le coût annuel du traitement serait ainsi réduit de moitié. Quant aux inquiétudes suscitées par certains phénomènes de résistance du virus à l'AZT, les biologistes de Wellcome semblent avoir trouvé une parade en associant le médicament à d'autres produits en cours de développement. « Avant un an, les malades recevront une combinaison d'AZT et de plusieurs autres substances, déclara David Barry en décembre 1989. Nous allons peut-être faire du sida une maladie aussi facile à contrôler que l'hypertension grâce à cette synergie entre différents remèdes. »

★

Après une année de furieuses controverses entre rétrovirologistes, un comité international décida, en mai 1986, de mettre un terme à la bataille d'initiales qui opposait les virus français et américain. Le LAV et le HTLV-3 devinrent finalement le HIV, une abréviation des termes anglais Human Immunodeficiency Virus, ou VIH en français, Virus de l'immunodéficience humaine.

Dix mois plus tard, le mardi 31 mars 1987, le président des États-Unis Ronald Reagan et le Premier ministre français Jacques Chirac signèrent à Washington un accord qui enterrait la hache de guerre entre les équipes des professeurs Luc Montagnier et Robert Gallo. Cet accord reconnaissait la contribution des deux équipes sans attribuer à aucune d'elles l'antériorité de la découverte du virus responsable du sida. Il constatait la validité de chacun des deux brevets déposés séparément pour la commercialisation des trousses de diagnostic de séropositivité et prévoyait la répartition des considérables bénéfices commerciaux qui en résulteraient.

Cette bataille franco-américaine était apparue quelque peu sordide au regard de la tragédie vécue par les malades et de l'urgence de découvrir un traitement curatif et un vaccin. Sa fin en fut saluée avec d'autant plus de soulagement, même si certains Français, comme le professeur Jean-Claude Chermann, codécouvreur du virus, jugèrent que leurs compatriotes avaient « capitulé devant le rouleau compresseur américain Robert Gallo ».

★

Ce « rouleau compresseur » ne perdit guère de temps à montrer à la communauté scientifique qu'il ne s'endormait pas sur ses lauriers. Fin 1986, son laboratoire découvrit une nouvelle famille de virus de l'herpès, ce fléau né lui aussi de la libération sexuelle. Les travaux établirent que ce virus s'attaquait aux mêmes lymphocytes T4 que l'agent du sida, ce qui en faisait un cofacteur possible dans l'apparition du sida chez les individus séropositifs.

Ces dernières années, Robert Gallo et son laboratoire s'acharnèrent en outre à mieux comprendre les mécanismes de l'infection cellulaire afin de mieux pouvoir l'entraver. Au nombre de leurs travaux les plus originaux figure une technique qui vise à neutraliser le virus du sida au moyen de leurres moléculaires. On sait que, pour pénétrer dans le noyau d'une cellule, le virus doit s'arrimer à une certaine protéine de son enveloppe. L'idée d'injecter dans le sang des malades de grandes quantités de cette protéine pour attirer sur elle le virus et, du même coup, le détourner des cellules saines, est une stratégie séduisante que Gallo et son équipe s'efforcent aujourd'hui de mettre au point.

Parallèlement à ces recherches, l'équipe de Bethesda collabore avec un éminent scientifique français, le professeur Daniel

Zagury, pour développer un moyen de stimuler les défenses immunitaires des sujets infectés par le virus du sida. Associée à la prise de médicaments antiviraux tels que l'AZT, cette immunothérapie pourrait offrir aux séropositifs l'immense espoir de ne pas développer un sida.

Robert Gallo et ses chercheurs parvinrent également à faire pousser dans leurs tubes à essai des cellules de tumeurs de Kaposi. Ils purent ainsi comprendre les processus du développement de ce cancer de la peau. Ils découvrirent que le virus du sida génère une protéine qui fait brusquement grossir les cellules des tissus des vaisseaux sanguins. Cette stimulation donne à son tour naissance à d'autres protéines qui se mettent à fabriquer un réseau parallèle d'artérioles dont la prolifération sur la paroi des vaisseaux provoque des pustules sur les muqueuses et la peau. « Ces travaux ne sont peut-être pas spectaculaires, reconnaîtra Robert Gallo, mais je ne crois pas que nous ayons désormais besoin de découvertes majeures pour venir à bout du sida. Nous possédons la technologie adéquate et l'essentiel des connaissances nécessaires. La victoire n'est plus qu'une question de temps, d'expérimentation et d'acharnement à poursuivre les nombreuses voies de recherche qui s'offrent à nous. »

L'élaboration d'un vaccin est évidemment l'une de ces voies. Chargé en 1988 par l'Institut américain du cancer de diriger une Task Force pour la mise au point d'un vaccin, Robert Gallo lança plusieurs programmes de recherche, tant au sein de son laboratoire qu'à l'étranger. Aux défaitistes qui prédisent qu'aucun vaccin ne pourra être disponible avant l'an 2000, il rétorque que « ce bienfait a toutes les chances de voir le jour avant cinq ans ».

Ces dernières années, l'augmentation notoire des ressources en hommes et en moyens financiers consacrées à la lutte contre le sida a partout multiplié le nombre des équipes et des centres de recherche. Il en résulta un éclatement des effectifs au sein de certains laboratoires. Fin 1989, deux des principaux biologistes de Robert Gallo, la Chinoise Flossie Wong-Staal et le Tchèque Mikulas Popovic, partirent diriger de nouveaux projets de recherche, l'une en Californie du Sud, l'autre au Nouveau-Mexique. Le père du premier rétrovirus humain minimisa la portée de ces départs. « D'autres esprits fertiles viendront combler les vides, confirme-t-il, et ce renouvellement de matière grise ne peut que s'avérer bénéfique. »

★

L'équipe de la salle Bru de l'Institut Pasteur de Paris devait connaître un semblable éclatement. Jean-Claude Chermann et Françoise Barré-Sinoussi s'affranchirent de la tutelle de Luc Montagnier. Après avoir reçu la médaille Louis Pasteur en 1987, le professeur Jean-Claude Chermann partit prendre à Marseille la direction d'une équipe de l'INSERM, l'Institut national de la santé et de la recherche médicale, spécialisée notamment dans l'étude du rôle du virus HIV dans les maladies associées au sida, comme certaines pneumonies et démences, et dans l'expérimentation de substances antivirales. Françoise Barré-Sinoussi a, de son côté, créé un nouveau groupe de travail à l'Institut Pasteur de Paris. Le laboratoire de biologie des rétrovirus qu'elle dirige s'adonne, entre autres sujets de recherche, à la comparaison approfondie des virus du sida d'origine africaine et ceux venant d'ailleurs. Ses travaux ont également pour objectif la mise au point d'un vaccin. La biologiste parisienne est plus que jamais persuadée qu'il faut pour cela avoir une meilleure connaissance des relations entre le virus et les cellules qui l'abritent. L'essai direct de vaccins sur l'homme étant impossible et le nombre de singes insuffisant pour des expérimentations à grande échelle, son équipe travaille d'arrache-pied à la création d'un modèle animal prolifique et peu coûteux – souris ou autre petit mammifère. Seule la possession d'un tel cobaye permettra d'avancer vers le but ultime de cette recherche : immuniser l'homme contre le virus du sida.

Quant au professeur Luc Montagnier, sa notoriété mondiale l'oblige aujourd'hui, à l'instar de son confrère américain Robert Gallo, à consacrer une grande part de son temps à de multiples activités annexes hors de son laboratoire. Les voyages pour les congrès, les conférences scientifiques, les entretiens avec cliniciens et malades, la participation à toutes sortes de comités, les sollicitations médiatiques se bousculent sur son agenda. Dans une lettre adressée fin 1989 à l'auteur de ce livre, Luc Montagnier écrit : « Le sida est toujours ma préoccupation majeure... La recherche avance rapidement et mes collaborateurs et moi-même y contribuons toujours activement, mais je trouve une motivation nouvelle aux contacts de malades voués à une extinction lente et inéluctable. Chaque mort est un échec de notre science, un échec que je vis personnellement. C'est pourquoi le but essentiel de mes recherches à l'heure actuelle est de comprendre la maladie et le rôle du virus à partir de trois approches : *in vitro* dans le flacon de culture, *in vivo* avec des modèles animaux, et enfin près du lit du malade. De cette compréhension viendront des stratégies thérapeutiques rationnelles et des vaccins. Malgré l'apparent piétinement actuel, je suis optimiste pour un futur assez approché. J'espère vivre l'après-sida. »

★

Cette espérance, personne ne la partage avec autant de ferveur que l'Américain qui, durant les premières années de l'épidémie, ne cessa d'aiguillonner le monde scientifique pour le pousser à s'investir dans la recherche d'un médicament. Promu en 1989 par le président des États-Unis à la direction de l'Institut national américain du cancer, le professeur Sam Broder coordonne aujourd'hui le plus vaste effort mondial jamais entrepris en vue de prévenir et de guérir « *the dread disease* – le mal terreur ». Cette responsabilité ne l'a pas coupé du laboratoire où, en 1985, il avait été le premier à prouver, avec ses deux collaborateurs Hiroaki Mitsuya et Bob Yarchoan, l'efficacité *in vitro* de l'AZT, avant d'en entreprendre les premiers tests sur l'homme. Sam Broder et son équipe ont depuis passé des dizaines d'autres substances au crible de leurs tubes à essai et conçu tout un arsenal de stratégies thérapeutiques. Huit protocoles anti-sida font en ce moment l'objet de leurs expérimentations. Au cours de ces six dernières années, Sam Broder a publié plus de cent communications et articles scientifiques dans les plus prestigieuses revues spécialisées internationales. La quasi-totalité de ses travaux traduit l'obsession qui hante plus que jamais l'ancien rescapé polonais de l'holocauste nazi : sauver des vies.

Le docteur Michael Gottlieb, l'immunologiste de Los Angeles qui identifia les premiers cas de sida en 1980, quitta l'hôpital de l'université de Californie de Los Angeles à la fin de 1986 pour ouvrir des consultations privées dans deux banlieues de la ville où le sida frappe avec une violence particulière en raison de la densité de la population homosexuelle. Son expérience dans le domaine des essais cliniques de médicaments valut à Michael Gottlieb d'être nommé à la tête de l'unité de traitement du sida à l'hôpital de Sherman Oaks, un établissement où il poursuit activement ses propres recherches sur l'efficacité de nouvelles substances.

Après avoir, pendant trois ans, tenté de soulager les souffrances des malades qu'il ne pouvait sauver, le docteur Jack Dehovitz a, quant à lui, choisi de s'éloigner provisoirement du champ de bataille pour se consacrer à la prévention de la maladie. Il a quitté l'hôpital Saint-Clare et dirige, au centre de santé de l'université de l'État de New York, plusieurs programmes de prévention destinés aux nombreuses minorités ethniques qui composent la population de Brooklyn. De substantielles subventions fédérales permettent en outre au médecin de lancer de vastes enquêtes épidémiologiques visant à mieux cerner les problèmes de santé publique posés par l'extension de l'épidémie.

★

En France, le médecin du styliste de mode dont le ganglion avait permis d'identifier le virus du sida resta, lui, à son poste. Le service du professeur Willy Rozenbaum à l'hôpital Rothschild de Paris est aujourd'hui l'un des centres français spécialisés dans le traitement de la maladie. Deux patients de Willy Rozenbaum atteints d'infections opportunistes mortelles, un cancer de Kaposi et une pneumocystose, survivent dans des conditions d'existence normale, l'un depuis sept ans et l'autre depuis trois ans et demi. Le médecin attribue ces résultats aux progrès constants du savoir-faire thérapeutique. Dans l'attente d'une panacée ou d'un vaccin, il est convaincu que l'utilisation toujours plus judicieuse et précise d'une combinaison de médications antivirales permettra de prolonger la vie d'un nombre sans cesse croissant de victimes en les guérissant des infections consécutives à leur contamination par le virus du sida.

★

Huit ans après avoir lancé ses médecins-détectives du CDC d'Atlanta sur les traces du virus assassin, le docteur Jim Curran reste lui aussi mobilisé. Ses collaborateurs et lui ont établi une relation directe entre le sida et la résurgence d'infections presque disparues, au premier rang desquelles la tuberculose et la syphilis. Ils ont identifié la plupart des modes de transmission possible de la maladie et fourni dans une centaine de numéros de leur bulletin hebdomadaire la plus impressionnante liste de recommandations jamais élaborée pour se défendre contre une épidémie. Ce titanesque effort s'est matérialisé par des programmes éducatifs dans toutes les écoles des États-Unis, par des campagnes médiatiques nationales, par des actions préventives menées en collaboration avec de nombreuses associations. Jim Curran est plus que jamais décidé à se battre. « Nous ne sommes qu'au début de l'aventure du sida, déclare-t-il. Nous n'en avons écrit que le premier chapitre. Avec un peu de chance, je vivrai assez longtemps pour raconter à mes enfants notre victoire sur le fléau. »

★

Après quatre années au service des victimes sans ressources de la cruelle maladie, sœur Ananda et sœur Paul quittèrent le foyer de New York pour aller exercer leur mission de charité en Chine. Elles travaillent aujourd'hui dans la banlieue de Shanghai où Mère Teresa réussit en 1988 l'exploit d'ouvrir un orphelinat pour enfants spastiques et handicapés mentaux. Deux fois par an, une enveloppe timbrée de drapeaux rouges apporte au moine de Latroun des nouvelles de sa « fiancée » indienne à laquelle il reste lié par la prière et qu'il ne désespère pas de rencontrer un jour. À la fin de 1986, Philippe Malouf quitta l'abbaye des Sept-Douleurs de Latroun pour rejoindre une autre communauté de religieux dans son pays d'origine, le Liban.

Son lien spirituel avec sœur Ananda est l'un des innombrables maillons de la chaîne de solidarité créée par Mère Teresa entre ceux qui souffrent et ceux qui agissent. Comme elle le désirait, « cette chaîne encercle le monde d'un rosaire de compassion ». Les fichiers de Jacqueline de Decker, que la maladie avait empêchée de poursuivre sa vocation en Inde et que Mère Teresa plaça à la tête de l'association des coopérateurs souffrants, contiennent aujourd'hui les noms de quatre mille cinq cents malades et incurables qui offrent leur épreuve pour le succès de l'œuvre quotidienne des quelque trois mille Missionnaires de la Charité dispersées dans quelque quatre-vingts pays. Une quarantaine de lettres parviennent chaque matin au domicile anversois de Jacqueline de Decker, provenant de malades qui souhaitent à leur tour en faire partie. Les demandes sont si nombreuses qu'elle s'est trouvée contrainte de « marier » collectivement plusieurs correspondants à une sœur travaillant sur le terrain. C'est ainsi qu'elle a uni les malades d'un établissement psychiatrique belge avec une religieuse qui soigne des lépreux dans un bidonville de Tanzanie.

À quatre-vingts ans, Mère Teresa se prépare à accomplir un nouvel exploit qui sera le couronnement de son œuvre, l'ouverture d'un orphelinat dans le pays qui l'a vue naître, le dernier bastion du communisme en Europe, l'Albanie. À l'automne 1989, elle fut victime d'un grave accident cardiaque qui émut le monde entier et qui faillit mettre un terme à son épuisante croisade. À sa sortie d'hôpital, elle fut informée que l'auteur de ce livre venait d'apprendre qu'il était atteint d'un cancer alors qu'il lui restait plusieurs chapitres à rédiger. Elle tint à lui apporter immédiatement un message de réconfort. Le jour même de l'intervention chirurgicale qui allait le guérir, il recevait d'elle une lettre écrite de sa main : « Cher Dominique, au même moment, le Christ nous fait à tous les deux le cadeau de partager Sa Passion. Mes prières et celles de nos Sœurs et de nos Pauvres sont avec vous. Remercions Dieu pour ce grand amour qu'Il a pour nous. »

Les Bignoles, Ramatuelle
1er février 1990

Remerciements

Je tiens à exprimer en tout premier lieu mon immense gratitude à mon épouse Dominique qui partagea tous les instants de cette longue et difficile enquête et fut une collaboratrice irremplaçable pendant la préparation de cet ouvrage.

J'adresse toute ma reconnaissance à Colette Modiano et à Paul et Manuela Andreota qui passèrent de longues heures à corriger mon manuscrit et m'aidèrent de leurs encouragements. Je remercie également très vivement mon amie le Dr Claudine Escoffier-Lambiotte, auteur de tant de remarquables écrits médicaux, pour le soin qu'elle apporta si généreusement à vérifier l'exactitude des passages scientifiques. J'associe à ces hommages Jean Mariaud de Serres et le biologiste Chris Marton.

Ce livre est le fruit de patientes enquêtes auprès de nombreux chercheurs, médecins, soignants et malades. Sans leur active et généreuse collaboration, il n'aurait jamais pu voir le jour. Aux États-Unis, je voudrais remercier en tout premier lieu le Dr Sam Broder, aujourd'hui directeur de l'Institut national américain du cancer, pour m'avoir accordé tant de son précieux temps dans son service de l'hôpital de Bethesda ainsi que dans sa charmante maison de Rossmore Drive en compagnie de sa femme Gail et de leurs deux filles.

Je remercie avec le même empressement le Pr Robert Gallo pour nos innombrables rencontres dans son laboratoire de recherche du bâtiment 37 du campus de Bethesda, dans sa voiture sur les routes du Maryland, dans les trattorias de Washington avec ses amis chercheurs en visite de l'étranger, dans sa maison de Thornden Terrace avec son épouse Mary-Jane, leurs deux fils, et les montagnes de pâtisseries italiennes dont il est si friand. Je le remercie en particulier d'avoir organisé spécialement pour moi une de ses « grand-messes » pour me faire rencontrer tous les collaborateurs de son équipe, en particulier la biologiste Flossie Wong-Staal, ainsi que Bill Blatner, Mikulas Popovic, Zaki Salahuddin, et tous ceux que je ne peux ici nommer.

Le CDC d'Atlanta fut l'un des pôles principaux de mon enquête et je veux adresser des remerciements tout particuliers au chef de sa Task Force, le Dr James Curran, et à ses médecins-détectives, les Drs Harold Jaffe, Martha Rogers ainsi qu'à tous leurs confrères qui m'ont aidé à reconstituer en détail la fantastique chasse qu'ils ont livrée au virus soupçonné d'être l'agent du sida.

Parmi les médecins américains qui eurent à affronter sur le terrain les premiers cas de la terrible épidémie, je veux adresser ma gratitude spéciale au Dr Michael Gottlieb pour les journées entières que nous avons passées ensemble à reconstituer dans les moindres détails la découverte des cinq premiers cas qui allaient alerter la communauté scentifique mondiale. Je remercie également très vivement les Drs Alvin Friedman-Kien et Joseph Sonnabend de New York, Marcus Conant et Paul Volberding de San Francisco, Peng Thim Fan et Joel Weisman de Los Angeles, pour leur précieuse contribution à cette partie de l'enquête. Enfin, j'adresse ma gratitude toute spéciale au Dr Jack Dehovitz pour le récit minutieux qu'il accepta de me faire sur l'expérience traumatisante qu'il vécut à l'hôpital Saint-Clare de New York dans son exercice quotidien des soins aux victimes du fléau.

Sans le concours chaleureux du Dr David Barry et de ses collaborateurs Richard Clemons, Sandy Lehrman, Dannie King, Marty St. Clair, et plusieurs autres, je n'aurais pu reconstituer les moments d'angoisse et d'espérance qui marquèrent l'aventure exceptionnelle de la mise au point du premier médicament actif contre le sida. Je les remercie tous d'avoir tant contribué à mon enquête dans les salles d'expériences des laboratoires Wellcome sur le campus du Research Triangle Park. Je remercie également le Dr Ellen Cooper, représentante de la Food and Drug Administration, pour tout le temps qu'elle m'a accordé dans la ruche de verre de son QG de Rockville, Maryland, pour faire revivre les péripéties qui conduisirent à l'autorisation d'essayer l'AZT sur l'homme. Toute ma gratitude s'adresse aussi au Dr Mathilde Krim pour sa patience à me raconter dans son hôtel particulier de New York comment sa campagne pour la distribution de l'AZT à tous les malades avait offert un premier espoir aux condamnés du sida.

Parmi ces condamnés, c'est évidemment à Josef Stein que s'adresse en tout premier lieu ma reconnaissance émue et attristée. Je n'oublierai jamais les longues conversations que nous eûmes au printemps 1986 à l'hôpital quand il luttait avec tant de panache contre le virus fatal. Je n'oublierai pas que, la veille de sa mort, il avait fait coller sur la fenêtre de sa chambre, à côté du panorama de Jérusalem qu'il avait reçu de son ami moine à Latroun, la carte postale que je lui avais envoyée de mon village de Ramatuelle où il n'a jamais pu venir en convalescence. À cet hommage, je veux associer tous les autres malades ainsi que tous ceux qui se sont tellement dévoués pour eux, en particulier l'archevêque de New York Mgr John O'Connor, et Mgr James Cassidy, grâce auxquels a pu être créé le foyer du Don d'Amour pour les malades du sida sans ressources ; le directeur de l'hôpital Saint-Clare, Richard Yezzo ; le Dr Deborah Spicehandler ; les infirmiers Ron Peterson et Gloria Taylor ; les travailleurs sociaux George Lafontane et John Wright ; le « clinic coordinator » Terry Miles.

Une grande part de mon enquête s'étant déroulée à l'Institut Pasteur de Paris et dans plusieurs hôpitaux parisiens, je remercie très vivement le Pr Luc Montagnier pour avoir accepté de distraire un peu de son précieux temps à reconstituer les jours mémorables de l'hiver 1983 quand, avec son équipe, il tentait de relever le plus grand défi médical de cette fin de millénaire. Parmi les membres de cette équipe, je remercie tout spécialement le Pr Jean-Claude Chermann et le Dr Françoise Barré-Sinoussi, les codécouvreurs du virus du sida. Ils ont accepté de refaire pour moi, sur les lieux mêmes de leur victoire, les multiples opérations de recherche de la fameuse enzyme transcriptase inverse qui s'avéra être la « signature » grâce à laquelle ils purent identifier le virus. J'associe à cet hommage le Pr André Lwoff, prix Nobel de médecine, qui a bien voulu m'honorer de ses conseils; le Pr Daniel Zagury qui a pris le temps de répondre à mes questions alors qu'il expérimentait sur lui-même le vaccin qu'il est en train de mettre au point; le Dr Françoise Brun-Vézinet qui préleva les cellules tumorales qui servirent à isoler le virus; le Pr Willy Rozenbaum qui accepta, au cours de plusieurs interviews dans des cafés proches de l'hôpital Claude-Bernard, de reconstituer les moments dramatiques de ses confrontations avec les premiers malades du sida. Je remercie également le Dr Christine Rouzioux qui me raconta l'aventure de la mise au point du premier test de séropositivité; le Dr Jacques Leibowitch qui a bien voulu évoquer son mémorable voyage à Bethesda pendant l'été 1983 lorsqu'il essaya de convaincre Robert Gallo de « mettre toute la gomme ». Cette série de remerciements serait gravement incomplète si elle n'incluait pas Charles et Claudine Dauguet. Les heures passées en leur compagnie sur les lieux mêmes où « Charlie » photographia le virus du sida pour la première fois au monde resteront pour moi parmi les souvenirs les plus attachants de ma vie d'enquêteur et d'écrivain.

J'adresse également ma très vive reconnaissance à ceux qui n'ont cessé de m'entourer de leurs encouragements et de leur affection pendant la longue aventure que furent l'enquête et la rédaction de ce livre, en particulier ma fille Alexandra, Rina et Takis Anoussis, le Dr Elie Attias, Chuck et Red Barris, Julia Bizieau, Bernard et Véronique Blay, le Dr Alain et Martine Bondil, Dominique et Ghislain Carpentier, Larry et Nadia Collins, Madeleine Conchon, Marcel et Reine Conchon, David, Fanny Drif, René et Thérèse Esnault, le Dr Michel Fouques, Laura Fry, Françoise et Pierre Gautier, le Dr Jean-Romain Gautier, Jean-François Gimond, Alain et

Clémentine Gomez, le Dr Dominique Guyot de La Hardrouyère, Marie de Hennezel, Marion Kaplan, Jacques et Jeannine Lafont, Jean-Pierre et Marielle Lafont, Jean Larbey, Robert et Marie-Ange Léglise, André Lewin et Catherine Clément, Michel Licinio, Claude et Lydia Lorin, Valérie Mayet, Didier Constancin et leur équipe de l'Atalante à Sainte-Marie de Ré, Anna et Jean-Bernard Mérimée, Christine Monnier, Coco Mouret, Jean-Paul Paoli, Brigitte et Edgar Pascaud, Alain et Chantal Pascot, le Dr Alain et Christiane Paul, Michèle Pavlidis, André Pradel, le Dr François Puget, Dora et Gilbert Rinaudo, le père Jean-Marie Roussel, Christiane et Léon Salembien, le père Sylvio Sandro, le Dr Gilbert Schloegel, Christian Serrandon, le Dr Elliott Soussan, Claire et Didier Teirlinck, Paule Tondut, Louis Valentin, le Dr Philippe Vialatte, André Vonesch, Heidi Wurzer.

Qu'il me soit également permis d'avoir une pensée reconnaissante pour mes fidèles compagnons Bignolette, Preferida et Tara.

Je remercie aussi Philippe Béthoux et Richard Hermitte, de la société Sotei Informatique de Fréjus, ainsi que Bernard Tissot et Jacqueline Vivas de la société Bureaumatique de Toulouse, pour leur assistance technique lors de la mise en forme de mon manuscrit.

Je n'aurais jamais pu écrire ce livre sans la confiance enthousiaste de mon ami et agent littéraire Morton L. Janklow et celle, si ancienne et si fidèle, de mes amis éditeurs. Que Robert Laffont et tous ses collaborateurs, à Paris ; Mario Lacruz, à Barcelone ; Larry Kirshbaum, à New York, ainsi que Anne Sibbald et Cynthia Cannell ; Giancarlo Bonacina, à Milan ; et enfin mon amie et traductrice Kathryn Spink, auteur de remarquables ouvrages sur Mère Teresa, Frère Roger de Taizé, Jean Vanier, l'apôtre des enfants handicapés, soient ici chaleureusement remerciés. Je tiens à associer à ces hommages le souvenir de mon ami Claude Jean, trop tôt disparu, qui aurait tellement aimé pouvoir achever la lecture de ce livre. Son courage devant la maladie m'a servi d'exemple.

C'est l'expression de ma reconnaissance, de mon admiration et de mon affection toutes spéciales, que je veux adresser à Mère Teresa et aux sœurs qui ont tant contribué à cette enquête, ainsi qu'à Jacqueline de Decker, au père Céleste Van Exem, à François Laborde, à James Stevens, au frère Gaston, au frère Philippe, et au Dr Kumar Chanemougame.

Enfin, c'est grâce à l'habileté et au talent des Drs Pierre Léandri et Georges Rossignol qui m'ont opéré, à la compétence et aux soins dévoués de leurs équipes de la clinique Saint-Jean-du-Languedoc de Toulouse, que je dois d'être guéri d'un cancer. Qu'ils trouvent tous ici l'assurance de ma très chaleureuse gratitude.

Dépôt légal : mars 1990
N° d'édition : 32588 – N° d'impression : 14418

Ce livre est imprimé sur
du papier contenant plus
de 50% de papier recyclé
dont 5% de fibres recyclées.

Achevé   Imprimerie
d'imprimer Gagné Ltée
au Canada Louiseville

De passage à New York, Dominique Lapierre lit un jour dans un journal une nouvelle stupéfiante : *"Mère Teresa ouvre, en plein cœur des rues chaudes de Manhattan, un foyer pour accueillir les victimes du sida sans ressources."* Il se précipite à l'adresse indiquée et y découvre six petites sœurs indiennes en sari blanc bordé de bleu comme celles qu'il a vues à l'œuvre dans les léproseries, les orphelinats, les mouroirs de Calcutta. **Ici, leurs pensionnaires sont des détenus de Sing Sing, des toxicomanes noirs de Harlem, des habitués des lupanars "gay" voisins.** L'une des sœurs s'appelle Ananda - sœur Joie. C'est une intouchable originaire de Bénarès où son père est le propriétaire des bûchers funéraires au bord du Gange. L'un de ses malades est un archéologue juif avec une barbe de prophète. Le médecin du foyer est un jeune spécialiste hanté par la volonté de guérir. **Le choc de ces trois rencontres catapulte Dominique Lapierre au cœur d'une aventure humaine, médicale, scientifique comme jamais peut-être le monde n'en a connu. Ce sera l'enquête de sa vie.**

Pendant trois ans, il va forcer la porte des laboratoires de recherche, reconstituer la formidable chasse au virus, partager l'ivresse des découvreurs des invisibles agents de mort, revivre la course haletante pour la mise au point du premier médicament efficace contre le mal, être témoin du prodigieux élan de générosité et de compassion des soignants, du courage et de l'espérance des victimes.

PLUS GRANDS QUE L'AMOUR est le récit de l'inlassable combat de tous ceux, médecins, chercheurs, soignants, victimes, qui se montrent chaque jour plus grands encore que l'amour dans l'accomplissement de leur vocation ou l'acceptation de leurs souffrances.

PLUS GRANDS QUE L'AMOUR est l'histoire de dizaines de héros connus ou inconnus de notre temps : l'histoire de sœur Ananda, **la petite Indienne des bûchers de Bénarès** devenue l'infirmière préférée des toxicomanes new-yorkais ; l'histoire d'un immunologiste de Los Angeles qui découvre, au printemps 1980, **les cinq cas les plus déroutants de la médecine moderne ;** l'histoire de **médecins-détectives** qui s'enferment pendant des semaines dans des chambres d'hôtel de New York et de San Francisco pour traquer le mystérieux virus. L'histoire d'un **moine libanais** que Mère Teresa "marie" spirituellement à l'une de ses Missionnaires de la Charité ; l'histoire du savant américain qui **a découvert une famille de virus humains** si diaboliques qu'un vent de panique fait fuir les chercheurs des laboratoires ; l'histoire d'une équipe de **biologistes parisiens qui sont les premiers à identifier l'agent responsable du sida** dans le ganglion d'un styliste de mode ; l'histoire d'**une infirmière noire**, et d'**un médecin new-yorkais,** qui parviennent à mettre en échec les sournoises attaques de la maladie ; l'histoire d'un photographe de génie qui réussit l'**exploit d'immortaliser sur sa pellicule le virus que recherchent tous les laboratoires du monde.**

PLUS GRANDS QUE L'AMOUR est l'histoire d'une virolo-giste de Caroline du Nord qui découvre **le premier agent actif contre le mal dans du sperme de hareng**; l'histoire de **Mère Teresa qui convainc le maire de New York de lui confier les détenus atteints du sida**; l'histoire des passagers d'un vol Air-France qui traversent l'Atlantique **avec un milliard de virus mortels sous leurs fauteuils**; l'histoire de **jeunes religieuses indiennes** débarquant des bidonvilles de Calcutta pour être soudain confrontées au choc de l'Amérique; l'histoire d'un fils d'émigrés polonais qui devient l'artisan des premières victoires sur l'épidémie...

PLUS GRANDS QUE L'AMOUR est le récit, à travers cent personnages, du fantastique défi lancé aux médecins et aux chercheurs de cette fin de millénaire.

Dominique Lapierre, marié, une fille Alexandra, également écrivain (*La Lionne du boulevard* et *Un homme fatal*) partage son temps entre sa maison de Ramatuelle où il monte chaque jour à cheval, joue au tennis et rédige ses livres, la réalisation de ses actions humanitaires en Inde et ses enquêtes à travers le monde. Auteur, à l'âge de dix-sept ans, d'un des premiers best-sellers de l'après-guerre, **Un dollar les mille kilomètres,** Dominique Lapierre n'a jamais cessé de parcourir la planète à la recherche des principales épopées humaines.

Après dix ans de grands reportages pour *Paris Match* sur tous les points chauds de l'actualité mondiale, il s'associe, en 1960, avec Larry Collins pour écrire **Paris brûle-t-il?** (dont sera tirée une superproduction cinématographique), ... **Ou tu porteras mon deuil, Ô Jérusalem, Cette nuit la liberté, Le cinquième cavalier.** Ces cinq best-sellers internationaux seront publiés dans une trentaine de langues et lus par plus de cent millions de lecteurs.

En 1980, Dominique Lapierre se sépare provisoirement de Larry Collins pour réaliser un projet qui lui tient à cœur depuis son séjour en Inde à l'occasion de l'enquête de **Cette nuit la liberté.** Il fonde une association de soutien aux enfants des lépreux de Calcutta. Grâce à la moitié de ses droits d'auteur et aux dons de cinq mille sympathisants, Dominique Lapierre subvient aujourd'hui aux besoins de plusieurs écoles, orphelinats, foyers, dispensaires, centres de réhabilitation de lépreux et soutient divers programmes de forage de puits d'eau potable au Bengale. (Association ACTION POUR LES ENFANTS DES LÉPREUX DE CALCUTTA 26, avenue Kléber - 75116 Paris - CCP 1590.65.C PARIS). C'est en rendant visite à "ses enfants de Calcutta" que Dominique Lapierre découvre un jour le fascinant univers de **La cité de la joie.** Son livre est lu par vingt millions de lecteurs et traduit dans trente et une langues. Lapierre reçoit plus de soixante-dix mille lettres de lecteurs. Un album de deux cent cinquante photos, **Les héros de la cité de la joie,** retrace en images les épisodes bouleversants de ce récit. **La cité de la joie** deviendra un grand film en 1991.

De 1985 à 1990, Dominique Lapierre partage sa vie entre Bénarès, New York, Jérusalem et Paris pour reconstituer la grande aventure de **Plus grands que l'amour.**

Couverture :
Maquette : Services artistiques des Éd. Robert Laffont.
Photos : Dominique Lapierre.